MACHADODEASSIS
CORRESPONDÊNCIA
TOMO V | 1905~1908

MACHADODEASSIS
CORRESPONDÊNCIA

TOMO V | 1905-1908

COORDENAÇÃO E ORIENTAÇÃO DE SERGIO PAULO ROUANET

REUNIDA, ORGANIZADA E COMENTADA POR IRENE MOUTINHO E SÍLVIA ELEUTÉRIO

Rio de Janeiro / São Paulo 2019

© **Academia Brasileira de Letras, 2019**
2ª Edição, Global Editora, São Paulo 2019

Jefferson L. Alves - **diretor editorial**
Gustavo Henrique Tuna - **gerente editorial**
Flávio Samuel - **gerente de produção**
Sandra Brazil - **coordenadora editorial**
Luciana Chagas e Fernanda Cristina Campos - **revisão**
Victor Burton - **capa**

ACADEMIA BRASILEIRA DE LETRAS

Marco Lucchesi - **presidente**
Merval Pereira - **secretário-geral**
Ana Maria Machado - **primeira-secretária**
Edmar Bacha - **segundo-secretário**
José Murilo de Carvalho - **tesoureiro**

Diretorias
Cícero Sandroni - **diretor da *Revista Brasileira***
Alberto Venancio Filho - **diretor das Bibliotecas**
José Murilo de Carvalho - **diretor do Arquivo**
Geraldo Holanda Cavalcanti - **diretor dos Anais da ABL**
Evaldo Cabral de Mello - **diretor da Comissão de Publicações**

Membros da Comissão de Publicações
Alfredo Bosi
Antonio Carlos Secchin
Evaldo Cabral de Mello

Coordenação das Publicações da ABL
Monique C. F. Mendes

CIP-BRASIL. CATALOGAÇÃO NA PUBLICAÇÃO
SINDICATO NACIONAL DOS EDITORES DE LIVROS, RJ

A866c
2. ed.
v. 5

Assis, Machado de, 1839-1908
  Correspondência de Machado de Assis : tomo V - 1905-1908 / Machado de Assis ; coordenação e orientação Sergio Paulo Rouanet ; reunida, organizada e comentada por Irene Moutinho, Sílvia Eleutério. – 2. ed. – São Paulo : Global ; Rio de Janeiro : Academia Brasileira de Letras, 2019.
  608 p. :il. ; 21 cm.

  Inclui bibliografia
  ISBN 978-85-260-2489-2

  1. Cartas brasileiras. I. Rouanet, Sergio Paulo. II. Moutinho, Irene. III. Eleutério, Sílvia. IV. Título.

19-59677
CDD: 869.6
CDU: 82-6(81)

Meri Gleice Rodrigues de Souza – Bibliotecária CRB-7/6439

Direitos Reservados

global editora e distribuidora ltda.
Rua Pirapitingui, 111 – Liberdade
CEP 01508-020 – São Paulo – SP
Tel.: (11) 3277-7999
e-mail: global@globaleditora.com.br
www.globaleditora.com.br

Colabore com a produção científica e cultural.
Proibida a reprodução total ou parcial desta obra
sem a autorização do editor.
Nº de Catálogo: **4431**

Prefácio

Uma cartografia

Cada um de nós traz uma ideia de Machado. Ideia vaga, talvez, difusa, mas eminentemente sua, apaixonada e intransferível. Como se guardássemos um fino véu a se estender sobre a cidade do Rio de Janeiro. Paisagem pela qual vamos fascinados e diante de cuja natureza suspiramos. Todo um rosário de ruas e de igrejas – Mata-Cavalos, Santa Luzia, Latoeiros e Candelária. Nomes-guias e sonoridades perdidas. Morros derrubados. Praias ausentes. Tudo o que perdemos move-se ainda nas páginas de uma cidade-livro. Cheia de árvores e de contradições, por vezes dolorosas. Chácaras e quintais compridos. Aqueles mesmos quintais que assistiram aos amores de Bentinho e Capitu e dentro de cuja educação sentimental nos formamos.

Machado nos vem desde a escola – com "A Cartomante" ou a "Missa do Galo" – até a revelação inesperada de Brás Cubas; quando já consideramos nossa aquela terra ficcional, totalmente nossa, legado de não poucas gerações. E assim aprendemos a ver as coisas que nos cercam.

Herdamos parte essencial de sua língua. O corte da frase. A espessura do substantivo. A parcimônia de atributos. Mas, acima de tudo, o modo de sondar a extensão de nosso abismo. Sabemos que o Cruzeiro do Sul está muito alto *para não discernir os risos e as lágrimas dos mortais*. Mas acreditamos que *alguma coisa escapa ao naufrágio das ilusões*. Esse fraseado lapidar salta dos livros e cria instrumentos de sentir. E não são apenas as frases. As personagens também se deslocam do papel e vagam incertas pelas ruas do Rio. Tal como as criaturas de Dostoiévski em São Petersburgo. Sabemos onde moram e para onde vão.

Mas há também seres de carne e osso, contemporâneos de Machado, que lhe habitam as páginas, adquirindo foros de eternidade ficcional, como o *ateniense* Francisco Otaviano. A longa tristeza de Alencar no Passeio Público. As mãos trêmulas de Monte Alverne, apalpando o espaço que não podia ver. As meias de seda preta e os calçados de fivela do porteiro do Senado.

Para Machado de Assis, a História podia ser comparada aos

> [...] fios do tecido que a mão do tecelão vai compondo, para servir aos olhos vindouros; com os seus vários aspectos morais e políticos. Assim como os há sólidos e brilhantes, assim também os há frouxos e desmaiados, não contando a multidão deles que se perde nas cores de que é feito o fundo do quadro.

O centro e o fundo. As cores vivas e desmaiadas. A trama singular. Machado de Assis terá fixado o sentimento exato daqueles dias, que parecem ultrapassar o próprio tempo, como se fossem o patrimônio da memória coletiva e quase atemporal.

A fixação do sentimento daqueles dias adquire novo baricentro, com a edição monumental das cartas de Machado, organizada por Sergio Paulo Rouanet, subsidiado pelas pesquisadoras Irene Moutinho e Sílvia Eleutério. Trata-se de um marco fundamental na bibliografia machadiana, em regiões ainda fragmentadas, com vazios e fraturas quase insuperáveis e que, no entanto, em tanta parte se completam maravilhosamente agora.

O trabalho de exegese mostrou-se exemplar, não apenas na ampla expansão do *corpus*, como também na correção de rumos e lacunas, outrora incertas, as quais adquirem rosto, sobrenome e endereço ao longo destes volumes.

Uma pesquisa de alta qualidade, sob qualquer ângulo, do *close reading* aos mais fecundos panoramas, abrindo de par em par janelas de uma futura biografia de Machado. Nenhum arquivo ficou de fora e, não raro, boa parte corrigido na catalogação. Outros, foram descobertos, nas vísceras e labirintos das bibliotecas, além de novas doações, havidas em sincronicidade junguiana.

Igualmente modelar, a rede finíssima de notas, de ordem histórica e filológica, estética e filosófica, biográfica e poética, incisivas e iluminantes em sua delicada expressão. Poderiam subsistir independentes do rodapé, como um ente separado, tal a oportunidade e a força que cada fragmento oferece para a inteligência do processo textual, como se fossem breves monografias, em ato ou potenciais. Não sei o que mais apreciar, se a abundância das informações, se o refinamento metodológico, se as divagações oportunas de extração filosófica.

A cartografia inacabada do autor de *Dom Casmurro* sofre com esta edição um déficit expressivo. Desenha-se um Machado algo mais nítido, menos descontínuo, com larga diminuição de pontos cegos e temas suspensos. Mais que um ponto de chegada, temos um ponto de partida, desde uma base hermenêutica segura e estruturada.

A edição de Sergio Paulo Rouanet, com sua conhecida erudição e sensibilidade, percepção histórica e filosófica, empresta, devolve ou aprimora contorno e nitidez à vida/obra de Machado de Assis, ao completar 180 anos de nascimento. Com este gesto brilham os "fios do tecido que a mão do tecelão vai compondo, para servir aos olhos vindouros".

Uma estética do olhar, portanto, um convite que demanda a inserção multifocal de um vasto patrimônio da leitura e da memória em língua portuguesa.

MARCO LUCCHESI
Presidente da ABL no biênio 2018-2019
Rio de Janeiro, outubro de 2019

~ Apresentação

Esta apresentação poderia ser intitulada "fim do caminho", porque é a última etapa de um percurso a três, levado a cabo, sob os auspícios da ABL, por Irene Moutinho, Sílvia Eleutério e mim mesmo, ao longo de mais de sete anos de trabalho. Mas não foi só para evitar uma dramaticidade alheia à índole discreta do menos enfático dos nossos escritores que renunciamos a esse título altissonante, foi porque sabemos que numa obra desse tipo todo final é sempre provisório. No futuro, com efeito, é possível que o aparecimento de novas cartas mostre que nosso epistolário ainda está longe de ser completo.

Consolamo-nos pensando, com uma certa dose de presunção, que isso não seria sem precedentes. Durante quase 15 séculos se acreditou que todas as cartas sobreviventes *de* e *para* Cícero eram conhecidas, até o momento em que Petrarca descobriu, em 1345, uma coleção intacta, que aumentou de 900 cartas novas a correspondência até então conhecida do grande tribuno. Mas isso é história antiga. Exemplo mais recente ocorreu em 2012, com a descoberta de um conjunto de 14 cartas de Voltaire, de cuja existência não se suspeitava, e que lançam nova luz sobre os três anos que o filósofo passou na Inglaterra. O autor da descoberta, Nicholas

Cronk, da Universidade de Oxford, anuncia que há ainda milhares de cartas não identificadas de Voltaire, de um total de cerca de 20.000 já conhecidas.

A correspondência de Machado de Assis não deve reservar-nos sobressaltos semelhantes, mas de qualquer maneira nossa coletânea deve ser considerada uma obra aberta. Muitas cartas, hoje de paradeiro ignorado, serão certamente localizadas em arquivos particulares ou públicos, graças ao prosseguimento de uma pesquisa metódica, a um acaso providencial, ou à colaboração por parte dos seus atuais detentores. Como não é proibido delirar, podemos inclusive imaginar que numa velha quinta portuguesa alguém venha a encontrar um dia as dezenas de cartas enviadas por Machado a seu cunhado Miguel de Novais (só se conhecem as escritas por Novais). E por que não sonhar com a descoberta de várias cartas que sabemos terem sido escritas por Machado a Graça Aranha? Só conhecemos um bilhete de 22 de janeiro de 1896, em que Machado comunica não poder comparecer a um jantar, e um postal de 5 de janeiro de 1904, em que ele manda suas saudações de ano-novo.

No meio de tantas incertezas quanto ao futuro, só podemos garantir que nosso epistolário contém todas as missivas até agora disponíveis *de* e *para* Machado, e mesmo alguns fragmentos de cartas que se perderam, e nesse sentido é o menos incompleto que seria possível organizar no estado atual dos nossos conhecimentos.

Com 340 documentos, incluindo cartas, cartões e telegramas, este quinto e último tomo é o mais volumoso da série, que abrange assim, no total, 1178 itens.

O livro apresenta alguns interlocutores novos e reintroduz outros já tradicionais, como Joaquim Nabuco, Magalhães de Azeredo, José Veríssimo e Mário de Alencar.

A relação epistolar com Joaquim Nabuco experimenta um ligeiro aumento: de 20 missivas trocadas no período anterior (1901-1904, tomo IV) para 27, no novo quadriênio (tomo V). Já a distribuição quantitativa dos outros correspondentes tradicionais se modifica sensivelmente.

Entre janeiro de 1905 e setembro de 1908, por exemplo, há um acréscimo vertiginoso na correspondência com Mário de Alencar. Em 1905, foram trocadas apenas duas cartas; e em 1906, cinco. Mas em 1907, o volume de cartas quintuplicou, alcançando 25 cartas, e quase dobrou em 1908, subindo para 46, num total de 78, ou seja 23% do presente tomo.

O contrário ocorre na correspondência com outros amigos íntimos. O exemplo que mais chama atenção é o de Magalhães de Azeredo, com quem a correspondência era torrencial no período 1890-1900 (tomo III) e continuava hegemônica, embora menos avassaladora, no período 1901-1904 (tomo IV). A partir daí, acentua-se o declínio: seis cartas em 1905, uma em 1906, sete em 1907 e sete em 1908. Ao todo, 21 cartas, apenas 6% do total, em contraste com os 30% do tomo III, no período 1890-1900.

Como os tomos anteriores, o quinto contém rastros significativos da biografia e da obra de Machado de Assis.

No plano biográfico, percebe-se aqui toda a força da relação entre a vida da cidade e a vida pessoal de Machado. Seu horizonte espaçotemporal é o Rio dos primeiros anos do século XX, e este Rio não é mais a cidade pacata e provinciana da juventude de Machado de Assis. É o Rio dos grandes melhoramentos, da haussmanização, da modernidade. Os correspondentes mais jovens de Machado se entusiasmam com o progresso urbano.

É o caso de Magalhães de Azeredo: "Dizem-me daí maravilhas dos melhoramentos realmente gigantescos do nosso Rio de Janeiro", escreve ele da Itália, em 25 de agosto de 1905. "Além do muito que ganhamos na salubridade, na dignidade municipal, no lustre estético de uma capital que a natureza fizera tão bela e os homens tão suja, que soberbo exemplo esse da vontade grande, tenaz e fecunda de um homem para a nossa nação ainda tão mole e desfibrada! Eu não conheço o atual prefeito do Rio de Janeiro, mas deveras o admiro e venero... A perspectiva de um Rio de Janeiro assim transformado fascina-me a imaginação." [845].

Muito diferente é o tom dos mais velhos. Machado e Salvador de Mendonça, já em cartas de 1895, se mostravam aturdidos com o ritmo frenético de um Rio que se civilizava, e contestavam a horda de jovens bárbaros que nada sabia sobre a Sociedade Petalógica ou sobre o Teatro Lírico, e que se sentia no direito de atravancar as ruas do verdadeiro Rio de Janeiro – o de antigamente. [327] e [332], tomo III. Dez anos depois, Machado se torna mais pessimista ainda. Agora ele associa a morte do Rio antigo com sua própria morte. Em carta a Oliveira Lima, [861], ele diz: "Justo é que os filhos da cidade vão deperecendo, quando ela vai remoçando. Não digo desta, porque há de saber tudo, e terá lido as notícias da inauguração da Avenida Central; mas por muito que leia e creia, não imaginará a mudança que foi e está sendo, nem a rapidez do trabalho. Mudaram-me a cidade, ou mudaram-me para outra. Vou deste mundo, mas já não vou da colônia em que nasci e envelheci, e sim de outra parte para onde me desterraram."

Em 1906, escrevendo a Heitor de Basto Cordeiro, gravemente enfermo na Europa, o entusiasmo de Machado pelos melhoramentos urbanos continuava muito relativo: "Não tem havido novidade, salvo algum incidente político, aliás de escassa importância. A Avenida Central continua a encher-se de gente, e há já muito quem tome refrescos nas calçadas. Veja se isto é o nosso Rio. A Avenida Beira-Mar está quase completa. Os automóveis, ainda que não sejam muitos, já cometem algum atropelo." [919].

Toda essa febre de modernidade era também uma crise de exibicionismo. Era preciso impressionar a Europa. Para isso, foi organizada a Exposição Nacional Comemorativa do Primeiro Centenário da Abertura dos Portos do Brasil, a realizar-se na Urca entre 11 de agosto e 15 de novembro de 1908, destinada a mostrar à Europa o progresso alcançado na capital e no país desde que o Brasil se abrira ao mundo. Estavam previstos eventos paralelos, inclusive a representação de peças teatrais. O autor teatral Machado de Assis não foi esquecido: *Não consultes médico*, de 1896, foi levada à cena e assistida por Verísimo, como se depreende da carta que este enviou a Machado em 30 de agosto de 1908: "Eu iria vê-lo hoje, se não fora o meu desejo de não perder ainda esta vez a satisfação de assistir ao *Não consultes médico*, que se representa na Exposição." [1123]. Nada animou Machado a visitar a Exposição. Em maio de 1908, limitara-se a dizer a Nabuco: "A Exposição caminha; ainda não fui às obras, ouço que ficarão magníficas." [1053].

Ainda do ponto de vista biográfico, as cartas aqui reunidas mostram a Academia Brasileira sob um aspecto menos caricato que aquele que ela viria a assumir depois. Por pressão de Rio Branco, eleito para a ABL em outubro de 1898, ela se tornaria um instrumento de política externa. Ela se tornaria, pelo menos por algum tempo, não diria uma sucursal do Ministério das Relações Exteriores, mas uma aliada secreta do Barão do Rio Branco. Machado encarna com perfeição o papel de um diplomata infiltrado que não sabe ainda se quer ser um estadista, como Nabuco, ou um simples observador de vidas alheias, como o Conselheiro Aires. No fundo, pouco importa, pois dá tudo no mesmo. Por isso, ele não hesita em apoiar a guinada pró-americana do Barão, tanto mais que essa política era vivamente recomendada por um dos seus maiores amigos, o também Acadêmico Joaquim Nabuco.

A elevação da Legação do Brasil em Washington ao nível de Embaixada foi a expressão concreta dessa reorientação de nossa diplomacia. Em carta de 11 de janeiro de 1905 a Nabuco, Machado já pode ter o prazer de chamá-lo "Meu caro Embaixador", e acrescenta: "Não é preciso dizer-lhe o efeito que a notícia produziu aqui. Todos a aplaudiram, e os seus amigos juntamos ao aplauso geral aquele sentimento particular que *Você* ganhou e possui em nossos corações. Começa *Você* a história desta nova fase da nossa vida diplomática." [815]. Em outubro, Machado teria uma nova oportunidade de elogiar o amigo e de apoiar a diplomacia brasileira. Concluída a paz na guerra russo-japonesa, com a mediação do Presidente Theodore Roosevelt, o Embaixador do Brasil enviou um longo telegrama ao Chefe de Estado norte-americano, felicitando-o "pela nobre página" que escrevera "na história da civilização", criando com isso condições para que a Presidência americana viesse a exercer uma "hegemonia moral do mundo." O telegrama saiu em vários jornais, inclusive brasileiros, e deu ocasião para que Machado o aplaudisse com sua elegância inimitável: "Seu telegrama é a voz da outra América falando ao vencedor da paz." [855]. Machado apoia com óbvia sinceridade a aproximação americano-brasileira, que ele atribui em grande parte a Nabuco. Por ocasião da passagem pelo Rio da esquadra americana, no início de 1908, ele comenta, em carta de 14 de janeiro: "Há verdadeiro carinho e gentileza de ambas as partes, e Você que colaborou com o Rio Branco na obra de aproximação dos dois países, receberá a sua parte de satisfação." [1024].

Nabuco pode não ter sido um bom profeta quanto aos rumos futuros da diplomacia americana, e nisso seu confrade de Academia, o também monarquista Eduardo Prado, talvez tenha sido mais clarividente. Mas cumpre reconhecer que sua resposta à carta de Machado é um modelo de *Realpolitik*, sem sombra de sentimentalismo: "Muito prazer tive com a simpatia mútua entre o nosso povo e os Americanos. Haia ia nos fazendo perder de vista a nossa única política possível. Eu em diplomacia nunca perdi um só dia o sentido da proporção e o da realidade. É que um indivíduo pode sempre fugir à desonra e ao cativeiro, mas as nações não se podem matar como ele. Alguns milhares morrerão em combate, mas a totalidade passa sob o jugo. As maiores nações procuram hoje garantir-se por meio de alianças; como podem as nações indefesas contar somente consigo? E desde que o nosso único apoio possível é este, por que não fazermos tudo para que ele não nos venha a faltar?" [1031].

Mas a mudança do eixo de nossa política externa não significava ignorar a Europa. Rio Branco velava zelosamente pelo bom nome do Brasil em todo o mundo civilizado. Assim, tendo corrido a notícia de que Sarah Bernhardt, em visita ao Brasil, seria vaiada durante a representação de uma peça, devido a comentários da atriz que foram considerados ofensivos ao país, Rio Branco ficou aflito, pensando na repercussão desastrosa que esse episódio teria nos jornais europeus. E em carta de 14 de outubro de 1905 pediu a ajuda de Machado, perguntando-lhe se não teria guardado um artigo de Nabuco, anos antes, endeusando a atriz. A ideia seria reproduzir o artigo num jornal brasileiro, para com isso diminuir o vexame da vaia: "Eu desejaria obter a sua transcrição no *Jornal do Comércio* para dar o último golpe na cabala que se andou fazendo entre os moços das escolas contra a grande artista. Imagine o que se diria do público do Rio e do Brasil inteiro se Sarah Bernhardt fosse aqui pateada... Tive medo de que essa notícia fosse publicada hoje ou amanhã no mundo inteiro! / Felizmente o espetáculo de ontem, que começou na maior frieza, e com meia sala, desde o 2.º ato foi um verdadeiro triunfo para a velha, mas sempre encantadora Sarah." [853]. Machado respondeu no mesmo dia, dizendo que não encontrara entre seus recortes o artigo de Nabuco, mas podia afirmar que fora publicado no *País*, por ocasião da primeira visita de Sarah ao Brasil. "E que alívio", conclui ele, "termos escapado à grande vergonha da pateada!" [854].

Outra maneira de aumentar a projeção externa do Brasil era oferecer o Rio como sede de encontros internacionais. Assim, em 9 de junho de 1905, Machado de Assis recebeu carta da Comissão Diretora do Terceiro Congresso Científico Latino-Americano, solicitando que a Academia, prestes a instalar-se em casa própria, no Silogeu, oferecesse hospitalidade para várias seções do Congresso. A seleção do Brasil como país-sede certamente correspondia ao desejo do Barão de aumentar o prestígio internacional do Brasil, e tudo indica que havia o dedo de Rio Branco na "escolha" da ABL para abrigar algumas das seções do Congresso. A maneira um tanto brusca de "escolher" o prédio da Academia pode causar estranheza, mas a carta deve ter sido precedida de consultas extraoficiais entre Rio Branco e Machado de Assis. [837]. Em todo caso, a resposta do Presidente da Academia não podia ser mais conciliadora: em 31 de julho de 1905, ele informa que o edifício em que a ABL funcionava estava "à disposição das seções do Congresso que aí devam funcionar, conforme Vossa Excelência requisitou." [843].

O evento seguinte, a III Conferência Pan-Americana, presidida por Nabuco e da qual Rio Branco foi Presidente de honra, não parece ter contado com a participação direta da Academia, mas a instituição e seus membros foram altamente prestigiados. Em 8 de setembro de 1906, por exemplo, Machado de Assis compareceu ao banquete oferecido ao Prefeito Pereira Passos pelo Presidente da Venezuela, Uribes y Uribes, que viera chefiar a Delegação do seu país à Conferência Pan-Americana.

Outra estratégia do Barão para aumentar nossa projeção externa era convidar personalidades estrangeiras que, regressando a seus países, pudessem fazer propaganda do Brasil. Assim, o Brasil recebeu visitantes ilustres como a poetisa Jeanne Catulle-Mendès e Paul Doumer, Deputado e Ministro das Finanças e que anos mais tarde, no cargo de Presidente da República, morreu assassinado, vítima de um atentado terrorista.

De todas essas visitas, aquela em que a Academia e seu Presidente tiveram participação mais direta foi a do grande historiador italiano Guglielmo Ferrero. Segundo a versão de Magalhães Jr. (2008), Rio Branco, sabendo que Ferrero iria fazer uma série de conferências na Argentina, julgou oportuno que o palestrante fosse igualmente convidado a realizar algumas conferências no Brasil. Mas para dar a esse convite o caráter de uma iniciativa espontânea dos intelectuais brasileiros, sem interferência oficial, o Chanceler arquitetou uma manobra complicada, pela qual o Acadêmico Sousa Bandeira publicaria um artigo de jornal sugerindo que os intelectuais brasileiros fizessem o convite. Em seguida a Academia, parecendo acatar a sugestão, assumiria oficialmente o papel de anfitriã, no discreto entendimento de que todas as despesas correriam por conta dos cofres públicos.

Tudo se deu como o previsto. Sousa Bandeira publicou o artigo no *País*, em 9 de março de 1907. Em 6 de abril do mesmo ano, Machado recebe de Rio Branco um cartão de agradecimento, e tudo permite supor que se tratava de um reconhecimento pela boa vontade em cooperar na execução do projeto. [951]. Em 18 de maio, [959], Machado redige a carta-convite, anunciando ao mesmo tempo que Ferrero fora eleito membro-correspondente da Academia. É portador dessa carta um cunhado de Sousa Bandeira, Camillo Cresta, a quem Machado escrevera no mesmo dia 18 de maio, [958], pedindo-lhe que entregasse a carta [959], e encarregando Cresta de conversar com o historiador italiano sobre aspectos pecuniários da visita, que por delicadeza não tinham sido incluídos na carta-convite. Entre esses aspectos, estava o fato de que receberia dez mil liras pelas conferências. [958]. Aparentemente Cresta não conseguiu chegar a Gênova a tempo de entregar a carta. Machado teve que pedir a ajuda de Rio Branco para que o teor dessa mensagem fosse transmitido telegraficamente ao Consulado-Geral do Brasil em Barcelona, cidade onde o navio de Ferrero faria escala. Rio Branco informa que o telegrama fora devidamente entregue pelo Cônsul, e que seu destinatário pedia a Machado que o procurasse a bordo, no Rio. [963]. Machado respondeu imediatamente ao Chanceler, agradecendo as providências tomadas. [964].

Machado de Assis foi de lancha até o navio na tarde de 23 de junho, e voltou com o casal Ferrero. Após um curto passeio pela cidade, os convidados de honra compareceram a um banquete no Itamaraty, onde foram devidamente homenageados. Terminado o jantar, Machado levou o casal de lancha ao vapor.

No dia 25, Machado agradece Rio Branco pelos obséquios com que distinguiu Guglielmo Ferrero, confirma que ele dará uma série de conferências em seu retorno da Argentina, e conclui que a ação do Chanceler dera assim "relevo grande ao nome do Brasil." [969].

Durante sua permanência na Argentina, Ferrero se corresponde com Machado, propondo várias modificações no plano original, sempre aceitas pela parte brasileira. As oito conferências primitivamente previstas se reduzem a seis, e seriam as seguintes: (1) a corrupção romana e a vida moderna; (2) Júlia e Tibério; (3) Antônio e Cleópatra; (4) a Gália, ou os países novos na história antiga; (5) Nero; e (6) a missão histórica do Império Romano. Além disso, Ferrero pede que as seis conferências sejam feitas em apenas duas semanas, pois com isso ele teria três semanas de folga para viajar pelo Brasil. [981], [985], [986] e [990].

É difícil saber se a visita ao Brasil de Guglielmo Ferrero produziu os resultados esperados por Rio Branco, aumentando o prestígio externo do Brasil. Mas é certo que ela foi um excelente instrumento de relações públicas para a Academia Brasileira de Letras. Em carta de 8 de maio de 1908, [1053], dirigida a Nabuco, Machado anuncia: "O *Jornal do Comércio* publicou telegrama de Paris, em que dá notícia de um artigo que o Ferrero escreveu no *Figaro*, falando da nossa Academia em termos grandemente simpáticos e benévolos." É verdade. No artigo do *Figaro*, Ferrero escreveu, sob o título "Uma Academia Americana": "À frente da instituição, está o Sr. Machado de Assis, um grande romancista universalmente admirado, como o decano da literatura brasileira." Para Nabuco, "A homenagem que o Ferrero lhe prestou é digna dele e da Itália." [1058]. Mas o artigo elogiara também o próprio Nabuco, coisa que ele evita modestamente ressaltar. Segundo Ferrero, "O Senhor Joaquim Nabuco é, ao mesmo tempo, diplomata, orador e escritor."

Enfim, para introduzir um último aspecto biográfico: assim como o tema fundamental do nosso quarto tomo foi a doença e a morte de Carolina, a doença de Machado de Assis e seu lento caminhar em direção à morte constituem a matéria e o pano de fundo deste quinto tomo.

O tema da doença foi tratado em virtualmente todas as cartas, a partir de 1908. Por exemplo, Graça Aranha escreve de Petrópolis, em carta de 5 de junho de 1908: "Li hoje no *Jornal* a notícia de que Você está doente. Foi para mim uma surpresa. Nenhum eco, antes deste, havia chegado a esta alta solidão. E por isso mesmo eu concluo que não se trata de coisa grave." [1056]. Ou Veríssimo, em carta de 30 de agosto: "Não me tem sido de todo possível ir saber notícias suas. Ontem, na Academia, as tive pelo Mário e soube então que saíra para o médico. De todo o meu coração desejo que esteja melhorando e que o tempo melhorando também, lhe permita sair e favoreça as suas melhoras." [1123].

No entanto, foi sem dúvida Mário de Alencar o correspondente que mais partilhou os sofrimentos de Machado. Ele precisava saber notícias sobre o velho amigo constantemente, diariamente se possível. A correspondência inesgotável em que Mário reclamava dos seus próprios males e indicava remédios homeopáticos para os de Machado era o equivalente por escrito de uma longa e ininterrupta conversa, em que os dois trocavam impressões sobre literatura — Flaubert, digamos, que sofria do mesmo mal nervoso — [1122] — ou sobre Ésquilo, que Mário traduzia, para livrar-se da melancolia. [946]. Com isso se consolavam das respectivas moléstias, sobretudo a que lhes era comum, a epilepsia. Mário previne Machado contra o sereno, fonte de perigosos reumatismos, principalmente quando se está sentado — com a pessoa andando, o sereno não faz tanto mal. Pergunta se seu caro Mestre tinha tomado a calcárea carbônica, ótima para o intestino, fortalecendo-o contra o "outro mal". Mas Mário tinha seus próprios achaques. Continuamente deprimido, sucumbira às críticas da imprensa, por ocasião de sua eleição para a Academia. Era acometido por ataques de medo, na rua e no bonde, que um psiquiatra de hoje, temendo usar um termo fora de moda como agorafobia, talvez diagnosticasse como síndrome de pânico. Uma das vezes em que não teve coragem para visitar o amigo, Mário mandou-lhe em compensação um vidro de "Maravilha Curativa", santo remédio, desde que usado no banho quente, na dose certa — uma colher para cada litro de água. [1068].

No fundo nem Machado nem seus correspondentes tinham grandes ilusões sobre o desfecho próximo. As referências de Machado à sua morte, sempre presentes nas cartas, tornam-se um tema recorrente no final deste período. Assim, em 11 de julho de 1907, manda a Fanny de Araújo, amiga de Carolina, um cartão com as palavras: "Talvez a última saudação do velho amigo". [975]. Em 7 de setembro de 1907, envia a Azeredo "um abraço de velho amigo e companheiro neste dia dos seus anos e talvez seja o último." [992]. Ao mesmo destinatário, escreve em 1.º de agosto de 1908: "Ainda bem que a sua amizade dura há tantos anos, e eu posso ir da vida sabendo que deixo a sua entre outras saudades verdadeiras. Não repare na nota fúnebre que corre por esta carta; é música do crepúsculo e da solidão." [1095].

Mas essa música não é simples manifestação de pessimismo. É um conjunto de pedidos e instruções muito concretas sobre providências práticas a serem tomadas depois do seu falecimento. Em suma, o escritor preparava-se para a morte.

Assim, em carta de 21 de abril de 1908, Machado, embora contestando o valor literário ou documental de sua correspondência, autorizou José Veríssimo a recolher e publicar as cartas que em sua opinião merecessem divulgação póstuma. [1046]. Com isso, Veríssimo torna-se o testamenteiro literário de Machado, distinção que comove e envaidece o crítico [1048] e o leva a fazer reflexões sobre a morte: "A morte é uma coisa natural, necessária e até boa, mas em muitos milhares de anos ainda o homem se não acomodou com ela, e quando à sua detestável ideia juntamos a de um ente querido, não podemos livrar-nos de uma impressão de horror, e de revolta, qual eu a senti agora." [1049]. Isso não quer dizer, explica Veríssimo, que Machado partiria primeiro, como este parecia acreditar, mas se de fato essa hipótese se verificasse, seria para Veríssimo de uma inefável doçura ter sido escolhido pelo Mestre para recolher e publicar suas cartas.

O próximo passo foi assegurar a sobrevivência de uma relíquia especialmente cara: o ramo do carvalho de Tasso, colhido no Janículo, em Roma, por iniciativa de Joaquim Nabuco. A entrega foi feita na Academia, por Graça Aranha, na sessão de 10 de agosto de 1905, que coincidiu com a posse de Sousa Bandeira. Machado guardava essa relíquia numa caixa, em sua residência, juntamente com um documento do prefeito de Roma assegurando sua autenticidade. Guardava também uma carta de Nabuco a Graça Aranha, encaminhando o ramo e pedindo que o passasse às mãos de Machado. Três anos depois, sentindo a proximidade da morte, Machado resolve dar destino mais permanente a esses objetos. Mário de Alencar é o escolhido para executar a missão. "Uma das melhores relíquias da minha vida literária", escreve ele em 25 de abril de 1908, "é aquele galho de carvalho de Tasso que Joaquim Nabuco me mandou há três anos por intermédio de Graça Aranha, e este me entregou em sessão da nossa Academia Brasileira. /... / Perguntei-lhe há tempos se queria dar destino a essa relíquia, quando eu falecesse; agora renovo a pergunta.

Talvez a Academia consinta em recolher o galho como lembrança de três de seus membros e da sua própria bondade em se reunir para completar o obséquio de Nabuco e de Graça Aranha." [1050].

A resposta de Mário, em 3 de maio, é semelhante à dada por Veríssimo quando Machado o incumbira de publicar suas cartas: aceitação imediata, acompanhada da gratidão pela escolha do seu nome e do desejo de que o amigo ainda vivesse por longos anos: "Guardo a sua carta como uma relíquia, que vale a outra e de que eu espero não terei que usar, mas só conservar. Se vier porém o que eu não desejo, farei o que a sua bondade me incumbe e a Academia receberá por meu intermédio o legado honroso daquele a quem ela deve todo o seu prestígio /... /." [1052].

Em 8 de maio, cinco dias depois de receber a resposta de Mário, Machado põe Nabuco a par desses entendimentos: "Escrevo ao Mário de Alencar pedindo-lhe que venha à minha casa, quando eu morrer, e leve aquele galho do carvalho de Tasso que Você me mandou e o Graça me entregou em sessão da Academia. A caixa em que está com o documento que o autentica e a sua carta ao Graça peço ao Mário que os transmita à Academia, a fim de que esta os conserve, como lembrança de nós três: você, o Graça e eu." [1053]. Em sua resposta, datada de 8 de junho, Nabuco destaca apenas as implicações fatídicas do episódio do ramo de carvalho: a morte próxima de Machado, em que Nabuco diz não acreditar. Ele tinha se elevado ao zênite de sua reputação, e esse não era o momento de pensar na morte: "/... / a noite ainda está muito longe. Pelo que vi no Rio em 1906 eu não apostaria em mim contra Você no páreo de qual de nós dois verá ainda mais coisas neste mundo. Você tirou o prêmio grande da vida. Ela não pode dar mais. Não tenha um momento de ingratidão, isto é, de tristeza." [1058].

Mas decididamente o carvalho de Tasso não sai da cabeça de Machado de Assis, com tudo o que essa árvore simboliza de mortalidade, pois o ramo só alcançará seu pouso definitivo na Academia depois da morte do escritor, e de imortalidade, porque graças a essas folhas divinas (segundo Alberto de Oliveira, aquele carvalho era uma árvore de

Zeus), Machado sente-se coroado, equiparando-se a um dos maiores gênios poéticos do Ocidente. Em 28 de junho, [1062], esquecendo-se de que no mês anterior já tinha escrito sobre o assunto, Machado diz que em sua residência um soberbo retrato de Nabuco pendia da parede: "por cima da caixa que encerra o ramo de carvalho de Tasso. Já dispus as coisas em maneira que a caixa e o ramo, com as duas cartas que os acompanham, passem a ser depositados na Academia, quando eu morrer; confiei isso ao Mário de Alencar."

Tendo feito seu testamento epistolar, aos cuidados de Veríssimo, e seu testamento simbólico, aos cuidados de Mário de Alencar, faltava, para que Machado pudesse morrer em paz, seu testamento civil. Depois de uma primeira versão, em favor de Carolina, Machado redigiu outra, em 1905, instituindo como herdeira universal a menina Laura, filha de Sara Braga e Costa, sobrinha de Carolina. Foi esse testamento que Machado encaminhou, por carta de 21 de julho de 1908, ao gerente do *London and Brazilian Bank Ltd.*, para ser depositado. [1080].

Quanto à obra de Machado nesses anos finais, ela se circunscreve a *Relíquias de Casa Velha* (1906) e a *Memorial de Aires* (1908).

A primeira, reunindo vários trabalhos, uns inéditos e outros não, foi composta "por teimosia, como para enganar a velhice." As resenhas foram em geral favoráveis, mas como se tratava de uma coletânea, cada crítico dava destaque ao conto ou poema de sua preferência. Entre os contos, Veríssimo prefere "Pai contra mãe": "Um modelo raro de sobriedade, ironia discreta e um pessimismo que por amargo não deixa de ser delicioso." [878]. Mário de Alencar considera a página melhor o soneto "A Carolina". Mário sabe perfeitamente que a inspiração mais imediata do poeta é o soneto camoniano "Alma minha gentil que te partiste". Lembra-se a propósito de um comentário de Machado de que o poema de Camões tinha "a simplicidade sublime de um recado mandado ao céu." É o que ele pensava do soneto de Machado, com a diferença de que sentia e compreendia melhor o de Machado que o de Camões. [881].

Mas foi a última obra-prima de Machado — *Memorial de Aires* — que ocupou mais espaço na correspondência.

Uma das primeiras alusões ao livro está numa carta de 16 de dezembro de 1907, de Mário de Alencar. Mário está em êxtase, porque é não só o único a saber da existência desse livro como o primeiro a ter em mãos as provas, privilégio que até então Machado não concedera a ninguém (com a possível exceção do seu cunhado Miguel de Novais). Não surpreende, assim, que a carta esteja cheia de adjetivos como delicioso, fino, superior, divino e perfeito. O livro, diz ele, revela a presença de um sentimento novo, o mesmo que inspirou o soneto "A Carolina" e criou a figura admirável de D. Carmo. O mundo a admirará como obra de arte; ele, Mário, que adivinhou o modelo, sabe que ela é a expressão da "saudade da companheira querida." [1016]. Houve uma pequena nuvem na felicidade de Mário, quando em carta de 8 de fevereiro de 1908, [1030], Machado solicitou-lhe que "a respeito do modelo de Carmo, nada confie a ninguém; fica entre nós dois." Mas era preciso ser discreto também com relação à própria intenção machadiana de publicar um novo livro. Machado cita alguns exemplos sinistros de que se cometera uma indiscrição a respeito — alguém parecia estar espalhando que ele tinha um novo livro no prelo. [1030]. Mário toma isso como insinuação de que seria ele o indiscreto e defende-se dizendo que já ouvira o próprio Machado falar sobre isso com Veríssimo, Graça Aranha e o Senador Pinheiro Machado. [1032]. Mais que depressa Machado manda nova carta, admitindo que talvez fosse ele de fato o responsável pela inconfidência, e cita como prova que ele tinha ido recentemente contar a Veríssimo o grande segredo, como se fosse um fato novo. [1033]. É o que basta para que Mário reassuma sua solicitude filial: não, Machado não precisava preocupar-se com esses lapsos de memória. Eles acontecem a muita gente, sobretudo a doentes nervosos como os dois. [1034].

A reação de Veríssimo ao *Memorial* vem em carta de 18 de julho de 1908, que o cobre de elogios: "Que fino e belo livro você escreveu! Consinta-me a vaidade de crer que o entendi e compreendi! O velho

Aires (é ele mesmo que se quer considerar assim) decididamente é um bom e generoso coração apenas com o defeito de o querer esconder. Você já nos tinha acostumado às suas deliciosas figuras de mulher, mas, creia-me, excedeu-se em Dona Carmo. Ah! Como é verdade que a grande arte não dispensa a colaboração do coração..." [1076].

Em 1.º de agosto de 1908, Machado escreve quatro cartas: para Nabuco, para Azeredo, para Mário e para Oliveira Lima. São todas relacionadas com *Memorial de Aires*, e têm todas um tom de despedida.

Na carta a Nabuco, a última que Machado enviaria ao amigo, diz o missivista: "Lá vai o meu *Memorial de Aires*. Você me dirá o que lhe parece. Insisto em dizer que é o último livro; além de fraco e enfermo, vou adiantado em anos, entrei na casa dos setenta, meu querido amigo. / ... / Uma vez que o livro não desagradou, basta como ponto final." [1094]. A resposta de Nabuco, em 3 de setembro, [1126], não podia ser mais afetuosa: "Quanto ao seu livro li-o letra por letra e com verdadeira delícia por ser mais um retrato de Você mesmo, dos seus gostos, da sua maneira de tomar a vida e de considerar tudo. É um livro que dá saudade de Você, mas também que a mata. E que frescura de espírito!" A carta tinha um post-scriptum: "Em breve passo a reler o *Memorial*."

Eis o que Machado escreve a Azeredo: "Este paquete leva-lhe o meu *Memorial de Aires*. Leia-me, e diga se não é lamparina de madrugada." [1095]. Foi a última carta de Machado a Azeredo. O exemplar de Azeredo chegou no final do mês, o que ele confirmou por carta de 25 de agosto [1117].

Azeredo escreveu um cartão-postal em 5 de agosto, [1101], e uma carta em 25 de agosto, [1117], que ficaram sem resposta, pois Machado já estava às portas da morte.

A carta a Mário de Alencar agradecia as notícias que lhe dera o amigo sobre a boa acolhida dispensada ao *Memorial de Aires*, e por ter trazido como prova um artigo de Alcindo Guanabara sobre o livro. [1096].

Quanto a Oliveira Lima, em 28 de agosto, [1120], este responde à cartinha que lhe escrevera Machado [1097], ao encaminhar seu novo livro. Lima agradece a remessa do "Memorial do meu colega Aires" e fala sobre a necessidade de modernizar a diplomacia. "O conselheiro Aires do futuro", profetizou Lima com alguma exatidão, "há de ser diferente do seu, que é tão verdadeiro na sua frivolidade ocupada. Não será tão fino, mas não será menos simpático."

Finalmente, não posso deixar de incluir entre os ecos epistolares do *Memorial* uma preciosa carta de Salvador de Mendonça, de 1.º de setembro de 1908. [1125]. Salvador fez uma das análises mais perfeitas do livro, partindo de uma simpática alegoria. Havia antigamente, na cidade de Itaboraí, uma velhinha exímia na feitura de rendas e bordados. Ao notar que lhe iam faltar os olhos, resolveu deixar de si o melhor testemunho de sua arte. Passou meses ou anos inteiros enclausurada e finalmente mostrou sua obra-prima. Era um lencinho feito do mais puro linho: tinha um palmo de diâmetro, mas era tão fino, tão fino, que cabia dentro de um dedal. Sobre o fundo do lenço, a velhinha bordou figuras do mais fino lavor. Foi o que fizera Machado com seu *Memorial de Aires*. O livro é um conjunto de miniaturas, e nesse sentido é um livro sem enredo, mas o mister dos velhos não é fazer enredos e sim desenredá-los. O que transforma o livro numa obra de arte sem igual é a simplicidade aparente. Só um supremo artista consegue produzir obras tão inimitavelmente simples. Por isso, conclui Salvador, se *Dom Casmurro* continua sendo o livro mais forte de Machado, *Memorial de Aires* será sempre sua obra mais acabada, a que melhor revela os tons delicados de sua pena.

Machado ainda teve forças para responder a seu mais antigo companheiro de mocidade. Em carta de 7 de setembro de 1908, 22 dias antes de sua morte, escreve ele: "Aqui está o Salvador de então e de sempre. A tua grande simpatia achou a velha da tradição itaboraiense para dizer mais vivamente o que sentiste do meu último livro. Fizeste-o pela maneira magnífica a que nos acostumaste em tantos anos de trabalho e de perfeição. Agradeço-te, meu querido. A morte levou muitos daqueles que eram conosco; possivelmente a vida terá levado também alguns outros, é seu costume dela, mas chegado ao fim da carreira é doce que nos anime a mesma voz antiga que nem a morte nem a vida fizeram calar." [1127].

Só me resta pôr um ponto final nesta verdadeira *"cérémonie des adieux"*, em que se converteu a evocação dos rastros epistolares do *Memorial de Aires,* agradecendo mais uma vez a Irene Moutinho e Sílvia Eleutério pelo trabalho inestimável que realizaram ao longo dos nossos anos de colaboração.

SERGIO PAULO ROUANET

Rio de Janeiro, dezembro de 2014.

ঌ Nota Explicativa

As soluções adotadas para o estabelecimento dos textos nortearam-se pela busca da maior fidelidade possível ao documento de base e pelo mínimo de intervenções, considerando ao mesmo tempo o conforto do leitor.

Este volume compõe-se de textos oriundos de manuscritos originais, fac-símiles de manuscritos originais, transcrições de manuscritos originais, de impressos em jornais de época e de impressos em edições *princeps*. Para cada um desses tipos, consideradas as suas especificidades, conferiu-se um tratamento, que em linhas gerais pode ser resumido nos seguintes pontos:

- ঌ As abreviaturas foram desenvolvidas segundo os critérios da ecdótica, ou seja, numa palavra abreviada a sua parte estendida figura em itálico: B^{ão} de Inf^a / B*atalh*ão de Inf*antari*a; V. M.^{ce} / V*ossa* M*er*cê. Só mantiveram-se abreviadas as assinaturas dos missivistas que assim se apresentaram.
- ঌ Por não se tratar de uma edição diplomática, optou-se pela atualização ortográfica dos textos: *Chrysalidas* / *Crisálidas*; rythmas / rimas.

- A pontuação do original foi respeitada, mesmo que pareça ao olhar contemporâneo um desvio da norma padrão da língua portuguesa escrita no Brasil. Apenas no caso dos impressos, em que os equívocos fossem claramente tipográficos, foram feitas alterações: o Teatro de São; Pedro / O Teatro de São Pedro.
- As intervenções realizadas no interior do vocábulo, no plano da frase ou no da pontuação foram sempre assinaladas por colchetes: tenho en[contrado]
notícias tua[s]
Eu conto [com] a sua benevolência
[1887]
Rio de Janeiro [,]
...desenhados com suma perfeição [.] V*ossa* E*xcelência* terá notado que...
- As partes ilegíveis e/ou danificadas foram marcadas por pontos entre parênteses:
... *Tempora mutan*(...).
(...) má figura o filho
- Nos cabeçalhos, há sempre o registro do início do movimento epistolar:
PARA: cartas escritas por Machado de Assis.
DE: cartas recebidas por Machado de Assis.
- Nas notas, os nomes acompanhados de asterisco indicam correspondentes cujos verbetes biográficos se encontram no final dos tomos onde figuram suas cartas ou as de Machado de Assis a eles dirigidas.
- A responsabilidade pelas diferentes notas é identificada pelas iniciais do respectivo autor (SPR, IM, SE).

Sumário

AS CARTAS
1905-1908

[814]	De:	EUCLIDES DA CUNHA *[Sem local,] 3 de janeiro de 1905.*	3
[815]	Para:	JOAQUIM NABUCO *Rio de Janeiro, 11 de janeiro de 1905.*	4
[816]	De:	HILÁRIO DE GOUVEIA *Paris, 25 de janeiro de 1905.*	5
[817]	Para:	JOSÉ VERÍSSIMO *Rio [de Janeiro], 4 de fevereiro de 1905.*	6
[818]	De:	EUCLIDES DA CUNHA *Manaus, 5 de fevereiro de 1905.*	8
[819]	De:	SÍLVIO ROMERO *[Rio de Janeiro,] 11 de fevereiro de 1905.*	9
[820]	De:	JOSÉ SEVERIANO DE RESENDE *Rio de Janeiro, 13 de fevereiro de 1905.*	9
[821]	De:	BARÃO DE TODOS OS SANTOS *Rio [de Janeiro], 17 de fevereiro de 1905.*	10
[822]	Para:	ADRIANO AUGUSTO DE PINA VIDAL *Rio de Janeiro, 20 de fevereiro de 1905.*	12
[823]	Para:	JOÃO RIBEIRO *[Rio de Janeiro,] 27 de fevereiro de 1905.*	13

[824]	De:	LÚCIO DE MENDONÇA	14
		Teresópolis, 28 de fevereiro de 1905.	
[825]	Para:	LÚCIO DE MENDONÇA	15
		Rio [de Janeiro], 3 de março de 1905.	
[826]	De:	HILDA	16
		Rio [de Janeiro], 11 de março de 1905.	
[827]	De:	EUCLIDES DA CUNHA	17
		Manaus, 14 de março de 1905.	
[827 A]	De:	OLIVEIRA LIMA	18
		Paris, 14 de março de 1905.	
[828]	De:	EUCLIDES DA CUNHA	18
		Manaus, 18 de março de 1905.	
[829]	De:	JOAQUIM NABUCO	21
		Londres, 25 de março de 1905.	
[830]	Para:	BARÃO DO RIO BRANCO	22
		[Rio de Janeiro, 20 de abril de 1905.]	
[831]	Para:	MAGALHÃES DE AZEREDO	22
		Rio de Janeiro, 20 de abril de 1905.	
[832]	Para:	OLIVEIRA LIMA	25
		Rio de Janeiro, 21 de abril de 1905.	
[833]	De:	BARÃO DO RIO BRANCO	27
		[Rio de Janeiro, 21 de abril de 1905.]	
[834]	De:	OLIVEIRA LIMA	27
		[Caracas,] 17 de maio de 1905.	
[835]	De:	OLIVEIRA LIMA	28
		Caracas, 23 de maio de 1905.	
[836]	De:	SÍLVIO ROMERO	31
		[Rio de Janeiro,] 26 de maio de 1905.	
[837]	De:	COMISSÃO DIRETORA DO 3.º CONGRESSO CIENTÍFICO LATINO-AMERICANO	32
		Rio de Janeiro, 9 de junho de 1905.	
[838]	De:	CAETANO CÉSAR DE CAMPOS	33
		[Rio de Janeiro,] 21 de junho de 1905.	
[839]	Para:	JOAQUIM NABUCO	34
		Rio de Janeiro, 24 de junho de 1905.	

[840]	De:	OLIVEIRA LIMA	36
		Caracas, 4 de julho de 1905.	
[841]	De:	MÁRIO DE ALENCAR	36
		Rio de Janeiro, 19 de julho de 1905.	
[842]	De:	JOAQUIM NABUCO	37
		Jackson, New Hampshire, 28 de julho de 1905.	
[843]	Para:	COMISSÃO DIRETORA DO 3.º CONGRESSO CIENTÍFICO LATINO-AMERICANO	39
		[Rio de Janeiro,] 31 de julho de 1905.	
[844]	Para:	JOAQUIM NABUCO	40
		Rio de Janeiro, 11 de agosto de 1905.	
[845]	De:	MAGALHÃES DE AZEREDO	41
		Olevano, 25 de agosto de 1905.	
[846]	Para:	JOAQUIM NABUCO	50
		Rio de Janeiro, 29 de agosto de 1905.	
[847]	De:	MAROQUINHA JACOBINA RABELO	52
		[Rio de Janeiro,] 10 de setembro de 1905.	
[848]	De:	OLIVEIRA LIMA	53
		[Caracas,] 16 de setembro de 1905.	
[849]	De:	ANTÔNIA MACHADO	54
		[Sem local,] 25 de setembro de 1905.	
[850]	De:	ISABEL BARAÚNA	54
		New York, 25 de setembro de 1905.	
[851]	Para:	JOAQUIM NABUCO	56
		Rio de Janeiro, 30 de setembro de 1905.	
[852]	Para:	MAGALHÃES DE AZEREDO	57
		Rio de Janeiro, 2 de outubro de 1905.	
[853]	De:	BARÃO DO RIO BRANCO	60
		[Rio de Janeiro, 14 de outubro de 1905.]	
[854]	Para:	BARÃO DO RIO BRANCO	61
		[Rio de Janeiro, 14 de outubro de 1905.]	
[855]	Para:	JOAQUIM NABUCO	62
		Rio de Janeiro, 15 de outubro de 1905.	
[856]	De:	MAGALHÃES DE AZEREDO	64
		Roma, 25 de outubro de 1905.	

[857]	De:	JOAQUIM NABUCO	66
		[Washington, 29 de outubro de 1905.]	
[858]	De:	EUCLIDES DA CUNHA	67
		Manaus, 30 de outubro de 1905.	
[859]	De:	MÁRIO DE ALENCAR	68
		Rio de Janeiro, 12 de novembro de 1905.	
[860]	De:	MAGALHÃES DE AZEREDO	69
		Roma, 16 de novembro de 1905.	
[861]	Para:	OLIVEIRA LIMA	74
		Rio de Janeiro, 20 de novembro de 1905.	
[862]	Para:	MAGALHÃES DE AZEREDO	76
		Rio de Janeiro, 21 de novembro de 1905.	
[863]	De:	ALFREDO PUJOL	77
		São Paulo, 25 de novembro de 1905.	
[864]	De:	OLIVEIRA LIMA	78
		Caracas, 20 de dezembro de 1905.	
[865]	De:	OLIVEIRA LIMA	81
		[Caracas, 1905.]	
[866]	De:	ARLINDO FRAGOSO	81
		Salvador, 25 dezembro de 1905.	
[867]	De:	ELÍSIO DE CARVALHO	82
		[Sem local,] 30 de dezembro de 1905.	
[868]	De:	CORRESPONDENTE NÃO IDENTIFICADO	82
		Bahia-Cachoeiras, 1905-1906.	
[869]	De:	HEMETÉRIO JOSÉ FERREIRA MARTINS	83
		Campos, 1.º de janeiro de 1906.	
[870]	De:	OLAVO BILAC	84
		[Rio de Janeiro,] 1.º de janeiro de 1906.	
[871]	Para:	OLIVEIRA LIMA	85
		[Rio de Janeiro, janeiro de 1906.]	
[872]	De:	RODOLFO BERNARDELLI	85
		[Rio de Janeiro,] 4 de janeiro de 1906.	
[873]	De:	MARIA DE BARROS	86
		Paris, 10 de janeiro de 1906.	

[874]	Para:	OLIVEIRA LIMA	87
		Rio de Janeiro, 5 de fevereiro de 1906.	
[875]	De:	LUÍS DO COUTO	89
		Capital de Goiás, 7 de fevereiro de 1906.	
[876]	De:	RETIRO LITERÁRIO PORTUGUÊS	90
		Rio de Janeiro, 17 de fevereiro de 1906.	
[877]	De:	RETIRO LITERÁRIO PORTUGUÊS	92
		[Rio de Janeiro, 17 de fevereiro de 1906.]	
[878]	De:	JOSÉ VERÍSSIMO	93
		Petrópolis, 19 de fevereiro de 1906.	
[879]	De:	LÚCIO DE MENDONÇA	95
		Alto de Teresópolis, Hotel Higino, 20 de fevereiro de 1906.	
[880]	Para:	JOSÉ VERÍSSIMO	96
		Rio [de Janeiro], 22 de fevereiro de 1906.	
[881]	De:	MÁRIO DE ALENCAR	97
		Tijuca, 26 de fevereiro de 1906.	
[882]	De:	GRAÇA ARANHA	99
		Petrópolis, 8 de abril de 1906.	
[883]	De:	OLIVEIRA LIMA	100
		Caracas, 13 de abril de 1906.	
[884]	De:	PAULO BARRETO	102
		Rio [de Janeiro], 17 de abril de 1906.	
[885]	De:	BARÃO DO RIO BRANCO	103
		[Sem local,] 20 de abril de 1906.	
[886]	De:	JOSÉ VERÍSSIMO	103
		[Rio de Janeiro, sem data.]	
[887]	De:	JOAQUIM NABUCO	104
		[Grand Canyon, Arizona,] 1.º de maio de 1906.	
[888]	De:	SOUSA PINTO	105
		Fortaleza, 19 de maio de 1906.	
[889]	De:	ANTÔNIO SALES	106
		[Amsterdam,] 25 de maio de 1906.	
[890]	De:	CORRESPONDENTE NÃO IDENTIFICADO	106
		Cachoeira, 26 de maio de 1906.	

[891]	De:	SOUSA BANDEIRA e TOMÁS LOPES	107
		[Paris,] 17 de junho de 1906.	
[892]	De:	BELMIRO BRAGA	108
		Juiz de Fora, 21 de junho de 1906.	
[893]	Para:	BELMIRO BRAGA	109
		Rio de Janeiro, 23 de junho de 1906.	
[894]	De:	ANTÔNIA MACHADO	109
		[Sem local,] 24 de junho de 1906.	
[895]	De:	OLIVEIRA LIMA	110
		Londres, 10 de julho de 1906.	
[896]	Para:	FANNY DE ARAÚJO	111
		[Rio de Janeiro,] 11 de julho de 1906.	
[897]	Para:	JOAQUIM NABUCO	111
		Petrópolis, 12 de julho de 1906.	
[898]	De:	LUIS MITRE	112
		Buenos Aires, Julio 12, 1906.	
[899]	Para:	RODRIGO OCTAVIO	114
		[Rio de Janeiro,] 14 de julho [de 1906].	
[900]	De:	EUCLIDES DA CUNHA	114
		Rio [de Janeiro], 19 de julho de 1906.	
[901]	De:	CONDE DINIS CORDEIRO	115
		Rio de Janeiro, 24 de julho de 1906.	
[902]	De:	JAMES CARLETON YOUNG	116
		[Minneapolis,] July, 29.th 1906.	
[903]	De:	EMBAIXADA DOS ESTADOS UNIDOS DA AMÉRICA DO NORTE	117
		[Rio de Janeiro, 30 de julho de 1906.]	
[904]	De:	ALOÍSIO DE CASTRO	119
		Berlim, 1.º de agosto de 1906.	
[905]	Para:	CONDE DINIS CORDEIRO	119
		[Rio de Janeiro,] 3 de agosto de 1906.	
[906]	De:	OTÁVIO MANGABEIRA	120
		Bahia, 6 de agosto de 1906.	
[907]	Para:	JOAQUIM NABUCO	121
		[Rio de Janeiro,] 19 de agosto de 1906.	

[908]	Para:	JOAQUIM NABUCO	121
		[Rio de Janeiro,] 19 de agosto de 1906.	
[909]	De:	JOÃO RIBEIRO	126
		Rio [de Janeiro], 29 de agosto de 1906.	
[909 A]	De:	SOUSA BANDEIRA	126
		Karlsbad, 5 de setembro de 1906.	
[910]	De:	ALOÍSIO DE CASTRO	128
		Paris, 14 de setembro de 1906.	
[911]	De:	MAGALHÃES DE AZEREDO	129
		Genzano di Roma, 19 de setembro de 1906.	
[912]	Para:	SENHORA NÃO IDENTIFICADA	133
		[Rio de Janeiro,] 27 de setembro de 1906.	
[913]	Para:	MÁRIO DE ALENCAR	134
		[Rio de Janeiro, 29 de setembro de 1906.]	
[914]	De:	OLÍMPIA PASSOS	135
		Rio [de Janeiro], 10 de outubro de 1906.	
[915]	De:	EXPOSITION MARITIME INTERNATIONALE	136
		Bordeaux, le 3 novembre 1906.	
[916]	De:	MÁRIO DE ALENCAR	137
		Rio [de Janeiro], 2 de dezembro de 1906.	
[917]	Para:	MÁRIO DE ALENCAR	138
		[Rio de Janeiro,] 2 de dezembro [de 1906].	
[918]	De:	MAROQUINHA JACOBINA RABELO	139
		[Rio de Janeiro,] 15 de dezembro de 1906.	
[919]	Para:	HEITOR DE BASTO CORDEIRO	140
		Rio de Janeiro, 17 de dezembro de 1906.	
[920]	De:	HEMETÉRIO JOSÉ FERREIRA MARTINS	142
		Campos, 24 de dezembro de 1906.	
[921]	Para:	MÁRIO DE ALENCAR	143
		Rio de Janeiro, 26 de dezembro de 1906.	
[922]	Para:	DOMÍCIO DA GAMA	144
		Rio de Janeiro, 29 de dezembro de 1906.	
[923]	De:	EPAMINONDAS LEITE CHERMONT	145
		Washington, dezembro de 1906.	
[924]	Para:	GILBERTO FREIRE DE ANDRADE	146
		Rio [de Janeiro], 1906.	

[925]	De:	CORRESPONDENTE NÃO IDENTIFICADO *Natal, 1.º de janeiro de 1907.*	146
[926]	De:	MÁRIO DE ALENCAR *Fazenda da Conceição, 2 de janeiro de 1907.*	147
[927]	Para:	MÁRIO DE ALENCAR *Rio de Janeiro, 5 de janeiro de 1907.*	148
[928]	De:	MÁRIO DE ALENCAR *Lorena, 8 de janeiro de 1907.*	151
[929]	De:	JOSÉ VERÍSSIMO *[Rio de Janeiro,] 11 de janeiro de 1907.*	152
[930]	De:	GODOFREDO RANGEL *Vila Silvestre Ferraz, 18 de janeiro de 1907.*	154
[931]	Para:	JOAQUIM NABUCO *[Rio de Janeiro,] janeiro de 1907.*	156
[932]	De:	JOÃO RIBEIRO *[Rio de Janeiro, janeiro de 1907.]*	157
[933]	De:	MAGALHÃES DE AZEREDO *Roma, 5 de fevereiro de 1907.*	157
[934]	Para:	JOAQUIM NABUCO *Rio de Janeiro, 7 de fevereiro de 1907.*	161
[935]	De:	MÁRIO DE ALENCAR *Tijuca, 8 de fevereiro de 1907.*	163
[936]	De:	HENRIQUE BERNARDELLI *Rio [de Janeiro], 14 de fevereiro de 1907.*	165
[937]	De:	HEITOR DE BASTO CORDEIRO *[Lausanne,] 20 de fevereiro de 1907.*	166
[938]	De:	OLIVEIRA LIMA *Engenho Cachoeirinha, Escada, Pernambuco, 21 de fevereiro de 1907.*	168
[939]	De:	MÁRIO DE ALENCAR *Tijuca, 7 de março de 1907.*	169
[940]	Para:	MÁRIO DE ALENCAR *[Rio de Janeiro,] 7 de março 1907.*	170
[941]	Para:	MÁRIO DE ALENCAR *Rio de Janeiro, 13 de março 1907.*	172

[942]	De:	MÁRIO DE ALENCAR *Tijuca, 14 de março de 1907.*	173
[943]	De:	JOAQUIM NABUCO *Washington, 15 de março de 1907.*	175
[944]	Para:	MÁRIO DE ALENCAR *Rio [de Janeiro], 18 de março de 1907.*	177
[945]	Para:	MÁRIO DE ALENCAR *[Rio de Janeiro,] 25 de março de 1907.*	179
[946]	De:	MÁRIO DE ALENCAR *Tijuca, 26 de março de 1907.*	181
[947]	De:	MÁRIO DE ALENCAR *Tijuca, 27 de março de 1907.*	183
[948]	Para:	MÁRIO DE ALENCAR *[Rio de Janeiro,] 28 de março de 1907.*	185
[949]	De:	RODRIGO OCTAVIO *Rio [de Janeiro], 30 de março de 1907.*	187
[950]	Para:	MÁRIO DE ALENCAR *[Rio de Janeiro,] 1.º de abril de 1907.*	188
[951]	De:	BARÃO DO RIO BRANCO *Rio [de Janeiro], 6 de abril de 1907.*	189
[952]	De:	GRAÇA ARANHA *Petrópolis, 10 de abril de 1907.*	190
[953]	Para:	MÁRIO DE ALENCAR *Rio [de Janeiro], 11 de abril de 1907.*	191
[954]	De:	MANUEL TELES RABELO *Rio de Janeiro, 25 de abril de 1907.*	194
[955]	De:	VIRGÍLIO VÁRZEA *Rio [de Janeiro], 27 de abril de 1907.*	195
[956]	De:	MÁRIO DE ALENCAR *[Rio de Janeiro, sem data.]*	195
[957]	Para:	JOAQUIM NABUCO *Rio de Janeiro, 14 de maio de 1907.*	196
[958]	Para:	CAMILLO CRESTA *Rio [de Janeiro], 18 de maio de 1907.*	198

XXXVIII ∾ Machado de Assis

[959]	Para:	GUGLIELMO FERRERO	199
		[Rio de Janeiro,] le 18 mai 1907.	
[960]	De:	MARIA AVELAR DE QUEIRÓS	200
		[Rio de Janeiro,] 23 de maio de 1907.	
[961]	De:	JOAQUIM NABUCO	201
		Washington, 27 de maio de 1907.	
[962]	De:	CARLOS DE LAET	204
		[Rio de Janeiro, 30 de maio de 1907.]	
[963]	De:	BARÃO DO RIO BRANCO	209
		Rio [de Janeiro], 10 de junho de 1907.	
[964]	Para:	BARÃO DO RIO BRANCO	210
		Rio [de Janeiro], 11 de junho de 1907.	
[965]	De:	GRAÇA ARANHA	211
		Petrópolis, 17 de junho de 1907.	
[966]	De:	BELMIRO BRAGA	212
		Juiz de Fora, 21 de junho de 1907.	
[967]	Para:	MÁRIO DE ALENCAR	212
		[Rio de Janeiro,] 23 de junho de 1907.	
[968]	De:	GUGLIELMO FERRERO	213
		[Santos, 24 de junho de 1907.]	
[969]	Para:	BARÃO DO RIO BRANCO	214
		[Rio de Janeiro,] Terça-feira [25 de junho de 1907].	
[970]	De:	MAGALHÃES DE AZEREDO	215
		Petrópolis, 26 de junho de 1907.	
[971]	De:	AUGUSTO COCHRANE DE ALENCAR	216
		[Sem local,] 27 de junho de 1907.	
[972]	De:	AUGUSTO DE LIMA	217
		[Belo Horizonte, junho de 1907.]	
[973]	Para:	JOAQUIM NABUCO	217
		Rio [de Janeiro], 7 de julho de 1907.	
[974]	De:	HERÁCLITO GRAÇA	219
		Petrópolis, 8 de julho de 1907.	
[975]	Para:	FANNY DE ARAÚJO	221
		[Rio de Janeiro,] 11 de julho de 1907.	

[976]	De:	GUGLIELMO FERRERO	221
		Buenos Aires, 14 juillet de 1907.	
[977]	Para:	BONIFÁCIO GOMES DA COSTA	223
		Cosme Velho, 21 de julho de 1907.	
[978]	De:	RODRIGO OCTAVIO	224
		Heidelberg, 22 de julho de 1907.	
[979]	Para:	SALVADOR DE MENDONÇA	225
		Rio de Janeiro, 23 de julho de 1907.	
[980]	De:	SALVADOR DE MENDONÇA	225
		Hotel Balneário, Ipanema, 25 de julho de 1907.	
[981]	Para:	GUGLIELMO FERRERO	226
		[Rio de Janeiro, sem data.]	
[982]	De:	GRAÇA ARANHA	229
		Petrópolis, sexta-feira, 2 de agosto de 1907.	
[983]	De:	MÁRIO DE ALENCAR	230
		Rio [de Janeiro], 4 de agosto de 1907.	
[984]	De:	LUCILO BUENO	231
		Rio [de Janeiro], 5 de agosto de 1907.	
[985]	De:	GUGLIELMO FERRERO	232
		[Mendoza,] le 12 août 1907.	
[985 A]	De:	MÁRIO DE ALENCAR	234
		[Rio de Janeiro, 17 de agosto de 1907]	
[986]	De:	GUGLIELMO FERRERO	235
		[Cordoba,] le 26 août 1907.	
[987]	De:	TOBIAS MONTEIRO	236
		[Rio de Janeiro,] 28 de agosto de 1907.	
[988]	De:	MAGALHÃES DE AZEREDO	237
		Petrópolis, 31 de agosto de 1907.	
[989]	De:	BELMIRO BRAGA	238
		Juiz de Fora, 2 de setembro de 1907.	
[990]	De:	GUGLIELMO FERRERO	239
		Buenos Ayres, 3 Septembre 1907.	
[991]	Para:	BELMIRO BRAGA	241
		Rio de Janeiro, 4 de setembro de 1907.	

[991 A]	De:	MÁRIO DE ALENCAR	242
		[Rio de Janeiro,] 6 de setembro de 1907.	
[992]	Para:	MAGALHÃES DE AZEREDO	243
		Rio de Janeiro, 7 de setembro 1907.	
[993]	De:	LÉGATION DE FRANCE	244
		[Rio de Janeiro, setembro de 1907.]	
[993 A]	Para:	MÁRIO DE ALENCAR	245
		[Rio de Janeiro,] Domingo, 8 de setembro de [1907].	
[994]	De:	MAGALHÃES DE AZEREDO	246
		Sardegna, 16 de setembro de 1907.	
[995]	De:	VIRGÍLIO VÁRZEA	248
		Rio [de Janeiro], 19 de setembro de 1907.	
[996]	De:	AUGUSTO DE LIMA	248
		Belo Horizonte, 21 de setembro de 1907.	
[997]	De:	HERÁCLITO GRAÇA	249
		Petrópolis, 25 de setembro 1907.	
[998]	Para:	MÁRIO DE ALENCAR	250
		Rio de Janeiro, 26 de setembro de 1907.	
[999]	De:	PAULO BARRETO	251
		[Rio de Janeiro, 27 de setembro de 1907.]	
[1000]	De:	SOUSA BANDEIRA	251
		Rio [de Janeiro], 29 de setembro de 1907.	
[1001]	Para:	GONÇALVES E COMPANHIA	252
		[Rio de Janeiro, setembro de 1907.]	
[1002]	De:	MAGALHÃES DE AZEREDO	253
		Roma, 3 de outubro de 1907.	
[1003]	De:	ARTUR JACEGUAI – ARTUR SILVEIRA DA MOTA	254
		[Rio de Janeiro,] 17 de outubro de 1907.	
[1004]	De:	GRAÇA ARANHA	255
		[Rio de Janeiro, 24 de outubro de 1907.]	
[1005]	Para:	MÁRIO DE ALENCAR	257
		[Rio de Janeiro,] 27 de outubro de 1907.	
[1006]	De:	ARTUR JACEGUAI – ARTUR SILVEIRA DA MOTA	257
		Rio de Janeiro, 28 de outubro de 1907.	
[1007]	De:	GRAÇA ARANHA	258
		[Petrópolis,] Terça-feira, 5 de novembro de 1907.	

[1008]	De:	INGLÊS DE SOUSA	259
		Rio [de Janeiro], 5 de novembro de 1907.	
[1009]	De:	ARTUR JACEGUAI – ARTUR SILVEIRA DA MOTA	260
		[Rio de Janeiro,] 6 de novembro de 1907.	
[1010]	De:	MAGALHÃES DE AZEREDO	261
		Roma, 7 de novembro de 1907.	
[1011]	De:	GRAÇA ARANHA	262
		Rio [de Janeiro], 14 de novembro de 1907.	
[1012]	Para:	OLIVEIRA LIMA	262
		[Rio de Janeiro,] 15 de novembro de 1907.	
[1013]	De:	SOUSA BANDEIRA	264
		Rio de Janeiro, 20 de novembro de 1907.	
[1014]	De:	JOSÉ VERÍSSIMO	265
		Rio [de Janeiro], 5 de dezembro de 1907.	
[1015]	Para:	OLIVEIRA LIMA	265
		[Rio de Janeiro,] 9 de dezembro de 1907.	
[1016]	De:	MÁRIO DE ALENCAR	267
		Rio [de Janeiro], 16 de dezembro de 1907.	
[1017]	Para:	MÁRIO DE ALENCAR	270
		[Rio de Janeiro,] 22 de dezembro de 1907.	
[1018]	De:	AUGUSTO COCHRANE DE ALENCAR	271
		Quito, [dezembro de] 1907.	
[1019]	De:	BELMIRO	272
		Paris, dezembro de 1907.	
[1020]	Para:	JULIEN LANSAC	273
		[Rio de Janeiro, final de 1907 ou início de 1908.]	
[1021]	Para:	MÁRIO DE ALENCAR	274
		[Rio de Janeiro,] 1.º de janeiro de 1908.	
[1022]	De:	BARÃO DO RIO BRANCO	275
		[Sem local,] 1.º de janeiro de 1908.	
[1023]	De:	JOÃO RIBEIRO	275
		[Rio de Janeiro,] 1.º de janeiro de 1908.	
[1024]	Para:	JOAQUIM NABUCO	276
		Rio de Janeiro, 14 de janeiro de 1908.	
[1025]	De:	MÁRIO DE ALENCAR	278
		Tijuca, 17 de janeiro de 1908.	

[1026]	Para:	MÁRIO DE ALENCAR	280
		Cosme Velho, 21 de janeiro de 1908.	
[1027]	De:	MÁRIO DE ALENCAR	283
		Tijuca, 1.º de fevereiro de 1908.	
[1028]	Para:	MÁRIO DE ALENCAR	285
		Cosme Velho, 4 de fevereiro de 1908.	
[1029]	De:	MÁRIO DE ALENCAR	286
		Rio de Janeiro, Tijuca, 6 de fevereiro de 1908.	
[1030]	Para:	MÁRIO DE ALENCAR	290
		Cosme Velho, 8 de fevereiro de 1908.	
[1031]	De:	JOAQUIM NABUCO	293
		Washington, 13 de fevereiro de 1908.	
[1032]	De:	MÁRIO DE ALENCAR	296
		Tijuca, 20 de fevereiro de 1908.	
[1033]	Para:	MÁRIO DE ALENCAR	298
		Cosme Velho, 23 de fevereiro de 1908.	
[1034]	De:	MÁRIO DE ALENCAR	301
		Tijuca, 27 de fevereiro de 1908.	
[1035]	De:	GRAÇA ARANHA	303
		Petrópolis, sexta-feira, 6 de março de 1908.	
[1036]	Para:	MÁRIO DE ALENCAR	304
		Rio de Janeiro, 21 de março de 1908.	
[1037]	De:	MAGALHÃES DE AZEREDO	305
		Roma, 28 de março de 1908.	
[1038]	De:	MAGALHÃES DE AZEREDO	315
		Roma, 31 de março de 1908.	
[1039]	De:	JOSÉ VERÍSSIMO	316
		[Rio de Janeiro,] 6 de abril de 1908.	
[1040]	De:	JOSÉ VERÍSSIMO	317
		[Rio de Janeiro,] 10 de abril de 1908.	
[1041]	De:	PEDRO FREDERICO LEÃO DE SOUSA	317
		Fortaleza de Santa Cruz, à barra do Rio de Janeiro, 11 de abril de 1908.	
[1042]	De:	MÁRIO DE ALENCAR	318
		Tijuca, 17 de abril de 1908.	

[1043]	Para: RODRIGO OCTAVIO	321
	[Rio de Janeiro,] 18 de abril de 1908.	
[1044]	Para: BARÃO DO RIO BRANCO	321
	[Rio de Janeiro, 20 de abril de 1908.]	
[1045]	Para: MÁRIO DE ALENCAR	322
	[Rio de Janeiro,] 20 de abril de 1908.	
[1046]	Para: JOSÉ VERÍSSIMO	324
	Cosme Velho, 21 de abril de 1908.	
[1047]	De: JOSÉ VERÍSSSIMO	326
	Rio [de Janeiro], 22 abril [de 1908].	
[1048]	De: JOSÉ VERÍSSIMO	328
	[Rio de Janeiro,] 23 de abril de 1908.	
[1049]	De: JOSÉ VERÍSSIMO	328
	Rio [de Janeiro], 24 de abril de 1908.	
[1050]	Para: MÁRIO DE ALENCAR	330
	[Rio de Janeiro,] 25 de abril de 1908.	
[1051]	Para: SARA BRAGA E COSTA	331
	Rio de Janeiro, 3 de maio de 1908.	
[1052]	De: MÁRIO DE ALENCAR	333
	Rio [de Janeiro], 3 de maio de 1908.	
[1053]	Para: JOAQUIM NABUCO	334
	Rio de Janeiro, 8 de maio de 1908.	
[1054]	Para: SARA BRAGA E COSTA	339
	Rio de Janeiro, 17 de maio de 1908.	
[1055]	De: MÁRIO DE ALENCAR	341
	Rio [de Janeiro], 3 de junho de 1908.	
[1056]	De: GRAÇA ARANHA	342
	Petrópolis, 5 de junho de 1908.	
[1057]	De: LÚCIO DE MENDONÇA	343
	[Rio de Janeiro,] 5 de junho de 1908.	
[1058]	De: JOAQUIM NABUCO	344
	Washington, 8 de junho de 1908.	
[1059]	De: MAGALHÃES DE AZEREDO	346
	Roma, 17 de junho de 1908.	
[1060]	De: BELMIRO BRAGA	347
	Juiz de Fora, 21 de junho de 1908.	

[1061]	De:	BELISARIO PORRAS	347
		Rio de Janeiro, le 22 juin 1908.	
[1062]	Para:	JOAQUIM NABUCO	349
		Rio de Janeiro, 28 de junho de 1908.	
[1063]	De:	NUNO [LOPO SMITH DE VASCONCELOS]	350
		Nova Friburgo, 28 de junho de 1908.	
[1064]	De:	OLAVO BILAC	351
		Rio [de Janeiro], 2 de julho de 1908.	
[1065]	De:	MÁRIO DE ALENCAR	352
		[Rio de Janeiro,] 4 de julho de 1908.	
[1066]	Para:	MÁRIO DE ALENCAR	353
		[Rio de Janeiro,] 4 de julho de 1908.	
[1067]	De:	GABINETE DO MINISTRO DA INDÚSTRIA	354
		Rio [de Janeiro], 4 de julho de 1908.	
[1068]	De:	MÁRIO DE ALENCAR	355
		Rio [de Janeiro], 5 de julho de 1908.	
[1069]	De:	MAROQUINHA JACOBINA RABELO	357
		Cosme Velho, 5 de julho de 1908.	
[1070]	De:	MÁRIO DE ALENCAR	357
		Rio [de Janeiro], 8 de julho de 1908.	
[1071]	Para:	MÁRIO DE ALENCAR	359
		Rio de Janeiro, 8 de julho de 1908.	
[1072]	De:	MÁRIO DE ALENCAR	359
		Rio [de Janeiro], 12 de julho de 1908.	
[1073]	Para:	MÁRIO DE ALENCAR	360
		[Rio de Janeiro,] 12 de julho de 1908.	
[1074]	De:	MÁRIO DE ALENCAR	361
		Rio [de Janeiro], 16 de julho de 1908.	
[1075]	Para:	MÁRIO DE ALENCAR	363
		Rio de Janeiro, 16 de julho [de 1908].	
[1076]	De:	JOSÉ VERÍSSIMO	364
		Rio [de Janeiro], 18 de julho de 1908.	
[1077]	Para:	JOSÉ VERÍSSIMO	365
		[Rio de Janeiro,] Domingo, 19 [de julho de 1908].	
[1078]	Para:	MÁRIO DE ALENCAR	365
		Rio de Janeiro, 20 de julho de 1908.	

[1079]	De:	MÁRIO DE ALENCAR	367
		Rio [de Janeiro], 21 de julho de 1908.	
[1080]	Para:	GERENTE DO LONDON & BRAZILIAN BANK LIMITED	368
		Rio de Janeiro, 21 de julho de 1908.	
[1081]	De:	MAGALHÃES DE AZEREDO	369
		Roma, 22 de julho de 1908.	
[1082]	De:	SALVADOR DE MENDONÇA	370
		[Rio de Janeiro,] 22 de julho de 1908.	
[1083]	De:	BATISTA CEPELOS	371
		São Paulo, 23 de julho de 1908.	
[1084]	De:	AFRÂNIO PEIXOTO	372
		[Rio de Janeiro,] 24 de julho de 1908.	
[1085]	Para:	AFRÂNIO PEIXOTO	374
		[Rio de Janeiro,] 24 de julho [de 1908].	
[1086]	De:	JOSÉ VERÍSSIMO	374
		Engenho Novo, perto da residência de Dom Casmurro, 29 de julho de 1908.	
[1087]	De:	LÚCIO DE MENDONÇA	375
		Rio [de Janeiro], 29 de julho de 1908.	
[1088]	De:	MÁRIO DE ALENCAR	376
		[Rio de Janeiro,] 29 de julho [de 1908.]	
[1089]	Para:	MÁRIO DE ALENCAR	377
		[Rio de Janeiro, 29 de julho de 1908.]	
[1090]	Para:	BATISTA CEPELOS	378
		[Rio de Janeiro,] 30 de julho de 1908.	
[1091]	De:	MÁRIO DE ALENCAR	379
		Rio [de Janeiro], 30 de julho de 1908.	
[1092]	Para:	MAROQUINHA JACOBINA RABELO	380
		[Rio de Janeiro,] julho de 1908.	
[1093]	Para:	SARA BRAGA E COSTA	380
		Rio de Janeiro, julho de 1908.	
[1094]	Para:	JOAQUIM NABUCO	385
		Rio de Janeiro, 1.º de agosto de 1908.	
[1095]	Para:	MAGALHÃES DE AZEREDO	386
		Rio de Janeiro, 1.º de agosto de 1908.	

[1096]	Para:	MÁRIO DE ALENCAR	390
		Rio [de Janeiro], 1.º de agosto de 1908.	
[1097]	Para:	OLIVEIRA LIMA	390
		Rio [de Janeiro], 1.º de agosto de 1908.	
[1098]	De:	JOAQUIM NABUCO	391
		Hamilton, Massachusetts, 1.º de agosto de 1908.	
[1099]	De:	RODRIGO OCTAVIO	393
		Rio [de Janeiro], 1.º de agosto de 1908.	
[1100]	De:	SOUSA BANDEIRA	394
		Rio [de Janeiro], 2 de agosto de 1908.	
[1101]	De:	MAGALHÃES DE AZEREDO	395
		Palácio Vannutelli, 5 de agosto de 1908.	
[1102]	De:	MÁRIO DE ALENCAR	395
		Rio [de Janeiro], 6 de agosto [de 1908].	
[1103]	Para:	MÁRIO DE ALENCAR	397
		[Rio de Janeiro,] 6 de agosto de [1908].	
[1104]	De:	OLÍMPIO PORTUGAL	399
		Araras, 7 de agosto de 1908.	
[1105]	De:	MÁRIO DE ALENCAR	400
		Rio [de Janeiro], 8 de agosto de [1908].	
[1106]	De:	NUNO [LOPO SMITH DE VASCONCELOS]	402
		Friburgo, 8 de agosto de 1908.	
[1107]	Para:	MÁRIO DE ALENCAR	403
		[Rio de Janeiro,] 9 de agosto de 1908.	
[1108]	De:	MÁRIO DE ALENCAR	404
		Rio de Janeiro, 10 de agosto de 1908.	
[1109]	De:	ALMÁQUIO DINIS	405
		Bahia, 11 de agosto de 1908.	
[1110]	De:	DOMÍCIO DA GAMA	405
		Buenos Aires, 11 de agosto de 1908.	
[1111]	De:	MÁRIO DE ALENCAR	407
		[Rio de Janeiro,] 13 de agosto [de 1908].	
[1112]	De:	MÁRIO DE ALENCAR	408
		Rio de Janeiro, 17 de agosto de 1908.	
[1113]	De:	MÁRIO DE ALENCAR	409
		Rio [de Janeiro], 22 de agosto de 1908.	

[1114] Para: MÁRIO DE ALENCAR   411
        [Rio de Janeiro,] 22 de agosto [de 1908].

[1115] De: MÁRIO DE ALENCAR   412
        Rio [de Janeiro], 24 de agosto de 1908.

[1116] Para: MÁRIO DE ALENCAR   413
        Rio [de Janeiro], 24 de agosto de 1908.

[1117] De: MAGALHÃES DE AZEREDO   413
        Frascati, Hotel Bellevue, 25 de agosto de 1908.

[1118] Para: MÁRIO DE ALENCAR   415
        [Rio de Janeiro,] 26 de agosto [de 1908].

[1119] De: MÁRIO DE ALENCAR   416
        Rio [de Janeiro], 28 de agosto de 1908.

[1120] De: OLIVEIRA LIMA   416
        Karlsbad, 28 de agosto de 1908.

[1121] De: MÁRIO DE ALENCAR   418
        [Rio de Janeiro, 29 de agosto de 1908.]

[1122] Para: MÁRIO DE ALENCAR   419
        Rio [de Janeiro], 29 de agosto de 1908.

[1123] De: JOSÉ VERÍSSIMO   420
        [Rio de Janeiro,] 30 de agosto de 1908.

[1124] Para: JOSÉ VERÍSSIMO   421
        [Rio de Janeiro,] 1.º de setembro de 1908.

[1125] De: SALVADOR DE MENDONÇA   422
        Gávea, 1.º de setembro de 1908.

[1126] De: JOAQUIM NABUCO   428
        Hamilton, Massachussets, 3 de setembro de 1908.

[1127] Para: SALVADOR DE MENDONÇA   430
        Rio de Janeiro, 7 de setembro de 1908.

[1128] De: CONGRESSO NACIONAL DE ASSISTÊNCIA
              PÚBLICA – OLAVO BILAC   431
        Rio de Janeiro, 17 de setembro de 1908.

[1129] De: LÚCIO DE MENDONÇA   432
        [Rio de Janeiro, setembro de 1908.]

CADERNO SUPLEMENTAR

[...]	De: A. MARTINS *[Niterói, sem data.]*	437
[...]	De: A. MARTINS *[Niterói, sem data.]*	438
[...]	De: AFRÂNIO PEIXOTO *[Paris, sem data.]*	439
[...]	Para: ALBA DE ARAÚJO *[Rio de Janeiro,] Quinta-feira.*	439
[...]	De: ANTÔNIA MACHADO *[Sem local.] 5 de novembro de [1905].*	440
[82 A]	Para: ANTÔNIO FELICIANO DE CASTILHO *Rio de Janeiro, 23 de abril de 1869.*	441
[1 A]	Para: ANTÔNIO MOUTINHO DE SOUSA *[Rio de Janeiro, janeiro de 1861.]*	444
[...]	De: CORRESPONDENTE NÃO IDENTIFICADO *[Paris, junho.]*	449
[...]	Para: DESTINATÁRIO NÃO IDENTIFICADO *[Rio de Janeiro, sem data.]*	449
[...]	Para: FRANCISCA DE BASTO CORDEIRO *[Rio de Janeiro, sem data.]*	450
[...]	De: GRAÇA ARANHA *[Petrópolis,] Terça-feira.*	450
[...]	De: JOSÉ MARIA LEITÃO DA CUNHA FILHO – TRISTÃO DA CUNHA *[Rio de Janeiro,] 22 de janeiro.*	451
[...]	De: JOSÉ VERÍSSIMO *[Rio de Janeiro, sem data.]*	452
[269 A]	Para: MANUEL ERNESTO DE CAMPOS PORTO *Rio [de Janeiro], 3 de março de 1888.*	452
[280 A]	Para: MANUEL FRANCISCO CORREIA *[Rio de Janeiro,] 8 de dezembro de 1890.*	455
[956 A]	Para: MEDEIROS E ALBUQUERQUE *[Rio de Janeiro, 1.º de maio de 1907.]*	457

[...]	Para: RAMIZ GALVÃO *[Rio de Janeiro,] 1.º de fevereiro.*	459
[...]	Para: SARA BRAGA E COSTA *[Rio de Janeiro,] 17 de fevereiro.*	459
[...]	De: SILVA RAMOS *[Rio de Janeiro, sem data.]*	460

CORRESPONDENTES NO PERÍODO 1905-1908	461
POSFÁCIO	527
BIBLIOGRAFIA	529
CADERNO DE IMAGENS	541

Correspondência de Machado de Assis
Tomo V — 1905-1908

[814]

> De: EUCLIDES DA CUNHA
> *Fonte:* Cartão-Postal, Arquivo ABL.

[Sem local,][1] 3 de janeiro de 1905.[2]

(...)[3] Felicitações da

Família (...)

Euclides da Cunha

Ex*celentíssi*mo *Senhor* D*outor* Machado de Assis
Rua Senador Otaviano[4], *Número* 18
Cosme Velho
Capital

---

1 ∾ Documento inédito. Este cartão-postal foi enviado de Manaus. Euclides ia assumir a chefia da Comissão Brasileira do Alto Purus, e retornaria ao Rio somente em janeiro de 1906. Este cartão retrata o início da sua jornada. Havia acabado de chegar a Manaus, conforme informa ao pai em carta de 30 de dezembro de 1904 (Galvão; Galotti, 1997):

"Acabamos de chegar e como temo que o vapor volte amanhã muito cedo, escrevo esta ainda de bordo para não perder a oportunidade de mandar alguma notícia. Fizemos sempre boa viagem embora o meu estômago incorrigível me trouxesse num meio enjoo intolerável desde a partida do Rio." (SE)

2 ∾ Manteve-se a datação presente na etiqueta do documento pertencente ao Arquivo ABL. (SE)

3 ∾ Cartão-postal com imagem bíblica; soto-posta há a seguinte frase: *Les temps sont proches où les voleurs seront [de] nouveau chassés du Temple.* Tradução: Estão próximos os tempos nos quais os ladrões serão novamente expulsos do Templo. (SE)

4 ∾ Depois da morte de Francisco Otaviano de Almeida Rosa* (1825-1889), a rua Cosme Velho passou oficialmente a ter o nome de rua Senador Otaviano, porém, no cotidiano, o nome não foi adotado pelos moradores do bairro nem da cidade, tal como aconteceu, por exemplo, à rua do Ouvidor que, após a derrota das tropas legais chefiadas pelo coronel Moreira César e sua morte em Canudos, se chamou oficialmente rua Moreira César por vários anos. No caso da homenagem ao Senador Otaviano, mais tarde, o seu nome foi dado a uma das ruas que fazem a ligação de Copacabana com Ipanema. (SE)

[815]

> Para: JOAQUIM NABUCO
> *Fonte:* Fundação Joaquim Nabuco. Fac-símile do manuscrito original.

Rio de Janeiro, 11 de janeiro de 1905.

Meu caro Embaixador,

Deixe-me dar-lhe o título que já corre impresso[1]. O *Jornal do Comércio* foi o primeiro que publicou a notícia com a discrição e segurança do costume. Hoje leio que o ministro americano Thompson[2] já está nomeado desde ontem.

Não é preciso dizer-lhe o efeito que a notícia produziu aqui. Todos a aplaudiram, e os seus amigos juntamos ao aplauso geral aquele sentimento particular que V*ocê* ganhou e possui em nossos corações. Começa V*ocê* a história desta nova fase da nossa vida diplomática.

Releve-me, meu caro Nabuco, estas poucas linhas em momento que pedia muitas. Acordei um pouco enfermo, e, se não fraquear no propósito de calar, só confiarei a notícia a V*ocê*, porque, apesar do mal-estar, vou para o meu ofício. Receba um forte abraço, tão longo como a distância que nos separa. V*ocê* sabe que é sincero este meu gosto de o ver levantado pelo Brasil até onde merece a sua capacidade. Peço-lhe que apresente os meus cumprimentos à ditosa e digna Embaixatriz, e continue a amizade de que há dado tantas e tocantes provas ao

Velho amigo

Machado de Assis

---

1 ∾ Fora criada a embaixada do Brasil em Washington, e Nabuco seria nomeado embaixador. Nos seus *Diários* (2008), ele fez a seguinte anotação em 7 de janeiro:

> "Recebo telegrama do Rio Branco que na terça-feira 10 serão publicadas em Washington e no Rio as duas nomeações e que ele dará jantar nesse dia a Mr. Thompson. *Il n'y a que le premier pas qui coûte*, depois dele *fata viam invenient*." [Só custa dar o primeiro passo, depois dele o destino encontrará o próprio caminho.] (IM)

2 ◦◦ David Eugene Thompson* passava de ministro ao cargo de embaixador dos Estados Unidos. (IM)

[816]

De: HILÁRIO DE GOUVEIA
Fonte: Manuscrito Original, Arquivo ABL.

Paris, 25 de janeiro de 1905.

(Avenue Kleber 52)¹

Meu caro *Senho*r Machado de Assis,

Somente agora soube por meu cunhado Joaquim², de passagem por esta capital, que o preclaro amigo passou pelo dolorosíssimo transe de perder sua estremecida e extremosa Esposa, de quem guardo até hoje a mais suave e grata impressão pelo modo carinhoso e solícito por que a vi desempenhar-se dos seus deveres conjugais por ocasião de grave e longa moléstia de que o meu amigo foi por mim trata*do*³.

Quando se tem a desventura de perder uma companheira dessas, é como se a gente perdesse a metade de si mesmo, e eu imagino que a tristeza e a desolação da outra metade ao recapitular, sozinha, os quadros da vida passada, deve ser de uma angústia indescritível, só atenuada para aqueles que têm a ventura de acreditar na poética e consoladora legenda da futura vida paradisíaca.

Que o meu ilustre amigo, que priva com as Musas e é por elas inspirado, seja dos últimos e conserve, até ao fim da vida, a doce esperança de ir ter com a amada Esposa no Paraíso⁴, são estes os mais sinceros e cordiais votos deste

Seu

Hilário de Gouveia.

1 ⁕ Machado anotou "Respondida em 18 Março". Essa reposta ainda não foi localizada. (IM)

2 ⁕ Joaquim Nabuco*. (IM)

3 ⁕ Sobre a penosa doença nos olhos, o tratamento ministrado pelo Dr. Hilário de Gouveia e o apoio de Carolina*, ver cartas [163], [164] e [165], tomo II. (IM)

4 ⁕ Esta missiva parece conduzir Machado à criação do seu insuperável soneto "A Carolina". Ver em [878], de 19/02/1906. (IM)

[817]

Para: JOSÉ VERÍSSIMO
Fonte: Revista da Academia Brasileira de Letras, XXXIV, n.º 105, 1930.

Rio [de Janeiro], 4 de fevereiro de 1905.

Meu caro José Veríssimo,

Ontem, depois que nos separamos, recebi o livro e a carta que você me deixou no Garnier. Quando abri o pacote, vi o livro e li a carta, recebi naturalmente a impressão que me dão letras suas, — maior desta vez pelo assunto. Obrigado, meu amigo, pelas palavras de carinho e conforto que me mandou e pelo sentimento de piedade que o levou à devolução do livro. Foi certamente o último volume que a minha companheira folheou e leu trechos, esperando fazê-lo mais tarde, como aos outros que ela me viu escrever. Cá vai o volume para o pequeno móvel onde guardo uma parte das lembranças dela. Esta outra lembrança traz a nota particular do amigo[1].

Apesar da exortação que me faz e da fé que ainda põe na possibilidade de algum trabalho, não sei se este seu triste amigo poderá meter ombros a um livro, que seria efetivamente o último. Pelo que é viver comigo, ela vive e viverá, mas a força que me dá isto é empregada na resistência à dor que ela me deixou. Enfim, pode ser que a necessidade do trabalho me traga esses efeitos que você tão carinhosamente afiança. Eu quisera que assim fosse².

Quanto à minha visão das coisas, meu amigo, estou ainda muito perto de uma grande injustiça para descrer do mal. Nabuco, animando-me como Você, escreveu-me que a mim coube a melhor parte — "o sofrimento"³. A visão dele é outra, mas em verdade o sofrimento é ainda a melhor parte da vida.

Adeus, obrigado, não esqueça este seu velho

M. de Assis.

---

1 ∞ Este comovente parágrafo revela muitas coisas: o livro devolvido só poderia ser *Esaú e Jacó*, pois na carta [801], tomo IV, Machado conta a Oliveira Lima* que a querida Carolina* apenas leu alguns trechos do romance publicado pouco antes do seu falecimento, em 20/10/1904; a existência do pequeno móvel comprado por Carolina com suas economias mensais e onde Machado reuniu suas relíquias, da correspondência de ambos no noivado aos sapatinhos de cetim usados na cerimônia de casamento (1869), – e quantas coisas mais? –, móvel que ele desejaria saber queimado após sua morte (ver nota 4, carta [82], tomo I); se Machado conservou tão cuidadosamente as demais cartas de Veríssimo, pode-se concluir que a deixada por este na Garnier também foi destruída pelo fogo. (IM)

2 ∞ Apesar da dor e da solidão, a obra machadiana foi admiravelmente completada com *Relíquias de Casa Velha* (1906) e o *Memorial de Aires* (1908). (IM)

3 ∞ Ver [795], tomo IV. (IM)

[818]

De: EUCLIDES DA CUNHA
Fonte: Cartão-Postal Original. Arquivo Histórico, Museu da República.

Manaus, 5 de fevereiro de 1905.[1]

A Machado de Assis

    Nestas choupanas da roça[2],
    De aparência tão tristonha,
    Mora, às vezes uma moça
    Gentilíssima e risonha.

    E o incauto viajante
    Quase sempre não descobre
    A moradora galante
    De uma choupana tão pobre.

    E passa na sua lida
    Para a remota cidade,
    Deixando, às vezes, perdida
    Num ermo, a Felicidade...

    Euclides da Cunha

---

1 ∾ Euclides da Cunha estava no norte do Brasil desde fins de dezembro de 1904. Sobre este assunto ver nota 1, carta [755], tomo IV. Ver também [814]. (SE)

2 ∾ Cartão-postal colorido com a imagem de uma choupana, à beira de um pequeno lago, tendo ao redor o arvoredo. Em meio à paisagem, quatro meninos. Na base do cartão à esquerda, localiza-se a paisagem como sendo em Pernambuco. No centro, está escrito: "Uma Casa de palha". Sobre a poesia euclidiana, consultar Bernucci; Hardman. (2009). (SE)

[819]

> De: SÍLVIO ROMERO
> *Fonte:* Manuscrito Original, Arquivo ABL.

[Rio de Janeiro,] 11 de fevereiro de 1905.

Ex*celentíssi*mo Sen*ho*r Presidente da Academia de Letras,

Impossibilitado de comparecer pessoalmente à sessão dessa Academia, declaro que voto no Sen*ho*r Osório Duque-Estrada para membro da Academia Brasileira de Letras na vaga do Dou*to*r Martins Júnior[1].

Sílvio Romero

---

1 ∾ A eleição para a Cadeira 13 estava marcada para o dia 15 de fevereiro. Apresentaram-se Sousa Bandeira* (15), Osório Duque-Estrada* (14) e Vicente de Carvalho (2), que terminou retirando a sua candidatura à última hora. Sem maioria, nova eleição foi marcada para 27 de maio, quando então Sousa Bandeira foi eleito. Duque-Estrada só se elegeu em 1915, curiosamente na vaga de Sílvio Romero, que havia falecido em 18/07/1914. (SE)

[820]

> De: JOSÉ SEVERIANO DE RESENDE
> *Fonte:* Manuscrito Original, Arquivo ABL.

Rio de Janeiro, 13 de fevereiro de 1905.

Ex*celentíssi*mo Sen*ho*r Machado de Assis

Cumprimentando à V*ossa* Ex*celê*ncia, venho, por meio desta, participar à V*ossa* Ex*celê*ncia que sou pretendente à cadeira vaga na Academia pela recente morte de José do Patrocínio[1]. A minha bagagem literária não é grande e consta por enquanto apenas do livro sobre Eduardo Prado[2], que V*ossa* Ex*celê*ncia conhece. No mais, coisas esparsas, em prosa e verso, aguardando tempo propício para a composição em tomos[3]. Rogo à Vossa Excelência, como Presidente da Academia de Letras, a gentileza de comunicar a minha pretensão aos demais membros do seleto conclave.

De Vossa Excelência servo muito admirador e grato

José Severiano de Resende

---

1 ∞ Na eleição à Cadeira 21, concorreram o então padre José Severiano de Resende (1), Domingos Olímpio (10) e Mário de Alencar*, que se elegeu com 17 votos, por "imperioso e ostensivo empenho de Machado de Assis", segundo Magalhães Jr. (2008). (SE)

2 ∞ O livro referido chama-se *Eduardo Prado, Páginas de Crítica e Polêmica* (1905). (SE)

3 ∞ O são-joanense José Severiano de Resende desenvolveu o seu pensamento filosófico ao longo dos anos. A sua obra hoje em dia é reconhecida e estudada com progressivo interesse. Os seus principais livros sobre o tema são *Cartas Paulistas* (Santos: *Diário*, 1890); *O Meu Flos Sanctorum* (Porto: Chardron, 1908); e *Mistérios* (Lisboa: Aillaud e Bertrand, 1920). (SE)

[821]

De: BARÃO DE TODOS OS SANTOS
Fonte: Manuscrito Original, Arquivo ABL.

Rio [de Janeiro], 17 de fevereiro de 1905[1].

Excelentíssimo Senhor Doutor Machado de Assis

Existindo na Academia de Letras, um grupo de intelectuais os mais notáveis do Brasil, a vaga deixada pelo grande jornalista, José do Patrocínio, apresento-me a ela candidato, desejoso de conviver mais intimamente com a *elite* da nossa literatura.

Tenho, para justificar a minha pretensão, dois trabalhos históricos sobre o Estado de Goiás, onde nasci e onde tenho residência fixa, e em publicação em Portugal, um romance de caráter social, vazado nos moldes estabelecidos por Tolstoi. Tais são as credenciais com que pretendo entrar para a Academia sob a vossa digníssima presidência.

Certo de que minha candidatura[2] será aceita, desde já passo a fazer as visitas de praxe.

At*ento* Resp*eita*dor obrig*ado*

Barão de Todos os Santos[3]

P*ost* S*criptum.* Resido, de passagem aqui, em casa de um parente, à Travessa Dona Elisa 22, — Senador Eusébio[4].

---

1 ∾ Documento inédito. (SE)

2 ∾ Não há registro da sua candidatura nas atas da ABL. (SE)

3 ∾ O nome civil do desconhecido barão de Todos os Santos era Antônio Eugênio dos Santos. O barão era professor de desenho do Liceu de Artes e Ofícios e amigo de Victor Meirelles, o pintor. É possível que se tenha estabelecido no interior da Bahia, na cidade de Andaraí, exercendo a atividade de fotógrafo. Isto foi tudo o que se apurou sobre ele. (SE)

4 ∾ Esta rua começava na antiga praça da Aclamação (atual Tiradentes) e terminava no final do canal do Mangue, no canto da praia Formosa. Mais tarde, a primeira porção, que ia até a praça Onze de Junho, denominou-se rua de São Pedro da Cidade Nova, e o restante até a praia Formosa, rua do Aterrado. Em 1869, somente o trecho da rua do Aterrado passou a se chamar Senador Eusébio. Em 1874, o nome se estendeu até a praça da Aclamação. Durante a abertura da avenida Presidente Vargas, toda a rua desapareceu. (SE)

[822]

Para: ADRIANO AUGUSTO DE PINA VIDAL
Fonte: MAGALHÃES JR., Raimundo. *Machado de Assis, Vida e Obra*. Rio de Janeiro: Record, 2008.

Rio de Janeiro, 20 de fevereiro de 1905.

Tenho a honra e a satisfação de acusar recebido ofício de V*ossa* Ex*celência* datado de 24 de outubro último, acompanhado do diploma que me confere o título de sócio correspondente estrangeiro da Academia Real das Ciências de Lisboa na classe de ciências morais e políticas e belas-letras[1].

Rogo à V*ossa* Ex*celência* se digne transmitir a esse ilustre instituto os meus cordiais agradecimentos por tão elevada distinção.

Deus guarde à V*ossa* Ex*celência*

Machado de Assis

I*lustríssi*mo Ex*celentíssi*mo Se*nho*r *Adriano Augusto* de Pina Vidal, muito digno secretário-geral da Academia Real de Ciências de Lisboa.

---

1 ∾ Machado de Assis teve seu nome proposto para a Academia Real das Ciências de Lisboa em 13/12/1900, recebendo parecer favorável em 07/06/1901. Somente quatro anos depois, na sessão de 25/07/1904, o seu nome foi aprovado pelo colegiado, fato que lhe foi comunicado em 29/07/1904. Na carta [775], do tomo IV, Machado acusa o recebimento do comunicado de aprovação do seu nome. Agora, acusa o recebimento do diploma de sócio. (SE)

[823]

Para: JOÃO RIBEIRO
Fonte: Manuscrito Original, Arquivo ABL.

[Rio de Janeiro,] 27 de fevereiro de 1905.

Meu caro João Ribeiro,

Vá desculpando a letra. Aqui lhe deixo as provas e uma cópia dos versos de Artur de Oliveira para substituir a *Menina e Moça*. Convém que a substituição seja feita de modo que a entendam em Paris. O título é "A Artur de Oliveira, enfermo". Pode ser que lá suponham que este nome é o do escritor e o ponham no lugar do meu. Se pudermos falar logo, é bom.

Um aperto de mão, e adeus.

Velho amigo

Machado de Assis[1]

---

1 ∾ Em 1906, a editora H. Garnier publicaria *Academia Brasileira – Páginas Escolhidas* por João Ribeiro. No tomo segundo, encontra-se "Menina e Moça", poesia encantadora de 1869 incluída em *Falenas* (1870). Porém Machado a eliminou das *Poesias Completas* (1901). Escrevendo a Magalhães de Azeredo* em 15/08/1901 (ver [612], tomo IV), o próprio Machado comenta:

> "Não sei se lhe disse que cortei muita coisa dos primeiros livros; arrependi-me de alguns cortes, como a *Menina e Moça*, por exemplo. Essa página foi suprimida por algumas alusões do tempo, como este verso: / Tem respeito à Geslin, mas adora a Dazon, que ninguém sabe que alude à professora e à modista, mas bastava cortá-lo."

O motivo seria dar uma nota explicando que a baronesa de Geslin dirigira um famoso educandário de meninas e que Madame Dazon, a modista, gozava então de grande renome. Avesso a notas, Machado decidira eliminar o poema. Pelo que nos mostra a atual carta, inédita, o autor continua querendo suprimir sua "Menina e Moça", mas ei-la estampada na coletânea de João Ribeiro: abre uma pequena série completada por "Mosca Azul", "O Corvo (Edgar Poe)" e "Poesia (A Artur de Oliveira, enfermo"). (IM)

[824]

De: LÚCIO DE MENDONÇA
Fonte: Manuscrito Original, Arquivo ABL.

Teresópolis, 28 de fevereiro de 1905.

Mestre e Amigo *Senhor* Machado de Assis,

Aqui tem um contribuinte danadíssimo com o serviço do correio. Só ontem, por um recado, soube que não havia recebido o meu voto na eleição da Academia[1]; a notícia publicada não dava as circunstâncias; pois votei, votei no João Bandeira, em cédula fechada a cola, remetida em carta ao presidente da Academia. A carta era datada de 12 ou 13 deste mês e levava este endereço: "Ex*celentíssi*mo *Senh*or Machado de Assis. Rio de Janeiro (ou Capital Federal, não sei bem). Secretaria da Indústria, Viação e Obras Públicas".

Se lhe não chegou a carta, reclamo solene e formalmente contra o desvio ou perda, e rogo-lhe providências oficiais para apuração da verdade e punição do culpado[2].

Só para supor tudo, imagino também a possibilidade de não se me haver apurado o voto por ter sido dirigido, não ao secretário, mas ao presidente da Academia; mas nem insisto na conjectura, até desairosa ao bom senso dos confrades, posto que já visse impugnar um voto do Nabuco, em carta ao presidente, só porque não viera formulado em papel separado[3]!

Na carta, que julgo perdida, também lhe explicava que não declarara o meu título de membro da Academia Brasileira no livro "A caminho", que está a sair da casa editora Laemmert, por me parecer que seria anacrônico em uma coleção de escritos anteriores à existência da instituição.

Para maior segurança, remeto esta carta por mão particular (com a devida franquia) e para lhe ser entregue na livraria Garnier.

Vale et me ama[4].

Sempre e muito seu

Lúcio de Mendonça

1 ∾ Primeira eleição para a vaga de Martins Júnior*. João Carneiro de Sousa Bandeira* recebeu 15 votos, Osório Duque-Estrada*, 14, e Vicente de Carvalho, 2. A ata registra 31 votantes; portanto Sousa Bandeira não recebeu a votação de metade mais um, que lhe daria a vitória. Porém, na segunda eleição (27/05/1905), venceu com 17 votos. (IM)

2 ∾ Ver resposta em [825], de 03/03/1905. (IM)

3 ∾ A determinação regimental era de que os votos dos ausentes só fossem aceitos em cédula fechada. (IM)

4 ∾ "Adeus, e me queiras bem." (IM)

[825]

Para: LÚCIO DE MENDONÇA
Fonte: Revista da Academia Brasileira de Letras, XXXI, n.º 94, 1929.

Rio [de Janeiro], 3 de março de 1905.

Meu querido amigo e confrade

Compreendo o tédio que lhe deu o desvio ou perda da carta de 12 ou 13 do mês passado[1]. Ontem de manhã fui ter com o Diretor dos Correios para lhe contar o caso e pedir providências. Respondeu-me que ia telegrafar imediatamente ao agente de Teresópolis, e ao mesmo tempo ordenar aos empregados da Repartição que receberam as malas examinassem esta falta. Ouviria também o carteiro incumbido da correspondência oficial visto que a sua carta trazia o endereço para a Secretaria. Na mesma ocasião expôs longamente a facilidade que há em desvios de cartas apesar do cuidado.

Viu que a votação da Academia não deu maioria a nenhum dos candidatos, havendo entre ambos apenas um voto de diferença. Vamos a novo escrutínio em maio. Já então o teremos aqui[2].

Sobre o que me diz acerca da falta de declaração de membro da Academia Brasileira no livro "A Caminho", pode ser que tenha razão.

O meu editor, porém, já a imprimiu na nova edição da "Helena". Venha o seu livro, que me lembrará dias idos³. Vamos recolhendo o que houver ficado pela estrada.

Adeus, meu querido Lúcio, receba um abraço do

Velho e triste amigo

Machado de Assis

---

1 ∾ Ver [824]. (IM)

2 ∾ Lúcio compareceu à segunda eleição para a vaga de Martins Júnior*, que teve como vencedor Sousa Bandeira* e ocorreu em 27/05/1905. (IM)

3 ∾ *A Caminho* (1905) reúne diversos artigos da propaganda republicana, causa que teve em Lúcio de Mendonça um ardente defensor; ele próprio considera sua obra como um "modesto subsídio para uma futura história" das origens republicanas no Brasil. Dentre os artigos, incluem-se "A República pela Monarquia", "O Brasil e os republicanos", "Os republicanos de S. Paulo". (IM)

[826]

De: HILDA
Fonte: Manuscrito Original, Arquivo ABL.

Rio [de Janeiro], 11 de março de 1905¹.

*Senh*or Machado

Recebi a sua amável e lisonjeira carta²; tão penhorada estou que não acho palavras com que agradecer-lhe.

Infelizmente [,] porém, vejo-me obrigada a recorrer de novo a essa mesma nunca desmentida amabilidade.

Levei a sua carta ao Instituto³ e disseram-me que era necessário um atestado oficial com a competente estampilha.

Espero que me desculpará tamanha ousadia e insistência mas na nossa terra e principalmente no Instituto quanto melhor apresentada, melhor recebida e como não conseguiria encontrar melhor apresentação e ninguém mais competente para semelhante atestado arrisco-me a tornar-me inoportuna.

Caso lhe seja possível peço-lhe que deixe o atestado na Livraria Garnier[4] onde irei buscá-lo segunda-feira.

Agradecendo-lhe envia-lhe os seus mais afetuosos cumprimentos a sua amiguinha

Hilda[5]

---

1 ∽ Carta inédita. (SE)

2 ∽ A carta de Machado a Hilda é um documento ainda não localizado. (SE)

3 ∽ Também a carta de Machado ao Instituto citado por Hilda é um documento não localizado. (SE)

4 ∽ A livraria Garnier, também chamada pela *Gazeta de Notícias* de "A Sublime Porta da Academia de Letras", era o ponto de reunião de Machado e seus amigos. A partir das 15 horas, a roda de intelectuais principiava a se formar. (SE)

5 ∽ Até o presente momento, esta correspondente – Hilda – permanece desconhecida. (SE)

[827]

De: EUCLIDES DA CUNHA
Fonte: Cartão de Visita Original, Arquivo ABL.

Manaus, 14 de março de 1905.

Ao distintíssimo mestre e bom amigo Machado de Assis,

EUCLIDES DA CUNHA, muito afetuosamente e com as maiores saudades, saúda-o; promete escrever-lhe breve mais longamente e enviar o seu voto para a próxima eleição[1] da Academia.

---

1 ∽ Euclides refere-se à segunda eleição a ser realizada em 27 de maio de 1905, que apontaria o nome do ocupante à Cadeira 13, na vaga de Martins Júnior*. O pleito anterior, de 15 de fevereiro, não lograra maioria absoluta. Os votos dividiram-se entre Sousa Bandeira* (15), Duque-Estrada* (14) e Vicente de Carvalho (2), apesar de este ter retirado a sua candidatura. A eleição foi remarcada, quando então Sousa Bandeira saiu vitorioso. Na sessão de 27 de maio, foi comunicado o falecimento de José do Patrocínio, declarada vaga a Cadeira 21, e foram abertas as inscrições. (SE)

[827 A]

> De: OLIVEIRA LIMA
> *Fonte:* Cartão de Visita Original, Arquivo ABL.

Paris, 14 de março de 1905.

Manuel de Oliveira Lima

Ministro do Brasil na Venezuela[1]

Com um abraço cordial e saudoso remeto-lhe, meu caro mestre e ilustre presidente, o meu voto (em João Bandeira[2]) para o 2.º escrutínio da nossa eleição acadêmica, agora empatada. Assim obedeço o impulso da minha simpatia ao pedido que venha receber do candidato, e à recomendação, ontem recebida do Veríssimo.

Saudades muitas para todos os amigos e muitos sinceros votos pela (...)[3]

[Manuel de Oliveira Lima]

---

1 ∾ Parte impressa do cartão riscada pelo autor. (IM)

2 ∾ Sousa Bandeira*. Machado acusará o recebimento do voto em [832], de 21/04/1905. (IM)

3 ∾ Um carimbo posteriormente aposto não permite ler o final do cartão. (IM)

[828]

> De: EUCLIDES DA CUNHA
> *Fonte:* Manuscrito Original, Arquivo ABL.

Manaus, 18 de março de 1905.

Meu grande mestre e Amigo Machado de Assis

felicidades!

Em carta registrada, que lhe mandei por intermédio de José Veríssimo[1], já tive o prazer de enviar o voto ao *Doutor José Carneiro* de Sousa Bandeira, para a vaga de Martins *Júnior*[2].

Mando hoje o que se refere à vaga do José do Patrocínio, obedecendo ao que me recomendou em telegrama o Barão do Rio Branco[3].

Este voto vai em duplicata, refletindo uma situação dúbia em que me acho, e que o Senhor terá de resolver aí, conforme as circunstâncias. Realmente, remeto para uma mesma vaga dois votos, um para Vicente de Carvalho, outro para Heráclito Graça[4].

A razão é que havendo eu sugerido ao primeiro a apresentação de sua candidatura na eleição passada[5], firmei, de algum modo, com ele, um compromisso permanente. Despertei-lhe uma aspiração; não posso abandoná-lo. Trata-se de um querido amigo a quem estimo pelo coração e pelo talento — e como pode acontecer que ele (a despeito do insucesso anterior) se apresente ao novo pleito, entendo que devo ir — espontaneamente — ao encontro desta hipótese.

Confio à sua argúcia finíssima de adestrado psicólogo o justificar esse exagero da afeição, ou mais esta minha esquisitice no considerar as coisas desta vida.

De qualquer modo a solução é simples: se o Vicente for candidato na eleição para a cadeira do Patrocínio, é dele o meu voto; se não for (o que é quase certo) voto com o máximo prazer em Heráclito Graça, a quem não conheço pessoalmente, mas a quem tanto admiro e prezo como notável sabedor da nossa língua.

Estou nas vésperas da partida; e não lhe posso contar as preocupações que me lavram o espírito[6] — num entrechocar de coisas tão opostas e que vão das grandes esperanças, que me arrebatam fortemente para o desconhecido, às saudades dolorosíssimas, que tanto me atraem às paragens onde está neste momento toda a minha felicidade.

Propositadamente abrevio as cartas às pessoas que estimo. Doem-me muito, neste momento, as boas recordações... A dureza da minha missão temerária quase que me impõe o olvido dos belos corações que tanto desejo que batam, um dia, outra vez, ao meu lado. Felizmente me alenta uma certeza absoluta e inexplicável de que voltarei. Hei de voltar. Hei de abraçá-lo ainda e aos bons amigos aos quais peço transmita as minhas saudades. Creia sempre na maior veneração e verdadeira estima do

Euclides da Cunha

---

1 ❧ A carta ao presidente da Academia com o voto de Euclides até o momento é desconhecida; seguiu provavelmente junto à carta para Veríssimo, de 10 de março de 1905. Ver *Correspondência de Euclides da Cunha* (Edusp, 1997). (SE)

2 ❧ Sobre a eleição à vaga de Martins Júnior*, ver cartas [819] e [827]. (SE)

3 ❧ Apresentaram-se para concorrer à Cadeira 21 Domingos Olímpio e o padre José Severiano Resende*. Afirma Magalhães Jr. (2008) que Rio Branco*, então ministro das Relações Exteriores, trabalhou contra essas candidaturas, lembrando que o barão era muito influente entre os eleitores da Academia. Euclides da Cunha havia alcançado a nomeação para a Comissão do Alto Purus por ação direta do barão e tinha com o ministro uma dívida de gratidão. Registre-se que, no que se refere a Domingos Olímpio (1854-1906), os irmãos Lúcio* e Salvador de Mendonça* também não viam com bons olhos a sua entrada na ABL. No livro *Ajuste de Contas* (1904), Salvador responsabilizou duas pessoas por sua demissão do serviço diplomático (1898): o ministro das Relações Exteriores Dionísio Cerqueira (1847-1910) e o concunhado deste, Domingos Olímpio, que o atacara pela imprensa. Aliás, há cartas entre os dois irmãos Mendonça que dão conta da animosidade contra Olímpio. Por seu estilo desabrido, o jornalista cultivara muitos desafetos. Ver nota 2, carta [759], tomo IV. (SE)

4 ❧ Embora essas duas candidaturas – de Vicente e Heráclito* – fossem esperadas, elas não aconteceram. Domingos Olímpio e o padre José Severiano Resende permaneceram como únicos candidatos até a entrada de Mário de Alencar* no pleito, quase ao final do prazo das inscrições. (SE)

5 ❧ Vicente de Carvalho (1866-1924) havia se tornado amigo de Euclides, durante o período em que este viveu em Santos. Por influência de Euclides, o poeta santista decidiu-se por tentar a sorte na Academia, inscrevendo-se para a eleição anterior (Cadeira 13), na vaga de Martins Júnior*, mas acabou desistindo. Vicente de Carvalho foi finalmente eleito em 1.º de maio de 1909, na vaga de Artur Azevedo* (Cadeira 29). Registre-se que a obra mais significativa do poeta – *Poemas e Canções* (1908) – foi prefaciada por Euclides da Cunha. (SE)

6 ❧ A respeito da inquietação que abalava o espírito de Euclides, às vésperas da partida rumo ao Alto Purus, vale a pena transcrever o comentário do acadêmico Alberto Venancio Filho:

"A correspondência enviada de Manaus de 1905, indicava o estado de preocupação pela permanência de quatro meses, em que Euclides da Cunha ali se encontrava, a aguardar as instruções para a expedição como chefe da Expedição de Reconhecimento do Alto Purus. / Euclides, engenheiro de profissão, deixara a função da Companhia de Saneamento de Santos em abril de 1904 e ficara desempregado. Coelho Neto sugeriu que procurasse o ministro da Viação Lauro Müller, colega da Escola Militar. Este o recebeu muito bem, mas nada ofereceu. / Então os amigos Oliveira Lima e José Veríssimo se entenderam com Domício da Gama, para obter uma entrevista com o Barão do Rio Branco, que o nomeou Chefe da Comissão. / Assim, em Manaus, Euclides carregava a instabilidade da sua vida pessoal e profissional. / A José Veríssimo em Manaus em janeiro, diria: 'levo vida perturbada e fatigante'. / Na carta aos amigos, os acadêmicos Domício da Gama, Oliveira Lima e Afonso Arinos, ele manifesta inquietação diante da tarefa que tinha que enfrentar. / Por outro lado a Expedição do Purus era para ele uma aventura. Ele falaria de uma carta de prego para desconhecido. / Todas essas circunstâncias na vida de um homem de temperamento difícil e nervoso parecem justificar as expressões das cartas e dos cartões, mas ao revelar ao mesmo tempo uma ausência de afetividade, como o desejo de escrever aos amigos e relatar as suas contrariedades." (SPR)

[829]

De: JOAQUIM NABUCO
Fonte: Manuscrito Original, Arquivo ABL.

Londres, 25 de março de 1905.

Meu caro Machado,

Peço-lhe que dê meu o voto novamente ao D*out*or Bandeira[1].

Seu sempre afetuos*amente*

Joaquim Nabuco

Conto escrever-lhe antes de seguir para Washington.

I ∾ Sousa Bandeira*, eleito em 27/05/1905 para a Cadeira 13. Na eleição de 15/02/1905, ele obtivera 15 votos. (IM)

[830]

> Para: BARÃO DO RIO BRANCO
> *Fonte:* Telegrama Original, Arquivo Histórico do Itamaraty.

[Rio de Janeiro, 20 de abril de 1905.][1]

Barão do Rio Branco Ministro do Exterior Petrópolis

   Longo abraço do velho amigo

                     Machado de Assis

Anotado abaixo:

Cartão: Ao seu Mestre e amigo Machado de Assis

        Rio Branco

Agradece a nova fineza do seu telegrama de hoje 20 Abril[2]

---

1 ∾ Data do carimbo da Estação de Petrópolis. Documento inédito. (IM)

2 ∾ Rio Branco, nesse dia, completava 60 anos. Na parte superior do telegrama, outra anotação: "Respondido em 21-4-1905". (IM)

[831]

> Para: MAGALHÃES DE AZEREDO
> *Fonte:* Manuscrito Original, Arquivo ABL.

Rio de Janeiro, 20 de abril de 1905[1].

Meu querido amigo,

   Há de admirar-se desta carta, depois de tão longo silêncio, posto que mais fosse de admirar o silêncio, dada a nossa correspondência de tantos anos. Meu querido, faltei a muitas outras obrigações de igual espécie, pela razão que sabe, razão tão grande que mais se pode crer que explicar. Ainda agora padeço os efeitos do golpe que recebi há seis meses[2]. Perdi uma companheira de trinta e cinco anos, a mais doce e carinhosa das criaturas, e perdi-a para ficar só, totalmente só na vida. Isto que lhe digo assim rapidamente para não aborrecê-lo com as minhas tristezas é a causa do meu longo silêncio, que espero me releve. Começo a resgatar as dívidas, e a sua é das maiores[3].

Sou o mesmo de outrora, aquele que manteve correspondência amiga e troca de ideias e sensações[4]. A diferença das nossas idades não impediu essas relações por uma razão dupla, a nota grave da sua juventude, e acaso a inclinação leve da minha madureza e da minha velhice. A minha diminui ou cessa agora com os tempos últimos e os seus sucessos. Não serei já o que fui por muito tempo.

Aqui tenho as suas *Odes e Elegias*[5]. Traz a dedicatória datada de 9 de Outubro, quer dizer, chegou depois do dia 20 do mesmo mês, daquele dia funesto para mim. A turvação do meu espírito não me permitiu ler claramente e logo este seu novo trabalho. Só mais tarde o fiz, e só agora posso dizer que o pude reler com a atenção que ele merece. Pelo que ouvi ao nosso Mário[6], parece que o afligiu não corresponder o efeito da produção ao que dela esperava. Não há que admirar; a própria escolha dos novos metros dá ao novo trabalho uma intenção e uma fatura literárias que o tornam menos fácil de apreender. A nota que acompanha o opúsculo explica esse efeito[7]. A novidade do metro e a ausência de rima foram a causa direta da estranheza, porque não lhe faltam ideias, nem imagens, nem estilo; as locuções são verdadeiramente poéticas. Venha o costume e tudo se fará naturalmente. A carta de Carducci[8] não prova senão que já nessa Itália a nova riqueza era conhecida; aqui sê-lo-á mais tarde, e para isso é que os precursores se sacrificam; é o seu caso.

Convém não esquecer que, entre nós, tanto aqui como em Portugal, o verso solto está descansando. Quando eu acordei para as letras ainda ele andava em uso; tinham poucos anos os de Gonçalves Dias, Magalhães e Porto Alegre, e outros. Mais; era recente a revelação de Álvares de Azevedo, que trabalhou o verso solto com grande arte e facilidade. Vinte anos depois começou o desuso, e agora ninguém mais poeta sem rima. Voltará à quadra anterior, e não tarde, quem sabe? Eu, que lhe falo, sabe que também compus muito verso solto e também parei, não porque o uso cessasse, mas porque insensivelmente me meti a cultivar só a rima.

Leio na sua *Nota necessária* que publicará outros livros de versos⁹. Venham eles, meu querido poeta, ouça o que as musas lhe dizem e tão apreciado é dos seus patrícios e companheiros.

Escreva-me se tiver tempo e não lhe ficou ressentimento para lhe tirar o gosto de perdoar a um triste amigo. No meio da minha tormenta não sei se verifiquei a remessa que ordenei de um exemplar de *Esaú e Jacó*¹⁰. Diga-me o que há, e continue a querer ao

Velho am*ig*o e confrade

Machado de Assis

---

1 ∾ Houve um grande hiato comunicativo entre os dois. A última carta de Machado fora escrita quase um ano antes, em 13/05/1904. O declínio da saúde e a morte de Carolina* certamente contribuíram para a interrupção, mas não apenas isso. Ao longo da correspondência, Azeredo sempre se mostrou muito suscetível. A demora em atender a uma solicitação, ou em manifestar-se sobre um escrito e mesmo a brevidade da manifestação eram motivos de queixumes. A eventual irregularidade da correspondência e as cartas muito curtas também o deixavam amuado. Algumas vezes, inclusive, essa suscetibilidade às circunstâncias afetou-lhe a saúde. No presente caso, talvez se acrescente a esse hiato a resistência gentil de Machado em lhe repassar as desejadas notas biobibliográficas para que compusesse uma biografia do escritor. Além disso, as ocupações diplomáticas estavam tomando mais tempo de Azeredo. Sobre o pedido insistente de notas biobibliográficas, consultar nota 2, [602]; nota 2, [686] e nota 9, [698], tomo IV. (SE)

2 ∾ Referência à data do falecimento de Carolina: 20 de outubro de 1904. Aliás, na data da presente carta – 20 de abril – completavam-se exatos seis meses de sua morte. Registre-se que a carta é tarjada. (SE)

3 ∾ Machado começava a reagir ao luto fechado em que esteve mergulhado nos primeiros seis meses da sua viuvez. Buscará manter-se ativo na medida do possível, dando expediente no ministério, frequentando a Academia e a Garnier, mas, sobretudo, ainda terá forças para lançar duas tiragens de *Relíquias de Casa Velha*, ambas em 1906; e, em 1908, ano de sua morte, o seu derradeiro romance – *Memorial de Aires*. (SE)

4 ∾ Machado e Azeredo mantiveram a amizade por dezenove anos (1889-1908), quase toda ela epistolar. Depois que Azeredo se tornou diplomata, viram-se apenas

nos períodos em que este veio de férias ou de licença ao Brasil: 1896, 1902 e 1907. A diferença de trinta e três anos entre eles não impediu a manutenção do vínculo duradouro. Sobre as viagens de Azeredo ao Brasil, ver nota 9, carta [581], tomo IV. (SE)

5 ∾ *Odes e Elegias* teve a sua impressão terminada em 12/09/1904, na Tipografia Irmãos Centenari, Roma. É considerado o trabalho poético mais significativo do autor. (SE)

6 ∾ Depois que Mário de Alencar* – *o nosso Mário* – passou a se relacionar mais de perto com Machado, estabeleceram-se muitas referências cruzadas entre os três. Azeredo e Mário eram amigos de longa data, foram colegas de turma na Faculdade de Direito de São Paulo. Depois de formados, ao voltar ao Rio, tornaram-se amigos muito próximos. Sobre o uso da expressão *o nosso Mário*, ver nota 2, carta [339] e nota 4, carta [521], ambas no tomo III. (SE)

7 ∾ Trata-se de uma separata ao volume *Odes e Elegias*, intitulada – *Nota Necessária*, na qual Azeredo dá todas as explicações a respeito da escolha do metro bárbaro. Nesta nota, há a seguinte alusão ao poeta Carducci:

"Carducci, depois de ler as *Elegias a Leão XIII, Poeta Latino*, manifestou-me em carta amabilíssima o seu vivo prazer por ter eu dado aos metros bárbaros a qualidade de *cittadini del Nouvo Portogallo*; quero crer que não se iludiu." (SE)

8 ∾ A carta de Carducci a Azeredo permanece não localizada. (SE)

9 ∾ Na *Nota Necessária*, tal informação não aparece. (SE)

10 ∾ Na folha de rosto de *Esaú e Jacó*, impresso pela H. Garnier em Paris, vem assinalado o mês em que a edição ficou pronta: junho de 1904. No Brasil, o romance foi lançado no segundo semestre daquele ano. (SE)

[832]

Para: OLIVEIRA LIMA
Fonte: Manuscrito Original. The Oliveira Lima Library, The Catholic University of America, Washington.

Rio de Janeiro, 21 de abril de 1905.

Meu caro amigo e colega

Doutor Oliveira Lima,

Recebi o seu voto para o segundo escrutínio da nossa eleição acadêmica. Vi os três motivos do voto, e são os que todos contávamos da sua parte. Acabo de receber igualmente o voto do Nabuco, que vai também para o mesmo Sousa Bandeira[1].

Talvez a eleição nova se faça já na casa da Academia que, como sabe, é parte do edifício da praia da Lapa, onde estão alojados o Instituto dos Advogados e a Academia de Medicina. Faltava a mobília, mas posso dizer-lhe, ainda em reserva, que já a vamos ter graças à boa vontade do Seabra[2].

Os seus amigos daqui ficamos com os olhos na carreira que continua, certos de que corresponda, agora como antes, à confiança do nosso país. E a literatura, e a Academia folgarão igualmente com as suas vitórias, que serão de nós todos.

Deixe-me agradecer-lhe o exemplar da sua bela conferência, realizada no Instituto Arqueológico do Recife, acerca da *Vida diplomática*. Agradecer-lha e felicitá-lo por ela. Tem o tom próprio do gênero e da matéria, a boa distinção do que cabe à diplomacia de hoje, e do que lhe atribui ainda a parte do pessoal que a não vê por outros olhos se não os do fútil; enfim, a definição do que foram entre nós Penedo e Itajubá, entre outros[3].

Peço-lhe que apresente à *Excelentíssi*ma Senhora *D*o*n*a Flora os meus respeitos, e não esqueça este velho acabado, ainda admirador dos seus vivos e sólidos talentos, que lhe manda um

abraço mu*i*to apertado,

Machado de Assis

---

1 ∾ Sousa Bandeira* foi eleito para a Cadeira 13. A sessão ocorreu no escritório de Rodrigo Octavio*, à rua da Quitanda, 47, em 27/05/1905, segundo escrutínio. Somente em 31/07/1905, instalou-se a Academia no prédio do cais da Lapa, depois denominado Silogeu Brasileiro. O voto de Oliveira Lima [827 A] foi enviado de Paris. Depois de turbulenta temporada no Brasil, em 1904, o historiador e diplomata fora designado ministro na legação de Caracas, por decisão do chanceler Rio Branco*. (IM)

2 ∾ José Joaquim Seabra*, ministro do Interior, dera cumprimento à lei n.º 726, de 08/12/1900, facultando instalação permanente à Academia, como também dotou-a de mobiliário e alfaias. Ver [782], nota 4, tomo IV. (IM)

3 ∾ Antigos e eminentes diplomatas: Francisco Inácio de Carvalho Moreira (1815--1906), barão de Penedo, e Marcos Antônio de Araújo e Abreu (f. 1897), barão de Itajubá, a quem Oliveira Lima dedicara o primeiro ensaio de O *Reconhecimento do Império* (1901). Sobre a conferência, ver em [806], nota 7, tomo IV. (IM)

[833]

De: BARÃO DO RIO BRANCO
Fonte: Manuscrito Original, Arquivo Histórico do Itamaraty.

[Rio de Janeiro, 21 de abril de 1905.][1]

Ao seu Mestre e amigo Machado de Assis

R*io* B*ranco*

Agradece a nova fineza do seu tel*egrama* de hoje 20 Ab*ril* [.]

---

1 ∾ Seguimos a minuta na parte inferior do telegrama [830], levando em consideração a anotação de Rio Branco na parte superior, "Respondido em 21-4-1905". Não se localizou o original desse cartão. (IM)

[834]

De: OLIVEIRA LIMA
Fonte: Cartão-Postal Original, Arquivo ABL.

[Caracas,] 17 de maio de 1905.[1]

(...)[2] aqui floresceu o Cons*elhei*ro Aires...

M. de Oliveira Lima

Ex*celentíssi*mo S*enho*r Machado de Assis
Cosme Velho 18
Rio de Janeiro
Brasil

1 ◦◦ Postal com a legenda "Plaza Bolívar en Caracas – Saludo de Venezuela". Nesse país, Oliveira Lima assumira a chefia da legação brasileira, mantendo sempre contato epistolar com Machado. O presente postal traz carimbo de recebimento no Rio de Janeiro com a data de 24/06/1905, provando que o correio levava mais de um mês para que um amigo tivesse notícias do outro. Documento inédito. (IM)

2 ◦◦ A letra do grande historiador era notoriamente hieroglífica. Observa Max Fleiuss (Lima, 1937):

> "Acompanhou-o sempre /.../ sua extremosa companheira de 38 anos de existência conjugal – dona Flora Cavalcanti de Oliveira Lima, da mais antiga e respeitável nobreza pernambucana. / Era ela quem de perto o auxiliava, quem lhe copiava os rascunhos feitos em letra não raro difícil, a que o barão de Itajubá qualificava de '*letra de gala*'."

O postal [865], enviado no final de 1905, traz a letra de dona Flora. (IM)

[835]

De: OLIVEIRA LIMA
Fonte: Manuscrito Original, Arquivo ABL.

Caracas, 23 de maio de 1905.

Meu prezado amigo,

Foi para mim um *treat*[1], como dizem os ingleses, receber a sua carta de 21 de abril (aniversário do Tiradentes)[2]. Se o senhor soubesse o que é Caracas, avaliaria esse prazer. A maior distração aqui, a única mesmo, é esperar o correio. Quando este vem recheado, o dia é de marcar com pedrinha branca[3], é romano quando o correio é magro, a cara fica também chupada e o coração melancólico[4]. Para combater o *ennui* que é o característico da terra (para nós porque para os naturais as características são piores), tenho contudo os meus trabalhos literários, sobre que lhe não falo para não importuná-lo, mas que sairão daqui concluídos (os que tenho entre mãos). Se não fosse o desejo de fazer o meu D. João 6.°, para o qual estou com um mundo de material, creio que não ficaria aqui tanto m[ais]. Quanto às instruções para a minha missão não chegaram ainda, tendo sido anunciadas em outubro, em dezembro e em fevereiro, e é possível que nunca cheguem. Não posso contudo entrar em conjecturas – essas coisas terão sua explicação – seu esclarecimento público algum dia, penso que breve. Repito, aqui estou disposto a ficar para fazer o D. João 6.°, a menos que minha mulher adoeça. Ela costuma passar mal em climas quentes e úmidos, e Caracas é quente e úmido. Agora é mesmo a estação das chuvas. O calor não é contudo excessivo, corrigido, como é, pela altitude. O clima, apesar de não ser bom, tanto que aqui há, a 3.000 pés, febre amarela, é contudo a melhor coisa de Caracas. Imagine o resto! A atmosfera moral é sobretudo depressiva. O seu Conselheiro Aires aqui aprendeu certamente, pelo efeito que as qualidades contrárias exerceriam no seu espírito, a tolerância, a benevolência, a indulgência que o distinguiam. Aqui reina um despotismo bárbaro e ignorante[5]. Não é o do bom tirano do Renan. É uma tirania licenciosa e cruel, como qualquer da Itália da Renascença, sem a feição artística, o realce de refinamento, o corretivo intelectual. Um cacique índio com a turbulência espanhola subjuga as vontades, domina as consciências, impera pelo temor. É um espetáculo que vale quase a pena ver porque não parece do nosso século e dentro em pouco pertencerá, é de esperar, ao passado. A ganância do outro lado, dos exploradores europeus, poderia nalguns casos, convenho, inspirar simpatia se a vítima não fosse tão repelente, tão traiçoeira, tão avessa à civilização. Conheço ainda pouco a terra e falo mais pelo que tenho ouvido, de estrangeiros e de nacionais do que pelo que tenho visto. Por isso não considere estas impressões definitivas: são as primeiras e sujeitas a reforma. O elemento inteligente do país – que o há incontestavelmente – está contudo avassalado, disto não há dúvida, e almeja por uma transformação que não tem coragem para realizar e que talvez não mereça porque também tem suas culpas e seus defeitos. Desculpe estas notas informes dos primeiros dez dias de observação e conversa. Não sei se farei um livro sobre a Venezuela, mas é provável, depois que daqui sair, porque daqui hei de sair assim que o Rio Branco, meu excelente amigo, deixar a pasta. Dele *nada* pretendo, mas pretendo alguma coisa do futuro ou uma desforra⁶.

Muito e muito obrigado por todas as suas boas palavras. A sua carta é um bálsamo. Aceite também os agradecimentos e as recomendações afetuosas da minha mulher. Muito estimei saber que talvez a eleição que vem se faça já na casa da Academia, sentados os acadêmicos nas *suas* cadeiras⁷. Em fins do ano próximo ou começos de 1907 conto ver a nossa instalação. Lembre-me ao Veríssimo, de quem espero carta, e aceite um abraço muito apertado de quem o preza e venera como

admirador e amigo atento grato e afetuoso

M. de Oliveira Lima

---

1 ∾ "Deleite". (IM)

2 ∾ Ver comentários sobre Tiradentes na carta de Domício da Gama*, [285], tomo III, e também a nota 4 desta missiva. Enviado Extraordinário, Oliveira Lima chegara a Caracas em 12/05/1905, e mal ou bem se sentia um mártir. Assinale-se que a comunicação postal Brasil-Venezuela era complicadíssima, geralmente feita via Nova York, conforme aponta nota ao postal [834]. (IM)

3 ∾ As "pedrinhas brancas" aparecem no Antigo e no Novo Testamento, com o sentido de dádiva, como é o caso da primeira ocorrência bíblica, quando designa as pedrinhas de orvalho – o maná que alimentou os hebreus conduzidos por Moisés. Também significam perdão, no Apocalipse. (IM)

4 ∾ Na prática jurídica romana, os pretores (magistrados com poderes extraordinários) propunham em tábuas de pedra branca as regras de justiça a serem aplicadas. Talvez haja aí uma alusão ao "correio magro" do chanceler Rio Branco*.

"Em condições longe de ideais – o arquivo da Legação em Caracas havia sido transferido para o Rio de Janeiro e Rio Branco jamais enviaria as instruções prometidas – Oliveira Lima realizava trabalhos de rotina /.../." (Foster, 2011). (IM)

5 ∾ Referência ao ditador Cipriano Castro. Ver em [864], de 20/12/1905. (IM)

6 ❧ A trajetória diplomática do grande historiador continuará sendo conflitiva, como se pode observar pelos tipos de postos que lhe eram oferecidos e por suas reiteradas ameaças de pedir demissão. (SPR)

7 ❧ Cadeira 13, sucessão de Martins Júnior*. Sessão ainda realizada no escritório de Rodrigo Octavio*, à rua da Quitanda, 47. (IM)

[836]

De: SÍLVIO ROMERO
Fonte: Manuscrito Original, Arquivo ABL.

[Rio de Janeiro,] 26 de maio de 1905[1].

Ilustríssimo Excelentíssimo Senhor Machado de Assis,

Digno Presidente da Academia Brasileira,

Porque me seja impossível ir pessoalmente à Academia, venho por meio desta, dizer-lhe que voto no Doutor Osório Duque-Estrada[2].

De Vossa Excelência

amigo atento criado

Sílvio Romero

---

1 ❧ Véspera da eleição à Cadeira 13, da qual saiu vencedor José Carneiro de Sousa Bandeira*. (SE)

2 ❧ No primeiro pleito, de 15 de fevereiro, em que não houve maioria absoluta, Sílvio Romero já havia votado em Duque-Estrada*. Ver carta [819]. (SE)

[837]

> De: COMISSÃO DIRETORA DO
> 3.º CONGRESSO CIENTÍFICO
> LATINO-AMERICANO
> *Fonte*: Original Datilografado, Arquivo ABL.

3.º CONGRESSO CIENTÍFICO LATINO-AMERICANO
COMISSÃO DIRETORA
N. 259

Rio de Janeiro, 9 de junho de 1905.

Ex*celentíssi*mo *Senh*or Joaquim Maria Machado de Assis, Presidente da Academia de Letras.[1]

Tenho a honra de comunicar à V*oss*a Ex*celência* que [,] entre os edifícios escolhidos para funcionarem as sessões do 3.º Congresso Latino-Americano, acha-se o da Academia Letras para os trabalhos das sessões de medicina pública, e de ciências antropológicas, devendo celebrar-se as reuniões do Congresso de 6 a 16 de agosto, conforme consta dos programas juntos[2].

Em nome da Comissão diretora rogo à V*ossa* Ex*celência* se sirva permitir que as referidas sessões funcionem no edifício apontado, e dar as necessárias ordens para que ele seja preparado para esse fim, devendo entender-se oportunamente com V*ossa* Ex*celência* a respectiva subcomissão do Congresso.

Apresento à V*ossa* Ex*celência* os meus protestos de apreço e consideração

Marquês de Paranaguá – Presid*ente*[3]
Dr. Ant. de Paula Freitas, Secret*ário*.[4]

---

1 ∽ Abaixo do endereçamento, vê-se anotação em lápis azul: "Mandou-se responder. 31 de julho de 905. R*odrigo* Octavio." A minuta de tal resposta se encontra em [843], do mesmo dia 31. (IM)

2 ∽ A Academia ainda não se instalara no prédio do cais da Lapa, e não foram localizados documentos referentes à sua prevista "hospitalidade" ao Congresso. Entretanto, já neste ofício é possível verificar que Rio Branco*, como chanceler eficientíssimo e totalmente voltado para a propaganda do Brasil nos níveis interno e internacional, desejava a presença da Academia numa vasta gama de iniciativas do seu interesse. Um excelente trabalho de Hugo Rogério Suppo (2003) analisa a extensão do evento, embora não faça menção de sessões eventualmente realizadas no prédio do cais da Lapa. A programação oficial do Congresso encontra-se em anexo à presente missiva, no Arquivo ABL. (IM)

3 ∽ João Lustosa da Cunha, segundo marquês de Paranaguá (1821-1912), formou-se em direito pela Faculdade de Olinda, teve grande desempenho na vida parlamentar do Império, foi presidente das províncias do Piauí, do Maranhão, de Pernambuco e da Bahia; exerceu os cargos de ministro da Justiça, da Guerra e da Fazenda. Como presidente do Conselho de Ministros (1882-1883), teve por meta um programa em prol da abolição da escravatura. Com a República, retirou-se da vida pública, passando a exercer a presidência do Instituto Histórico e Geográfico Brasileiro. Por motivos de saúde, transferiu a presidência do 3.º Congresso Científico para o jurisconsulto Carlos de Carvalho (1851-1905). (IM)

4 ∽ Antônio de Paula Freitas (1843-1906), doutor em ciências físicas e matemáticas, autor de obras de engenharia de grande importância, sobretudo como introdutor do concreto armado no Brasil. (IM)

[838]

De: CAETANO CÉSAR DE CAMPOS
Fonte: Cartão-Postal Original, Arquivo ABL.

[Rio de Janeiro,] 21 de junho de 1905.[1]

Um caloroso *shake-hands* de
César de Campos[2]

Excelentíssimo Senhor Joaquim Maria Machado de Assis
18, Rua do Cosme Velho
Laranjeiras
Capital

---

1 ∽ Cartão-postal feito a partir da fotografia de um grupo de cavalheiros ao redor de um busto de granito, muito provavelmente na inauguração do mesmo. (SE)

2 ⚭ O engenheiro Caetano César de Campos, antigo colega de Machado de Assis no Ministério, chefiou a Diretoria-Geral de Obras Públicas. Em 1905, era diretor da Repartição Geral dos Correios e Telégrafos. No tomo IV, em cartas *de* e *para* Salvador de Mendonça*, há menção do seu nome. Possivelmente o presente cartão é um cumprimento pelo aniversário de Machado. (SE)

[839]

> Para: JOAQUIM NABUCO
> *Fonte*: Fundação Joaquim Nabuco. Fac-símile do manuscrito original.

Rio de Janeiro, 24 de junho de 1905.

Meu querido Nabuco,

Deixe-me agradecer-lhe a fotografia e a lembrança. Aquela é soberba, e esta é doce ao meu coração, já agora despojado da vida. Consolam-me ainda memórias de amigo, meu querido Nabuco. Esta aqui fica na m*inh*a sala, com as de outros íntimos[1].

Já aqui lemos a notícia de recepção da embaixada e o discurso do embaixador. Foi o que se devia esperar, na altura do cargo, dos dois países e do orador amado e admirado de nós todos[2]. Cabe-lhe um legítimo papel na história das nossas relações internacionais; e agora especialmente americanas. É um desses casos em que o governo acerta nomeando o nomeado da opinião, sem perder por isso a glória do ato.

Nós cá vamos andando. A Academia elegeu o seu escolhido, o Sousa Bandeira, que talvez seja recebido em julho ou agosto, respondendo-lhe o Graça Aranha[3]. A cerimônia será na casa nova e própria, entre os móveis que o Ministro do Interior, o Seabra, mandou dar-nos[4]. Vamos ter eleição nova para a vaga do Patrocínio. Até agora só há dois candidatos, o padre Severiano de Resende e Domingos Olímpio[5].

Adeus, meu querido Nabuco. Disponha sempre deste velho e triste amigo, que o conheceu adolescente e teve a boa fortuna de lhe ouvir as primeiras palavras, que fizeram adivinhar o homem brilhante e grave que viria a ser um dia⁶. Adeus, saudades do

Amigo de sempre
Machado de Assis

---

1 ∾ Fotografia enviada de Londres, com dedicatória: "Ao nosso querido Machado de Assis, do qual temos orgulho e eu saudades." A foto original se encontra no Arquivo ABL. Magalhães Jr. (2008) afirma que esta carta é um agradecimento pela fotografia e pelo ramo do carvalho de Tasso, que será amplamente comentado a partir da entrega a Machado, em 10/08/1905. Parece haver aí um equívoco do biógrafo. Com efeito, em 12/04/1905, Nabuco escrevia de Londres a Graça Aranha* uma carta esclarecedora, nos seguintes termos (Aranha, 1923):

"O que vai nessa caixa é um ramo de carvalho de Tasso, que lhe mando oferecer ao Machado de Assis de modo que lhe parecer mais simbólico. / O melhor é talvez que a Academia lhe ofereça, mas quando e como são problemas para o Sr. mesmo resolver. As palavras, porém, com que ele for oferecido devem ser suas. Ninguém sabe dizer-lhe tão bem como o Sr. o que ele gosta de ouvir, e de ninguém, estou certo, ele consideraria a vassalagem tão honrosa para o seu nome. *Devemos tratá-lo com o carinho e a veneração com que no Oriente tratam as caravanas a palmeira às vezes solitária do oásis* [grifo nosso]."

Nesta missiva, Machado agradece, apenas, o retrato e a dedicatória do amigo. (IM)

2 ∾ Nabuco apresentara as credenciais ao presidente Theodore Roosevelt (1858-1919) em 24/05/1905; seu discurso repercutiu na imprensa norte-americana. No dia seguinte escrevia à esposa (Nabuco, 2008):

"O presidente *m'a comblé* [cumulou-me de gentilezas]. Eu disse que sentia não ter um fonógrafo para guardar o tom de cada palavra dele, mas que o coração saberia conservar a emoção delas." (IM)

3 ∾ Posse em 10/08/1905. Primeira sessão solene no prédio do cais da Lapa. Nessa ocasião, Machado recebeu o ramo do carvalho de Tasso pelas mãos de Graça Aranha e foi grandiosamente homenageado. Ver em [844], de 11/08/1905, e [846], de 29/8/1905. (IM)

4 ∾ Ver carta para José Veríssimo*, em [782], tomo IV. (IM)

5 ∾ Disputada eleição, da qual sairia vencedor Mário de Alencar*, em 31/10/1905. (IM)

6 ∾ Ver carta [31], tomo I, na qual Machado elogia o adolescente Joaquim Nabuco. (IM)

[840]

> De: OLIVEIRA LIMA
> *Fonte*: Manuscrito Original, Arquivo ABL.

Caracas, 4 de julho de 1905.

Meu caro amigo,

O Domingos Olímpio acaba de pedir-me o voto, que com prazer lhe dou[1], mandando-o às pressas para aproveitar a mala francesa ou americana, que ambas fecham esta tarde. Por isso não sou hoje mais extenso. Também não é ao amigo muito afetuoso e sim ao Presidente da academia que me dirijo pela presente.

Sempre seu muito cordialmente
M. de Oliveira Lima

Lembranças aos amigos.

---

1 ∞ O escritor cearense Domingos Olímpio (1850-1906) teve seu nome lembrado ao se completar o quadro de fundadores (1897); concorreu às vagas de Valentim Magalhães* e de José do Patrocínio, sem ser eleito para a ABL. Apesar do grande mérito literário, o autor de *Luzia Homem* foi tenazmente combatido por Rio Branco*; também contra a sua candidatura teria Lúcio e Salvador de Mendonça*, ver nota 2 em [759], tomo IV. (IM)

[841]

> De: MÁRIO DE ALENCAR
> *Fonte*: Manuscrito Original, Arquivo ABL.

GABINETE DO MINISTRO DA JUSTIÇA E NEGÓCIOS INTERIORES

Rio de Janeiro, 19 de julho de 1905[1].

Excelentíssimo Senhor Machado de Assis, Ilustre Presidente da Academia Brasileira

Tenho a honra de comunicar à Vossa Excelência que sou candidato à Academia Brasileira na vaga de José do Patrocínio[2].

Apresento à V*ossa* Ex*celênci*a as seguranças do meu elevado apreço e distinta estima.

Mário de Alencar

---

1 ∽ A morte do fundador da Cadeira 21, José do Patrocínio, em 29/01/1905, ocorreu durante o recesso da Academia. Na ata da sessão de 15 de fevereiro, não há menção ao fato. A sua morte foi oficialmente comunicada apenas na sessão de 27 de maio, na qual se decidiu o nome do ocupante à Cadeira 13, que permanecera indefinido devido ao empate entre Sousa Bandeira* e Duque-Estrada*. Só neste momento foram abertas as inscrições à Cadeira 21, com prazo final em 31 de julho. (SE)

2 ∽ Mário de Alencar em *Alguns Escritos* (1910) dá a sua versão da ação de convencimento empreendida por Machado de Assis. No dia em que faleceu Patrocínio, em conversa na livraria Garnier, Machado lhe teria proposto a candidatura. Mário recusou-se e assim se manteve por dois meses de insistentes pedidos. No último dia das inscrições, Machado foi procurá-lo pela manhã no Ministério do Interior e da Justiça. Tornou ao assunto e de tal forma foi veemente que Mário terminou capitulando. Magalhães Jr. (2008), no entanto, comenta a respeito desta retrospectiva de Mário: "Mas não declarou que a sua inscrição, em papel timbrado do gabinete do ministro da Justiça e Negócios Interiores, foi antedatada de 19 de julho de 1905, /... /" (SE)

[842]

De: JOAQUIM NABUCO
Fonte: Manuscrito Original, ABL.

Brazilian Embassy

Jackson, N*ew* H*amp*s*hire*, 28 de julho de 1905.

Meu caro Machado,

Acho-me neste momento nas Montanhas Brancas, descansando, isto é, mudando de trabalho[1]. Cá recebi a sua boa carta, e lhe agradeço cada palavra dela. V*oc*ê sabe como as peso e torno a pesar em balanças a que nenhuma intenção sua escapa. Este lugar é delicioso. Habito um *cottage* à beira de um pequeno rio encachoeirado sobre o qual tenho uma varanda. Está comigo o Veloso², e os dias passam-se do modo o mais rápido sem fazermos nada, rápido demais. Sem fazer nada é um modo de dizer, tendo grande correspondência, a leitura dos jornais que neste país é uma tarefa séria, e quero ver se dou um livro³.

O meu voto para a vaga do Patrocínio é para o Jaceguai. Acho que ele deve apresentar-se. Não compreendo que ele que não teve medo de passar Humaitá o tenha de atravessar a praia da Lapa. Se ele não for candidato e o Artur Orlando o for, votarei neste. Seria lastimável se as candidaturas as mais brilhantes que em nosso país possam surgir, como essas, recuarem diante de qualquer suspeita de haver na Academia grupos formados, e fechados⁴. Devemos torná-la *nacional*.

Adeus, meu caro Machado.

Do seu m*ui*to saudoso amigo e discípulo af*etuosíssi*mo.

Joaquim Nabuco.

---

1 ∾ Em 23/07/1905, Nabuco (2008) escrevia para a esposa, D. Evelina, que permanecera em Londres com os filhos, aguardando passagem para os Estados Unidos: "Verão, nenhum camarote disponível." Na mencionada carta, Nabuco louvou o "delicioso retiro" em Jackson, onde pretendia descansar e cuidar de seus livros. Lá, ele permaneceu até 25/08/1905. (IM)

2 ∾ Aníbal Veloso, secretário da embaixada. (IM)

3 ∾ Seriam as *Pensées Détachées et Souvenirs*, obra comentada por Machado em [908], de 19/08/1906. (IM)

4 ∾ A disputa pela vaga de Patrocínio tinha azedado, porque Rio Branco* se opunha à candidatura de Domingos Olímpio que, como jornalista conceituado, o hostilizava. Eis que Machado luta pela entrada do jovem Mário de Alencar*, filho de José de Alencar*, e uma espécie de filho adotado no fim da vida. Ver, especialmente a correspondência de ambos no final deste tomo. (IM)

[843]

Para: COMISSÃO DIRETORA DO
3.º CONGRESSO CIENTÍFICO
LATINO-AMERICANO
Fonte: Manuscrito Original, Arquivo ABL.

[Rio de Janeiro,] 31 de julho de 1905.

n.º 40[1].

Excelentíssimo Senhor Presidente da Comissão Diretora do 3.º Congresso Científico Latino-Americano.

Em resposta ao ofício de Vossa Excelência n.º 259 de 9 de junho passado, cumpre informar que achando-se completa a instalação desta Academia, fica a nossa sede à disposição das seções do Congresso que aí devam funcionar conforme Vossa Excelência requisitou[2].

Apresento à Vossa Excelência os meus protestos de subido apreço e consideração

[Machado de Assis]

---

1 ∞ Minuta do primeiro-secretário Rodrigo Octavio*, conforme determinação de Machado de Assis em [837], nota 1. Não se conhece o documento definitivo, que certamente foi enviado, pois havia nítido interesse de Rio Branco* na solicitação original. Note-se que a minuta foi redigida no dia em que a Academia se instalava em "casa própria", na verdade espaço concedido pelo governo no prédio do cais da Lapa. Da sessão de 31/07/1905, resta apenas uma lista dos presentes: Machado*, Veríssimo*, Salvador* e Lúcio de Mendonça*, Silva Ramos*, Araripe Júnior*, João Ribeiro* e Rodrigo Octavio*. (IM)

2 ∞ Marquês de Paranaguá, primeiro signatário da carta [837]. (IM)

[844]

Para: JOAQUIM NABUCO
Fonte: Fundação Joaquim Nabuco. Fac-símile do manuscrito original.

Rio de Janeiro, 11 de agosto de 1905.

Meu caro Nabuco,

Escrevo algumas horas depois do seu ato de grande amigo. Em qualquer quadra da minha vida ele me comoveria profundamente; nesta em que vou a comoção foi muito maior. V*ocê* deu bem a entender, com a arte fina e substanciosa do seu estilo, a palmeira solitária a que vinha o galho do poeta.

O que a Academia, a seu conselho, me fez ontem, basta de sobra a compensar os esforços da minha vida inteira; eu lhe agradeço haver se lembrado de mim tão longe e tão generosamente.

O Graça desempenhou a incumbência com as boas palavras que V*ocê* receberá[1]. Antes dele o Rodrigo Octavio leu a sua carta diante da sala cheia e curiosa. Ao Graça seguiram com versos de amigo o Alberto de Oliveira e o Salvador de Mendonça[2].

A recepção do Bandeira esteve brilhante. Lá verá o excelente discurso do novo acadêmico. Respondendo-lhe, o Graça mostrou-se pensador, farto de ideias, expressas em forma animada e rica. A Academia está, enfim, aposentada e alfaiada; resta-lhe viver.

Adeus, meu querido amigo, ainda uma vez obrigado. Aceite um apertado abraço do

Velho amigo
Machado de Assis

---

1 ❧ Graça Aranha*, em seu discurso, transferiu a própria palavra às "folhas sagradas" do carvalho Tasso, que reverencia Machado longamente. A versão integral, talvez em primeira mão, pode ser lida na revista *Renascença* (agosto 1905) e também figura na *Correspondência*, organizada por Aranha (1923). (IM)

2 ❧ Sobre esta grande homenagem, ver carta [846], de 29/8/1905. (IM)

[845]

De: MAGALHÃES DE AZEREDO
Fonte: Manuscrito Original, Arquivo ABL.

Olevano, 25 de agosto de 1905.

Hotel de Roma

Meu querido Mestre e Amigo,

que[1] pensará de mim, e do meu silêncio? crerá talvez que o esqueci, que me tornei um ingrato, ou tantos anos de sincero e constante afeto me têm defendido no seu foro íntimo contra desfavoráveis aparências? espero que assim tenha sido. Não pretendo justificar de todo, mas ingenuamente explicar a falta de notícias minhas; mereço, creia, a sua indulgência, porque em todo este tempo desejei sempre realmente escrever-lhe, mas escrever-lhe a meu gosto, escrever-lhe de modo que compensasse a demora involuntária do cumprimento deste dever. E para isso (como explicar-lhe uma coisa que a mim próprio me parece estranha?) nunca chegava a ocasião propícia. Sim, porque eu afinal perdi, não sei se definitivamente, mas espero que não, aquela antiga facilidade de escrever cartas, e estou em falta, mais ou menos, com todos os amigos; estes, quase todos remissos de ordinário na correspondência; e continuamente censurados por mim, estarão admirados de poder censurar-me também por sua vez. É que, em primeiro lugar, na Legação tem havido muito mais trabalho ultimamente do que é habitual[2]; depois, o meu trabalho particular tem crescido muito também, e entre escritos e estudos vários, dou agora conta de uma tarefa enorme; e por fim, até há poucos meses andei mal de saúde. No inverno passado tive três acessos de influenza que me debilitaram muito; não exagero dizendo que estive dois meses sem sair, embora não de uma vez; e ficou-me um incômodo de ouvidos, não grave em si, mas importuno, enervante e deprimente, que me forçou a um longo tratamento, e que ainda de quando em quando torna a aborrecer-me por mais ou menos dias. Todas essas circunstâncias atenuarão decerto a minha falta. Eu teria podido mandar-lhe cartões-postais ou breves cartas; mas queria, precisava, ao menos por esta primeira vez, escrever-lhe longamente, e é por isso que estas páginas vão com tanto atraso. Na sua última, tão boa e afetuosa carta, que tanto me comoveu, pede também desculpa do seu longo silêncio; mas não julgue ter sido este que deu motivo à falta de cartas minhas; eu não entro em detalhes de pragmática tratando-se de um tão querido Mestre e Amigo, a quem tanto devo. Eu já pensava em escrever-lhe antes de receber a sua carta; esta, o que fez, foi tornar mais vivo e imperioso o meu desejo de escrever-lhe[3].

Pergunta-me se recebi *Esaú e Jacó*[4]; não recebi. Houve decerto extravio no correio. Peço-lhe que mande o belo romance, tão jovem de estilo e de espírito como os que o precederam, embora de filosofia ainda mais amarga talvez.

Há ainda muitas páginas suas, preciosas e dignas de eterna vida, que andam esparsas, perdidas em jornais e revistas. Por que não as reúne em dois ou três volumes? *Páginas escolhidas* poderiam chamar-se também estes como um que já saiu, e que só tem o defeito de ser demasiado curto.

Isso deveria fazer. E sabe que mais deveria fazer? Vir passear um pouco por este velho mundo[5], que pela imaginação tão bem conhece e ama, e ao qual pertence por tantos pontos do seu espírito. Creio que já tem pleno direito a uma aposentadoria nas melhores condições. Deixe, pois, a sua Secretaria; deixe por um pouco a vida habitual. Há na sua alma, apesar dos anos e das fadigas, essa elasticidade juvenil que se adapta a climas novos e ambientes diversos. Alencar veio à Europa nos últimos anos da vida[6], e aborreceu-se aqui enormemente; mas Alencar, grande espírito decerto, não tinha adaptabilidade a coisa alguma, era refratário a tudo o que não interessasse diretamente à sua pessoa e às suas obras literárias ou políticas, e no declinar da existência, embora relativamente moço, estava sempre de mau humor contra todos e tudo, em consequência da moléstia de fígado que o devorava. A sua imaginação, ainda que não seja épica e clamorosa como a dele, ou por isso mesmo talvez, é muito mais compreensiva e universal: é a de um homem que, sem ter saído nunca da sua pátria americana, pode, nesse outro grande e belo país que não tem fronteiras, considerar-se concidadão de muitos homens ilustres de estirpe diversa e distante, não só pelo brilho da inteligência (que por esse também Alencar o era), mas por íntimas afinidades de gosto e de sentimento.

Venha, pois, conhecer de perto as outras pátrias que conta[m] no mundo além da nativa. Que impressões teria de Paris, de Londres, de Berlim, da Espanha, da Itália toda, e especialmente da incomparável Roma! não negue esse justo prêmio ao seu longo labor, essa coroação à sua bela vida. Hoje é tão fácil coisa uma viagem da América à Europa! Pouco mais é que um passeio de bonde, pois de fato o hábito das passagens constantes já traçou verdadeiros trilhos através do Oceano; as ondas já se habituaram ao peso e ao ritmo regular dos transatlânticos, e os habitantes das profundezas submarinas, outrora extremamente retraídos, estão quase íntimos do homem e das suas obras. É preciso ver com que familiaridade e segurança os lindos peixes-voadores adejam em cardumes ao redor dos paquetes: com a mesma tranquilidade das borboletas brancas, às quais se parecem muito, nos bosques e nos jardins.

Sei que a Academia vai inaugurar em breve a sua nova e própria residência[7], dotada, diz-me o Rodrigo Octavio, de mobília boa e solene. Sinto não estar presente a essa fausta sessão de posse coletiva, sobretudo pela homenagem que lhe preparam para então. Mesmo de longe, tenho tenção de tomar parte nela, mas, prevenindo tarde, não sei se terei tempo de mandar oportunamente a minha contribuição de poeta. Será uma pena para mim se o tempo não bastar, porque ela combinaria magnificamente com outra parte significativa e muito simpática da homenagem. Mas — que quer? é costume arraigado e irreformável da nossa gente dar sempre aviso de tudo à última hora — quando não simplesmente *prevenir depois* do fato...

A Academia poderá dizer que tem nova casa numa nova cidade, ou pouco menos. Dizem-me daí maravilhas dos melhoramentos realmente gigantescos do nosso Rio de Janeiro. Além do muito que ganhamos na salubridade, na dignidade municipal, no lustre estético de uma capital que a natureza fizera tão bela e os homens tão suja, que soberbo exemplo esse da vontade grande, tenaz e fecunda de um homem para a nossa nação ainda tão mole e desfibrada! Eu não conheço pessoalmente o atual Prefeito do Rio de Janeiro[8]; mas deveras o admiro e venero, acho que o seu nome e a relação dos seus trabalhos devem dentro de poucos anos ser postos em todos os compêndios de história pátria para a infância e a mocidade. A perspectiva de um Rio de Janeiro assim transformado fascina-me a imaginação. A nossa cidade, mesmo com todas as suas *verrugas*, como dizia Montaigne de Paris, (no nosso caso dizer só *verrugas* seria talvez pouco), foi sempre encantadora, sedutora, diabolicamente simpática! A gente estranhava, excomungava as suas mazelas (eis o termo, ai!) gritava contra a população e a Intendência, mas não podia deixar de confessar no íntimo que *cette gueuse*[9] tinha um feitiço de mil demônios. Que será agora, com as suas vastas avenidas, os seus jardins públicos floridos e bem tratados? Eu sei de sobra que tão cedo não teremos, provavelmente não teremos nunca, uma cidade monumental como as mais ilustres da Europa. A idade dos monumentos está acabada em toda a parte, e se em algum meio social pode ressurgir não é decerto numa democracia como a nossa. Sei também que, para fugir do velho barracão português sombrio e acaçapado, cairemos aí, a princípio sobretudo, numa disparatada e incriteriosa mistura de estilos arquitetônicos, que dará um aspecto pretensioso e um pouquinho grotesco aos nossos primeiros trechos de avenida. Mas, paciência; o tempo, a experiência, a educação artística irão corrigindo pouco a pouco esse excesso, e depois, a nossa natureza é realmente tão bela que com os seus encantos o disfarçará bem depressa. E a rua do Ouvidor? Essa fica intacta, sem dúvida. Seria um sacrilégio destruí-la, e outro abandoná-la. O que convém, agora que outras e mais pujantes artérias se abrem à circulação comercial, é fazer da rua do Ouvidor um verdadeiro centro de elegância, de luxo e de bem-educada conversação; o salão do Rio de Janeiro, forrado como a rua de Rivoli em Paris ou as Procuracias em Veneza, de lojas seletas, finas, brilhantes, livrarias, joalherias, perfumarias, casas de quadros — objetos de arte... nada de *secos e molhados*, por amor de Deus! alguns botequins, naturalmente, mas limpos, envernizados, com lindos mármores e cristais diariamente esfregados. Seria necessário também — oh! mais necessário ainda! — dizimar, com boas maneiras, está claro, se bem um tanto enérgicas, mas sem instrumentos letíferos, a gente que costuma frequentar essa cara e histórica rua; os malandros, os cafajestes de trunfa túmida[10] e gingamento sinistro[11], poderia bem o velho Passos relegá-los a um quilômetro de distância pelo menos. Mas até lá não chega o poder do homem, que aliás pode tanto! Ainda há aí cada dia essa bela e animada roda de escritores e intelectuais à porta do Garnier? não posso pensar nela sem saudade e inveja. Mesmo de longe a acompanho por vezes, e divirto-me a imaginar os assuntos prováveis da palestra. Agora, naturalmente, o movimento constitucional na Rússia, a *Duma* de Estado, os esforços vãos da autocracia para atrair ou enganar os generosos liberais, e as memoráveis sessões de Portsmouth[12], sob os auspícios do ilustre Roosevelt, entre os plenipotenciários do Czar e os do Micado, e também, mais que tudo, esse trágico e profundamente perturbador processo Murri[13], cujo desenlace (provisório talvez) se viu há poucos dias em Turim... que drama complicado e aterrador! que abismos de paixão obscura, de patologia criminal, de pensamentos, desejos, interesses, instintos, tenebrosos e pavorosos talvez para os mesmos que os conceberam e alimentaram por tantos anos! e que parte ampla, tirânica, da fatalidade em tudo isso!

Os homens condenaram, e não podiam deixar de condenar, aqueles que com tanta perversidade, com requintes de crueza e cinismo, ofenderam as leis divinas e as sociais, a vida inviolável, os vínculos do sangue, e os ditames da honra; e se a sentença pode ser discutida no que respeita aos cúmplices materiais e morais do delito, pelo menos em relação ao principal culpado, a resposta dos jurados não podia ser outra. Mas, apesar dos longos e minuciosos debates, dos documentos inúmeros que no processo se utilizaram, das controvérsias jurídicas, filosóficas, sentimentais dos advogados da acusação e da defesa, em suma, da abundância de luz por vezes cruelmente indiscreta que de todos os lados se quis jorrar sobre a lúgubre tragédia de Bolonha, há nela recantos de almas, esconderijos atrozes e monstruosos, que ficarão, para sempre talvez, impenetráveis à vista humana, O processo é desses que só Deus realmente pode julgar em última instância. — Mas que fonte de emoções profundas, grandiosas, para um dramaturgo de gênio, um Ibsen ou um Shakespeare!

Meu querido Mestre e Amigo, vejo com espanto que já enchi quase cinco folhas de papel. Paro aqui por hoje, pois, apesar do meu silêncio de muitos meses, não quero abusar da sua bondade; não quero justamente que tenha razão de achar preferível o meu silêncio. Mas estou contente, deveras contente, por ter podido enfim conversar largamente com o seu espírito sempre caro e sempre lembrado, e d'ora em diante me proponho prosseguir a antiga correspondência. Quando não tiver tempo de escrever muito, escreverei pouco; quando não puder mandar-lhe cartas mandarei postais com algumas palavras, que ao menos serão sinal de saudação e afeto. Peço-lhe também que me escreva sempre que lhe seja possível; e que me acuse logo a recepção destas folhas, apenas as tenha lido; quero estar certo de terem elas chegado a suas mãos.

Como terá visto pela data, não estamos em Roma; estamos perto, em Olevano[14], belo sítio de montanha deliciosamente tranquilo, e muito salubre. Ficaremos aqui, se Deus quiser, até o fim de Setembro; depois voltaremos para Roma, porque já o verão estará terminado. Eu, mesmo agora, vou lá de vez em quando, mas por poucas horas. O meu Ministro[15] está com a Família em Valombrosa, perto de Florença, e voltará para Roma também em Outubro.

Adeus, meu querido Mestre e Amigo, até breve. Aceite cumprimentos de minha Família. Abraça-o muito afetuosamente o sempre grato e dedicado

Azeredo

1 ∾ Azeredo iniciou o texto assim, com letra minúscula. (SE)

2 ∾ O excesso de trabalho relacionava-se às negociações e aos preparativos para tornar o então arcebispo do Rio de Janeiro, o pernambucano Joaquim Arcoverde Cavalcanti de Albuquerque (1850-1930), o primeiro cardeal da América Latina, fato que ocorreu no Consistório de 11 de dezembro de 1905, presidido pelo papa Pio X. D. Joaquim recebeu o barrete cardinalício em 13 de dezembro. Azeredo, profundamente católico, empenhou-se em alcançar para a comunidade católica brasileira a primeira representação cardinalícia. Sobre o envolvimento dele nos preparativos à eleição do novo cardeal, ver o seu depoimento na carta [860] de 16/11/1905. Ver também a transcrição da carta de Nabuco a Azeredo, inserta na nota 2, [856], de 25/10/1905. (SE)

3 ∾ Toda essa longa explicação deve-se ao hiato comunicativo ocorrido entre eles. A carta de Machado de 20 de abril de 1905, [831], retomou a conversa epistolar interrompida em meados 1904, pela doença de Carolina. Ficara onze meses sem escrever; a sua última carta datava de 13 de maio de 1904, [761], tomo IV. Azeredo, por seu turno, também se demorou. A última carta a seu *mestre e amigo* fora escrita em 14 de setembro de 1904, [776], tomo IV. Agora, em 1905, para responder à carta de 20 de abril, [831], demorou mais quatro meses, escrevendo somente em 25 de agosto. Também ele fez um hiato de onze meses. (SE)

4 ∾ Na última carta de 1904, [776], Azeredo lamentou de modo indireto que Machado não houvesse comentado sobre a publicação do romance: "Por carta do nosso Graça eu soube da publicação do seu novo livro *Esaú e Jacó*. Ora sempre foi mau em guardar segredo comigo sobre isso!". Em seguida, avisa que lhe está enviando pelo mesmo Graça Aranha* as *Odes e Elegias*, livro do qual certamente esperava os comentários. Machado, àquela altura, com Carolina prestes a morrer, não tinha condições de se dedicar a mais nada. Depois da morte, houve pelo menos seis meses de luto fechado. Azeredo talvez tenha tido dificuldade de entender isso. Sobre *Odes e Elegias* ver carta [831]. (SE)

5 ∾ Esta parece ser a última vez em que Azeredo insistirá com *seu amigo e mestre* para que viajasse de férias à Europa. Machado tratará deste assunto de modo definitivo na carta [852], de 02/10/1905. (SE)

6 ∾ José de Alencar* embarcou com a família no vapor *Lusitânia* em meados de 1876, rumo ao porto de Liverpool. Esteve em Londres, Paris e Lisboa em busca de saúde, mas ela já estava irremediavelmente em declínio. Em 12 dezembro de 1877, o escritor faleceu na sua casa da rua Guanabara 50 (atual rua Pinheiro Machado). (SE)

7 ∾ As novas instalações da Academia já haviam sido inauguradas em 10 de agosto, com a recepção solene de Sousa Bandeira*. Sobre o Silogeu Brasileiro, ver nota 11, [723] e nota 1, [749], tomo IV. (SE)

8 ∾ Francisco Pereira Passos (1836-1913), responsável pela modernização urbanística do Rio de Janeiro, iniciada no governo do presidente Rodrigues Alves (1902-1906). Segundo o planejamento dos engenheiros responsáveis, a finalidade das obras era o saneamento e a ordenação viária da cidade. O prefeito demoliu, removeu, abriu e alargou ruas no centro do Rio e alguns outros bairros. No centro, o alargamento das ruas visava à ventilação e à iluminação. Adotou-se um novo padrão arquitetônico nas áreas demolidas, de inspiração haussmaniana. Foram abaixo todos os prédios paralelos aos Arcos da Lapa, e o Morro do Senado foi arrasado a fim de surgir a avenida Mem de Sá, com a rotatória praça da Cruz Vermelha. O velho largo de São Domingos desapareceu para que a avenida Passos fosse aberta. A rua Uruguaiana foi alargada, sendo demolido o casario do lado direito da rua. Foram abertas a avenida Central, Beira-Mar, a Praça Paris e, na zona sul, a avenida Atlântica. (SE)

9 ∾ Esta vadia. (SPR)

10 ∾ Turbante composto de faixa ou cinta enrolada na cabeça, à feição mourisca, oriundo de várias nações orientais e usada pelos antigos sacerdotes. Designa também a porção de cabelos apanhados e presos no alto da cabeça. Pode significar cabeleira desalinhada. Em sentido figurado designa ato, o jeito ou dito arrogante, atrevido; ousadia, topete. (SE)

11 ∾ Provavelmente Azeredo está falando dos então temidos capoeiras. (SE)

12 ∾ Conferência iniciada em 10 de agosto naquela cidade dos Estados Unidos, que selou a paz entre os impérios russo e japonês, encerrando formalmente a guerra entre os dois países, que disputaram em 1904-1905 os territórios da Manchúria e da Coreia. O Tratado de Portsmouth foi assinado em 5 de setembro de 1905. O presidente norte-americano Theodore Roosevelt (1901-1909) foi o mediador das negociações, razão pela qual recebeu em 1906 o Prêmio Nobel da Paz. (SE)

13 ∾ Em 1902, um crime passional abalou a alta sociedade italiana; envolvia um conde, uma condessa, o velho pai, médico e cientista de prestígio, o irmão advogado e um segundo médico, amante da condessa. A trama era repleta de ingredientes picantes: muito dinheiro, roubo, relações conturbadas, relações incestuosas e orgias. Em Bolonha, no dia 2 de setembro, os vizinhos do luxuoso apartamento na via Mazzini 39, dos condes Bonmartini, Francesco e Teolinda, queixaram-se do cheiro que exalava do imóvel. No quarto de dormir, a polícia descobriu o corpo do conde, coberto de ferimentos e em adiantado estado de decomposição. Ao lado havia uma mala e um bisturi, que seria a arma do crime. No apartamento, aparentemente nada fora roubado. No entanto, na carteira do morto, vazia, havia um bilhete feminino marcando um encontro. Sob o colchão vestes íntimas femininas, que depois se averiguou não pertencerem à condessa, que por sinal estava em vilegiatura de verão. Inicialmente a polícia acreditou que o conde fora assassinado por alguma amante ou homem ciumento. Um novo evento,

no entanto, provocou a reviravolta do caso. O velho senador Augusto Murri (1841-
-1932), pai de Linda (1871-1957), foi à polícia denunciar o filho, Tullio Murri
(1874-1930), que teria confessado antes de fugir para a Sérvia. Surge então o boato
de que Tullio manteria com a irmã um relacionamento incestuoso. Ele teria discutido
com o cunhado por causa da irmã; na briga acabou assassinando o conde. Nesse meio
tempo, a polícia reuniu informações e provas surpreendentes. No quarto foram encontradas duas taças e uma garrafa de champanhe de marca diversa da que o conde bebia.
Novas circunstâncias e novos nomes começaram a emergir. A condessa Linda teria
fornecido a chave do quarto do marido. A criada Rosina Bonetti, amante de Francesco
e de Tullio, teria facilitado a entrada dos assassinos na casa. A defesa de Tullio era
muito difícil. Socialista militante, o jovem tinha má reputação, sendo malvisto e considerado agitador perigoso pelas autoridades. A condessa Bonmartini teve a vida sexual
devassada. Teria hábitos promíscuos. Descobriu-se que tinha um caso com um antigo
namorado, o médico Carlo Secchi. Linda também manteria um *affaire* homossexual
com a criada Rosina e, além disso, colecionaria casos e namorados eventuais. Outro
boato é que teria alugado uma casa nas imediações da sua residência, onde promoveria
festas e orgias. No processo, o seu amante Carlo Secchi foi acusado de cumplicidade;
o outro irmão, Ricardo Murri, também, mas depois foi inocentado. No julgamento,
Linda foi pronunciada como mandante de homicídio qualificado, com premeditação
e furto. Tullio foi responsabilizado pela preparação e execução. Rosina, por cumplicidade necessária no homicídio. Carlo Secchi, por cumplicidade com a mandante do
crime. Severo e Ernesto Dalla por favorecimento ao encobrir os acusados. Linda foi
sentenciada a dez anos de prisão, mas em 1906, por interferência indireta do rei Victor
Emmanuel III, teve a pena comutada pelo governo italiano, que considerou como
atenuante o reconhecido comportamento violento do conde contra ela, que teria se
casado apenas para associar seu nome à clínica do Dr. Murri, senador da república e
um dos médicos mais notáveis da Itália, e que por ter fracassado em seu intento, passou
a agredir a mulher. Após a comutação da pena, o Dr. Murri afastou-se da universidade
e, acompanhado da filha, retirou-se para destino ignorado. Registre-se, por fim, que
há um filme de Mario Ferrero que reconta essa história: *Il Caso Murri*, de 1982. (SE)

14 ❧ Cidade localizada a 45km a leste de Roma. (SE)

15 ❧ O ministro brasileiro na Santa Sé era Bruno Gonçalves Chaves. (SE)

[846]

> Para: JOAQUIM NABUCO
> *Fonte*: Fundação Joaquim Nabuco. Fac-símile do manuscrito original.

Rio de Janeiro, 29 de agosto de 1905.

Meu caro Nabuco,

Recebi a sua carta escrita das Montanhas Brancas[1]. Há dias escrevi-lhe uma agradecendo a generosa e afetuosa lembrança do carvalho de Tasso[2]. A *Renascença*[3] reproduziu a sua carta e a do síndico de Roma, e deu as palavras do Graça e os versos do Salvador de Mendonça e do Alberto de Oliveira. Lá verá como o nosso Graça correspondeu à indicação que lhe fez, dizendo-me coisas vindas do coração de ambos.

Os nossos amigos da Academia, ao par daquela fineza, quiseram fazer-me outra, pôr o meu retrato na sala das sessões, e confiaram a obra ao pincel de Henrique Bernardelli; está pronto, e vai primeiro à exposição da Escola Nacional de Belas-Artes. O artista reproduziu o galho sobre uns livros que meteu na tela[4]. Todos me têm acostumado à benevolência. Valha esta consolação à amargura da minha velhice.

Sobre o voto da Academia recebi as suas indicações, não podendo cumpri-las por não ser candidato o Jaceguai nem o Artur Orlando. Já lá há de saber que os candidatos são o padre Resende, o Domingos Olímpio e o Mário de Alencar. Na Academia não há nem deve haver grupos fechados.

Venha o livro que medita; é preciso que o embaixador não faça descansar o escritor[5]; ambos são necessários à nossa afirmação nacional. Dei aos amigos as lembranças que lhes mandou, e eles lhas retribuem. As minhas saudades são as que *Você* sabe, nascem da distância e do tempo. Ainda agora achei um bilhete seu convidando-me à reunião da rua da Princesa para fundar a Sociedade Abolicionista; é de 6 setembro de 1880[6]. Quanta coisa passada! Quanta gente morta! Sobrevivem corações que, como o seu, sabem amar e merecem o amor. Adeus, meu caro Nabuco, não esqueça

O velho amigo admirador e companheiro

Machado de Assis.

---

1 ∾ Ver carta [842]. (IM)

2 ∾ Ver carta [844]. (IM)

3 ∾ A *Renascença*, "revista mensal de letras, ciências e artes", fundada e dirigida por Rodrigo Octavio* e Henrique Bernardelli*, dedicou várias páginas à homenagem (n.º 18, agosto de 1905), apresentando, na íntegra, o discurso de Graça Aranha*, os poemas "O Carvalho de Zeus", de Alberto de Oliveira*, e "A Véspera do Capitólio", de Salvador de Mendonça*. Um documento interessante estampado é o fac-símile da carta original dirigida a Nabuco por Pompeo Colonneli, nos seguintes termos:

SPQR
PUBBLICA INSTRUZIONE
Roma 18 ott. 1904
Eccellenza
Grato a V. E. per avermi offerto l'occasione di renderle servizio le invio un ramo della Quercia del Tasso che io stesso sono andato a prendere questa mattina in S. Onofrio al Gianicolo.
Insieme a questo modesto ma poetico e suggestivo ricordo, accolga l'E. V. l'omaggio di tutta la mia [assuranza]
[Dev.mmo]
Pompeo Colonnelli

TRADUÇÃO: "Roma, 18 de outubro de 1904. Excelência / Grato por V. Ex. ter-me oferecido a ocasião de prestar-lhe serviço, envio-lhe um ramo do Carvalho de Tasso que eu mesmo fui colher nesta manhã em Santo Onofre, no Janículo. / Com esta modesta mas poética e sugestiva recordação, acolha V. Ex. a homenagem de toda a minha consideração. [Devotadíssimo] / Pompeo Colonnelli."

Vale a pena assinalar que em carta a Magalhães de Azeredo*, datada de 28/10/1905, Nabuco (1949) declara ao diplomata, então em Roma:

"/.../ esse ramo do Carvalho de Tasso não foi trazido por mim de Roma; foi-me mandado pelo Barros Moreira a quem o pedi para substituir outro que eu trouxera de lá em 1888. Depois é que me veio a ideia de o mandar ao Machado, mas nunca imaginei tal festa, nem que me publicassem a carta. Tudo foi para mim uma grande surpresa. A amabilidade que eu disse ao Graça Aranha lhe teria dito, se você estivesse lá e ele ausente. Eu sei que o Machado o admira e estremece e que sua saudação a ele seria inimitável, a romana, a que o Tasso mesmo faria." (IM)

4 ∽ Este quadro foi oferecido pelos amigos de Machado, por iniciativa de Rodrigo Octavio, e está exposto na Academia, assim como o ramo do carvalho de Tasso. (IM)

5 ∽ Referência provável a *Pensées Détachées et Souvenirs*. (IM)

6 ∽ Bilhete ainda não localizado. A reunião é amplamente comentada por biógrafos de Nabuco, destacando-se a análise de Ângela Alonso (2007), mas esta e outras fontes não assinalam a presença de Machado. (IM)

[847]

De: MAROQUINHA JACOBINA RABELO
Fonte: Manuscrito Original, Arquivo ABL.

[Rio de Janeiro,] 10 de setembro de 1905.

Cosme Velho

Il*ustríssi*mo S*e*n*ho*r D*ou*to*r* Machado de Assis

É a maior das ousadias, sei bem, oferecer-vos o meu pobre trabalhinho — A Aia — sobre o conto de Eça de Queirós[1]; mas, se pode merecer alguma coisa a grande e alta admiração que desde bem pequena eu soube dedicar ao grande Poeta, amigo de meu Pai[2], peço — e o favor é grande — valorizar o meu trabalho com a sua crítica severa e suas rigorosas correções.

De antemão agradeço o tempo que ides gastar na leitura da minha Aia aguardando em breve fazer-vos uma visita para apresentar os meus agradecimentos pessoais e pedir os vossos sábios conselhos.

Peço aceitar meus cumprimentos e os de meu marido[3] e perdoar a ousadia da sua grande admiradora

Maroquinha Rabelo.

1 ∽ Conto originalmente intitulado "Temas para versos" (*Gazeta de Notícias*, 3 e 4 de abril de 1893). Na obra póstuma de Eça, *Contos* (1902), recebeu novo título, "A Aia". A heroína é uma escrava que, na Índia, ama o rei e amamenta o herdeiro do trono. Sabendo que este será morto, põe o próprio filho no berço real, sacrificando-o. Ao final se apunhala e, convicta da vida no além, brada: "Salvei o meu príncipe e agora vou dar de mamar ao meu filho!" (Matos, 1993). Em *Escritoras Brasileiras do Século XIX* (Muzart, 2009), dá-se "A Aia" de Maroquinha Rabelo como publicada na década de 1930. (IM)

2 ∽ Antônio de Araújo Ferreira Jacobina, homem de grande cultura, com estudos nas universidades de Coimbra e de Paris. (IM)

3 ∽ O engenheiro César Rabelo. (IM)

[848]

De: OLIVEIRA LIMA
Fonte: Cartão-Postal Original, Arquivo ABL.

[Caracas,] 16 de setembro de 1905.[1]

De todo coração me associo às justíssimas homenagens que lhe foram prestadas na nossa academia, afinal... [abraços][2]

M. de Oliveira Lima

Via New York
*Excelentíssi*mo *Senho*r Machado de Assis
Livraria Garnier, *R*ua do Ouvidor
Rio de Janeiro

1 ∽ Postal com a legenda "Recuerdo de Venezuela – Penthesilee – Michelena". Reprodução do quadro de Arturo Michelena (1863-1898), que apresenta cena da batalha de Pentessileia – mítica amazona – na guerra de Troia. Documento inédito. (IM)

2 ∽ Entrega do ramo do carvalho de Tasso, em 10/08/1905. Ver cartas [844] e [846]. (IM)

[849]

> De: ANTÔNIA MACHADO
> *Fonte*: VIANA FILHO, Luís. *A Vida de Machado de Assis*. Rio de Janeiro: Martins, 1965.

[Sem local,] 25 de setembro de 1905.

/.../ Compreendo a sua grande dor. A nossa Carolina era daquelas pessoas que não se esquecem nunca /.../[1].

[Antônia Machado]

---

1 ～ Diz o eminente biógrafo de Machado, em nota: "Carta de 25.9.1905. Original da Senhora Leitão de Carvalho." Ainda não foi possível localizar o original (parcial ou completo) entre os documentos pertencentes a D. Laura, atualmente na ABL e no Museu da República. Tampouco foram encontradas informações sobre a amiga de Carolina*. (IM)

[850]

> De: ISABEL BARAÚNA
> *Fonte*: Manuscrito Original, Arquivo ABL.

New York, 25 de setembro de 1905.

606 Saint Nicholas Avenue[1]

Excelentíssimo Senhor Doutor Machado de Assis

Espero que perdoará a liberdade que tomo em pedir-lhe mais um favor. Do primeiro que me fez, talvez nem se lembre, que foi conceder-me a passagem para Pernambuco para onde eu ia na companhia das minhas irmãs[2], há mais de 5 anos.

Estávamos hospedadas em casa do Senhor Barão do Ladário[3], e fomos pedir ao doutor o favor que com tanta bondade conferiu.

Agora peço uma coisa mais fácil, e a isso me impele a ousadia, confiada na sua antiga amizade pelo meu querido pai, que tanto admirava (como eu) os seus escritos: se escrevesse um trecho qualquer para um álbum[4] de pensamentos que tenho, faria-me um prazer imenso, não menos que um favor. Quer seja poesia ou prosa ficarei satisfeita, pois sei que ambos lhe são igualmente fáceis.

Minhas irmãs se recomendam e eu agradecendo de antemão e confiada no seu perdão

Subscrevo-me

Patrícia admiradora

Isabel Baraúna

---

1 ∾ Saint Nicholas é a avenida mais longa de Nova York, começando na Manhattan Avenue e terminando na Fort George Avenue. (SE)

2 ∾ Há registro de que as irmãs Isabel, Libânia e Maria Baraúna chegaram ao porto do Recife, pelo vapor *Maranhão*, em 27 de abril de 1900, viagem para qual Machado certamente contribuiu. Não se obtiveram dados acerca da partida para Nova York. Sabe-se que, entre 1897-1900, um irmão das moças, Constâncio Baraúna, servia como auxiliar do cônsul brasileiro em Nova York, Antônio Fontoura Xavier. É possível que tenham viajado para estar na companhia dele. Embora também não se saiba quando, o fato é que voltaram ao Brasil. Ao voltar, as irmãs, todas solteiras, passaram a residir em Ipanema. Constâncio faleceu em abril de 1923, e Maria Baraúna, em 30 de julho de 1942, ambos no Rio de Janeiro. Em 1919, Isabel Baraúna colaborou na revista *Tico-Tico*, com duas traduções dos contos de Hans Christian Andersen (1805-1875): *A Pequena Vendedora de Fósforos* e *O Patinho Feio*. Os Baraúna faziam parte do círculo monarquista que resistiu no Rio de Janeiro, frequentando as missas anuais em homenagem ao ex-imperador D. Pedro II e à princesa Isabel, ao lado dos condes de Laet*, Dinis Cordeiro* e Afonso Celso. (SE)

3 ∾ O monarquista José da Costa Azevedo (1823-1904). Nos eventos da proclamação da República, o oficial da marinha, fiel ao imperador, foi baleado por um desconhecido por ter resistido à ordem de prisão. O barão de Ladário morava na rua Cosme Velho, 7, portanto era vizinho de Machado de Assis. (SE)

4 ∾ Sobre o modismo dos álbuns, ver nota 2, carta [650], tomo IV. (SE)

[851]

Para: JOAQUIM NABUCO
Fonte: Fundação Joaquim Nabuco. Fac-símile do manuscrito original.

Rio de Janeiro, 30 de setembro de 1905.

Meu caro Nabuco.

Aqui tenho a sua carta datada das Montanhas Brancas, onde foi descansar algum tempo fazendo outra coisa. Diz-me que o lugar é delicioso e fala-me da rapidez dos dias. Tudo merece, meu caro Nabuco, e nós não merecemos menos o livro que promete nesta frase: "Quero ver se dou um livro." Venha ele[1]; é preciso que descanse em um livro, seja qual for o objeto; trará a mesma roupagem nossa conhecida e amada.

A carta dá-me a indicação do seu voto no Jaceguai para a vaga do Patrocínio. O Jaceguai merece bem a escolha da Academia, mas ele não se apresentou, e, segundo lhe ouvi, não quer apresentar-se. Creio até que lhe escreveu nesse sentido. Ignoro a razão, e aliás concordo em que ele deve fazer parte do nosso grêmio. O Artur Orlando também não se apresentou. Os candidatos são os que já sabe, o padre Severiano de Resende, o Domingos Olímpio e o Mário de Alencar; provavelmente os três lhe haverão escrito já. A eleição é na segunda quinzena de outubro, creio que no último dia.

Já há de saber do meu retrato que amigos da Academia mandaram pintar pelo Henrique Bernardelli e está agora na exposição anual da Escola das Belas-Artes. O artista, para perpetuar a sua generosa lembrança, copiou na tela, sobre uns livros, o galho do carvalho de Tasso. O próprio galho, com a sua carta ao Graça, já os tenho na minha sala, em caixa, abaixo do retrato que Você me mandou de Londres o ano passado[2]. Não falta nada, a não serem os olhos da minha velha e boa esposa que, tanto como eu, veria agradecida esta dupla lembrança do amigo.

A Academia vai continuar os seus trabalhos, agora mais assídua, desde que tem casa e móveis. Quando cá vier tomar um banho da pátria, será recebido nela como merece de todos nós que lhe queremos. Adeus, meu caro Nabuco, continue a lembrar-se de mim, onde quer que o nosso lustre nacional peça a sua presença. Eu não esqueço o amigo que vi adolescente, e de quem ainda agora achei uma carta que me avisava do dia em que devia fundar a Sociedade Abolicionista, na Rua da Princesa. Lá se vão vinte e tantos anos! Era o princípio da campanha vencida pouco depois com tanta glória e tão pacificamente[3].

Receba um apertado abraço do

Velho admirador e amigo

Machado de Assis

---

1 ∾ O livro seria *Pensées Détachées et Souvenirs*, publicado no ano seguinte. (IM)

2 ∾ Ver em [839]. (IM)

3 ∾ Os principais tópicos desta carta estão comentados na missiva de Machado a Nabuco [846]. (IM)

[852]

Para: MAGALHÃES DE AZEREDO
Fonte: Manuscrito Original, Arquivo ABL.

Rio de Janeiro, 2 de outubro de 1905.

Meu querido amigo,

Que havia de pensar do seu silêncio? Não pensei que me esquecera, mas que se cansara de mim. Certo é que o meu silêncio foi longo, mas eu tive as razões que sabe e lhe disse de viver metido em mim mesmo, só neste mundo, tendo dele perdido tudo. Apareço, é verdade; além do trabalho que me leva fora, busco amigos com quem acho distrações e compareço a coisas oficiais; também frequento a nossa Academia. Mas já não escrevo como outrora. Acresce o meu mal de enfermo.

Foi no meio disto que me chegou a sua carta[1], cheia daquela mesma afeição antiga. Vejo por ela que recebeu a minha, e ainda bem; lá falei da minha catástrofe e do meu estado. Vejo também que não recebeu *Esaú e Jacó*; vou mandar-lhe outro exemplar pela mesma mala que lhe leva esta. Não sei se este livro é mais amargo que os anteriores, como presume. Mande-me dizer o que sentir. Vá também desculpando a ruim letra que está saindo. Nunca a tive boa, mas creio que nunca a tive tão má; a idade e o cansaço podem explicar tudo.

Folgo, meu amigo, que esteja completamente restabelecido do mal que o afligiu três vezes, e sinto o incômodo que lhe ficou; é costume da influenza deixar vestígio por muito tempo. Estimo que, em meio da doença, não perdesse o ardor das letras e nos dê em breve alguma coisa. Eu (vá em particular) coligi certo número de páginas[2] que devem estar sendo impressas em Paris. Umas andavam dispersas em jornais ou revistas, outras estavam inéditas e deviam sair em alguma parte; resolvi juntá-las todas, e não são muitas ao todo. Assim, até certo ponto, tinha já cumprido o conselho que ora me dá. Não creio que as restantes mereçam ser reimpressas.

Quanto ao conselho de ir a uma viagem[3], confesso-lhe que não posso. Li e agradeço tudo o que me diz a tal respeito, e concordo que a viagem fosse distração grande, e ainda mais distração nobre, pelo muito que teria de ver e haurir. Mas, francamente, meu amigo, a minha idade já não me deixaria o tempo necessário a tal efeito. Estou velho, fraco e doente. Demais, não tendo podido ir com minha mulher, como ela desejava tanto, sentiria agora um repelão de consciência indo só, posto que a viagem fosse, neste caso, um remédio também.

Já sabe o que se passou na Academia por ocasião de receber o Bandeira. Fizeram-me uma festa de amigos[4]; recebi o galho de carvalho de Tasso, com as belas palavras do nosso Nabuco, escritas ao Graça Aranha. Ouvi outras palavras igualmente amigas; as suas (se é a isto que se refere agora) não vieram[5], mas cá estava o seu coração, decerto. Não respondi nada, não tanto porque me falta o dom da palavra e do improviso, como porque a minha comoção era grande. Sabe também o que há sobre o meu retrato⁶, que amigos da Academia mandaram fazer pelo Henrique Bernardelli para lá pôr, ao que me consta. Tudo são bondades para este velho companheiro. O retrato (que está na exposição da Escola de Belas-Artes) saiu muito bem, e o artista está satisfeito com ele.

Muito obrigado pelas muitas e interessantes notícias que me dá daí e pelas palavras afetuosas com que começou e acabou a sua carta. Já estou acostumado a essas mostras de simpatia. A causa do longo silêncio já lhe disse o que podia ser. Se não for, tanto melhor para mim. Adeus, meu bom amigo, como diz que em fins de Setembro está restituído a Roma, vai esta carta para a cidade eterna. Agradeço os cumprimentos de sua família, à qual peço que me recomende muito, recebendo para si um abraço do velho e grato amigo

Machado de Assis

---

1 ∾ Machado está se referindo à carta [845], de 25 de agosto de 1905. Registre-se que a presente carta é tarjada, luto por Carolina*. (SE)

2 ∾ Este trecho é uma resposta indireta à sugestão de Azeredo, em [845], de que o escritor deveria reunir outras tantas páginas esparsas, perdidas em jornais e revistas sob o nome de *Páginas Escolhidas*, tal como fizera em 1899, ao publicar as *Páginas Recolhidas*. Agora, o livro que estava sendo impresso em Paris era *Relíquias de Casa Velha*, que sairá em 1906. (SE)

3 ∾ Dois correspondentes tentaram convencer Machado de viajar à Europa: Miguel de Novais*, seu cunhado, e Azeredo, seu pupilo. As cartas de Machado a Miguel ainda não foram localizadas. Não existe, portanto, o testemunho direto do escritor; mas indiretamente, pelo que Miguel lhe responde, percebe-se que o escritor teve vontade de viajar, de aquiescer aos pedidos do cunhado e de Carolina, desejo que, ainda assim, foi sendo indefinidamente adiado. Com Azeredo, de início, apesar de seduzido, Machado dirá "não" em longos circunlóquios gentis. Mas, conforme os anos vão passando, com as dificuldades, as lutas e a idade, esse desejo vago e não realizado, parece, foi envelhecendo e perdendo até o sabor de tema da conversação. Este trecho é a primeira vez em que diz de forma cabal que não mais pode desejar isso. Não tem mais forças, o seu espírito está alquebrado e sem Carolina, não irá. Ver nota 14, carta [582], tomo IV. (SE)

4 ∾ Em 10 de agosto, na recepção solene de Sousa Bandeira*, Machado recebeu o ramo do carvalho de Tasso, relíquia enviada por Joaquim Nabuco*. (SE)

5 ∾ Na carta de 25 de agosto, [845], Azeredo lamentou não estar presente à homenagem, dizendo não saber se conseguiria enviar algum texto, por ter sido avisado tarde demais. (SE)

6 ∾ Sobre o quadro de Henrique Bernardelli*, ver Ubiratan Machado (2008). (SE)

[853]

De: BARÃO DO RIO BRANCO
Fonte: Manuscrito Original, Arquivo ABL.

[Rio de Janeiro, 14 de outubro de 1905.]¹

Meu caro Mestre e Amigo.

O nosso Joaquim Nabuco publicou, por ocasião da primeira visita de Sarah Bernardt (*sic*) ao Brasil, um magnífico artigo de que os jornais parisienses deram alguns trechos. Pode dizer-me em que jornal (*O País?*) e em que data apareceu esse artigo? Eu desejaria obter a sua transcrição no *Jornal do Comércio* para dar o último golpe na cabala que se andou fazendo entre os moços das escolas contra a grande artista. Imagine o que se diria do público do Rio e do Brasil inteiro se Sarah Bernardt fosse aqui pateada... Tive medo de que essa notícia fosse publicada hoje ou amanhã no mundo inteiro!

Felizmente o espetáculo de ontem², que começou na maior frieza, e com meia sala, desde o 2.º ato foi um verdadeiro triunfo para a velha, mas sempre encantadora Sarah.

Do Admirador e amigo velho

Rio Branco

1 ◇ A carta não está datada; seguimos a suposição de Magalhães Jr. (2008) sobre uma conversa mantida por Rio Branco e Machado durante o banquete em torno do futuro presidente Afonso Pena, a 12/10/1905. O chanceler brasileiro estava preocupado com os efeitos negativos de um artigo publicado por Sarah Bernhardt em 09/12/1896, no jornal *Le Figaro*, com referências exageradas e em tom ridículo sobre o Brasil e os estudantes que aqui a tinham aplaudido. (IM)

2 ◇ Confirmação da data proposta, porque a atriz deu o segundo espetáculo a 13 de outubro, apresentando *La Sorcière* de Victorien Sardou. A frieza do público só foi convertida em aplauso depois do primeiro ato, graças ao entusiasmo de Artur Azevedo* que contagiou a plateia formando-se uma verdadeira claque. Daí para frente, os sucessos da diva tranquilizariam o barão. (IM).

[854]

Para: BARÃO DO RIO BRANCO
Fonte: Manuscrito Original, Arquivo Histórico do Itamaraty.

[Rio de Janeiro, 14 de outubro de 1905.]¹

Meu caro Mestre e am*i*go,

Antes de responder à sua carta quis ver se entre alguns retalhos de jornais que possuo, acharia o artigo do nosso Jo*aqui*m Nabuco. Não achei. Creio, porém, poder afirmar que foi publicado no *País*, por ocasião da primeira vinda da Sarah²; ela veio duas vezes. Alguém que fosse à redação poderia consultar a coleção da folha. Eu mesmo iria, se não fosse o trabalho que me espera, porque, em verdade, compreendo o seu sentimento de amor à glória da incomparável artista, e o gosto de ver que escapamos à grande vergonha da pateada³. O artigo lembra-me que foi deslumbrante e teve toda a admiração do tempo.

Do ad*mirad*or e velho am*i*go

Machado de Assis

1 ∾ Data inferida pela da carta [853]. (IM)

2 ∾ A atriz se apresentara em 01/06/1886, e Joaquim Nabuco* publicou a respeito um artigo entusiástico em *O País*, incluído em *Escritos e Discursos Literários* (1901):

"/.../ Nós entretanto a admiraremos duas vezes, porque ela nos vem como Sarah Bernhardt e nos vem como a França. Pela primeira vez em nossa história, temos a honra de receber em nosso país a glória francesa. A atriz que continua a tradição de Mlle. Lecouvreur, de Mme. Clairon e de Mlle. Rachel é no mais elevado caráter a embaixadora do espírito francês. /.../ Neste momento o primeiro dos teatros franceses não é a casa de Molière: é o teatro S. Pedro de Alcântara."

Também Machado se referiu à atriz em crônicas publicadas na *Gazeta de Notícias* em 26/03/1893, 02/12/1894 e 28/02/1897. (IM)

3 ∾ Diplomata sagaz, Rio Branco* fora o artífice da terceira vinda de Sarah Bernhardt; ela deveria voltar de uma temporada em Buenos Aires diretamente para a França. Um benefício para a projeção do Brasil no exterior. Prevendo, porém, hostilidades do público, o chanceler brasileiro conseguiu publicar o artigo de Nabuco nos "a pedidos" do *Jornal do Comércio*, dissipando os efeitos do comentário desastrado da atriz sobre o Brasil (ver nota 1, em [853]), e a diva de 61 anos mudou depressa o repertório, apresentando-se como a jovem e infeliz protagonista de *A Dama das Camélias*, seu eterno sucesso, na noite de 15/10/1905. Ovação. (IM)

[855]

Para: JOAQUIM NABUCO
Fonte: Fundação Joaquim Nabuco. Fac-símile do manuscrito original.

Rio de Janeiro, 15 de outubro de 1905.

Meu caro Nabuco,

Obrigado pelo exemplar da "Washington Life" em que vem o seu telegrama ao Roosevelt. Já o havia lido, mas agora tenho aqui o próprio texto original, com as belas palavras e conceitos que Você lhe soube pôr, como aliás põe a tudo. Do juízo da folha participamos todos os que temos a Você por embaixador do nosso espírito. Também recebi as outras folhas que tratam da conclusão da paz. Com razão celebram todas elas a grande obra do Presidente, e dão nisto vivo exemplo de patriotismo. Certo é também que a nação toda falou pela boca de Roosevelt, e ambos entraram nesta página gloriosa da história do século. O seu telegrama é a voz da outra América falando ao vencedor da paz[1].

A eleição da Academia deve ser feita em fins deste mês. Em carta que lhe escrevi, há dias, disse o que penso da eleição do Jaceguai, figura certamente representativa para a nossa casa, mas, como Você sabe, ele não se apresentou; nem ele nem o Artur Orlando.

Viu transcrito no *Jornal do Comércio*, entre os "a pedidos", um trecho do seu belo artigo sobre a Sarah Bernhardt? Há de ter sido lembrança do Rio Branco, que me pediu informações sobre ele, no dia seguinte à primeira representação agora. Receava-se uma pateada, fizeram-lhe ovação, e ele quis provavelmente que a bandeira da sua autoridade envolvesse a grande artista. Você chamou-lhe então (há vinte e tantos anos!) embaixatriz da França. Não a vi agora, mas dizem que trouxe as mesmas credenciais[2].

Adeus, meu caro Nabuco, receba ainda um abraço do
adm*ira*dor e velho amigo

Machado de Assis

---

1 ∾ O presidente Theodore Roosevelt atuou como mediador das negociações do tratado de Portsmouth que, em 05/09/1905, pôs fim à guerra russo-japonesa. Em Graça Aranha* (1923) pode-se ler a tradução integral do telegrama. Vale assinalar que nos *Diários* (2008) o tema é apenas um lacônico tópico entre os 12 arrolados no registro de Nabuco em 04/09/1905: "Escrevo longamente ao Rio Branco mandando cortes de jornais /.../. 3.º A paz. Popularidade de Roosevelt. Triunfo de Witte [alusão ao político e diplomata Sergei Witte (1849-1915)]". (IM)

2 ∾ Ver cartas [853] e [854]. (IM)

[856]

De: MAGALHÃES DE AZEREDO
Fonte: Manuscrito Original, Arquivo ABL.

Roma, 25 de outubro de 1905.
66, Via Sicilia.

Meu querido Mestre e Amigo,

espero[1] terá recebido uma longa carta que lhe mandei, e penso que a sua resposta não pode tardar. Hoje quero dizer-lhe a profunda contrariedade que tive por não haver podido tomar parte na bela homenagem que lhe prestou a Academia por iniciativa do Nabuco. A este escrevi queixando-me com muita razão, e alguma acrimônia talvez[2], do inexplicável silêncio que ele comigo guardou a tal respeito. Ainda que de longe — como aliás fez ele mesmo — eu teria enviado também a minha palavra comovida e fervorosa para a celebração do Mestre e Amigo venerado, do insigne criador de beleza e intérprete da humanidade, do artista sincero, esforçado e incorruptível, cujo puro amor do ideal [,] sem mescla de interesse algum que do próprio ideal não seja, é para todos nós que escrevemos num país ainda ingrato às letras um exemplo incomparável. Consola-me um pouco da involuntária e deplorada falta do meu nome na sua festa a ideia de que o ramo do carvalho poético terá já tomado lugar no seu gabinete ao lado de outras relíquias semelhantes que de Paris lhe mandei em 1897[3]. Consola-me ainda mais a ideia de que individualmente mais de uma homenagem tenho eu prestado ao seu espírito, e de que no *Livro de Ouro* da nossa Academia, projetado pelo ótimo João Ribeiro[4], será incluído o meu estudo a seu respeito, publicado na *Revista Moderna*[5], e, depois, nos *Homens e Livros*[6].

Só isto lhe direi hoje, porque não tenho tempo para mais. Breve, porém, lhe escreverei de novo. Não perco ainda a esperança de vê-lo um dia em Roma; entretanto, vou mandar-lhe aos poucos uma bela e longa coleção de postais com vistas da Cidade, para que assim pelo menos tenha desde já uma ideia pitoresca de Roma.

Adeus, às pressas; receba um afetuoso abraço do seu sempre amigo e admirador reverente

Azeredo

---

1 ⚭ Azeredo começou com letra minúscula. (SE)

2 ⚭ Não foi possível localizar a carta para Joaquim Nabuco*; contudo abaixo se reproduz a resposta simpática e apaziguadora que este se apressou em enviar ao muito enciumado Azeredo, (Nabuco, 1949):

"Washington, 28 de outubro de 1905. / Meu caro poeta e amigo, / Eu me perguntava todos os dias quando receberia aqui a sua primeira carta e hoje recebo-a borrascosa e injusta, como se eu o tivesse preterido ou desterrado de Roma! Antes de tudo, muito obrigado pelo importante documento de que me deu cópia – não pretendo divulgá-lo, mas já pertence à história. Ele vem explicar a demora de um Ato Pontifício que teria tido imenso realce, se o Papa não tivesse parado para ler aquela última página da escravidão no Brasil. Desculpe-me a letra; tenho a mão arregelada depois de um longo passeio pela nossa floresta de Washington, toda amarelecida ou esbraseada pelo outono. Não há disso aí. / Quanto à sua queixa, não preciso dizer-lhe o prazer com que a li. É sempre um prazer ver que você aprecia desse modo a minha afeição. Perdoo-lhe as injustiças por causa do amor. Mas eu sou inocente, como o seu coração, e, se não o seu, o que bate ao lado dele, lhe terá feito sentir. Em primeiro lugar, esse ramo do Carvalho de Tasso não foi trazido por mim de Roma; foi-me mandado pelo Barros Moreira, a quem o pedi para substituir outro que eu trouxera de lá em 1888. Depois é que me veio a ideia de o mandar ao Machado, mas nunca imaginei tal festa, nem que me publicassem a carta. Tudo foi para mim uma grande surpresa. A amabilidade que eu disse ao Graça Aranha lhe teria dito, se você estivesse lá e ele ausente. Eu sei que o Machado o admira e estremece, e que sua saudação a ele seria inimitável, e romana, a que o Tasso mesmo faria. / Ontem pensei muito em você, mandando pelo telégrafo o meu voto em favor do Mário de Alencar. Pago assim a minha dívida, ou antes expio a minha falta para com o pai. Por uma ode que ele mandou ao Rio Branco fiquei formando alta ideia, do poder de escrever o verso político ou cívico, o mais difícil de todos. / E agora, meu querido poeta, um bom abraço de reconciliação. Meu sentimento por você é o desejo de que você componha um dia alguma obra que faça o seu nome viver na arte (universal), quando tenha acabado o rumor passageiro dos nossos. Agora compreendo e aprovo a sua imobilização romana. Que sede íntima, profunda e insaciável de Roma a imaginação tem deste lado. Quando me será dado reviver? pois somente *vivi* os dias, as curtas horas, os rápidos instantes, que passei aí. / Muitas saudades aos seus e não me esqueça nas suas visitas aos Mac Swineys. Então vamos ter o nosso cardeal? / Um abraço a todos / do seu muito dedicado/ Joaquim Nabuco." (SE)

3 ∾ Azeredo refere-se aos ramos do salgueiro junto ao túmulo de Musset, que enviou a Machado em 1897. Registre-se que em 1883, ao voltar da Europa, Artur Azevedo* também lhe ofertou um ramo da mesma árvore. Ver nota 1, carta [624], tomo IV. Ver também as cartas [400] e [404], tomo III. (SE)

4 ∾ Sobre João Ribeiro*, ver cartas [425] e [437]. (SE)

5 ∾ A *Revista Moderna*, editada pela Tipografia Paul Dupont, em Paris, pertencia a Martinho Carlos de Arruda Botelho, que se associou a Eça de Queirós*, oferecendo-lhe meios financeiros e recursos gráficos modernos, ao mesmo tempo em que o isentou das preocupações administrativas, a fim de que se dedicasse exclusivamente em conceber o magazine, em escolher os colaboradores, bem como dedicar-se à própria contribuição literária. (SE)

6 ∾ *Homens e Livros* (Paris: H. Garnier, 1902). (SE)

[857]

De: JOAQUIM NABUCO
Fonte: Telegrama Original, Arquivo ABL.

[Washington, 29 de outubro de 1905.][1]

Machado de Assist (*sic*), Rio

    Mário de Alencar[2]

        Nabuco

---

1 ∾ Data de envio, pelo que se depreende do telegrama original, ou seja, das anotações manuscritas na Repartição Geral de Telégrafos: entre elas, a indicação "Cópia". O carimbo da estação de recebimento, meio apagado, leva a crer no dia 30 de outubro como data de entrega. Documento inédito. (IM)

2 ∾ Voto de última hora para o candidato preferido por Machado, Mário de Alencar*, vitorioso na eleição de 31/10/1905, para a vaga de José do Patrocínio. Na carta

[842], Nabuco continuava lutando pelo ingresso do almirante Artur Jaceguai*, empenho constante já nas missivas do tomo IV. O herói da passagem de Humaitá custou bastante a pleitear uma cadeira de imortal, sendo eleito, finalmente, em 28/09/1907. (IM)

[858]

De: EUCLIDES DA CUNHA
Fonte: Telegrama Original, Arquivo ABL.

REPARTIÇÃO GERAL DOS TELÉGRAFOS[1]

Manaus, 30 de outubro de 1905.

Para vaga Patrocínio Mário Alencar[2]

Abraços

Euclides da Cunha

Machado de Assis
Livraria Garnier
Rio de Janeiro

---

1 ∾ Documento inédito. (SE)

2 ∾ Além do voto de Euclides da Cunha, Mário* teve os votos de Machado de Assis, Salvador de Mendonça*, Lúcio de Mendonça*, Araripe Júnior*, Rodrigo Octavio*, Silva Ramos*, João Ribeiro*, Alberto de Oliveira*, Raimundo Correia*, Sousa Bandeira*, Magalhães de Azeredo*, Domício da Gama*, Graça Aranha*, Rio Branco*, Joaquim Nabuco* e Garcia Redondo*. Já Domingos Olímpio teve os votos de José Veríssimo*, Olavo Bilac*, Guimarães Passos*, Coelho Neto*, Filinto de Almeida*, Inglês de Sousa*, Clóvis Beviláqua, Artur Azevedo*, Alcindo Guanabara e Oliveira Lima*. O padre José Severiano Resende* teve apenas o voto de Afonso Celso. (SE)

[859]

De: MÁRIO DE ALENCAR
Fonte: VIANA FILHO, Luís. *A Vida de Machado de Assis*.
Rio de Janeiro: José Olympio, 1989.

Rio de Janeiro, 12 de novembro de 1905.

Caro e ilustre amigo.

Tencionava ir hoje à sua casa para agradecer-lhe a boa, carinhosa e consoladora carta[1] que me escreveu. Não fui porque esteve adoentado um dos meus filhos. E assim sou forçado a adiar essa visita que ia fazer-lhe por sincero impulso do meu coração agradecido. As suas palavras vieram-me num momento em que eu mais precisava delas, porque me sentia desalentado. Não me abateu a malevolência dos repórteres literários[2], senão a própria eleição da Academia. Contei-lhe já o meu arrependimento de me haver apresentado e a razão por que não retirei a candidatura. Previa o efeito da eleição sobre o meu espírito vacilante; o efeito foi tremendo: cheguei a desejar vagamente a morte e não sei que mais. Nesse estado de alma é que me chegou a sua carta; li-a, reli-a e readquiri ânimo para o trabalho. Quando voltar o desalento, estou certo que acharei remédio, e estímulo nas suas palavras, tão grande é a simpatia que há nelas e tão grande é a confiança que tenho no seu critério e no seu juízo. Obrigado pois pelo bem que me quer.

Seu muito amigo e admirador

Mário de Alencar

---

1 ∞ Documento ainda desconhecido. (SE)

2 ∞ Logo após a eleição à vaga de José do Patrocínio, da qual saiu vitorioso, Mário de Alencar abateu-se com a reação à sua entrada na Academia, pois as críticas sobrevieram na imprensa de todos os cantos. Nos dias imediatamente seguintes, a Academia foi acusada de favoritismo, de ter derrotado um competidor de peso – Domingos Olímpio – para eleger um escritor ainda por se fazer. Parecia intransponível a distância entre um iniciante, com alguns méritos, e um romancista e cronista consagrado, como

Olímpio. A respeito do descontentamento provocado pela eleição de Mário, ver o depoimento de Machado de Assis a Oliveira Lima*, na carta [861], de 20/11/1905. Ver também [864], de 20/12/1905. (SE)

[860]

De: MAGALHÃES DE AZEREDO
Fonte: Manuscrito Original, Arquivo ABL.

Roma, 16 de novembro de 1905.
66, Via Secilia.

Meu querido Mestre e Amigo,

recebi ontem a sua boa carta[1], que já esperava com impaciência. Pode então, por um só momento que fosse, imaginar que eu me cansara de estimá-lo ternamente? Não, não creio que me haja feito essa injustiça; se a tentação de fazê-lo lhe acudiu por um instante, estou certo de que a repeliu com toda a firmeza da confiança que deve ter em mim, após tantos anos de constante e fervoroso afeto.

Creio ter-lhe dito alguma vez que neste há alguma coisa de sentimento filial; assim é; eu não esqueço nem esquecerei jamais o muito que lhe devo em provas de amizade sincera e dedicada. Devo-lhe antes de tudo, pode-se dizer, a primeira animação que recebi no caminho das letras, animação tão doce e preciosa para um adolescente por vir de um tal Mestre, que nem ainda me conhecia pessoalmente então; e quando nela penso, encontro um suave prazer na convicção de que, se não pelo valor do trabalho, ao menos pela pertinácia do esforço, e pelo amor desinteressado e puro da arte, eu não tenho desmentido as esperanças que desde então lhe inspirei. Devo-lhe, além daquela primeira bondade, tantas outras, generosas e inolvidáveis, tantas páginas publicadas em louvor ou em defesa dos meus livros, e tantas demonstrações de afeto íntimo, que nas suas cartas, todas por mim conservadas, e na minha própria memória, revejo com gratidão comovida. Não receie, pois, que lhe faltem, ou que diminuam jamais de intensidade, enquanto no meu coração houver vida, os sentimentos que há tantos anos lhe consagro. O meu silêncio, antes da longa carta que lhe mandei (depois desta já seguiu outra), foi certamente dilatado; mas, além de que o pareceu talvez mais do que o era na realidade — pois suspeito que alguma carta minha se perdeu — devo dizer ou repetir ainda para me desculpar que com os outros Amigos estive por muito tempo e com alguns estou ainda em falta; pergunte ao Mário, um verdadeiro irmão para mim, como sabe, se isso não é exato; até hoje está ele à espera de uma longa carta que ando a prometer-lhe, a prometer-lhe, mas ainda não pude escrever, porque tem crescido grandemente a soma dos meus trabalhos e das obrigações contraídas. Já lhe expliquei, por que não pude, como tanto desejava, tomar parte na sua bela festa; só muito tarde soube que a projetavam por uma carta do Rodrigo Octavio, que aliás não me indicava a data; estava preparando um escrito para ela, quando me chegou a *Renascença* com a descrição da solenidade havida. O Nabuco, a quem escrevi sobre isso[2], respondeu-me com palavras tão sinceras e afetuosas [,] que reconheci não haver culpa dele no silêncio que guardara para comigo; ele me fez ver que ignorava o programa da festa, não sabia que além do Graça outros acadêmicos falariam nela, e por isso, estando eu ausente do Brasil, não supôs que me fosse possível contribuir também de algum modo para a homenagem tão justa que lhe prestaram. Mas diz muito bem, meu querido Mestre e Amigo; o meu coração aí estava, e gozou com a sua glória.

Sinto deveras que não se decida a uma viagem pela Europa; seria imenso prazer para mim abraçá-lo em Roma; agora, espero pelo menos abraçá-lo de novo no nosso Brasil[3]. No meio dos esplendores e das ruínas de uma civilização antiga, que tão profundamente me falam à imaginação e ao sentimento, tenho sempre saudades da jovem Pátria, cuja imagem nunca me sai do coração. Penso nela, nas esperanças, nos ardores e nos perigos da sua mocidade; alegro-me no presente com os seus progressos, entristeço-me quando alguma página escura e indigna, ainda que breve, lhe vem manchar a história; e palpito e estremeço e me exalto com a ansiedade do seu futuro, sentindo com júbilo e certo orgulho na alma o desejo de fazer eu também alguma coisa para tornar grande e bela a coroa da sua soberania e da sua glória. E lembram-me os amigos que aí tenho; revivo as horas de íntima conversação que passei com eles. Quando os verei de novo? pergunto-me. Quando poderei dizer-lhes e ouvir-lhes a infinidade de coisas acumuladas em anos de ausência, e que não cabem nas cartas?

Agora, sabe? vou ter aqui um dos mais queridos; conhece-o, que eu mesmo lho apresentei há anos, por sinal, no largo da Carioca; é o Mourão[4], advogado e jurista de grande talento, aquele a quem dediquei *Homens e Livros*. É realmente um pedaço, e dos melhores, do Brasil, que o destino me traz a Roma. Vou guiá-lo, como fraternal companheiro e como poeta, através deste reino de venerandas e formosas maravilhas; e já, na previsão da próxima chegada dele, estou a pôr antecipadamente em dia os meus trabalhos, pois bem sei que enquanto aqui o tiver, não me ficará tempo senão para conversar e passear com ele.

Ah! não me esqueço do que lhe prometi em minha última carta. Vou começar a mandar-lhe, em bilhetes-postais, a coleção completa das vistas de Roma. Pensei a princípio em enviar-lhe um álbum com elas, mas não há nenhum completo; com o desenvolvimento espantoso que tem tomado a *instituição* dos bilhetes-postais ilustrados, não há monumento, não há obra de arte, que para eles não se tenha aproveitado; de forma que nesses pequenos cartões se encontra o que não se encontra em nenhuma coleção encadernada. Irão pouco a pouco, por grupos de dez ou doze, pois se fossem em maior número poderiam extraviar-se alguns. Prepare, pois, lugar em uma das suas gavetas porque a série é considerável. Assim, além de outras vantagens, terei a de poder lembrar continuamente à sua alma, um pouquinho desconfiada às vezes, que o meu afeto é sempre o mesmo.

Hoje deve embarcar no Rio o nosso futuro Cardeal, Dom Joaquim Arcoverde[5]. Espera-se que chegue a Gênova no dia 30. Duplo será o meu júbilo assistindo à *cardinalização* desse ilustre Prelado: em primeiro lugar por ser ele meu amigo há mais de vinte anos; e depois, porque eu acompanhei e auxiliei desde o começo as longas negociações que tivemos com a Santa Sé a fim de obter para um dos nossos Prelados, e pessoalmente para ele, o primeiro chapéu cardinalício da América Latina. Pode-se dizer até, de certo modo, que eu próprio os iniciei; pois quando em 1898 aqui esteve o Presidente Campos Sales[6], sendo eu encarregado de negócios por ausência do Ministro, e tendo-o acompanhado à presença do Papa, lhe lembrei que a ocasião era propícia para tratarmos de obter da Santa Sé essa distinção tão ambicionada por todos os Governos, e ele achou excelente a ideia, dando com efeito ordem, apenas tomou conta do Governo, para se tratar disso, e apresentando a candidatura do Arcebispo do Rio de Janeiro. Só ao fim de sete anos[7] se conseguiu o que se desejava; a marcha das negociações é mais lenta no Vaticano que em qualquer outra corte, aqui mais que alhures se reluta contra tudo o que seja inovação, e realmente as dificuldades eram grandes, porque os representantes de outras repúblicas da América Latina, especialmente da Argentina, e, creio, do Peru, envidavam todos os esforços da intriga diplomática para impedir que os nossos desejos fossem satisfeitos.

A verdade é que todos os Governos desse e deste continente ligam grande importância à posse da púrpura para Prelados seus; e isso se compreende porque ter um Cardeal nacional significa contar com um voto na eleição do Pontífice (voto que às vezes pode ser decisivo), e com uma séria influência na direção política e religiosa da Igreja. Para o Brasil, país novo, ainda que o chapéu cardinalício constituísse somente uma honra oficial, nos deveríamos empenhar para obtê-lo; pois tudo o que seja sucesso diplomático aumenta a nossa reputação no estrangeiro; e de fato todos os jornais falam da promoção do Arcebispo do Rio de Janeiro como de uma vitória diplomática. Mas além disso pareceu-me sempre essencial que os vinte milhões de católicos que contamos tivessem um representante efetivo na mais ilustre e influente assembleia da Igreja. O Rio Branco assim entendeu também, como o Campos Sales e o Rodrigues Alves.

Aqui o nosso jovem Ministro, Bruno Chaves, trabalhou com zelo e tato dignos de louvor; eu modestamente o ajudei quanto pude.

Adeus, querido Mestre e Amigo, escreva-me sempre. Ainda não recebi *Esaú e Jacó*[8], mas espero-os hoje.

Cumprimentos de minha Família, e um abraço cordial do seu

Azeredo

---

1 ᖇ Trata-se da carta de Machado, [852], de 2 de outubro. (SE)

2 ᖇ A resposta de Joaquim Nabuco* a Azeredo está transcrita na nota 2, da carta [856]. (SE)

3 ᖇ Azeredo virá ao Brasil após o falecimento de seu sogro Bernardo Caymari, ocorrido em 12 de fevereiro de 1907. Chegará em 21 de março no vapor *Savoia*, oriundo do porto de Gênova. Ver carta [970]. (SE)

4 ᖇ O são-joanense João Martins de Carvalho Mourão (1872-1951), futuro ministro do Supremo Tribunal. Ver também nota 2, carta [482], tomo III. (SE)

5 ᖇ D. Joaquim Arcoverde estava em Mariana, Minas Gerais, quando foi notificado oficialmente da intenção de o sumo pontífice erigi-lo cardeal no conclave do Sacro Colégio a se reunir ainda em dezembro. Embora Azeredo afirme que D. Joaquim partiria para Europa naquele dia 16, o arcebispo já havia partido na véspera, 15 de novembro, no vapor *Perseu*. Sobre o primeiro cardeal brasileiro, ver nota 2, carta [845]. (SE)

6 ᖇ Sobre a viagem de Campos Sales à Europa, ver cartas [424] e [430], tomo III. (SE)

7 ᖇ As negociações com o Vaticano a fim de sagrar um cardeal brasileiro, o primeiro na América do Sul, começaram no governo do presidente Campos Sales (1898-1902), e foram concluídas ainda no governo Rodrigues Alves (1902-1906), tendo à frente o ministro das Relações Exteriores Rio Branco*. (SE)

8 ᖇ Sobre *Esaú e Jacó*, ver nota 10, carta [831]. (SE)

[861]

Para: OLIVEIRA LIMA
Fonte: Manuscrito Original. The Oliveira Lima Library, The Catholic University of America, Washington.

Rio de Janeiro, 20 de novembro de 1905.

Meu prezado amigo,

 Recebi e cordialmente lhe agradeço o cartão-postal de 16 de setembro, que junta as suas finezas às que os amigos da nossa Academia me fizeram[1]. Faltava a sua palavra para completar a bondade de todos. No ponto da vida a que cheguei, e no meio da grande solidão moral em que vivo, os favores literários são ainda a melhor consolação e o mais forte esteio. Naquela noite não agradeci de palavra o que me fizeram e disseram, não só porque nunca me coube improvisar nada, e apenas sei ler atado e mal, mas ainda porque não poderia falar, se soubesse, tal foi a minha comoção. Em verdade, a manifestação foi calorosa, as vozes que me falaram amigas, e verdadeiras, daqui e de fora, novas e velhas. Além disso, a falta da minha pobre esposa, que sentiria grande alegria, como sempre em tudo o que era benevolência para mim, fez crescer a minha comoção. Tive de ficar calado, mas todos me compreenderam e me perdoaram o silêncio.

 Houve recentemente uma eleição na Academia para a vaga do José do Patrocínio. Foi eleito o Mário de Alencar. O seu voto deixou de ser lido na sessão, e aliás era o que primeiro recebi; nessa mesma tarde, porém, minutos depois da sessão, fui aos jornais completar a notícia da eleição com a declaração da omissão involuntária, do nome do acadêmico e do nome votado. O Domingos Olímpio, dado com 9 votos, ficou assim com 10. O Alencar foi escolhido por 17. Se leu os jornais viu tudo isso. E terá visto mais, porque o resultado da eleição não agradou a todos, e a manifestação de desagrado durou alguns dias na imprensa.

 Que trabalho tem entre mãos? Não é preciso dizer-lhe que se não cative totalmente à diplomacia e intercale aos cuidados do protocolo cuidados puramente literários. Dê-nos daqueles escritos a que o seu espírito sabe ir com tanto brilho. Soube há dias, por uma referência de jornal, que tem escrito cartas para o *Estado de S. Paulo*. Não o tenho aqui. De uma dessas cartas vi transcrito um trecho, relativo a Rui Barbosa e à conveniência de o mandar representar o Brasil em congresso internacional. Do que escreveu naquele jornal sobre *Diplomacia de Carreira* já lhe falei quando respondi à sua carta de 23 de junho[2]. Eu, meu caro am*ig*o, não me sinto com o gosto de outrora, nem igual disposição. Tenho no prelo, em Paris, uma coleção de pequenos trabalhos, alguns inéditos, outros impressos já, que o Garnier edita[3]. Não disse isto ainda a ninguém, a não ser, vagamente, creio que ao Veríssimo. Escreveria outra coisa, se pudesse, mas a idade, e mais que ela o estado mórbido não me consentem grande esforço.

Os amigos aqui vão bem; reunimo-nos no Garnier, às tardes, e às segunda[s]-feiras fazemos sessão na Academia; interrompemos estas agora até o dia 30 de Novembro, que é o dia da eleição da mesa e férias. Os trabalhos recomeçarão em Maio.

Vá relevando estas emendas de palavras[4], como o desalinho da escrita e a ruim letra, que sempre foi má e está pior. Oxalá não contribua para tudo isso o estado dos olhos, que não me parece bom, mas deixemos tristezas novas. Justo é que os filhos da cidade vão deperecendo, quando ela vai remoçando. Não digo desta, porque há de saber tudo, e terá lido as notícias da inauguração da Avenida Central; mas por muito que leia e creia, não imaginará a mudança que foi e está sendo, nem a rapidez do trabalho. Mudaram-me a cidade, ou mudaram-me para outra. Vou deste mundo, mas já não vou da colônia em que nasci e envelheci, e sim de outra parte para onde me desterraram.

Adeus, meu prezado amigo. Peço-lhe o favor de apresentar à Excelentíssima Senhora Dona Flora os meus respeitos. Disse-me a 23 de Junho[5] que nem um nem outro têm passado muito bem. Folgarei que estejam restaurados, e se ainda os vir aqui, em caminho para outro pouso. Adeus, meu caro amigo, muitas saudades do
    am*ig*o velho e ad*mira*dor,
    Machado de Assis

1 ◦∾ Solenidade de entrega do ramo do carvalho de Tasso, enviado por Joaquim Nabuco*. Ver em [844] e [846]. (IM)

2 ◦∾ Não se tem registro de carta em 23 de junho de 1905; trata-se de uma referência, provavelmente, à missiva [835], de 23/05/1905. (IM)

3 ◦∾ *Relíquias de Casa Velha*, impresso em Paris em outubro de 1905, com o ano de 1906 estampado na capa. Em fevereiro desse ano, chegou às livrarias brasileiras. (IM)

4 ◦∾ Há uma palavra suprimida depois de "recomeçarão". (IM)

5 ◦∾ Ver nota 2. As referências ao estado de saúde do casal Oliveira Lima figuram na carta [864], de 20/12/1905. (IM)

[862]

Para: MAGALHÃES DE AZEREDO
Fonte: Manuscrito Original, Arquivo ABL.

Rio de Janeiro, 21 de novembro de 1905.

Meu querido amigo e confrade,

Sim, recebi uma longa carta sua, à qual respondi já[1], e espero que a esta hora tenha a resposta nas mãos. Vê que também recebi a de 25 de Outubro, a que ora respondo.

Tudo o que me diz nesta eu o adivinharia ainda que o não dissesse. Conheço de longos anos, e por muitas provas, a grande afeição que me tem. Os anos, nem a ausência, nem cuidados de moço e mais próximos afrouxaram este laço de estreita simpatia, que é uma das boas recordações da minha vida. Assim, compreendo bem que desejasse ter tido parte na manifestação de amizade que me fizeram aqui, e falar de longe também; mas, para mim é como se o houvesse feito, e a carta que me mandou agora vale por uma palavra na ocasião.

É verdade, meu querido amigo, os colegas da Academia entenderam mostrar por um modo expressivo que me querem, e o fizeram com tal arte e tão boa maneira que aumentaram de muito a gratidão que já lhes tinha. Já vale a pena envelhecer; acha-se no fim alguma coisa que a boa vontade sabe compor e dar, em compensação da viagem árdua e longa. Foi uma festa grande e bela para mim.

Diga-me dos seus trabalhos. O seu talento é dos mais fecundos da nossa terra. A idade em que está é a do pleno vigor. Tenho agora um livro no prelo[2], em Paris, coleção de escritos vários, alguns conhecidos, outros não; não sai completa, como devia ser, mas tudo escapa à velhice.

Adeus, meu querido amigo, um abraço de longe e novos agradecimentos. Os meus respeitos à E*xcelentíssi*ma esposa e família.

Continue a lembrar e amar

O velho am*i*go

Machado de Assis

---

1 ❧ A longa carta de Azeredo, [845], de 25 de agosto, teve a resposta de Machado em 2 de outubro [852]. (SE)

2 ❧ O livro no prelo era *Relíquias de Casa Velha*, que seria lançado em 1906. (SPR)

[863]

De: ALFREDO PUJOL
Fonte: Cartão de Visita Original, Arquivo ABL.

São Paulo, 25 de novembro de 1905.

Ao egrégio Mestre,

Machado de Assis,

ALFREDO PUJOL

envia um retalho de jornal, contendo uma conferência literária[1], na qual teve o imenso prazer de dizer alguns dos seus estupendos versos.

I ∞ A conferência literária foi pronunciada no Salão Steinway, em 23 de novembro de 1905. Nela, Alfredo Pujol abordou o tema — *A Saudade*. No dia seguinte, foi publicado um artigo no *Correio Paulistano* que resumia a conferência. Foi esse artigo — *um retalho de jornal* — que Pujol enviou a Machado, e no qual há alusões ao escritor em sua face de poeta. As conferências desta série foram patrocinadas por Nuno Castelões & Companhia. O Salão Steinway, localizado na avenida São João, foi um espaço de grande tradição da música de concerto na capital paulista. A sala de concertos deixou de existir em 1909, quando foi vendida ao Conservatório Dramático e Musical de São Paulo, que funciona lá até hoje. (SE)

[864]

De: OLIVEIRA LIMA
Fonte: Manuscrito Original, Arquivo ABL.

Caracas, 20 de dezembro de 1905.

Meu prezado amigo

Não lhe tornei a escrever porque ainda aqui *não* tinha tido o grande prazer de saber notícias diretas suas. Vejo, porém, pela sua carta de 20 de No*vembro*, que recebi ontem, que alguma sua se extraviou anteriormente, o *que* deploro m*uito*. Não interpretava, contudo, o seu silêncio como prova de esquecimento, antes como ocupações, negação a escrever cartas ou coisa semelhante. Acredite q*ue* não fiz juízo temerário. Aliás, tenho tido m*a*is ou menos sempre notícias suas pelos amigos, o Veríssimo bastantes vezes, o *Rodrigo* Octavio uma vez por outra. Também terá sabido de mim: que estivemos ambos doentes algum tempo, chegando eu a pedir uma licença p*ara* ir aos E*stados* Unidos fazer uma cura em Buffalo[1]; que melhoramos; que afinal, sem que tivesse recebido instruções, permitiu nosso bom Deus que eu pudesse negociar o objeto da minha missão aqui e *concluí-lo satisfatoriamente*. Terminada a minha missão venezuelana, é natural que tenha um posto correspondente à m*i*nha categoria, porqu*e* estou aqui de empréstimo, p*ara* ultimar uma questão de demarcação que me foi dado realizar, sem que houvesse o grande ou pequeno desejo de que me coubesse o papel. Quando será a remoção? Ignoro; o que sei é que só a aceitarei se for do meu agrado. No verão, com certeza, vou fazer minha cura, que é inadiável, só tendo conseguido andar livre das cólicas nefríticas à custa de muito garrafão de água de Buffalo, e depois, não sei: se não tiver posto, irei ao Brasil ver a maravilha que me conta da Avenida, verificar como está instalada a nossa academia (quanta coisa nova!), rever os amigos e esperar o que o nosso governo quererá fazer de mim.

Tive o maior contentamento de saber e ler o que se passou na academia na noite em que lhe prestaram a mais merecida das homenagens[2]. Imagino toda a sua comoção, que só deveria ter aumentado a emoção dos que lhe prestavam vênia da admiração e da amizade.

Senti o que se passou com relação à eleição para a academia na vaga do Patrocínio[3]. É a 1.ª vez que a academia é atacada pela escolha feita (digo eleição), mas também é a 1.ª vez, desde a eleição 1.ª, do João Ribeiro, que ela não foi justa. Compreendo perfeitamente o seu voto pelo Mário: o senhor é o seu pai espiritual, foi o seu mentor literário, está preso a ele por laços de carinho: outros votos é que não compreendo, pois não posso admitir que se queira esposar ódios do Rio Branco e fazer-lhe a corte cometendo um ato de improbidade literária, porque alguns devem ter votado contra a sua consciência[4].

Tenho trabalhado muito. O D. João 6.º vai ficar, não imagine, em 2 volumes, tanto foi o material que acumulei no Rio de Janeiro, no Arquivo da Secretaria e em Paris, no Ministério dos Negócios Estrangeiros, a juntar ao que já possuía. Estou acabando de ditar o 1.º volume, ou melhor, próximo a acabar, a folhas 470. Creio que cada volume ficará com 500 páginas, e como o assunto é importante, talvez o livro ofereça interesse. A minha colaboração para o "Estado de S. Paulo" também tem sido muito regular, 4 artigos grandes por mês, de que aproveitarei alguns manuscritos recentes para séries diferentes. A Legação também dá bastante que fazer, porque os tempos estão agitados e o Presidente Castro[5] é naturalmente agitado, ou tem que sê-lo porque os outros agitam as coisas. Tudo isto faz que o trabalho intelectual não falte, o que é sempre a maior distração nesta terra sem distrações e sem grande conforto. O ano que terei aqui passado não foi inútil na formação do meu espírito sob vários pontos de vista, e por isso o não maldigo. Não quisera porém que se prolongasse a situação porque tenho outras aspirações de que levar esta vida estreita e mesquinha. Vida de recluso é melhor levá-la em Londres, vendo as árvores do parque e o céu sombrio que tem o condão de nos fazer bem, a mim e a Flora. Aceite as lembranças dela e um abraço muito saudoso de seu grande admirador e muito dedicado e obrigado amigo

M. de O. Lima

Escreva-me sempre que puder.

---

1 ༄ Ver nota 5 em [861]. (IM)

2 ༄ Entrega do ramo do carvalho de Tasso, em 10/08/1905. (IM)

3 ༄ O eleito foi Mário de Alencar*, fortemente apoiado por Machado de Assis. (IM)

4 ༄ Mais uma manifestação de Oliveira Lima contra o poder exercido pelo barão do Rio Branco*, que afetava a sua carreira diplomática e, cada vez mais, usaria a Academia como instância política para projetar internacionalmente o Brasil. Ver Apresentação. (IM)

5 ༄ Cipriano Castro (1858-1924), 'chefe supremo' de uma série de ditaduras militares. Seu governo foi muito turbulento, mas conseguiu sufocar a oposição. Foi deposto em 1908 pelo vice-presidente Juan Vicente Gómez, quando se encontrava em Berlim para tratar-se dos rins. Ver tb. [835]. (IM)

[865]

De: OLIVEIRA LIMA
Fonte: Cartão-Postal Original, Arquivo ABL.

[Caracas, 1905.][1]

Afetuosas lembranças pelas entradas de 1906

F.[2] e Manuel de Oliveira Lima

Via New York
Ex*celentíssi*mo *Senho*r Machado de Assis
Livraria Garnier, Rua do Ouvidor
Rio de Janeiro
Brasil

---

1 ∾ Postal sem data, com carimbo de recebimento em 23/12/1905. Traz a legenda "Recuerdo de Venezuela – Carlota Corday – Arturo Michelena", reproduzindo tela pintada em 1889 pelo famoso artista venezuelano (ver em [848]). (IM)

2 ∾ Flora de Oliveira Lima, que redigiu a mensagem do casal; ver nota 2 em [834]. Documento inédito. (IM)

[866]

De: ARLINDO FRAGOSO
Fonte: Cartão-Postal Original, Arquivo ABL.

Salvador, 25 dezembro de 1905.[1]

1905 – 1906

Boas-Festas

Arlindo Fragoso[2]

Afetuosas saudações[3]
Ex*celentíssi*mo *Senho*r Machado de Assis
[sem endereço]
Rio de Janeiro

---

1 ∾ Data no carimbo. Documento inédito. (IM)

2 ∾ Postal do Magasin Loureiro – Bahia, série "Les locomotives", com a legenda «Machine pour Trains de Voyageurs de la Compagnie de l'Ouest construite em 1844 / Collection F. Fleury». (IM)

3 ∾ Escrito junto ao endereçamento. (IM)

[867]

De: ELÍSIO DE CARVALHO
Fonte: Cartão-Postal Original, Arquivo ABL.

[Sem local,] 30 de dezembro de 1905.[1]

Saudações cordiais pelo ano bom de 1907.

[Elísio de Carvalho]

Ex*celentíssi*mo Se*nho*r
D*outo*r Machado de Assis
Cosme Velho, 18
Capital Federal

---

1 ∾ Este documento apresenta uma ambiguidade. Trata-se de um cartão-postal datado pelo missivista para o ano de 1905 saudando o ano-novo de 1907. Não é habitual saudar um novo ano com dois anos de antecedência. É possível que o cartão seja de 1906; se for de 1905, o equívoco estaria no ano saudado. Resta saber em quais das datas Elísio de Carvalho se equivocou. (SE)

[868]

De: CORRESPONDENTE NÃO IDENTIFICADO
Fonte: Cartão-Postal, Fundação Biblioteca Nacional. Fac-símile do original.

Bahia-Cachoeiras, 1905-1906[1].

Ao Amigo e Mestre

o Ex*celentíssi*mo Se*nho*r Machado de Assis:

Boas-festas.

[Pedreira Franco][2]

1 ~ Documento inédito. Trata-se de um interessante cartão-postal, que divide o quadro em dois. Num dos lados, há o retrato de Castro Alves, seguido de trechos do poema "A Boa Vista", de *Espumas Flutuantes* (1870):

"/ Como tudo mudou-se... o jardim s'tá inculto / As roseiras morreram do vento ao rijo insulto... /................/.............../ Oh jardim solitário! Relíquia do passado! / Minh'alma como tu, é um parque arruinado! / Morreram-me no seio as rosas em fragrância, / Veste o pesar os muros dos meus vergéis da infância."

Do outro lado, há uma foto com uma informação embaixo que diz: "N.º 52. Casa onde nasceu o poeta; fazenda Cabaceiras. Muritiba – município de S. Félix." O poema traz as impressões do poeta ao voltar anos depois ao solar da Boa Vista, em sua terra natal, e perceber tudo diferente. (SE)

2 ~ Assinatura pouco legível. É provável que se trate de Joaquim Artur Pedreira Franco de Castro. O engenheiro esteve na capital federal para assumir uma nova função: chefe da Comissão de Melhoramentos do Porto da Paraíba. Anteriormente ocupava o posto de engenheiro-fiscal da Estrada de Ferro Central da Bahia. Pedreira Franco partiu do Rio de Janeiro no dia 29 de outubro de 1905, de volta à terra natal, antes de se deslocar para a Paraíba. (SE)

[869]

De: HEMETÉRIO JOSÉ FERREIRA MARTINS
Fonte: Cartão-Postal Original, Arquivo ABL.

Campos, 1.º de janeiro de 1906[1].

Saudações de Campos dos Goytacazes[2]
Estado do Rio

            Boas-entradas de ano.

            [Hemetério Martins]

Ilustríssimo Senhor
Machado de Assis
Rio de Janeiro

---

1 ~ Cartão-postal inédito. (SE)

2 ~ Estas duas frases vieram impressas no cartão-postal. Sobre as possíveis razões da proximidade de Hemetério com Machado, ver nota 2, carta [920], de 24/12/1906. (SE)

[870]

De: OLAVO BILAC
Fonte: Cartão-Postal Original, Fundação Biblioteca Nacional.

[Rio de Janeiro,] 1.º de janeiro de 1906[1].

Feliz ano-novo[2]

Olavo Bilac

Machado de Assis
Rua Cosme Velho 18
Capital

---

1   Documento inédito. Carimbo postal de 31/12/1905. Apesar de o cartão ter sido comprado em Lisboa, durante a recente viagem à Europa, não foi expedido de lá, pois nesta data Bilac já estava no Rio havia um ou dois meses, tendo inclusive assinado em 26 de novembro de 1904 um contrato com o gerente da casa Garnier, Julien Lansac*, para a terceira edição das *Poesias*, em que — raridade — preservava os direitos de propriedade de seus versos. O selo de postagem no correio do Rio tem data de 31 de dezembro. (SE)

2   O cartão-postal retrata o monumento a Eça de Queirós*, no largo do Barão de Quintela, freguesia da Encarnação, em Lisboa. Em 1903, três anos depois da morte do escritor, foi inaugurado ali um monumento esculpido em pedra por Antônio Teixeira Lopes (1866-1942). A obra retrata Eça segurando nos braços uma figura feminina desnuda, mas envolta em véus, representando a Verdade, com a seguinte inscrição: "sobre a nudez forte da verdade, o manto diáfano da fantasia". Em 2001, o monumento foi substituído por uma cópia em bronze a fim de preservar o original, que foi guardado no Museu da Cidade. O cartão-postal faz parte da *Collection portugaise*, do editor F. A. Martins, situado na rua Camões, 35. No verso está escrito: *Union Postale Universelle*. Portugal. *Carte Postale*. Bilhete-Postal. (SE)

[871]

Para: OLIVEIRA LIMA
Fonte: LAGO, Bia Corrêa do. (Org.). *Saudades de um Brasil Antigo*. Rio de Janeiro: Capivara, 2011.
Fac-símile do cartão-postal original.

[Rio de Janeiro, janeiro de 1906.]

Na entrada do ano cumprimentos e saudades.

Machado de Assis

1906[1]

---

1 ∾ O cartão-postal traz impresso o n.° 196 e "Avenida Beira-Mar, Botafogo. Rio de Janeiro", em fotografia de Augusto Malta. (IM)

[872]

De: RODOLFO BERNARDELLI
Fonte: Cartão-Postal Original, Arquivo ABL.

[Rio de Janeiro,] 4 de janeiro de 1906.[1]

Ao Mestre e Amigo Machado de Assis
Rodolfo Bernardelli deseja longa vida e (felicitações[2])
1906

Ao Mestre Machado de Assis
Cosme Velho 18
Nesta

---

1 ∾ Postal com a fotografia (preto e branco) de Rodolfo e Henrique Bernardelli*, de perfil, voltados para a direita. Utilizou-se a data carimbada no verso. Documento inédito. (IM)

2 ∾ Mensagem de difícil legibilidade, pois foi parcialmente escrita sobre a parte escura da fotografia. Vale assinalar que os irmãos Bernardelli enviaram uma foto para

Oliveira Lima* em 1906, ambos também de perfil, mas olhando para a esquerda, com a mensagem inteiramente legível e assinada na parte branca do papel, abaixo da imagem (Lago, 2011). (IM)

[873]

De: MARIA DE BARROS
Fonte: Manuscrito Original, Arquivo ABL.

Paris, 10 de janeiro de 1906[1].

Doutor Machado de Assis

Tomo a liberdade de escrever-lhe pois tive a honra de conhecê-lo aí no Rio em casa do Doutor Heitor[2].

Algumas vezes também, o *Senhor* falava-me na porta da nossa casa no Cosme Velho, onde o *Senhor* passeava com sua Senhora.

Sou sobrinha de D*ona* Julieta Cordeiro. Talvez o *Senhor* não se recorde mais de mim, entretanto, espero obter o grande pedido que venho fazer-lhe.

Tenho imenso desejo de obter um autógrafo seu, e desejava que me enviasse um cartão-postal.

Estou em Paris, há um ano, acabando minha educação; o meu *adresse* é "98 Rue du Faubourg-Poissonnière"[3].

Peço-lhe muitas desculpas de minha ousadia mas sou uma de suas grandes admiradoras.

Cumprimentos respeitosos da amiguinha
Maria Barros[4]

---

1 ~ Documento inédito. (SE)

2 ~ Heitor* e Francisca Smith Vasconcelos de Basto Cordeiro* residiam na rua das Laranjeiras, 78. (SE)

3 ∞ A rue du Faubourg-Poissonnière marca o limite entre o 9.ᵉ e o 10.ᵉ *arrondissement* de Paris, na margem direita do Sena. É a principal rua do bairro Faubourg Poissonnière, e seu nome deriva do antigo mercado de peixe que ali havia. (SE)

4 ∞ Maria era filha de Zulmira Uchoa Cavalcanti e Miguel Fernandes de Barros, alto funcionário da Alfândega. Um dos irmãos de seu pai foi casado com Julieta Cordeiro, provavelmente Manuel Vítor Fernandes de Barros (f. 1902), daí a referência à *tia* Julieta. Maria casou-se duas vezes. Primeiramente com o médico Otávio Cordeiro da Rocha Werneck, filho dos barões de Werneck, José Quirino da Rocha Werneck e Maria José Dinis Cordeiro, irmã do conde Dinis Cordeiro* e tia de Julieta e Heitor de Basto Cordeiro*. O médico Otávio Werneck era uma figura social popular. Além de bem--nascido e elegante, jogou como *fullback* do *Botafogo Football Club*, tendo participado do primeiro jogo internacional entre brasileiros e argentinos. Morto prematuramente em 11 de setembro de 1917, na cidade de Sapucaia, no Rio de Janeiro, deixou Maria com um filho de um ano, Roberto Otávio Werneck. Viúva, ela se casou em 1924 com o jornalista Luís Eugênio Pastorino (f. 1949), mudando para São Paulo. A família Werneck ressurgirá em cartas de 1908, numa referência à farmácia a que Machado recorria e ao médico Leoni Werneck. A família tinha tradição em medicina e farmácia. (SE)

[874]

Para: OLIVEIRA LIMA
Fonte: Manuscrito Original. The Oliveira Lima Library, The Catholic University of America, Washington.

Rio de Janeiro, 5 de fevereiro de 1906.

Meu prezado amigo,

Recebi a sua carta de 20 de Dezembro no fim do mês passado, e só agora lhe respondo[1]. Não deite a demora à conta da vontade. Já nessa mesma carta me diz, com a benevolência que sempre me mostrou, escrevendo ou falando, que não me queria mal pelo silêncio, e até indica algumas causas possíveis dele. Todas são verossímeis, alguma é verdadeira, e nenhuma parte do coração.

Tenho notícias suas pelo Veríssimo e pelo Rodrigo Octavio. Agora sei pela sua carta que melhorou dos recentes incômodos, assim como a

Exce*lentíssi*ma esposa, e a ambos envio as minhas felicitações. Pelo que me escreve está concluída a missão que o levou a Caracas, e espera agora uma remoção que ainda não sabe para onde seja. Se no intervalo vier ao Brasil não é preciso dizer o gosto que dará a todos os seus amigos, alguns dos quais ainda têm o centro no Garnier, posto que espaçadamente, porque o Veríssimo e o Graça estão passando o verão em Petrópolis. Talvez assista à recepção do Mário[2], que não será antes de três ou quatro meses: responder-lhe-á o Coelho Neto. A Academia vai abrir a vaga do Pedro Rabelo. Venha e verá o Rio com as suas roupas novas.

Vejo que o seu *D. João VI* está crescendo e sairá maior do que esperava. Tanto melhor, meu amigo; o prazer de o ler será também maior. É assunto que podemos dizer inédito; esperava historiador que o compreendesse e trabalhasse bem. Vamos ter a fisionomia real daquele príncipe que, vindo aqui fundar "um novo império", como ele mesmo disse, tão particularmente contribuiu para a nossa independência. Venha o seu livro; eu, há dias, — um destes dias da minha vida solitária, — fugi à realidade da hora e do lugar, relendo algumas das suas interessantes páginas sobre o Japão, e ainda uma vez me deliciei com elas[3].

Eu nada tenho. Reuni alguns retalhos inéditos e impressos, que o Garnier faz sair em volume, e é tudo[4]. Tinha um livro em projeto e início, mas não vou adiante. Sinto-me cansado, estou enfermo, e falta-me o gosto[5]. Adeus, meu amigo; não esqueça este velho amigo, que ainda não perdeu a faculdade de admirar. Peço-lhe que apresente os meus respeitosos cumprimentos à Exce*lentíssi*ma Senhora *D*o*n*a Flora, e receba para si um grande abraço.

Machado de Assis

---

1 ∾ Ver em [861]. (IM)

2 ∾ Mário de Alencar*, que tomou posse em 14/08/1906. (IM)

3 ∾ *No Japão — Impressões da Terra e da Gente* (1903). (IM)

4 ∾ Modesta referência a *Relíquias de Casa Velha* (1906). (IM)

5 ∞ Machado sempre foi avesso a revelar seus projetos literários. Acaso o desânimo aqui confessado não seria apenas um prenúncio da última obra-prima, o *Memorial de Aires*? (IM)

[875]

De: LUÍS DO COUTO
Fonte: Manuscrito Original, Arquivo ABL.

Capital de Goiás, 7 de fevereiro de 1906[1].

Lux et Pax[2]

Excelentíssimo Senhor Doutor Machado de Assis

Tenho o prazer de oferecer à Vossa Excelência o meu primeiro livro de versos. Nada o recomenda, além de ser escrito por um moço, como eu, que vive num meio literário muito limitado.

Se tomo a liberdade de o enviar à Vossa Excelência é, simplesmente, porque desejo possuir o seu autógrafo acusando a remessa desse humilde trabalho que se intitula "Violetas"[3].

Agradecendo de antemão a gentileza da resposta, que ansiosamente aguardo, com todo respeito me subscrevo

De Vossa Excelência

Profundo admirador

Luís do Couto[4]

---

1 ∞ Carta inédita. (SE)

2 ∞ Luz e paz. (SE)

3 ∞ O livro *Violetas* foi publicado no Rio de Janeiro e depois lançado em Portugal, ainda em 1904. Luís do Couto formou-se em direito em 1907, tornando-se desde então figura proeminente da vida goiana. Conhecido como juiz Luís do Couto, participou ativamente da vida intelectual de seu meio, escrevendo em diversos jornais sobre temas de seu interesse. Historiador, ensaísta, professor e grande incentivador da vida cultural

de sua cidade, a sua casa era ponto de encontro habitual da intelectualidade, sempre aberta a eventos e festas. (SE)

4 ∾ Luís do Couto era também poeta e foi membro fundador da primeira Academia Goiana de Letras, na cidade de Vila Boa, da qual, aliás, Machado de Assis foi patrono. Em 12 de outubro de 1904, no salão nobre do Palácio Conde dos Arcos, a instituição foi instalada, e foram empossados os fundadores: Eurídice Natal (presidente), Joaquim Bonifácio Gomes de Siqueira, Augusto Rios, Godofredo de Bulhões, Acrísio da Gama e Silva, Leopoldo de Sousa, Marcelo Silva, Luís do Couto e Francisco Ferreira dos Santos Azevedo. Entretanto esta Academia teve vida breve, durou apenas quatro anos. Mais tarde, em 1938, na cidade de Goiânia, capital do estado, nova Academia Goiana de Letras foi fundada e, mais uma vez, o poeta Luís do Couto esteve entre os fundadores. Tomou posse da Cadeira 9, cujo patrono é o escritor Antônio Americano do Brasil. (SE)

[876]

De: RETIRO LITERÁRIO PORTUGUÊS
Fonte: Manuscrito Original, Arquivo ABL.

RETIRO LITERÁRIO PORTUGUÊS
R. da Carioca, 45[1]

Rio de Janeiro, 17 de fevereiro de 1906.

Ilustríssimo Senhor Machado de Assis

Prezado Amigo.

O Senhor Visconde de Sanches de Frias pede-me para ser intermediário dele a fim de obter alguns apontamentos para a biografia de Faustino Xavier de Novais que está escrevendo[2]. Tomo pois a liberdade de juntar uma lista com os requisitos, do que ele pede com mais insistência[3].

Se Vossa Excelência o puder atender muito grato lhe ficarei, porque realmente muito desejo servir ao Senhor Visconde de Sanches de Frias.

A resposta, Vossa Excelência pode dirigi-la para a sede do Retiro, onde vou todas as noites.

Aproveito a ocasião para lhe lembrar a promessa que Vossa Excelência me fez de um autógrafo de sua colaboração para o livro comemorativo de Bocage. Parte dos originais seguem (*sic*) para Lisboa no dia 9 do mês de março próximo.

O S*en*h*or* Conse*lh*eiro Lampreia[4] fez-me o *favor* de se encarregar de mandar imprimir o livro na Imprensa Nacional em Lisboa. Se [,] porém, eu não puder dar todos os originais dos quais tenho promessa, os enviarei depois. Isto quer dizer não se apreste, mas não deixe de atender o Legendário Retiro Literário Português de que V*oss*a Excelê*nci*a é sócio e que m*ui*to se honra subscrevendo-se

De V*oss*a Excelê*nci*a

Am*i*go velho e m*ui*to grato

F. J. Correia Quintela[5]

---

1 ～ Papel timbrado, com emblema e monograma do Retiro Literário Português. Segundo Ubiratan Machado (2008), a instituição cultural foi criada em 1859, funcionando na rua de São Pedro, n.º 88. Nesta sede realizava saraus literário-musicais, que Machado frequentou durante a década de 1860, tendo ele próprio recitado seu poema "A Caridade" em celebração de 19/07/1862. Massa (1971) apresenta interessante nota sobre a associação. (IM)

2 ～ O visconde de Sanches de Frias (1845-?), negociante português que prosperou no Brasil, dedicou-se ao jornalismo e às letras. Destaquem-se a biografia do músico Artur Napoleão* (1913), amigo de Machado, e a publicação póstuma da comédia "semi-trágica" (*sic*) *Ignez d'Horta* (1907), de Faustino Xavier de Novais*, cunhado do escritor, que falecera em 1869 (ver tomo I). Frias assina o prefácio e um estudo biográfico e literário de Faustino. Ver na carta seguinte, nota 2. (IM)

3 ～ Ver carta [877], a seguir. (IM)

4 ～ Conselheiro Camelo Lampreia, então ministro de Portugal no Brasil. (IM)

5 ～ Francisco José Correia Quintela, português radicado no Brasil. Segundo Ubiratan Machado (2008), foi amigo de Faustino Xavier de Novais; no entanto, a carta [877], a seguir, apresenta perguntas biográficas que o próprio Quintela teria condições de responder. Talvez Frias estivesse ansioso por declarações de Machado de Assis. O missivista publicou alguns poemas e Machado dedicou-lhe "No Álbum do Sr. Quintela", estampado em *O Besouro*, em 22/02/1879. À frente do Retiro Literário Português, promoveu importantes homenagens a Bocage (1765-1805) no Rio de Janeiro,

por ocasião do centenário de morte do grande poeta português. A cerimônia ocorreu na noite de 21 de dezembro de 1905, no "Real Club Gymnasio Portuguez", à rua do Hospício 233, como se vê no convite enviado a Rodrigo Octavio*. Este também conservou, entre os seus papéis, "Centenário de Bocage" – um longo discurso proferido pelo acadêmico Luís Murat – e sonetos dos confrades Filinto de Almeida* ("Elmano Ladino") e Olavo Bilac* ("A Bocage"). (IM)

[877]

De: RETIRO LITERÁRIO PORTUGUÊS
Fonte: Manuscrito Original, Arquivo ABL.

[Rio de Janeiro, 17 de fevereiro de 1906.]¹

Ao Ilustre amigo Senhor Machado de Assis.

O Senhor Visconde de Sanches de Frias pede dados e apontamentos para a biografia de Faustino Xavier de Novais, [e] quer merecer de Vossa Excelência resposta aos seguintes quesitos.

A mulher depois da separação ficou aqui, ou foi para Portugal?
Onde morreu e o ano?
A Senhora com quem morou 4 anos, foi a Baronesa de Taquari? Morreu esta primeiro, ou antes (*sic*) de Novais? Dona Rita de Cássia Rodrigues era filha ou neta da Baronesa? Esta ainda vive, ou morreu?

Com quem morava Novais quando morreu? Em que rua e número da casa? O Irmão Henrique morreu aqui ou em Portugal? Os nomes das duas Irmãs que vieram para aqui.

Em que data se casou Vossa Excelência e em que mês e dia do ano passado faleceu a sua Senhora?²

[F. J. Correia Quintela]

---

1 ∾ Pela letra, esta missiva é de Francisco José C. Quintela; aliás, está arquivada com a anterior, [876], que a anuncia. Não traz local nem data. Acredita-se que o final se perdeu, dada a falta de fecho e de assinatura. (IM)

2 ∾ Todos esses quesitos estão esclarecidos em Sanches de Frias (1907), com efusivos agradecimentos a D. Adelaide Xavier de Novais, irmã sobrevivente de Faustino Xavier de Novais*. Não há, porém, menção à contribuição de Machado, a quem a cunhada Adelaide detestava. E não deixa de ser curiosa a desinformação de Frias a respeito da vida do seu poeta tão admirado. Ver notas em [876] e a biografia de Faustino no tomo I da *Correspondência* (2008). (IM)

[878]

De: JOSÉ VERÍSSIMO
Fonte: Manuscrito Original, Arquivo ABL.

Petrópolis, 19 de fevereiro de 1906.

Meu caro Machado

Recebi agradecido o seu novo livro, *Relíquias de Casa velha*[1]. Relíquias são também preciosidades, e as suas justificam este sinônimo e muita casa velha vale mais que as mais novas e vistosas, e pela solidez da sua fábrica, segurança e harmonia da sua estrutura, graça geral do seu aspecto, sem falar dos seus adereços e alfaias interiores, merecem mais do que aquelas.

Como lhe percorri encantado os salões e recantos, cada um com o seu sainete próprio, a sua fisionomia de tão íntima significação, mas todos fundindo-se num admirável conjunto!

Desde o pórtico, o formoso e sentidíssimo soneto[2], até a última estância, que bela e deliciosa Casa velha!

Li-o ou reli-o já quase todo, e do que li ou reli dou a primazia, se é possível sair do embaraço da escolha, a *Pai contra mãe*, um modelo raro de sobriedade, ironia discreta e um pessimismo que por amargo não deixa de ser delicioso. Mas quem sabe se, de fato, o que mais me agradou não foi *Um livro*?[3] É tão ruim esta pobre natureza humana!

Obrigado e um abraço do

Seu

José Veríssimo

1 ∾ O contrato de publicação por H. Garnier*, em Paris, foi assinado a 09/03/1905. Vale dizer, pouco menos de cinco meses após a morte de Carolina*, Machado enfrentava a dor da viuvez mergulhando em novo livro. Este chegou ao Brasil em fevereiro de 1906. (IM)

2 ∾ "A Carolina". Embora célebre, e reverenciado por todos os leitores machadianos, por ter nesta carta a primeira referência, o soneto merece mais uma transcrição:

> Querida, ao pé do leito derradeiro
> Em que descansas dessa longa vida,
> Aqui venho e virei, pobre querida,
> Trazer-te o coração do companheiro.
>
> Pulsa-lhe aquele afeto verdadeiro
> Que, a despeito de toda a humana lida,
> Fez a nossa existência apetecida
> E num recanto pôs um mundo inteiro.
>
> Trago-te flores, — restos arrancados
> Da terra que nos viu passar unidos
> E ora mortos nos deixa e separados.
>
> Que eu, se tenho nos olhos malferidos
> Pensamentos de vida formulados,
> São pensamentos idos e vividos.

Cabe aqui lembrar o consolo oferecido por Hilário de Gouveia*, na carta [816]. (IM)

3 ∾ Trata-se da crítica à segunda edição de *Cenas da Vida Amazônica*, do próprio Veríssimo. Machado publicou-a na *Gazeta de Notícias* (11/06/1899) e recebeu um brilhante agradecimento do escritor paraense. Ver carta [464], tomo III. Esse agradecimento se renova ao ver estampada nas *Relíquias* a antiga página. (IM)

[879]

De: LÚCIO DE MENDONÇA
Fonte: Manuscrito Original, Arquivo ABL.

Alto de Teresópolis, Hotel Higino, 20 de fevereiro de 1906.

Querido Mestre,

Já parece destino, entre nós dois, que seja sempre destas abençoadas alturas que eu lhe escreva dando agradecimentos pelo alto gozo intelectual que, em novo livro, me traz, cada ano, a perpétua mocidade do seu espírito. Assim foi com "Dom Casmurro"[1], depois com "Esaú e Jacó", agora com "Relíquias de Casa Velha".

Do seu último livro, apenas conhecia o conto "Pílades e Orestes", e a comédia "Não consultes médico", que vira representada. Com que vivo encanto li esse primor a que pôs por título "Maria Cora" e as deliciosas páginas de "Umas férias", "Um Capitão de voluntários", e as outras e todas, em que o sutil psicólogo compete e empata (pode assim dizer-se?) com o estilista sem par, hoje, em nossa língua!

Deixe-me, ainda uma vez, com toda a sinceridade e entusiasmo, abraçá-lo por mais este grande triunfo, acrescentado a tantos outros, e creia-me, sempre e cada vez mais,

seu discípulo adorador e amigo velho,

Lúcio de Mendonça.

I ∾ Ver os comentários entusiásticos de Lúcio na carta [516], tomo III. (IM)

[880]

Para: JOSÉ VERÍSSIMO
Fonte: Revista da Academia Brasileira de Letras, XXXIV, n.º 105, 1930.

Rio [de Janeiro], 22 de fevereiro de 1906.

Meu caro Veríssimo.

A sua carta de 19 chegou aqui anteontem, mas supondo ter-lhe ouvido que desceria ontem pelas exéquias[1], receei que a resposta se desencontrasse do destinatário, e não lhe escrevi no mesmo dia. Escrevo-lhe hoje para lhe agradecer as boas e amigas palavras que me mandou a respeito das *Relíquias*. Já estou acostumado a elas. A sua afeição conhece a arte de acentuar a opinião já de si benévola. Ainda bem que lhe agradaram essas páginas que o teimoso de mim foi pesquisar, ligar e imprimir como para enganar a velhice. Não sei se serão derradeiras, creio que sim[2]. Em todo caso estimo que não tenham parecido importunas ou enfadonhas, e o seu juízo é de autoridade.

Adeus, meu caro Veríssimo. Não lhe digo até breve, porque, não podendo lá ir, começo a desconfiar que não virá mais cá; Petrópolis não perdeu, com as revoluções, o dom de enfeitiçar e prender. Ao contrário, parece que o tem agora maior. Eu aqui vou indo, como posso, emendando o nosso Camões, naquela estrofe:

> Vão os anos descendo, e já do estio
> Há pouco que passar até outono...[3]

Ponho *outono* onde é *estio*, e *inverno* onde é *outono*, e isto mesmo é vaidade, porque o inverno já cá está de todo.

Adeus, meu caro Veríssimo, lembranças aos seus e aos amigos, com quem dividirá as saudades do

Velho amigo

M. de Assis.

1 ◦∾ Exéquias de Estado pelos mortos do encouraçado *Aquidabã*, na igreja da Candelária. A tragédia foi provocada por uma violenta explosão no paiol, ocorrida às 11 horas da noite de 21/01/1906 na baía de Jacuecanga, em Angra dos Reis, litoral do Rio de Janeiro. Mais de 210 mortos: uma catástrofe que atingiu desde a mais alta oficialidade aos marujos e técnicos civis embarcados, causando grande comoção nacional. (IM)

2 ◦∾ Em 1908, o "teimoso" nos daria seu *Memorial de Aires*. (IM)

3 ◦∾ Camões, *Os Lusíadas*, Canto X, 9. (IM)

[881]

De: MÁRIO DE ALENCAR
Fonte: Manuscrito Original, Arquivo ABL.

Tijuca¹, 26 de fevereiro de 1906.

Meu prezado e ilustre Amigo *Senho*r Machado de Assis

Não fui o outro dia ao Garnier, depois da consulta do médico, porque achei no consultório a convicção que eu receava e me fez triste e incapaz de conversa nenhuma. O médico procurou iludir-me, mas a fisionomia dele e a indicação dos remédios disseram a verdade². Vim para a Tijuca com grande desalento, que ainda tenho hoje e agora terei sempre até o último dia. Momentos de prazer e de esquecimento de mim mesmo, devo-os ao seu livro³, que trouxe e tenho lido com amor. Se o coração me permitir, escreverei alguma coisa sobre ele e que eu desejaria pudesse exprimir dignamente, superiormente a minha admiração por esse e por todos os livros seus. Gostei de todas as *Relíquias* muito e muito, mas a página melhor é o soneto *A Carolina*. Lembra-se do que me disse uma vez a respeito de "Alma minha gentil que te partiste"⁴? que tinha a simplicidade sublime de um recado mandado ao céu. É o que eu penso do seu, com a diferença de que o compreendo e sinto melhor que ao outro. Li-o⁵ e reli-o e o tenho de cor. Creio não ter desatendido à menor das palavras dele, que todas têm um sentido especial.

"Que eu, se tenho nos olhos malferidos,
Pensamentos de vida formulados,
São pensamentos idos e vividos".

Todo este terceto é de uma beleza grande, que é de um grande poeta e de um grande artista.

Pretendo ir à cidade no dia 1.º, irei à Secretaria pedir notícias suas.

Abraços do seu amigo
Mário de Alencar.

---

1 ∾ Mário de Alencar estava na propriedade de sua família, no Alto da Boa Vista — a Chácara Cochrane, que, no tempo de seu pai, era chamada por seu nome original: Chácara do Castelo. Situava-se no morro do Cochrane, perto da chácara da Gávea Pequena, que à época pertencia a Vicente Werneck, um dos donos da Farmácia Werneck, que neste tomo é citada algumas vezes. Sobre a história da propriedade Cochrane, ver carta [74], tomo I. (SE)

2 ∾ Confirmação clínica de que Mário era epilético. (SPR)

3 ∾ Mário estava se referindo a *Relíquias de Casa Velha*, livro com duas tiragens em vida do autor, ambas vindas a lume em 1906, pela H. Garnier, de Paris. A primeira, com impressão feita em outubro de 1905, e a egunda, em fevereiro de 1906. Tal como *Páginas Recolhidas* (imp. 1899), este é um livro híbrido, que reúne textos de gêneros variados. Inicia-se com o famoso soneto *A Carolina*, seguido de nove contos, de quatro artigos críticos e duas comédias (*Não Consultes Médico* e *Lição de Botânica*). Sobre a livraria Garnier, consultar nota 2, [939], de 07/03/1907. (SE)

4 ∾ Referência ao célebre soneto inserto nas *Rimas*, de Luís de Camões:

"Alma minha gentil que te partiste / Tão cedo desta vida descontente, / Repousa lá no céu eternamente, / E viva eu cá na terra sempre triste. // Se lá no assento etéreo onde subiste, / Memória desta vida se consente, / Não te esqueças daquele amor ardente / Que já nos olhos meus tão puro viste. // E se vires que pode merecer-te / Alguma coisa a dor que me ficou / Da mágoa, sem remédio, de perder-te; // Roga a Deus que teus anos encurtou, / Que tão cedo de cá me leve a ver-te, / Quão cedo de meus olhos te levou." (SE)

5 ∾ A partir daqui, recorreu-se à versão da Jackson (1937), porque o documento depositado no Arquivo ABL está incompleto. (SE)

[882]

De: GRAÇA ARANHA
Fonte: Manuscrito Original, Arquivo ABL.

Petrópolis, 8 de abril de 1906.

Confidencial

Meu querido Machado de Assis,

desde[1] anteontem tenho para lhe remeter a carta do Heráclito Graça, apresentando-se candidato à vaga da Academia[2].

Ponha a essa pretensão a sua bênção papal... V*ocê* deve ter *adivinhado* o Heráclito Graça. Não é o gramático no rude e antipático sentido; não é o cultor do *mauvais goût*: é um apaixonado da língua, um homem que conhece os mistérios das palavras, o mais belo e sugestivo dos mistérios (depois daquele eterno, que é o das mulheres) e um ardente leitor de clássicos e de ultramodernos. Tem 70 anos e é mais jovem, mais sadiamente moço que o João do Rio[3].

Talvez amanhã vá até aí e não deixarei de vê-lo porque tenho nisto grande consolo e porque há muita coisa a ruminar sobre este caso.

Do seu muito dedicado e afetuoso

Graça Aranha

---

1 ～ Com minúscula no original. (IM)

2 ～ Tio de Graça Aranha, eleito em 30/06/1906, na vaga de Pedro Rabelo. (IM)

3 ～ Pseudônimo de Paulo Barreto*, que tinha então 24 anos e alcançaria 8 votos. Foi eleito para a Cadeira 26, na vaga de Guimarães Passos, em 07/05/1910. (IM)

[883]

De: OLIVEIRA LIMA
Fonte: Manuscrito Original, Arquivo ABL.

Caracas, 13 de abril de 1906.

Meu prezado amigo,

Muito e muito lhe agradeço a sua última carta de 5 de fevereiro e o mimo do volume "Relíquias de Casa Velha" que li imediatamente com o deleite do costume e passei a um meu amigo venezuelano, rapaz muito inteligente, muito dado às coisas do espírito, advogado e literato, literato dos que o Veríssimo chama "pouco abundantes" porque se reservam, e dos poucos nesta terra que não antepõem os gozos políticos, posso dizer revolucionários, aos gozos intelectuais. Ele está encantado com o livro. Como antes lhe havia dado outros livros em português, havia feito sua aprendizagem no vernáculo e pôde apreciar sua bela linguagem. Eu não fiquei menos encantado do que ele com o volume, que só parcialmente me era conhecido — as comédias e pouco mais, a Maria Cora, a escrava [fujona][1], tudo aquilo me deu um enorme prazer espiritual, infelizmente muito breve. Um prazer curto porém que se prolongará dentro de alguns meses por meio das nossas agradáveis palestras, agradabilíssimas para mim. Pedi licença e conto, depois do tratamento na Europa de que estamos carecendo muito, eu e minha mulher, eu pelos meus rins, ela pelo fígado e estômago, ir como o Senhor diz e me aconselha, ver o Rio com as suas roupas novas. Mais do que o Rio, desejo ainda ver os amigos, com as suas roupas velhas. Entre esses sabe que lugar importante ocupa. O Veríssimo escreveu-me ultimamente bastante de Petrópolis; não digo bastante para o anseio que aqui temos pelas cartas, mas pelo movimento que faz na extensão das suas epístolas, ainda que a letra dele seja muito enganadora[2], para alguma coisa de enganador haver naquele espírito sincero. Não assistirei à recepção do Mário[3], pois não poderei estar no Rio senão em outubro, justamente quando o ocaso da administração ostentará suas mais belas cores, mas assistirei talvez à do sucessor do Pedro Rabelo, quem quer que ele seja. Por enquanto, ninguém me pediu o voto[4].

Levarei daqui, penso, o D. João 6.° em 2 terços prontos e, muito provavelmente, o concluirei aí mesmo no Rio, onde procurei fixá-lo num meio que tanto lhe sorriu, que foi o seu meio predileto. Talvez seja até melhor para a feitura do livro, descrevê-lo nesse ambiente. Haverá quiçá alguma sugestão instintiva, que faltaria doutro modo. Creio que a obra terá 2 volumes de 500 páginas cada um, e tenho eliminado material que não seja inédito.

Espero que o seu livro em projeto e início vá adiante. Diz-me que o gosto lhe falta. Compreendo, mas o trabalho literário, que foi a paixão de sua vida, a fará menos solitária e mais vivida. Desejaria vê-lo terminar esse novo livro. Diz-me ainda que o não esqueça. Raro é o dia em que o seu nome não é aqui lembrado e mencionado, assim como o do Veríssimo.

Flora manda-lhe suas lembranças afetuosas e eu um grande abraço muito cordial

M. de Oliveira Lima

---

1 ∾ A personagem Arminda do conto "Pai contra Mãe". (IM)

2 ∾ A letra de Veríssimo era notoriamente graúda. (IM)

3 ∾ Em 14/08/1906. (IM)

4 ∾ Foi eleito Heráclito Graça*, em 30/07/1906, que tomou posse por carta. (IM)

[884]

De: PAULO BARRETO
Fonte: Manuscrito Original, Arquivo ABL.

Rio [de Janeiro], 17 de abril de 1906.

Ilustríssimo *Senhor* Machado de Assis

Saudações.

Tenho a honra de comunicar à Vossa *Excelência que* me apresento candidato[1] a preencher a vaga aberta na Academia Brasileira de Letras pelo desaparecimento do escritor Pedro Rabelo[2].

Com os protestos de elevada estima e alto conceito, sou de Vossa *Excelência* criado atento

Paulo Barreto

---

1 ∾ Graça Aranha* já havia se apressado em escrever a Machado de Assis, apresentando o seu tio Heráclito Graça* como candidato e fazendo uma alusão um tanto desairosa a Paulo Barreto, cuja vida boêmia era bem movimentada. Ver carta [882], de Graça Aranha, 8 de abril de 1906. Ver também [886], carta de José Veríssimo*. (SE)

2 ∾ Pedro Carlos de Oliveira Rabelo (1868) morreu em 27/12/1905. Rabelo foi membro fundador da Academia Brasileira de Letras, ocupando a Cadeira 30, cujo patrono é Pardal Mallet. Após a sua morte, elegeu-se Heráclito Graça, em 30/07/1906. Paulo Barreto – o João do Rio – só foi eleito em 07/05/1910, para a Cadeira 26, na sucessão de Guimarães Passos, falecido em 09/09/1909, em Paris. (SE)

[885]

De: BARÃO DO RIO BRANCO
Fonte: Cartão de Visita Original, Arquivo ABL.

[Sem local,] 20 de abril de 1906.

RIO-BRANCO
MINISTRO DE ESTADO DAS RELAÇÕES EXTERIORES

cordiais agradecimentos e afetuosas saudações
ao querido Mestre Machado de Assis[1].

---

1 ∽ Certamente Machado cumprimentara Rio Branco pelo 61.º aniversário, transcorrido a 20/04/1906. (IM)

[886]

De: JOSÉ VERÍSSIMO
Fonte: Manuscrito Original, Arquivo ABL.

[Rio de Janeiro, sem data.][1]

Meu caro Machado.

Acabo de receber uma carta do Aranha comunicando-me que o Heráclito Graça lhe ia escrever apresentando-se candidato. Você me dá licença para passar-lhe a incumbência que ele me dá de interessar-me por essa candidatura perante os nossos amigos? Mandei dizer ao Aranha que, resolvido a conservar-me fora da *mêlée* acadêmica, limitar-me-ia a votar no Heráclito, que aliás, por motivos muito pessoais, não tem direito a que eu me incomode por ele[2].

Sinto deveras não vê-lo, porque *você* é um dos raros cujo comércio me dá prazer, mas o Garnier tornou-se um lugar de má companhia, que eu evito.

Adeus, não duvide da profunda estima do
Seu
Admirador sincero e obrigado amigo
José Veríssimo

---

1 ∞ Na carta [882], Graça Aranha* comunica a Machado, confidencialmente, que seu tio Heráclito Graça* se candidatava à vaga aberta pelo falecimento de Pedro Rabelo. A eleição ocorreu em 30/07/1906. A assídua correspondência entre Graça e Veríssimo permite sugerir o mês de abril como provável datação desta carta. (IM)

2 ∞ Não há indícios claros sobre os motivos pessoais da desavença de Veríssimo com Heráclito, nem da sua aversão às reuniões na livraria Garnier, onde era variada a gama de frequentadores. (IM)

[887]

De: JOAQUIM NABUCO
Fonte: Cartão-Postal Original, Arquivo ABL.

[Grand Canyon, Arizona,] 1.º de maio de 1906.[1]

Meu caro Machado,

Como V*ocê* [tem] sido roubado de grandes assuntos! Aqui está um deles e eu gritando ao escritor que o quisesse tratar por V*ocê*[2] "Pega ladrão!" Muitas saudades do amigo a*fetuosíssi*mo

J. N.

E*xcelentíssi*mo *Senho*r Machado de Assis
Cosme Velho
Rio de Janeiro
Brazil

---

1 ∞ Postal inédito, colorido, do Grand Canyon, com a mensagem nas margens. Para lá, Nabuco partira em 29/04/1906. (IM)

2 ∞ O uso do "Você", entre os dois correspondentes, vinha de 1872. (IM)

[888]

De: SOUSA PINTO
Fonte: Manuscrito Original, Arquivo ABL.

Fortaleza, 19 de maio de 1906.

Excelentíssimo Senhor Doutor Machado de Assis

Apresento à Vossa Excelência as homenagens do meu subido apreço e alta consideração.

Quem escreve estas é um entusiasta admirador de Vossa Excelência, do seu fecundo e fulgurante talento.

Acaricio de alma e coração o supremo desejo de ter um cartão-postal escrito por Vossa Excelência, no meu "Álbum", entre muitos que possuo com autógrafos[1] de egrégios intelectuais brasileiro e estrangeiros, e creio que um Artista notável, glorioso luminar das letras pátrias como Vossa Excelência não se negará em conceder-me tão alta gentileza.

Antecipando os meus finos agradecimentos pela cativante mercê com que Vossa Excelência me vai honrar, firmo-me com a maior distinção,

De Vossa Excelência

Atento Obrigado Admirador

Sousa-Pinto

---

1 ∽ O intelectual cearense Sousa Pinto escrevia eventualmente na imprensa, especialmente no *Jornal do Ceará*, tratando de literatura. Era conhecido também por ter uma alentada coleção de autógrafos de escritores em cartões-postais. Na sua coleção, além do autógrafo de Machado de Assis, havia os de Aluísio Azevedo*, Guerra Junqueiro, Domingos Olímpio, Teófilo Braga, Artur Orlando, Paolo Mantegazza, José Veríssimo*, João Alfredo, Juvenal Galeno, Olavo Bilac*, Virgílio Várzea*, Luís Delfino, Marquês de Paranaguá, Graça Aranha*, Visconde de Ouro Preto, Martim Francisco, Barão de Paranapiacaba, entre outros. (SE)

[889]

De: ANTÔNIO SALES
Fonte: Cartão-Postal Original, Arquivo ABL.

[Amsterdam,] 25 de maio de 1906.[1]

Céu profundo imaculado,
Cobrindo um verdor de idílio:
Que lindo sítio, Virgílio,
Para o teu ócio sagrado!

(Da *Tela Aldeã*)

Antônio Sales

Aan
Machado de Assis

---

1 ∾ Postal com três bucólicas vaquinhas, refletidas na água, e a legenda "P. Stortenbeker – Koeler / Vaches / Cows / Kühe". Reprodução da tela de Pieter Stortenbeker (1828-1898), pintor holandês. Documento inédito. (IM)

[890]

De: CORRESPONDENTE NÃO IDENTIFICADO
Fonte: Cartão-Postal Original, Arquivo ABL.

Cachoeira, 26 de maio de 1906[1].

Cheguei (...)
sem percalço e os (...)
(...)[2]
bem melhor que a viagem passada.
(...)[3]
[...][4]

---

1 ∾ Documento inédito. (SE)
2 ∾ Trecho ilegível. (SE)

3 ᵒᵛ Trecho ilegível. (SE)

4 ᵒᵛ Assinatura abreviada e bastante ilegível. Cartão-postal colorido, retratando uma rua da cidade de Cachoeira, na Bahia. É possível que tenha sido remetido por Joaquim Artur Pedreira Franco*, que na época se encontrava na região nordeste a trabalho e era oriundo daquela cidade baiana. Registre-se, contudo, que não há certeza. Ver carta [868]. (SE)

[891]

De: SOUSA BANDEIRA e TOMÁS LOPES
Fonte: Cartão-Postal Original, Arquivo ABL.

[Paris,] 17 de junho de 1906.

Desta vertiginosa altura em que nos encontramos por acaso[1], pensamos no mestre querido[2].

Sousa Bandeira

Tomás Lopes

Monsieur
Machado de Assis
18, R*ua* do Cosme Velho
Rio de Janeiro
Brésil

---

1 ᵒᵛ Postal com a fotografia da Torre Eiffel e legenda «PARIS. – La Tour Eiffel, vue prise du Trocadéro». Documento inédito. (IM)

2 ᵒᵛ Possível alusão ao aniversário de Machado, em 21 de junho. (IM)

[892]

De: BELMIRO BRAGA
Fonte: Manuscrito Original, Arquivo ABL.

Juiz de Fora, 21 de junho de 1906.

Meu ilustre amigo e mestre,

Aqui estou, hoje, dia de seu aniversário natalício, para o cumprimentar, desejando-lhe longos anos felizes[1]. E, embora seja o meu desejo o desejo de todos quantos lhe estimam e admiram, os aniversários agora do meu grande amigo não podem ser tão felizes como aqueles passados juntos (*sic*) da companheira fiel — sinceramente chorada naquele admirável soneto — A Carolina — um dos melhores da língua portuguesa.

Acompanhando-lhe muito de perto as alegrias e os dissabores, não podia deixar de aqui vir hoje trazer-lhe o meu abraço sincero; e o seu retrato, tirado de uma coleção do *Álbum* e que me acompanha desde muitos anos a fim de me ensinar a ser bom e a crescer por meus únicos esforços, passa o dia de hoje enfeitado de rosas, como lhe acontece todos os anos, neste dia.

Perdoe-me esta revelação, mas é ela tão sincera que a não posso guardar dentro do coração que tanto lhe quer.

Orgulho-me de ser

seu muito amigo muito admirador

Belmiro Braga

---

1 ∾ O poeta mineiro cumprimentava fielmente Machado de Assis no seu aniversário, como se verifica ao longo da *Correspondência*. (IM)

[893]

> Para: BELMIRO BRAGA
> *Fonte*: Transcrições, Arquivo ABL.

Rio de Janeiro, 23 de junho de 1906.

Caro e distinto amigo,

    Recebi a sua carta de 21, com as boas palavras que me manda pelo meu aniversário. Gostei de ler, com natural restrição que lhes põe de que tal data não é já de alegrias para mim, depois que perdi a minha boa companheira de trinta e cinco anos. Assim é: muito obrigado. Estou aqui um triste velho desamparado, contando alguns poucos amigos, entre os quais figura o seu nome de moço de talento. Creia-me sempre

Velho am*i*go e confrade

Machado de Assis.

[894]

> De: ANTÔNIA MACHADO
> *Fonte*: VIANA FILHO, Luís. *A Vida de Machado de Assis*.
> Rio de Janeiro: Martins, 1965.

[Sem local,] 24 de junho de 1906.[1]

    Meu bom amigo. Li o soneto[2]. Se *Ela* lá pudesse ter conhecimento dele, como gostaria de o ter inspirado. /.../ Remeto uns versos da nossa querida Carolina. Éramos pouco mais de crianças quando ela mos ofereceu.

    [Antônia Machado]

---

1 ∾ Viana Filho cita os dois trechos, informando em nota: "Carta de 24.6.1906. Inédita. Original da senhora Leitão de Carvalho." Até a presente data não foi possível localizar o original entre os papéis pertencentes à herdeira Laura Leitão de Carvalho, em grande parte conservados na ABL e também no Museu da República. (IM)

2 ∾ "A Carolina". (IM)

[895]

De: OLIVEIRA LIMA
Fonte: Manuscrito Original, Arquivo ABL.

Londres, 10 de julho de 1906.[1]

Excelentíssimo Senhor Doutor Machado de Assis
Mui Digno Presidente da Academia de Letras
Rio de Janeiro

Peço à Vossa Excelência o favor de contar o meu voto na próxima eleição da Academia, na vaga do falecido consócio senhor Pedro Rabelo, a favor do Senhor Doutor Heráclito Graça.

Aproveito o ensejo para subscrever-me com muita consideração e amizade

De Vossa Excelência

atento (...)[2]

M. de Oliveira Lima

---

1 ～ Papel timbrado do "Hotel Victoria, Northumberland Avenue (...)". (IM)

2 ～ Fecho até o momento incompreensível. A letra de Oliveira Lima tornou-se famosa pela ilegibilidade. Lembra Rodrigo Octavio* (1936), amigo e constante correspondente, que "sua letra era menos que indecifrável, e períodos havia [...] que eram para ser adivinhados antes que soletrados". (IM)

[896]

Para: FANNY DE ARAÚJO
Fonte: Revista da Sociedade dos Amigos de Machado de Assis.
Rio de Janeiro: 1959, n.º 2. Fac-símile do cartão de visita original.

[Rio de Janeiro,] 11 de julho de 1906.

À boa am*ig*a D*on*a Fanny de Araújo, em seu nome e no da *outra*[1]

MACHADO DE ASSIS

no dia de hoje, se é, como lhe parece, o seu dia de amor, e (*sic*) pede que divida as felicitações com seu marido[2]

18 Cosme Velho

---

1 ∾ A palavra "outra" vem sublinhada: trata-se de Carolina*, falecida em 1904 e amiga íntima de D. Fanny. Esta demonstrou a maior dedicação ao casal Machado de Assis. (IM)

2 ∾ Na página da *Revista*, figura outro cartão de Machado à mesma destinatária, [975], de 11/07/1907. Ambos parecem referentes ao aniversário de casamento de D. Fanny com Armando Ribeiro de Araújo*, que tomou as providências para o enterro de Carolina* e também foi um dos amigos que carregou o ataúde de Machado. Ver nota 1 em [610], tomo IV. (IM)

[897]

Para: JOAQUIM NABUCO
Fonte: Fundação Joaquim Nabuco. Fac-símile do telegrama original.

N.º 1965
Às 12:10

Joaquim Nabuco — Agência Mala Real Recife

Petrópolis, 12 de julho de 1906.[1]

Ao chegar à terra em que nasceu [,] receba Joaquim Nabuco esta saudação que a Academia Brasileira [,] da qual é parte eminente [,] envia ao embaixador do nosso país e do pensamento [,] da eloquência e da cultura do Brasil.²

Machado de Assis

---

1 ∾ Este telegrama, inédito, proveniente de Petrópolis, leva a crer que tenha sido redigido e enviado por Graça Aranha*, residente naquela cidade serrana, em nome de Machado e da Academia. (IM)

2 ∾ Nabuco retornava gloriosamente ao Brasil depois de sete anos de labor diplomático na Europa (1899-1905) e à frente da embaixada brasileira em Washington. Articulara e conseguira fazer do Rio de Janeiro a sede da III Conferência Pan-Americana, realizada de 12/07 a 27/08/1906. A viagem foi encetada via Europa, com embarque no dia 3, em Lisboa. Nos *Diários* (1908), Nabuco registra a 13/07/1906: "Tenho entusiástica recepção no Recife. Levam-me ao Teatro Santa Isabel. *Luncheon* em palácio." (IM)

[898]

"LA NACIÓN"
ADMINISTRACIÓN¹.

De: LUIS MITRE
Fonte: Original Datilografado, Arquivo ABL.

Buenos Aires, Julio 12, 1906.

San Martín 344, 350, 352 y 354²

Señor Machado de Assis
Rio de Janeiro.

Distinguido señor:

Aprovechando la oportunidad del viaje a esa capital de *Don* Ignacio Orzali³, a quien "La Nación⁴" envia como corresponsal especial en ocasión de celebrarse el congreso panamericano, me es muy grato al propio tiempo que presentarle a nuestro redactor remitirle por su intermedio un ejemplar especial de su obra "Esau y Jacob" que hicimos traducir para nuestra Biblioteca considerándola como una de las más preciadas producciones de la literatura brasilera (*sic*), dentro de la cual ocupa Usted tan distinguido puesto.

El favor público que ha merecido su novela bien nos ha demostrado que procedimos con acierto al ofrecerla a los lectores como una verdadera primicia.

Nos permitimos enviar a Usted también veinte ejemplares de la edición popular de su obra, para que haga de ellos el uso que estime oportuno.

Sin otro particular, tengo el gusto de saludar a Usted muy atentamente.

Luis Mitre

ADMINISTRADOR DE "LA NACIÓN"

---

1 ∾ Carta inédita. Documento datilografado. (SE)

2 ∾ É provável que se trate da calle San Martín, no centro histórico, uma das mais antigas ruas de Buenos Aires, remontando o seu traçado original a 1580. Hoje em dia é uma importante artéria do centro financeiro portenho. O diário *La Nación* tem seu endereço atualmente na calle 45, em La Plata. (SE)

3 ∾ Ignacio Orzali, redator do *La Nación*, partiu a 13 de julho no vapor *Amazonas* em direção ao porto do Rio de Janeiro, chegando no dia 17. Nesta viagem vieram também Emilio Mitre, pai de Luis Mitre, e proprietário do jornal, bem como diversos delegados de países da América do Sul. (SE)

4 ∾ *La Nación* é um dos mais antigos diários da América do Sul. Editado em Buenos Aires, o matutino foi fundado em 1870 por Bartolomé Mitre (1821-1906), ex-presidente da Argentina (1862-1868). Mitre foi sucedido na direção pelos filhos Bartolomé e Emilio. O filho mais velho Bartolomé, redator talentoso, *causeur* e boêmio, morreu muito jovem. O filho mais novo Emilio Mitre y Vedia, político de grande prestígio no país, assumiu então a direção do jornal, auxiliado por seus filhos Luis (1869-1950) e Jorge. Com a morte súbita de Emilio, em 25 de maio de 1909, Luis e Jorge tomaram a frente da empresa, dividindo os encargos e atribuições. Em 1932, Luis Mitre assumirá ambas as funções nas quais permanecerá até a morte, em 1950. (SE)

[899]

| Para: RODRIGO OCTAVIO
| *Fonte:* Manuscrito Original, Arquivo Particular.

[Rio de Janeiro,] 14 de julho [de 1906].[1]

Meu caro Rodrigo Octavio,

Dou-me pressa em lhe dizer o que me escapou ontem, isto é, que o Alberto de Oliveira faz parte da comissão da Academia que receberá o Nabuco.

Todo seu

Machado de Assis

---

1 ∾ A referência à recepção de Joaquim Nabuco*, que viria presidir a III Conferência Pan-Americana, assegura o ano de 1906. Ver telegrama [897]. Em 17/07/1906, Nabuco (2008) registraria: "Chegada ao Rio de Janeiro, que me recebe em triunfo. Ver jornais." (IM)

[900]

| De: EUCLIDES DA CUNHA
| *Fonte:* Manuscrito Original, Arquivo ABL.

Rio [de Janeiro], 19 de julho de 1906.

Ex*celentíssi*mo *Senho*r Machado de Assis

Meu prezado mestre,

O meu colega, portador desta, lhe dirá o doloroso motivo[1] que me impede de ir à justa manifestação de apreço a Joaquim Nabuco[2]. Peço--lhe, num abraço, desculpar-me com o nosso eminente compatriota.

E creia sempre na afeição sincera e no maior apreço do seu

Am*ig*o atento venerador

Euclides da Cunha

1 ◦∾ Além de estar muito doente, Euclides havia perdido o filho recém-nascido Mauro. (SPR)

2 ◦∾ A manifestação a que se refere Euclides aconteceu naquele mesmo dia 19 de julho, num banquete memorável no Cassino Fluminense. Joaquim Nabuco* havia chegado ao Brasil em 17 de julho para ultimar os preparativos da III Conferência Pan-Americana, da qual seria o presidente e Rio Branco*, o presidente de honra. (SE)

[901]

De: CONDE DINIS CORDEIRO
Fonte: Manuscrito Original, Fundação Casa de Rui Barbosa.

Rio de Janeiro, 24 de julho de 1906.

Prezado Amigo, ilustrado Senhor Joaquim Maria Machado de Assis

Com muito acanhamento, constrangimento mesmo, escrevo-lhe a respeito do aumento de aluguer da casa em que mora[1].

Quando meu filho[2] foi para Europa, disse-me por ocasião de entregar-me a administração da herança da Condessa de São Mamede, o seguinte: Com o senhor Machado de Assis não faça alterações.

Entretanto o sinistro da casa da sua Direita, dando aos herdeiros da Condessa um prejuízo de mais de um conto de réis por mês, deu motivo a alguns deles interpelarem-me a respeito. À vista da minha resposta, consoante a vontade dos filhos, su[ge]riram o argumento, considerando, disseram eles, que: 1.º não lhe era relativamente penoso o aumento do aluguer a 200R$; 2.º este aumento era relativamente insignificante [e] muito razoável; 3.º a depreciação dos rendimentos pelo incêndio mencionado punha alguns em embaraços por causa de compromissos futuros; 4.º havia menores e interessados ausentes em Portugal.

À vista do exposto, escrevo-lhe, p*ara* deliberar a respeito, [ex]cusando meu procedimento para com a pessoa que tanto prezo e considero

af*etuoso*, gr*ande* am*igo*

Amizade

Conde de Dinis Cordeiro[3]

---

1 ∾ Ver também a carta de 1895, [320], tomo III, do Visconde de Taíde*, procurador de Miguel de Novais*, marido de Joana Maria*, ex-condessa de São Mamede, solicitando a revisão dos valores do aluguel da casa do Cosme Velho, 18. (SE)

2 ∾ O filho Heitor de Basto Cordeiro* era então o administrador dos bens e procurador dos herdeiros de Joana Maria Ferreira de Novais, esposa do também já falecido Miguel de Novais, irmão de Carolina*. O hábito de chamá-la de condessa de São Mamede, parece, persistiu mesmo depois de sua morte. (SE)

3 ∾ Machado anotou "Respondi em 3 de Agosto que aceitava, 3/8-1906". (SE)

[902]

De: JAMES CARLETON YOUNG
Fonte: Manuscrito Original, Arquivo ABL.

[Minneapolis,] July, 29.th 1906.[1]

My Dear M*ister* de Assis[2]:

The enclosed circular[3] explains the plan of my literary collection for which your books have been selected. Will you honor me by inscribing same? In case you consent kindly card me list of what you have written, dates first published, prices, names and addresses of publishers.

With the assurance of my very high regard,

I remain sincerely yours

James Carleton Young[4]

1 ∾ Documento inédito. Há uma carta deste missivista, [770], de teor semelhante, no tomo IV. (SE)

2 ∾ TRADUÇÃO DA CARTA:
 Prezado Senhor: / A circular anexa explica o plano da minha coleção literária, para a qual seus livros foram selecionados. O senhor me honraria autografando-os? No caso de consentir, por gentileza, envie-me a lista do que escreveu, as datas das primeiras edições, os preços e os nomes e os endereços dos editores. / Com a certeza da minha mais alta consideração / Permaneço sinceramente seu / James Carleton Young. (SE)

3 ∾ Em 1904, James Carleton Young já havia se dirigido ao escritor com o mesmo propósito: assegurar que as primeiras edições machadianas de sua coleção fossem autografadas pelo autor. O empresário Young, depois de garantir a sua fortuna, dedicou-se seriamente à bibliofilia, buscando em viagens ao redor do mundo reunir uma vasta coleção de obras-primas da literatura universal. (SE)

4 ∾ Anexada ao manuscrito original, há uma tradução em espanhol, que transcrevemos abaixo sem corrigir. Esta tradução manuscrita, feita à época, por mão terceira, está escrita no mesmo papel timbrado do bibliófilo norte-americano e assinada por ele:

"Traduccion / Mi querido Señor de Assis, / La circular incluida explica el plano de mi colección literario por lo cual los libros de U. son selectidos. Quieres me hacer honra de inscribirlos? Si U. consenteis hazme el favor de enviarme una lista de todos que has escrito, las datas primeramente imprimidas, los precios, los nombres y los sobrescritos de los publicadores. / Con la seguridad de mi más alto consideración estoy / Su amigo sincero / James Carleton Young." (SE)

[903]

De: EMBAIXADA DOS ESTADOS UNIDOS DA AMÉRICA DO NORTE
Fonte: Convite Original, Arquivo ABL.

[Rio de Janeiro, 30 de julho de 1906.][1]

Réception[2] offerte au Secrétaire d'Etat et à Madame Root[3] L'Ambassadeur des Etats Unis d'Amérique[4] et Madame Griscom prient *Senho*r Machado de Assis de leur faire l'honneur de venir chez eux le lundi 30 Juillet à 9 ½ heures.[5]
R.S.V.P.

1 ∾ Documento inédito. Usou-se data do convite. (SE)

2 ∾ No Rio de Janeiro, o secretário de Estado Elihu Root cumpriu uma extensa agenda de compromissos oficiais e festas. Em 30 de julho, segunda-feira, dia a que se refere o presente convite, aconteceu o jantar que lhe foi oferecido pelo embaixador Griscom, seguido de recepção ao corpo diplomático e convidados no palacete da embaixada norte-americana em Petrópolis, na praça da Liberdade. Não se encontraram indicações de que Machado tenha ido. No dia 31 de julho, o secretário desceu de volta ao Rio acompanhado da família, da comitiva e de membros da embaixada, indo direto para Sessão Especial em sua honra na Conferência Internacional Pan-Americana, no Palácio das Exposições. (SE)

3 ∾ Elihu Root (1845-1937) e Clara Frances Wales Root (1878-1928) vieram ao Brasil a bordo do cruzador *Charleston*, a convite de Joaquim Nabuco*, para a III Conferência Pan-Americana. O secretário chegou ao Rio de Janeiro em 27 de julho, onde ficou até 3 de agosto, quando embarcou para Santos, rumo à capital paulista. Permaneceu ali até 8 de agosto, quando seguiu para o rio da Prata. Elihu foi secretário da Guerra (1899-1901) do presidente McKinley (1897-1901). Em 1905, assumiu a Secretaria de Estado do governo de Theodore Roosevelt (1901-1909) e foi nesta função que esteve no Brasil. Em 1907, assumiu o Ministério das Relações Exteriores norte-americano. (SE)

4 ∾ Lloyd Carpenter Griscom (1872-1959), segundo embaixador dos Estados Unidos no Brasil, era casado com Elizabeth Duer Bronson, Madame Griscom do convite. (SE)

5 ∾ TRADUÇÃO DO CONVITE:

O Embaixador dos Estados Unidos da América e Madame Griscom solicitam ao Senhor Machado de Assis de lhes fazer a honra de comparecer à sua residência na segunda-feira 30 de julho às 9 horas e meia. Responder, por favor. (SE)

[904]

> De: ALOÍSIO DE CASTRO
> *Fonte:* Cartão-Postal Original, Arquivo ABL.

Berlim, 1.º de agosto de 1906[1].

Ao mestre amado e venerado, muitas lembranças de

Aloísio de Castro

Herr
Doktor Joaquim Maria Machado de Assis
Ministério da Indústria e Viação
Rio de Janeiro
Brésil

---

1 ∾ Postal com a legenda "Berlin – Unter den Linden" (Sob as tílias), avenida principal da antiga Berlim Leste, projetada pelo arquiteto, pintor e urbanista Karl Friedrich Schinkel (1781-1841). Documento inédito. (IM)

[905]

> Para: CONDE DINIS CORDEIRO
> *Fonte:* Manuscrito Original, Arquivo ABL.

[Rio de Janeiro,] 3 de agosto de 1906.

Prezado am*igo* (...) (...)[1]
Excelentíssimo Senhor
Conde de Dinis Cordeiro[2]

 Ciente do que me comunica em sua carta de 24 do mês passado[3] e agradecendo-lhe as suas expressões de amizade pessoal, respondo à *Vossa Excelência* que aceito o aumento do aluguel da casa em que moro, Cosme Velho, 18, e p*ara* 200$000, segundo exigem de *Vossa Excelência* alguns dos herdeiros da Condessa de *São* Mamede.

Sou, com elevado respeito,
De *Vossa Excelência*
[Machado de Assis][4]

1 ᛫ Trecho de difícil decifração. Trata-se de um rascunho. (SE)

2 ᛫ O advogado Lopo Dinis Cordeiro morava bem perto de Machado de Assis, na rua das Laranjeiras 222. (SE)

3 ᛫ Ver carta do conde Dinis Cordeiro: [901]. (SE)

4 ᛫ O manuscrito guardado no Arquivo da Academia Brasileira de Letras é um rascunho. A expressão "mês passado" substituiu a palavra "julho", que figura riscada. (SE)

[906]

De: OTÁVIO MANGABEIRA
Fonte: Manuscrito Original, Arquivo ABL.

Bahia, 6 de agosto de 1906.[1]

Ilustríssimo Senhor Machado de Assis:

Saudações.

Ofereço respeitosamente à Vossa Excelência, em nome de minha família, um exemplar da primeira das obras póstumas do meu querido e saudoso irmão Francisco Mangabeira[2].

Desaparecido no túmulo aos vinte e quatro anos, sem tempo, por conseguinte, para deixar consolidada, nas letras de sua pátria, a individualidade que foi, — o malogrado poeta deixou a mim a tristíssima, se bem que nobre missão de fazer-lhe a propaganda das obras e do nome.

Neste intuito, suplico de Vossa Excelência, de sua palavra querida, respeitada, venerada no pensamento da Nação, a gentileza de um juízo sobre a obra que lhe envio, ou publicado, ou para ser publicado no órgão da imprensa baiana, de que sou o menos digno de todos os redatores. Tão justo é o meu pedido que, estou bem certo, Vossa Excelência não o lançará à margem.

Atento admirador —
Otávio Mangabeira

1 ◦∾ Papel timbrado: "Octavio Mangabeira / Redator-secretário da 'Gazeta do Povo'/ Bahia". Seria ele o 3.º ocupante da Cadeira 23, fundada por Machado de Assis. (IM)

2 ◦∾ Francisco Mangabeira (1879-1904), médico baiano e poeta simbolista. (IM)

[907]

Para: JOAQUIM NABUCO
Fonte: Fundação Joaquim Nabuco. Fac-símile do cartão de visita original.

[Rio de Janeiro,] 19 de agosto de 1906.[1]

Ao velho amigo Joaquim Nabuco um abraço apertado do velho amigo

MACHADO DE ASSIS[2]

1 ◦∾ Aniversário de Nabuco. (IM)

2 ◦∾ Provavelmente este cartão teve a dupla função de cumprimentar o aniversariante e de encaminhar a famosa carta machadiana da mesma data (ver [908], a seguir), comentando o livro *Pensées Détachées et Souvenirs*. (IM)

[908]

Para: JOAQUIM NABUCO
Fonte: Fundação Joaquim Nabuco. Fac-símile do manuscrito original.

[Rio de Janeiro,] 19 de agosto de 1906.[1]

Meu querido Nabuco,

Deixe-me[2] agradecer-lhe a impressão que me deixaram estas suas páginas de pensamentos e recordações[3]. Vão aparecer justamente quando Você cuida de tarefas práticas e de ordem política[4]. Um professor de

Douai, referindo-se à influência relativa do pensador e do homem público, perguntava uma vez (assim o conta Dietrich) se haveria grande progresso em colocar Aristides acima de Platão, e Pitt acima de Locke. Concluía pela negativa[5]. V*ocê* nos dá juntos o homem público e o pensador. Esta obra, não feita agora, mas agora publicada, vem mostrar que em meio dos graves trabalhos que o Estado lhe confiou, não repudia as faculdades de artista que primeiro exerceu e tão brilhantemente lhe criaram a carreira literária.

Erro é dizer, como V*ocê* diz em uma destas páginas, que "nada há mais cansativo que ler pensamentos." Só o tédio cansa, meu amigo, e este mal não entrou aqui, onde também não teve acolhida a vulgaridade. Ambos, aliás, são seus naturais inimigos. Também não é acertado crer que, "se alguns espíritos os leem, é só por distração, e são raros." Quando fosse verdade, eu seria um desses raros. Desde cedo, li muito Pascal, para não citar mais que este, e afirmo-lhe que não foi por distração. Ainda hoje, quando torno a tais leituras, e me consolo no desconsolo do Eclesiastes, acho-lhes o mesmo sabor de outrora. Se alguma vez me sucede discordar do que leio, sempre agradeço a maneira por que acho expresso o desacordo.

Pensamentos valem e vivem pela observação exata ou nova, pela reflexão aguda ou profunda; não menos querem a originalidade, a simplicidade e a graça do dizer. Tal é o caso deste seu livro. Todos virão a ele, atraídos pela substância, que é aguda e muita vez profunda, e encantados da forma, que é sempre bela. Há nestas páginas a história alternada da influência religiosa e filosófica, da observação moral e estética, e da experiência pessoal, já agora longa. O seu interior está aqui aberto às vistas por aquela forma lapidária que a memória retém melhor. Ideias de infinito e de absoluto, V*ocê* as inscreve de modo direto ou sugestivo, e a nota espiritual é ainda a característica das suas páginas. Que em todas resplandece[6] um otimismo sereno e forte, não é preciso dizer-lho; melhor o sabe, porque o sente deveras. Aqui o vejo confessado e claro, até nos lugares de alguma tristeza ou desânimo, pois a tristeza é facilmente consolada, e o desânimo acha depressa um surto.

Não destacarei algumas destas ideias e reflexões para não parecer que trago toda a flor; por numerosas que fossem, muita mais flor ficaria lá. Ao cabo, para mostrar que sinto a beleza e a verdade particular delas, bastaria apontar três ou quatro. Esta do livro I: "Mui raramente as belas vidas são interiormente felizes; sempre é preciso sacrificar muita coisa à unidade", é das que escrevem recordações históricas, ou observações diretas, e nas mãos de alguém narrador e psicólogo podia dar um livro. O mesmo digo daquela outra, que é também uma lição política: "Muita vez se perde uma vida, porque no lugar em que cabia ponto final se lança um ponto de interrogação." Sabe-se o que era a vida dos anacoretas, mas dizer, como Você, que "eles só conheceram dois estados, o de oração e o de sono, e provavelmente ainda dormindo estavam rezando", é pôr nesta última frase a intensidade e a continuidade do motivo espiritual do recolhimento, e dar do anacoreta imagem mais viva que todo um capítulo.

Nada mais natural que esta forma de conceito inspire imitações, e provavelmente naufrágios. As faculdades que exige são especiais e raras, e é mais difícil vingar nela que em composição narrativa e seguida. Exemplo da arte particular deste gênero é aquele seu pensamento CVII do livro III. Certamente, o povo já havia dito, por modo direto e chão, que ninguém está contente com a sua sorte; mas este outro figurado e alegórico é só da imaginação e do estilo dela: "Se houvesse um escritório de permuta para as felicidades que uns invejam aos outros, todos iriam lá trocar a sua." Assim muitas outras, assim esta imagem de contrastes e imperfeições relativas: "A borboleta acha-nos pesados, o pavão malvestidos, o rouxinol roucos e a águia rasteiros".

Em meio de todo este pensado e lapidado, as reminiscências que Você aqui pôs falam pela voz da saudade e do mistério, como esse quadro do cemitério de Petrópolis, em 1894[7], tão diverso do cemitério das cidades. Você exprime magnificamente aquela fusão da morte e da natureza, por extenso e em resumo, e atribui aos próprios enterrados ali a notícia de que "a morte é o desfolhar da alma em vista da eterna primavera."

Todos gostarão essa forma de dizer, que para alguns será apenas poética, e a poesia é um dos tons do livro. Igualmente sugestivo é o quadro do dia de chuva e o do dia de nevoeiro, ambos em Petrópolis também como este da "estrada caiada de luar", e este outro das árvores de altos galhos e folhas finas.

Confessando e definindo a influência de Renan em seu espírito, confessa V*ocê* ao mesmo tempo que "o diletantismo dele o transviou." Toda essa exposição é sincera, e no introito exata. Efetivamente, ainda me lembra o tempo em que um gesto seu, de pura fascinação, me mostrou todo o alcance da influência que Chateaubriand exercia então em seu espírito. O estudo do contraste destes dois homens é altamente fino e cheio de interesse. Um e outro lá vão, e a prova melhor da veracidade da confissão aqui feita é a equidade do juízo, a franqueza da crítica, o modo por que afirma que, apesar da religiosidade do exegeta, não se pôde contentar com a filosofia dele.

Reli *Massangana*. Essa página da infância, já narrada em nossa língua[8], e agora transposta à francesa, que V*ocê* cultiva também com amor, dá imagem da vida e do engenho do norte, ainda para quem os conheça de oitiva ou de leitura; deve ser verdadeira. Não há aqui só o homem de pensamento ou apenas temperado por ele; há ainda o sentimento evocado e saudoso, a obediência viva que se compraz em acudir ao impulso da vontade. Tudo aí, desde o sino do trabalho até a paciência do trabalhador, a velha madrinha, senhora do engenho, e a jovem mucama, tudo respira esse passado que não torna, nem com as doçuras ao coração do moço antigo, nem com as amarguras ao cérebro do atual pensador. Tudo lá vai com os primeiros educadores eminentes do seu espírito, ficando V*ocê* neste trabalho de história e de política, que ora faz em benefício de um nome grande e comum a todos nós; mas o pensamento vive e viverá.

Adeus, meu caro Nabuco, ainda uma vez agradeço a impressão que me deu, e oxalá não esqueça este velho amigo em quem a admiração reforça a afeição, que é grande.

Machado de Assis

1 ∾ Sem indicação de local, a data está no final da carta, abaixo da assinatura. (IM)

2 ∾ Mário de Alencar*, ao organizar o volume *Crítica* de Machado de Assis (Garnier, 1910), incluiu esta carta, na qual se lê "*Quero* agradecer-lhe". Além dessa, há outras discrepâncias (ou intervenções?), bem como palavras saltadas e erros tipográficos. Graça Aranha* (1923) mantém a versão de Alencar, livrando-a apenas dos erros evidentes. Aqui, o original manuscrito vem reproduzido fielmente. (IM)

3 ∾ Trata-se de uma alentada e expressiva apreciação do livro *Pensées Détachées et Souvenirs* (*Pensamentos Soltos e Recordações*) que Nabuco publicaria pela editora Hachette (Paris, 1906). Tais páginas remontam a 1893-1894, vivendo então o autor em Petrópolis, e a obra inclui "Pensées..." (livros I, II e III), o capítulo "Massangana. Souvenir d'enfance", bem como "L'Influence de Renan". (IM)

4 ∾ A III Conferência Pan-Americana, presidida por Nabuco no Rio de Janeiro. (IM)

5 ∾ Auguste Edgard Dietrich (1846-1905), autor e tradutor francês, que tinha grande interesse pela literatura alemã, no prefácio à tradução de *Parerga et Paralipomena: Ecrivains et Style* de Schopenhauer (Felix Alcan, 1905), refere-se a Karl Hildebrand, seu professor em Douai, que afirmava:

"Schopenhauer jamais negou o Estado e a nacionalidade: ele simplesmente combateu o exagero desses dois fatores na vida, desejou impor limites às usurpações, e nos apresentou como ideal, não o cidadão patriota, mas o pensador e o homem. Ora, deve-se afirmar bem alto que este ponto de vista é muito elevado. Todos os homens não podem ser estadistas, nem todos podem ser pensadores ou artistas, objetivo que Schiller atribuía à civilização. A geração deste poeta talvez exagerasse; mas a nossa exagera no sentido oposto, e é bom que todos não se deixem levar pela corrente. Não merece indiferença, com efeito, o fato de que uma nação reverencie o primeiro ideal ou o segundo. Ou acredita-se verdadeiramente que seria um grande progresso se um povo colocasse Aristides acima de Platão, Pitt acima de Locke?"

Achamos a obra citada na Coleção Machado de Assis, incorporada à Biblioteca da ABL, posteriormente designada como Biblioteca Acadêmica Lúcio de Mendonça – BALM. O próprio Machado a consultou ao iniciar suas considerações – e com evidente proveito nosso para a elaboração da presente nota. (IM)

6 ∾ No original, Alencar e Aranha dão "transparece". (IM)

7 ∾ Trecho omitido nas citadas transcrições, onde consta apenas "como esse quadro no cemitério das cidades". (IM)

8 ∾ *Minha Formação* (1900), capítulo XX. (IM)

[909]

De: JOÃO RIBEIRO
Fonte: Manuscrito Original, Arquivo ABL.

Rio [de Janeiro], 29 de agosto de 1906.

Caro amigo, S*en*h*o*r Machado de Assis,

Vim a saber pelo nosso amigo comum, Mário de Alencar, a notícia que me passou despercebida (porque quase não leio as folhas) da morte de uma cunhada sua[1]. Queira receber com estas linhas a segurança de que também senti com o amigo o pesar daquele golpe[2].

Meus pêsames.

Do muito seu, m*ui*to seu

João Ribeiro.

---

1 ∾ Adelaide Xavier de Novais, irmã solteira de Carolina*, falecida em 28/08/1905. Transferira-se de Portugal para o Brasil em 1868, com o irmão Miguel*, e sempre se mostrou hostil a Machado de Assis, desaprovando o seu casamento por considerá-lo "um mulato" indigno de tal união. Ver [82] no tomo I e [808], tomo IV, – uma deliciosa recusa machadiana a dar hospedagem à rabugenta cunhada. (IM)

2 ∾ Nesta carta, inédita, João Ribeiro parece ignorar a natureza do "golpe" talvez nada doloroso. Aliás, o nome Machado não aparece no anúncio fúnebre reproduzido na nota 1 de [913], cartão de 20/09/1906. (IM)

[909 A]

De: SOUSA BANDEIRA
Fonte: Manuscrito Original, Arquivo ABL.

Karlsbad, 5 de setembro de 1906.

Meu caro Mestre

Desta estação de águas, em que estou restaurando o fígado e me sujeitando a um regime imposto pela medicina, envio-lhe as vivas expressões da minha amizade.

Da minha viagem pela Suíça e Alemanha mandei-lhe alguns cartões-postais. Não sei se lhe chegou às mãos uma carta que lhe mandei de Lisboa com flores tiradas dos túmulos de Herculano, Garret[t], João de Deus, nos Jerônimos.

Agora, mando-lhe uma folha colhida no túmulo de João Paulo Richter, em Bayreuth[1], onde fui ouvir o Parsival[2].

Venho da Alemanha, onde passei 15 dias, literalmente entusiasmado. Especialmente Berlim encantou-me extraordinariamente. Se eu já era germanista, de longe, imagine como não fiquei, *depois de ter ouvido o próprio monstro*[3].

Pretendo ir daqui a Viena e viajar um pouco pela Itália. Não deixarei de ir contemplar de perto o Carvalho de Tasso, que inspirou ao nosso Nabuco a carinhosa ideia de fazer aquela tocante manifestação, para mim indissoluvelmente ligada às emoções da minha estreia acadêmica[4].

Por falar da nossa Academia, encantou-me a recepção do Mário[5]. Como, sem sair dos limites daquela adorável modéstia, ele soube dar realce à figura de Patrocínio, e evocar um nobre sentimento de piedade filial à memória de José de Alencar[6].

Minha mulher muito se lhe recomenda. Quanto a mim, peço-lhe que aceite um saudoso abraço do

amigo muito afetuoso

Sousa Bandeira.

Post Scriptum. Devo chegar ao Rio em meados de dezembro. Se precisar de alguma coisa, escreva-me para *Paris. Aux bons soins de M.*[7] *O. Dieckmann / 16 Boulevard Strasbourg.*

---

1 ∞ Johann Paul Friedrich Richter (1763-1825), ou Jean Paul, como é conhecido, está entre os autores influenciados por Laurence Sterne, e nesse sentido pertence à "família" estilística que além de Sterne inclui Xavier de Maistre, Almeida Garrett e o próprio Machado de Assis. Essa família tem entre suas características formais a mistura de riso e melancolia: a "lágrima que ri", na formulação de Jean Paul. Sousa Bandeira conhecia bem as preferências literárias de Machado, e assim não surpreende que ele o

tenha presenteado com uma folha colhida junto ao túmulo de Jean Paul. Não seria a primeira vez que uma relíquia desse gênero fora ofertada a Machado. Em 1883, Artur Azevedo* lhe trouxera um ramo do salgueiro plantado junto à sepultura de Alfred de Musset. E em 10 de agosto de 1905, Graça Aranha* ofertara a Machado, em sessão solene da Academia, um galho do carvalho de Tasso, colhido no Janículo, em Roma, por solicitação de Joaquim Nabuco*. Por coincidência, foi também nesse mesmo dia que ocorreu a posse de Sousa Bandeira na ABL. Ver sua referência na carta [1099], de 02/08/1908. (SPR)

2 ❧ A ópera *Parsifal* de Richard Wagner, composta entre 1877 e 1882, ano de sua estreia em Bayreuth, (IM)

3 ❧ Wagner. (IM)

4 ❧ Ver nota 2, e também as cartas [844] e [846]. (IM)

5 ❧ Mário de Alencar*, sucessor de José do Patrocínio, após uma candidatura impulsionada por Machado. Eleito, Mário recebeu críticas por parte da imprensa e não faltaram 'respingos' dirigidos à própria Academia e ao seu presidente. (IM)

6 ❧ O comentário, a seguir, é generoso e muito simpático. De fato, apesar das citadas adversidades, Mário proferiu um discurso da mais alta qualidade na sua posse, em 14/08/1906. (IM)

7 ❧ Aos cuidados do Senhor. (IM)

[910]

De: ALOÍSIO DE CASTRO
Fonte: Cartão-Postal Original, Arquivo ABL.

Paris, 14 de setembro de 1906.[1]

Lembranças do seu velho amigo e dis*cí*pulo

Aloísio de Castro

Monsieur le D[*irecteur*] Machado de Assis
Ministério da Indústria
Rio de Janeiro
Brésil

1 ~ Postal com a fotografia da estátua de Alexandre Dumas Filho, na praça Général Cartroux, em Paris, e a legenda *Alexandre Dumas Fils / par Saint-Marceaux*. Além desse monumento a Alexandre Dumas Filho (1824-1895), René de Saint-Marceaux (1845--1915) prestou outra homenagem ao escritor, esculpindo-lhe o túmulo, no cemitério de Montmartre. Registre-se que há ainda um busto de Dumas Filho no museu d'Orsay, mas de autoria de outro artista, Jean-Baptiste Carpeaux (1827-1875). (SPR)

[911]

De: MAGALHÃES DE AZEREDO
Fonte: Manuscrito Original, Arquivo ABL.

Genzano di Roma[1], 19 de setembro de 1906.

Villa Santa Fiora[2].

Meu querido Mestre e Amigo,

Queixe-se, ralhe-me pelo meu silêncio; daqui lhe estendo (se chegará até aí?) a minha mão, a mão direita, a que devia ter-lhe escrito e por tantos meses não lhe escreveu, para as palmatoadas corretivas! Carregue nos golpes com a ferocidade e a força dos antigos pedagogos nas escolas de El-Rei... Mas, por amor de Deus, não duvide do meu afeto e da minha memória! Há muitos, muitos anos que o prezo ternamente, e nunca um só ato meu desdisse de tal sentimento sincero e constante. Parece-me, pois, ter conquistado títulos bastantes, não só para ser crido, mas para ser também perdoado, sobretudo tratando-se de faltas epistolares que na nossa terra são, mais ou menos, faltas de toda a gente. É verdade que eu tenho contra mim antigos hábitos diversos dos atuais; mas são antigos, sim, são passados. Eu já fui um epistológrafo incansável; não o sou mais. E após tantos anos em que continuamente me queixava dos amigos, entram agora os amigos a queixar-se de mim. Que fazer? já não tenho tempo como dantes, as obrigações sociais e intelectuais multiplicaram-se, e sempre com tantos projetos literários na cabeça eu comecei a compreender a necessidade de aproveitar e poupar os dias.

Já não tenho essas horas risonhamente supérfluas dos vinte anos, que a gente atira pela janela com uma incúria de nababo ou de sibarita. *Ars longa, vita brevis! Ars longa, vita brevis!*[3] é esta a sentença da sabedoria que me ressoa na alma com uma insistência, desesperadora às vezes. Eu não tenho esperança de dar nem a metade, nem um terço, nem um quinto das criações que dentro do meu cérebro e do meu coração se vão obscuramente elaborando! Possa ao menos dar a parte essencial e característica do meu mundo poético!

Eis por que, meu querido Mestre e Amigo, as cartas são mais raras, e a cada passo encontro quem se mostre sentido comigo. Mas ao menos do seu espírito, tão próximo da perfeita sabedoria humana, espero indulgência, e, mais que indulgência, aprovação íntima. Espero sobretudo essa plena confiança em mim que reclamei há pouco. E de resto, eu me esforçarei d'ora em diante por dar-lhe mais frequentes notícias minhas, ainda que não seja em longas cartas, mas por vezes em simples bilhetes-postais. Prometi-lhe uma coleção de Roma, e ainda não lha mandei! quero mandar-lhe uma série, aparecida há pouco e assaz bem feita, da Capela Sistina.

Li com vivo prazer a notícia da solene recepção do nosso Mário na Academia[4]. Mamãe referiu-me penhorada à sua gentileza para com ela nessa ocasião: há tanto tempo eu queria pedir-lhe que a fosse visitar, e com o forçado adiamento das cartas nunca o fiz; mas creio que ainda a encontrará no Rio ao receber esta, vá vê-la, e lhe dará grande satisfação. Ela está na rua Marquês de Abrantes, 47[5]. Achei muito belo o discurso do Mário, que venceu galhardamente a dificuldade de celebrar um homem tão diverso e tão distante dele por temperamento moral e literário; confesso que não me agradou a resposta de Coelho Neto[6]; nem tive a paciência de a ler até o fim. Quanto artifício, quanta frieza real com aparências de calor, e que soma de erudição fácil, postiça, e escusada, que não encobre a falta do sentimento verdadeiro, a nulidade da vida interior! Triste castigo de quem, maravilhosamente dotado pela natureza, abusou dos seus dons congênitos, fazendo da arte uma prestidigitação ou uma série de espetáculos de cinematógrafo, em vez de tratá-la com respeito e com amor! O instrumento da expressão, forçado continuamente com uma viola de cantor boêmio, ficou falseado para sempre; não sabe mais a nota justa, a que corresponde, no ar livre e luminoso, à voz que vem da alma. Do solo fértil e escolhido, onde várias plantas de luxo cresciam e se ramificavam contando com o tempo necessário para o seu completo desenvolvimento, as mãos sôfregas do agricultor-empresário arrancaram cruelmente numa só primavera flores, folhas, galhos, raízes, apressando com processos demasiado intensivos o amadurecimento dos frutos que tardavam a ganhar cor e sabor. É de estranhar que a terra esteja exausta e que das novas sementes só venham plantas raquíticas?

Imagino que esplêndida terá sido essa festa da Academia, no Rio de Janeiro aformoseado e ressurgido, e com a presença dos delegados ao Congresso Internacional Americano[7]. Quanto senti não estar aí nessa ocasião! se estivesse, lhe solicitaria a honra e o prazer de receber o Mário na nossa casa, e estou certo de que seria atendido.

Como vê, estamos fora de Roma, embora a pouca distância, nesta magnífica Vila Santa Fiora. Viemos para cá no começo de julho, e voltaremos para Roma no de outubro. É esta maior liberdade da vida campestre que explica a extensão das páginas que lhe estou escrevendo. Mas não creia que me entrego ao repouso; trabalho no campo como na cidade. Tenho-me engolfado aqui nos estudos goethianos; tenciono publicar brevemente no *Jornal* um desenvolvido *ensaio* sobre *Goethe em Roma*, que depois reunirei com outros nos dois volumes dos *Aspectos da Itália*[8]. Retomei também a minha *Ode a Virgílio*, que imaginara e começara perto daqui em 1898, e depois abandonara; felizmente, porque após tantos anos de incubação, ela ressurgiu transformada; toda outra coisa. Se sair como eu *ouso esperar*, será a minha mais forte criação lírica até hoje. Com esses dois escritos, e alguns outros menores, o meu verão está honestamente ganhado.

Escreva-me. Aceite afetuosos cumprimentos nossos.

Abraça-o cordialmente o seu de sempre

Azeredo

1 ∾ A cidade de Genzano di Roma está localizada na província de Roma, região do Lácio, distante da capital cerca de 29km. Situa-se na encosta externa da cratera vulcânica que forma o lago de Nemi, a uma altura de 465m, dentro do Parque Regional de Castelli Romani e, na sua origem, era um posto de guarda do lago. (SE)

2 ∾ A *villa* do século XVIII, uma antiga e vasta propriedade campestre, característica dos arredores das cidades italianas, se transformara já àquela altura num hotel que muito agradou Azeredo. (SE)

3 ∾ *Ars longa, vita brevis* (a arte é longa, a vida é breve) é a versão latina do primeiro aforismo de Hipócrates, retomado por Sêneca no seu *De brevitate vitae*. Este provérbio também foi retomado nas literaturas modernas. É especialmente significativo o fato de ter sido posto por Goethe na boca de dois interlocutores do personagem Fausto: Wagner e Mefistófeles, na primeira parte do *Fausto*. É bom lembrar que Azeredo vinha se dedicando ao estudo do poeta. (SE)

4 ∾ Mário de Alencar* foi recebido solenemente na Academia Brasileira de Letras em 14 de agosto de 1906. O seu discurso foi publicado no livro *Alguns Escritos* (H. Garnier, 1910). (SE)

5 ∾ Dona Leopoldina Magalhães de Azeredo veio sozinha ao Brasil rever alguns parentes e cuidar de alguns negócios, hospedando-se na rua Marquês de Abrantes, 47, no Flamengo, residência de sua irmã e madrinha de seu filho, Júlia Magalhães, viúva do severo tio Coelho da infância de Azeredo. D. Leopoldina faleceu em Roma em 9 de agosto de 1936. (SE)

6 ∾ Segundo Magalhães Jr. (2008), Coelho Neto* absteve-se de fazer o elogio do recém-eleito, de quem leu um poema inexpressivo, aludindo em seguida à sua juventude, à herança esmagadora do nome paterno, que segundo ele, talvez fosse o grande obstáculo à nascente carreira de literato, passando em seguida a fazer um caloroso elogio do acadêmico falecido, José do Patrocínio (1853-1905), de quem foi amigo. Azeredo não teve paciência de ler todo o texto de Coelho Neto porque considerou um agravo a seu amigo dileto, Mário de Alencar, o modo como Neto construiu o discurso. Registre-se, por fim, que este foi eleitor de Domingos Olímpio (1851-1906). (SE)

7 ∾ III Congresso Pan-Americano. (SE)

8 ∾ *Aspectos da Itália* foi só parcialmente editado. (SE)

[912]

> Para: SENHORA NÃO IDENTIFICADA
> *Fonte:* MACHADO, Ubiratan. *Dicionário de Machado de Assis.* Rio de Janeiro: Academia Brasileira de Letras, 2008. Fac-símile do manuscrito original.

A Carolina

Querida, ao pé do leito derradeiro
Em que descansas dessa longa vida,
Aqui venho e virei, pobre querida,
Trazer-te o coração do companheiro.

Pulsa-lhe aquele afeto verdadeiro
Que, a despeito de toda humana lida,
Fez a nossa existência apetecida
E num recanto pôs o mundo inteiro.

Trago-te flores, — restos arrancados
Da terra que nos viu passar unidos
E ora mortos nos deixa e separados.

Que eu, se tenho nos olhos malferidos
Pensamentos de vida formulados,
São pensamentos idos e vividos

      Machado de Assis

[Rio de Janeiro,] 27 de setembro de 1906.

Excelentíssima Senhora[1],

 Cumpro a minha promessa de há dias, remetendo à Vossa Excelência o soneto que escrevi à minha boa Carolina, e que Vossa Excelência achará na página anterior. Espero que me releve a demora, e subscrevo-me

    De Vossa Excelência

   atento admirador e obrigado

    Machado Assis

1 ◈ Os cartões-postais autografados estavam em plena moda. Em 10 de janeiro de 1906, [873], Maria de Barros* pede a Machado o seu. Em 19 de maio de 1906, [888], Sousa Pinto* também pede o seu. No presente caso é possível que a dama tenha estado pessoalmente com o escritor que em resposta lhe diz cumprir a promessa que há dias lhe fez. Seria D. Leopoldina Magalhães de Azeredo, com quem Machado estivera? (SE)

[913]

Para: MÁRIO DE ALENCAR
Fonte: Cartão de Visita. *Ilustração Brasileira,* ano 17, 50.
Arquivo Nacional. Fac-símile do original.

[Rio de Janeiro, 29 de setembro de 1906.]
Obrigado meu bom amigo

Não é preciso escrever; basta mandar dizer como passou.

Machado de Assis[2]
18 Cosme Velho

1 ◈ Cartão tarjado de luto, possivelmente pela morte da cunhada Adelaide. Com respeito a este assunto, Magalhães Jr. (2008) situou o evento em julho de 1906; no entanto o anúncio publicado nos principais jornais da cidade do Rio de Janeiro, no dia seguinte ao passamento, não deixa dúvidas, ela faleceu no dia 28 de agosto de 1906:

"ADELAIDE XAVIER DE NOVAIS. / Sara Braga e Costa e seu marido major Bonifácio Gomes da Costa, Arnaldo Braga (ausente), Ariosto Braga participam às pessoas de sua amizade **o falecimento ontem, 28 de agosto**, às 9 horas da noite, devendo o enterro realizar-se hoje, às 16 horas, no cemitério de S. Francisco Xavier, saindo o féretro da praia de S. Cristóvão n. 149." (SE)

[914]

De: OLÍMPIA PASSOS
Fonte: Manuscrito Original, Arquivo ABL.

Rio [de Janeiro], 10 de outubro de 1906.

Ilustríssimo Senhor
Doutor Machado de Assis

cumprimenta (*sic*) Olímpia Passos e desejando levar brevemente à cena, em benefício de caridade[1], a sua comédia "Não consultes médico"[2], pede o obséquio de mandar algum exemplar que tenha em casa, ou designar onde pode ser encontrado.

Com os protestos de elevada estima e alto conceito, sou de V*ossa* E*xcelência* criada atenta

[Olímpia Passos]

Laranjeiras, 123[3]

---

1 ~ Filha do ainda prefeito Pereira Passos (1902-1906), Olímpia Passos era secretária da Associação Protetora do Asilo Bom Pastor, dirigida por sua mãe, Maria Rita de Andrade Passos (f. 1912), instituição para a qual possivelmente pede nesta carta os favores de Machado. O asilo instalou-se no terreno do convento Bom Pastor, na antiga rua D. Feliciana, 17, na Tijuca. Fundada na França em 1651, a Congregação de Nossa Senhora da Caridade do Bom Pastor d'Angers se estabeleceu no Rio de Janeiro em 1891, com a missão, segundo os Estatutos da Associação Protetora do Asilo (1907), de promover "a regeneração das mulheres e moças extraviadas que desejassem sair do vício, reformar a sua vida e adquirir meios de honrosa subsistência". Logo que se instalou na cidade, ganhou o apoio da sociedade carioca abastada, que auxiliou na construção do convento e do asilo, seja com a doação do terreno e de dinheiro, seja na promoção de atividades beneficentes. Como estavam na moda os *garden parties*, Olímpia organizou batalhas de flores no Passeio Público, Festivais Campestres no Campo de Santana e na Quinta da Boa Vista; e *five o'clock teas* seguidos de peças de teatro, de recitais de músicos e corais no bar do Pavilhão de Regatas, na praia de Botafogo, no final das tardes, sempre em favor do asilo tijucano. Anos mais tarde, Olímpia Passos tornou-se diretora da instituição. Até 1942, não havia no Rio presídio feminino; muitas menores

infratoras e mesmo mulheres criminosas encontraram abrigo no Bom Pastor, onde havia uma política de oficinas educativas, nas quais as abrigadas desenvolviam toda sorte de trabalhos manuais e prendas domésticas, com vistas à ressocialização e consoante a ideologia da época. Olímpia faleceu em Paris em 1947. Sobre o seu pai, o prefeito Pereira Passos, ver nota 8, carta [845]. (SE)

2 ～ Sobre a peça *Não Consultes Médico*, ver tomo III. (SE)

3 ～ Endereço da família Passos. (SE)

[915]

De: EXPOSITION MARITIME INTERNATIONALE
Fonte: Original Datilografado, Arquivo ABL.

Bordeaux, le 3 novembre 1906.[1]

Monsieur le Président de l'Academia Brasileira de Letras

47, Rua da Quitanda[2], RIO DE JANEIRO

Monsieur le Président,

Sur la demande de Monsieur le Consul du Brésil à Bordeaux, nous avons l'honneur de vous adressser, par ce même courrier, une affiche de l'Exposition Maritime Internationale de Bordeaux à laquelle nous joignons quelques Règlements et documents contenant tous les renseignements nécessaires.

Notre Exposition qui est officiellement patronée par le Gouvernement français aura une importance et un retentissement considérables et nous pensons que le Brésil voudra bien s'y intéresser et que ses négociants et industriels auront interêt à y prendre part.

Veuillez agréer, Monsieur le Président, l'assurance de nos sentiments très distingués.

Pour le Commissaire Général adjoint[3]:

(...)[4]

1 ⚭ Papel timbrado: "Centenaire de la Navigation à Vapeur / Ville de Bordeaux / Mai-Novembre 1907 / Organisée par la Ligue Maritime Française / Sous le Patronage Officiel du Gouvernement Français (...)". (IM)

2 ⚭ Endereço do escritório de Rodrigo Octavio*, onde a Academia se reunia até a transferência, em 31/07/1905, para o prédio do cais Lapa — logo denominado Silogeu Brasileiro. Nota-se que o remetente estava bastante desatualizado. (IM)

3 ⚭ O comissário geral era Emile Bertin (1840-1924), engenheiro naval francês, um dos mais notáveis de sua época, proponente da filosofia "Jeune Ecole" que optou pelo uso de navios de guerra leves, porém fortemente armados, ao invés de grandes encouraçados. Autor de inovações, foi o criador da marinha militar japonesa no período Meiji. Semelhante expoente, à frente da Exposição de 1907, mostra a importância de um evento que também teve notável participação russa. Não esquecer os conflitos internacionais que precederam a I.ª Guerra Mundial. (IM)

4 ⚭ Assinatura de difícil decifração. Resta saber o que a Academia Brasileira de Letras fazia "dans cette galère". Mais uma intervenção do barão do Rio Branco*? (IM)

TRADUÇÃO DA CARTA:

Bordéus, 3 de novembro de 1906. Senhor Presidente da Academia Brasileira de Letras. 47, rua da Quitanda./ Senhor Presidente, / A pedido do Senhor Cônsul do Brasil em Bordéus, temos a honra de dirigir-lhe, em anexo, um cartaz da Exposição Marítima Internacional de Bordéus, ao qual juntamos alguns regulamentos e documentos que contêm todos os esclarecimentos necessários. / Nossa Exposição, que é oficialmente patrocinada pelo Governo francês, terá uma importância e uma repercussão consideráveis, e acreditamos que o Brasil poderá interessar-se por ela, e que seus comerciantes e industriais terão interesse em dela participar. / Com toda a nossa consideração. / Pelo Comissário-Geral Adjunto / (...). (SPR)

[916]

De: MÁRIO DE ALENCAR
Fonte: Manuscrito Original, Arquivo ABL.

Rio [de Janeiro], 2 de dezembro de 1906.

Meu bom e prezado amigo *Senhor* Machado de Assis

Peço que me mande dizer como chegou ontem, e se dormiu bem. Apesar da ansiedade que eu sentia e me absorvia quase toda a atenção, fiquei com cuidado sobre a sua saúde[1] e o acompanhei mentalmente até à sua casa. Eu passei como tenho passado estes últimos dias, nem muito bem nem muito mal quanto ao corpo; quanto ao espírito, em penumbra, que é mais triste que a sombra. Não desespero de reaver a luz, mas sinto que ela vai tardando muito.

Adeus. Creia no meu grande reconhecimento pela sua bondade e na minha sincera amizade

Mário de Alencar

---

1 ◊ Esta é a primeira carta em que Mário manifesta abertamente preocupação com o estado de saúde de Machado de Assis. Daqui para frente, quase todas expressarão esse cuidado. Por outro lado, esta é uma de suas cartas mais sombrias a respeito de si mesmo, uma carta desesperançada a que Machado responderá no mesmo dia dizendo: "tenha ânimo". Aliás, é significativo que tenha sido Mário o interlocutor mais íntimo desta fase final da vida de Machado, com o qual o escritor se abria sem grandes reservas sobre as fragilidades do corpo e sobre a sua doença. Mário de Alencar era um homem permanentemente acossado por estados mentais aflitivos, fossem reais, como no caso da recém-diagnosticada epilepsia, fossem eles reflexos de uma hipersensibilidade aos acontecimentos, como no caso da repercussão negativa à sua eleição para a Academia, em outubro de 1905, controvérsia que chegou às páginas dos periódicos e que ainda o desequilibrava. Por esta última razão, vinha cogitando afastar-se por um tempo a fim de se recuperar. Sobre as suas férias campestres, ver cartas [917]; [921], de 26/12/1906; [926], de 02/01/1907; [927], de 05/01/1907; [928], de 08/01/1907. Sobre o diagnóstico de epilepsia, ver carta [881]. (SE)

[917]

Para: MÁRIO DE ALENCAR
Fonte: COUTINHO, Eduardo; OLIVEIRA, Teresa Cristina Meireles de. *Empréstimo de Ouro*. Rio de Janeiro: Ouro Sobre Azul, 2009. Fac-símile do original.

[Rio de Janeiro,] 2 de dezembro [de 1906][1].

Meu bom amigo,

Hoje almocei fora e fui a visitas. Ao chegar a casa recebi o seu bilhete; passei bem a noite e estou bem. Agradeço muito o seu cuidado, e na medida em que um conselho é possível, aqui lho dou; tenha ânimo. Bem sei que é mais difícil dizê-lo que cumpri-lo, mas não se perde nada em dizê-lo, e pode-se ganhar alguma coisa.

A mãe do nosso Magalhães de Azeredo[2] (foi uma das minhas visitas de hoje) referiu-me o estado do filho e a completa cura que alcançou em Roma. Falávamos justamente a seu respeito. Há de saber tudo, eu sabia alguma coisa; lá vão anos e este continua rijo.

Espero muito da sua viagem a Lorena. Depois me dirá as sensações que tiver, e quem sabe se eu ainda terei dedos e olhos para as pôr no papel? Até breve, meu amigo; tenha ânimo, repito. Respeitos e saudades, até breve e *sursum corda*[3]!

Velho amigo certo

Machado de Assis

---

1 ∾ Mário de Alencar está se preparando para passar uma temporada em Lorena, São Paulo. Na carta [921] de 26 de dezembro de 1906, Machado fará nova alusão à viagem. Logo depois, em 2 de janeiro de 1907, [926], Mário vai lhe escrever de lá. A referência constante à cidade de Lorena, portanto, esclarece o ano desta carta. Sobre as razões da viagem, ver nota 1, carta [916]. (SE)

2 ∾ Magalhães de Azeredo* aludiu à presença da mãe no Rio de Janeiro em duas cartas: [911] de 19 de setembro de 1906 e [933], de 5 de fevereiro de 1907. D. Leopoldina Magalhães de Azeredo estava hospedada na rua Marquês de Abrantes, 47, no Flamengo, residência de sua irmã Júlia. Ver nota 5, carta [911]. (SE)

3 ∾ Sobre a expressão *sursum corda*, ver nota 4, carta [725], tomo IV. (SE)

[918]

De: MAROQUINHA JACOBINA RABELO
Fonte: Cartão de Visita Original, Arquivo ABL.

[Rio de Janeiro,] 15 de dezembro de 1906.

Doutor Machado de Assis

Tenho um desejo imenso de convidá-lo para a festinha colegial preparada por minhas Irmãs e por mim[1], mas o receio de ser inoportuna e indiscreta fazem preceder o convite oficial por este cartão². Seria uma honra para mim a sua presença para criticar uns trabalhinhos meus que serão levados pelas alunas de minhas Irmãs, trinta meninas de 7 a 12 anos. Peço-lhe o grande obséquio de responder-me uma só palavrinha³, perdoando a sua grande admiradora

Maroquinha

---

1 ⁓ Festa no Colégio Jacobina, fundado por Isabel Jacobina Lacombe em 1902 e dirigido também por Francisca Jacobina Lacombe. As duas educadoras, Dona Belinha e Dona Chiquita, contaram com a permanente e brilhante colaboração de sua irmã Maroquinha, no ensino da literatura e na composição de textos, poemas e hinos a serem apresentados pelas alunas. (IM)

2 ⁓ O manuscrito está em cartão de visita, no qual foram riscados os nomes impressos "César de Sá Rabelo / Maria Jacobina de Sá Rabelo". (IM)

3 ⁓ Ainda não foi possível localizar a esperada resposta, e tampouco saber se Machado compareceu ao evento. Mas, segundo Laura Jacobina Lacombe (1962), sabe-se que, "Na festa de encerramento, tia Maroquinha apresentou duas peças [:] 'Um Clube Feminista' e 'Crisântemo'." (IM)

[919]

Para: HEITOR DE BASTO CORDEIRO
Fonte: EULÁLIO, Alexandre. *Livro Involuntário.* Rio de Janeiro: UFRJ, 1993. Cópia reprográfica do original.

Rio de Janeiro, 17 de dezembro de 1906.

Meu caro Heitor¹,

Aqui lhe mando um grande abraço pelo resultado da última campanha. Cá tenho sabido dos telegramas que dão notícia desta, confirmando todos eles as esperanças dos seus amigos². Ontem soube do último que mandou a seu pai, comunicando haver deixado o leito e achar--se em ótimo estado. Ainda bem, meu querido Heitor. Aí nos torna restabelecido o forte de outros dias, merecedor de todos os tempos, ao lado da companheira terna e paciente, que soube crer, esperar e consolar; dê-lhe também os meus parabéns, e aos queridos filhos[3] que tem consigo.

A Guiomar[4] mostrou-me a sua carta de há três dias, cheia da descrição interessante das árvores e das neves próximas. Já agora irei deste mundo sem ver tais espetáculos, mas ainda uma vez tive a sensação deles nas linhas que Você escreveu. Aqui a nossa eterna primavera dá uma ideia enganosa da estabilidade das coisas, e é preciso que os homens mudem para que a gente sinta bem que nada é contínuo ou estável.

Não tem havido novid*ad*e, salvo algum incidente político, aliás de escassa importância. A Avenida Central[5] continua a encher-se de gente, e há já muito quem tome refrescos nas calçadas. Veja se isto é o nosso Rio. A Avenida Beira-Mar está quase completa. Os automóveis [,] ainda que não sejam muitos, já cometem algum atropelo.

Adeus, meu caro Heitor. Dizem-me que esta será a última carta que lhe mandarei daqui, e ainda bem, vê-lo-ei dentro de pouco. Até breve, meu am*ig*o, e receba outro abraço do amigo velho.

Machado de Assis

---

1 ∾ Heitor de Basto Cordeiro casou-se em 06/05/1893 com Francisca Carolina Smith de Vasconcelos*, primogênita de Eugênia (1854-1929) e de Rodolfo Smith Vasconcelos (1846-1926), na igreja da Imaculada Conceição, na praia de Botafogo. Os barões Smith de Vasconcelos eram vizinhos e íntimos do casal Assis, no Cosme Velho. Eugênia era filha dos condes de São Mamede, velhos amigos de Carolina* e Machado. (SE)

2 ∾ Aos 41 anos, Heitor estava com a saúde abalada desde 1904. Em maio de 1906, viajara com a família à Europa a fim de buscar cura médica e fazer uma estação de repouso na Suíça. Em Paris, esteve no Instituto Pasteur, consultando-se com o Dr. Roux, imunologista e bacteriologista de renome internacional. Malgrado os esforços, Heitor viveria apenas mais um ano e dois meses. Voltou ao Brasil em 1907, vindo a falecer em 1.º de fevereiro de 1908, na sua residência de Laranjeiras. (SE)

3 ∾ Francisca e Heitor tiveram entre 1894-1907 seis filhos: Rodolfo, Míriam, Valesca, Haroldo, Heitor e Mário, que faleceu em 1908. Sobre a morte do pequeno Mário, com pouco mais de seis meses, ver comentário de Machado na carta [1054], de 17/05/1908. (SE)

4 ∾ Guiomar Eugênia Smith de Vasconcelos (1876-1962), irmã de Francisca Carolina de Basto Cordeiro. (SE)

5 ∾ A avenida Central foi inaugurada em 7 de setembro de 1904, mas foi entregue ao tráfego somente em 15 de novembro de 1905. O eixo elegante que antes se concentrava na rua do Ouvidor foi progressivamente se deslocando para a nova avenida. Sobre as reformas do prefeito Pereira Passos, ver nota 8, carta [845]. (SE)

[920]

De: HEMETÉRIO JOSÉ FERREIRA MARTINS
Fonte: Cartão-Postal Original, Arquivo ABL.

Campos, 24 de dezembro de 1906.[1]

Boas-festas

Heméterio Martins[2]

Ilustríssimo Senhor
Machado de Assis
Capital Federal

---

1 ∾ Cartão-postal inédito mostrando uma vista panorâmica do Rio Paraíba nos arredores da cidade de Campos dos Goytacazes, estado do Rio de Janeiro. (SE)

2 ∾ É provável que tenha se aproximado de Machado em razão da sua antiga amizade com Graça Aranha*. Quando advogou em Campos, nos anos finais do antigo regime, Graça Aranha, entusiasta do republicanismo, fundou o jornal *A República* e, ao lado de Hemetério Martins, conspirou em favor da nova ordem política na cidade. Aliás, por seus bons serviços à causa republicana, Graça Aranha tornou-se o primeiro juiz nomeado por Deodoro da Fonseca. Sobre o missivista, ver carta [810], tomo IV. (SE)

[921]

Para: MÁRIO DE ALENCAR
Fonte: COUTINHO, Eduardo; OLIVEIRA, Teresa Cristina Meireles de. *Empréstimo de Ouro.* Rio de Janeiro: Ouro Sobre Azul, 2009. Fac-símile do original.

Rio de Janeiro, 26 de dezembro de 1906.

Meu querido amigo,

Recebi ontem a sua carta de 24[1], e escrevo-lhe hoje sem saber se terá partido sempre para a fazenda[2]. Creio que esta carta já lá o encontre. O que lhe sucedeu na viagem era natural; eu chegaria do mesmo modo. Agora é seguir e descansar, vendo as coisas novas e interessantes, com que areje a alma e fortaleça o corpo.

Vejo que a esposa, a mamãe e os filhos chegaram sem novidade[3]. As duas levaram o melhor viático, o desejo de o ver bom, e a confiança na ação da roça. Todos nós aqui partilhamos a mesma esperança e contamos vê-lo tornar restaurado para a família, para os amigos e para as letras.

Eu tenho passado sem novidade. Agora estou bastante cansado, particularmente do pescoço, que me dói, visto que ontem gastei todo o dia curvado a trabalhar em casa. Para quem já havia trabalhado todo o domingo, — (nos outros dias tenho a interrupção das tardes) foi realmente demasiado. Mas eu não me corrijo.

Aqui nenhuma novidade. O Artur Orlando[4] mandou-me carta apresentando-se candidato à Academia na vaga do Loreto; já a levei ao Rodrigo Octavio para que publique a notícia e guarde a carta. Ainda não recebi do Assis Brasil. Não sei se teremos outros candidatos, mas é possível. A Academia pegou, como dizem alguns, e parece que sim.

Adeus, meu querido Mário, até a próxima. Apresente os meus respeitos às suas queridas companheiras, lembranças aos pequenos, e um grande abraço para si do

Velho e grato am*i*go
Machado de Assis

1 ∾ Documento ainda não localizado. (SE)

2 ∾ Apesar da grande festa que coroou a sua posse solene na Academia Brasileira de Letras em 14 de agosto, Mário havia se abatido muito com a reação negativa da imprensa carioca à sua eleição, entrando num estado depressivo profundo, do qual teve grande dificuldade de se recuperar. Na tentativa de recobrar o ânimo, transferiu-se com a família para a fazenda Conceição, nas terras que pertenciam ao político paulista Arnolfo Rodrigues de Azevedo (1868-1931), situada junto o ribeirão do Ronco, nos arredores de Lorena, São Paulo. Sobre o estado de espírito de Mário de Alencar, ver nota 1, carta [916]. (SE)

3 ∾ A esposa Helena (1875-1943); a mãe D. Georgiana Cochrane de Alencar (1847-1913) e os filhos: Leo, Haroldo, Gil, Rui, Ivo e Jorge. Dos seis filhos, dois faleceram na juventude: Jorge, o caçula, de doença pulmonar, aos 22 anos, em 1927, na cidade de Palmira, hoje Santos Dumont, Minas Gerais; e Haroldo, aos 30 anos, assassinado numa *garçonnière*, na rua da Candelária, no centro histórico do Rio, em 1930. (SE)

4 ∾ Franklin Dória*, o barão de Loreto, faleceu em 28/10/1906. A morte foi comunicada na sessão ordinária de 22/11/1906, data em que foi estabelecido o prazo final para as inscrições das candidaturas (28/02/1907) e a eleição foi fixada para a segunda quinzena de abril. Neste meio tempo faleceu Teixeira de Melo*. A reunião de 11 de abril, cujo objetivo era dar a conhecer as candidaturas, foi suspensa em honra do morto. Na reunião de 25 de abril, havia apenas o nome de Orlando; o presidente da ABL então fixou o novo prazo final das inscrições: 27 de junho. Nesta sessão, Artur Orlando foi eleito à Cadeira 25, com dezenove votos. Os rumores de que Joaquim Francisco Assis Brasil (1857-1938) apresentaria a sua candidatura não se confirmaram. Registre-se, por fim que a carta de Artur Orlando a que Machado alude é um documento ainda não localizado. (SE)

[922]

Para: DOMÍCIO DA GAMA
Fonte: Transcrições, Arquivo ABL.

Rio de Janeiro, 29 de dezembro de 1906.

Meu caro Domício,

   Vim procurá-lo e soube que está em Petrópolis e não descerá hoje[1]. Disse-me o senhor Vasco Schmith (*sic*) de Vasconcelos[2] que o *Doutor* Dutra, adido à Secretaria, vai pedir demissão 2.ª feira, depois de amanhã. Ele deseja o lugar para si, e já uma vez lhe falei disto, a pedido dele; é estudante do I.º ano de direito. Pode você interceder por ele? Não desejo incomodar indiretamente o nosso Rio Branco a este respeito, nem sei se lhe poderia falar hoje. Escrevo também ao Graça Aranha.

Receba as saudades de um velho amigo e mande-me as suas, se lhe mereço algumas. Adeus, meu caro Domício, não esqueça o

>   Am*ig*o velho
>   Machado de Assis.

I ∽ O diplomata, trabalhando diretamente com Rio Branco*, teria ido despachar com este em sua residência de Petrópolis. (IM)

2 ∽ Filho do estimado vizinho, no Cosme Velho, barão Smith de Vasconcelos. (IM)

[923]

De: EPAMINONDAS LEITE CHERMONT
Fonte: Cartão-Postal Original, Arquivo ABL.

Washington, dezembro de 1906[1].

Feliz ano-novo.

>   E. L. Chermont

Excelentíssimo *Senho*r Machado de Assis
Cosme Velho, 18
Rio de Janeiro
Brasil

I ∽ Cartão-postal inédito com a imagem da Biblioteca do Congresso Americano. Neste ano de 1906, Epaminondas Leite Chermont esteve no Brasil, durante a III Conferência Pan-Americana, exercendo a função de secretário do embaixador brasileiro em Washington Joaquim Nabuco*. Chegaram em 17 de julho e partiram em 18 de outubro no navio *Thames*, em direção a Nova York. Certamente neste período esteve com Machado de Assis. (SE)

[924]

| Para: GILBERTO FREIRE DE ANDRADE
| *Fonte:* Cartão-Postal Original, Arquivo ABL.

Rio [de Janeiro], 1906.

Ao ilustríssimo amigo

Comendador Gilberto Freire de Andrade como uma recordação de

Machado de Assis[2]

---

1 ∞ Documento inédito. O anverso do cartão-postal, que faz parte da *Collection Artistique du Vin Désiles*, reproduz uma foto da cantora lírica Suzanne de Behr. Logo abaixo, ela escreveu: "*Rechauffée par le Vin Désiles je n'en veux plus boire d'autre. S. de Behr*". No verso, Machado de Assis redirecionou o cartão-postal escrevendo então ao comendador. A cantora Suzanne de Behr esteve no Brasil, no Teatro Municipal de São Paulo, em agosto de 1909, pela famosa companhia de Gabrielle Réjane. (SE)

[925]

| De: CORRESPONDENTE NÃO
| IDENTIFICADO
| *Fonte:* Cartão-Postal Original, Arquivo ABL.

Natal, 1.º de janeiro de 1907.[1]

Felicito à V*ossa* Excelência, desejando-lhe fagueiros dias, na entrada do novo ano.

(Assinatura não identificada)[2]

Ex*celentíssi*mo Sen*ho*r (*Diretor*) Machado de Assis
Secretaria do Ministério da Viação e Obras Públicas
Rio de Janeiro

---

1 ∞ Postal com fotografia e legenda: "Natal – Uma festa nas oficinas da comissão de melhoramentos do Porto". Documento inédito. (IM)

2 ⚭ Pelo tema, tratamento e endereçamento, bem como pela caligrafia original, pode-se inferir que o correspondente não faz parte do círculo de amigos que geralmente escreviam para o Cosme Velho, 18, ou aos cuidados da livraria Garnier. (IM)

[926]

De: MÁRIO DE ALENCAR
Fonte: Revista da Academia Brasileira de Letras, XXXVI, n.º 115, 1931.

Fazenda da Conceição[1], 2 de janeiro de 1907.

Meu querido amigo.

Disse-lhe no bilhete-postal[2] que ao chegar aqui lhe escreveria longamente. São passados sete dias[3] que estou na fazenda e ainda hoje é com esforço grande que vou vencendo o torpor do espírito que me traz preso a uma ideia fixa, e lhe escrevo esta carta. Não melhorei ainda nem com a viagem nem com a vinda para a fazenda. Trouxe comigo o que é irredutível e irremediável: o meu temperamento, a minha melancolia.

Mas para que aborrecê-lo com estas coisas velhas e repisadas? Dizem-me todos que hei de curar-me, esquecendo a minha moléstia; pois esqueçamo-la agora, ao menos para poupar ouvidos amigos.

O *Senhor* como tem passado? Dê-me notícias suas bem minuciosas; sabe quanto elas me interessam. Não abuse de suas forças; não há serviço ou negócio público que valha o menor sacrifício da sua saúde.

Adeus, meu querido amigo, receba recomendações de Babi e Mamãe e abraços deste seu sincero e grato amigo

Mário

---

1 ⚭ Sobre a fazenda Conceição, ver nota 2, carta [921]. (SE)
2 ⚭ Documento ainda não localizado, possivelmente de 24 de dezembro. (SE)
3 ⚭ Mário chegou à fazenda antes de 24 de dezembro de 1906, pois na carta [921], de 26 de dezembro, Machado faz alusão a uma carta de 24 de dezembro, provavelmente o bilhete-postal em que Mário lhe descrevia o mal-estar vivido durante a viagem. Ver primeiro parágrafo da carta [921]. Registre-se que o bilhete-postal de 24 de dezembro é de paradeiro desconhecido. (SE)

[927]

Para: MÁRIO DE ALENCAR
Fonte: COUTINHO, Eduardo; OLIVEIRA, Teresa Cristina Meireles de. *Empréstimo de Ouro*. Rio de Janeiro: Ouro Sobre Azul, 2009. Fac-símile do original.

Rio de Janeiro, 5 de janeiro de 1907.[1]

Meu querido amigo,

Recebi a sua carta de 2 e devia responder-lhe a 5, mas tive o dia tomado, e ontem não pude fazê-lo, nem teria meio de mandar a carta ao Correio. Hoje aproveito esta nesga de tempo, devendo aliás dar-lhe a melhor parte, mas se lhe disser que, depois de algum tempo largo de melhoras sensíveis, tive esta noite uma pequena crise, compreenderá a obrigação em que me vejo de lhe dizer pouco e às pressas.

Não sei se recebeu a carta com que respondi ao seu cartão-postal; foi para a fazenda. O telegrama de abraços recebi, e ontem tive o cartão de agradecimento de D*ona* Georgiana[2].

A carta de 2 me fez mal[3]. Essa melancolia que o aflige é preciso que não seja irredutível nem irremediável. Sei o que me pode responder; é o que já me tem dito, como a outros, mas não há como refutá-lo senão tornando aos mesmos termos.

Que o mal não [é] irredutível, basta lembrar o caso do Magalhães de Azeredo[4], que o Sousa Bandeira[5] deixou robusto e lépido. Já lhe contei o que a mãe me disse relativam*en*te ao estado em que este esteve em Roma. Uma senhora (velha amiga da minha Carolina), em carta[6] que me escreveu há pouco referiu-me o caso de um genro que chegou a um estado agudo e está bom.

Tenha pois confiança, meu querido amigo; lá tem os seus melhores médicos, a companhia da sua Mamãe e da sua Babi, e o riso de seus filhos[7]. A vista nova das coisas acabará por penetrar-lhe o espírito.

Obrigado pelos conselhos que me dá acerca da minha saúde. Faço o que posso, mas para mim o trabalho é distração necessária.

Sousa Bandeira e eu dissemos o que nos cabia a seu respeito. Na 6.ª feira, 4, no Garnier; recordamos a sua recepção na Academia, e concordamos que a sua modéstia é um mal. A Academia está de vaga aberta[8], e o prazo para a apresentação de candidatura termina a 28 de Fevereiro[9]. Por ora só se apresentou o Orlando. Ainda não se apresentou o Assis Brasil, por quem trabalha o Euclides.

Conto ir visitar um dia destes o Leo[10].

O que lhe digo acima sobre o dia 5 foi um almoço que o Calmon[11] ofereceu ao José Marcelino[12]. Não voltei a tempo de escrever.

Escreva-me logo que receba esta, vencendo o torpor, e veja se a saudade de um amigo lhe dá ânimo. Adeus, peço-lhe que dê recomendações minhas à sua boa Mãe e boa Consorte, e receba o meu abraço de velho, de amigo e de solitário. Adeus, meu querido.

Machado de Assis

---

1 ∾ Apesar de a carta estar datada de 5 de janeiro, Machado não a escreveu naquele dia, mas na segunda-feira, dia 7 de janeiro. (SE)

2 ∾ O cartão enviado por Dona Georgiana (1846-1913), mãe de Mário, viúva de José de Alencar*, é um documento ainda não localizado, bem como o telegrama de abraços, a que Machado se refere. (SE)

3 ∾ Sobre o estado depressivo de Mário, ver nota 1, carta [916]. (SE)

4 ∾ Sobre as crises de Azeredo*, ver nota 2 da carta [603] tomo IV. (SE)

5 ∾ Sousa Bandeira* havia feito uma longa viagem pela Europa, em que visitou a Itália, a França, a Alemanha e a Suíça. Desta viagem resultou o livro *Peregrinações* (1910). (SE)

6 ∾ A carta da amiga de Carolina* a Machado é um documento não localizado. (SE)

7 ∾ Sobre os membros da família Alencar de férias em Lorena, ver nota 3, carta [921]. (SE)

8 ∾ Franklin Dória*, o barão de Loreto, cuja amizade com Machado de Assis remonta à década de 1870. Ver cartas [128], [129], [130], [163], [164], [165], tomo II. Ver também nota 4, carta [921]. (SE)

9 ∾ Na ata de 25 de abril de 1907, Orlando permanecia como único candidato. A eleição se realizou em 27 de junho, e a situação não havia se alterado. Artur Orlando foi eleito com 19 votos. (SE)

10 ❧ Há dois Leo de Afonseca, o pai e o filho: o comendador Leo de Afonseca, pai de Helena e Leo de Afonseca Júnior, irmão de Helena. O comendador Leo de Afonseca, sogro de Mário, na juventude foi jornalista de um importante periódico paulistano – *Diário Mercantil*, cuja linha editorial orientava-se por prestigiar os novos escritores em língua portuguesa, fossem eles do Brasil ou de Portugal. O mais provável é que Machado esteja se referindo ao comendador. Sobre ele, ver nota 10, carta [1030], de 08/02/1908. (SE)

11 ❧ Trata-se do engenheiro baiano Miguel Calmon du Pin e Almeida (1879-1935), ministro da Indústria, Viação e Obras Públicas, do então recém-empossado governo Afonso Pena (1906-1909). Calmon substituíra Lauro Müller* na pasta. No almoço, estiveram presentes, entre outros, o prefeito do distrito federal Sousa Aguiar, Severino Brandão, Paula Guimarães*, Dr. Parreiras Horta, o secretário da Mesa da Câmara James Darcy, o senador Antônio Azeredo*, o chefe de polícia Alfredo Pinto, Carlos Peixoto, o general Mendes de Morais, o deputado Asclepíades Jambeiro, Otávio Mangabeira*, Lauro Müller, Davi Campista, Paulo de Frontin, o jornalista Figueiredo Pimentel*, Rodolfo Bernardelli*, Aarão Reis e o deputado João Neiva. Sobre James Darcy, ver nota 2, carta [1025], de 17/01/1908. (SE)

12 ❧ O almoço oferecido a José Marcelino de Sousa (1848-1917), governador da Bahia, estado do ministro Calmon, foi realizado no sábado, no restaurante campestre situado no Alto do Sumaré, lugar que havia se transformado num ponto de encontro elegante. Machado não pôde terminar a carta porque o passeio foi demorado. Os convidados saíram em bondes sucessivos a partir das 10 da manhã do Largo da Carioca, chegando à estação da Alagoinha mais ou menos uma hora depois. Ali, fizeram baldeação para um novo bonde, que os deixaria meia hora depois no Alto do Sumaré. Toda essa operação durou no mínimo duas horas e meia. A descida no fim da tarde despendeu o mesmo tempo. O Alto do Sumaré fazia parte do *novo Rio de Janeiro* elegante, em que as reuniões ao ar livre passaram à voga, após as transformações urbanísticas iniciadas por Pereira Passos. O novo prefeito da cidade, o baiano Francisco Marcelino de Sousa Aguiar (1855-1935), deu continuidade às reformas, inclusive cuidando dos chamados arrabaldes, como as serras de Santa Teresa e Tijuca, a distante Copacabana e os subúrbios. Em 1906, ainda na administração do ministro da Viação e Obras Públicas Lauro Müller, a Ferro Carril Carioca, que servia Santa Teresa, prolongara a linha de bondes do Silvestre ao Sumaré. O restaurante do Alto do Sumaré era uma construção ampla, feita de madeira, com acomodações para 250 pessoas, chefiado pelo português Francisco Casemiro Alberto da Costa, um dos acionistas da empresa de bondes. (SE)

[928]

De: MÁRIO DE ALENCAR
Fonte: Revista da Academia Brasileira de Letras, XXXVI, n.º 115, 1931.

Lorena, 8 de janeiro de 1907.

Meu querido amigo.

Desculpe-me escrever-lhe nesta meia folha de papel; não achei melhor e não quero deixar de escrever-lhe hoje. Recebi a sua carta de 5 e recebi a anterior[1]; ambas foram de grande efeito sobre o meu espírito. Confortam-me e animam-me as suas boas palavras, e lendo-o eu me esqueço de mim e do que me aflige. A última, porém, deixou-me triste pela notícia que me deu de se haver interrompido a sua melhora[2]. Insisto no pedido que lhe tenho feito sempre; não abuse de suas forças. Agora que já experimentou a eficácia do tratamento, não deve duvidar da cooperação grande que pode trazer aos remédios o regímen da vida. Essa pequena crise é uma advertência da natureza; não desanime, veja nela apenas a confirmação dos meus pedidos e das minhas ponderações a respeito do seu trabalho. Não falo do trabalho literário que bem sei que é uma necessidade inevitável do seu espírito e só pode fazer bem ao *Senhor* e a todos que o prezamos. Falo do trabalho oficial, que faz por dever apenas[3]. Deste é que não deve abusar, porque lhe é penoso e, repito, não há negócio ou interesse político que valha o menor sacrifício da sua saúde. Outra coisa que também lhe peço para não esquecer é o mal que pode trazer-lhe a bebida frequente do café, sobretudo à tarde, em que o costuma tomar ao sair da Secretaria. Ouvi-lhe muita vez queixar-se do mau efeito dele... Tendo esses cuidados, verá que as melhoras continuarão sem outra crise. E aqui ficam estas linhas como antecipação de conversa que conto ter amanhã ou depois, porque amanhã devo estar aí[4]. Volto um pouco melhor, sem a ansiedade intensa que sentia continuamente e [que] me agrava o mal. Do espírito, hoje ao menos, mais animado. Talvez, graças ao céu azul de hoje, primeiro dia em que o tenho aqui desde que cheguei. Mamãe e Babi agradecem as suas recomendações e recomendam-se afetuosamente.

  Adeus, meu querido Amigo, até amanhã.

  Abraça-o com muita saudade

  Mário de Alencar.

---

1 ～ Carta [921], de 26 de dezembro de 1906. (SE)

2 ～ Na carta [927], Machado lhe dissera que depois de um tempo razoável de melhoras sensíveis, tivera naquela noite uma pequena crise de epilepsia. Deste momento em diante, 5 de janeiro de 1907, Machado começa a passar por uma intermitente crise de saúde. Ver cartas [939] e [940], ambas de 07/03/1907. (SE)

3 ～ Parece que o almoço do mundo oficial a que compareceu no Alto do Sumaré havia cobrado muito do seu organismo. A subida e a descida de quase três horas foram exaustivas. Além disso, o esforço que a situação social exigia e, sobretudo, as solicitações várias de que deve ter sido alvo certamente foram excessivas. Àquela altura, faltando um ano e oito meses para morrer, Machado era um homem debilitado. Sobre o almoço no Sumaré, ver nota 12, carta [927]. (SE)

4 ～ Mário ficou cerca de quinze dias na fazenda Conceição, chegou lá pouco antes do dia 24 de dezembro de 1906 e voltou a 8 de janeiro de 1907. (SE)

[929]

De: JOSÉ VERÍSSIMO
Fonte: Manuscrito Original, Arquivo ABL.

[Rio de Janeiro,] 11 de janeiro de 1907.

  Caríssimo (o superlativo é para lhe bulir com os nervos[1]) Machado.

  Mais uma maçada, de que o informará a nota junta, em favor do meu amigo Alcides Medrado[2], por quem realmente me empenho. Como sabe, não lhe peço senão o que for razoável, embora com a benevolência possível.

Como vai Você? Sabe? Sonhei que Você fazia um livro e que eu dizia dele no *Jornal.* Quem me dera ver o meu sonho realizado. E as *Memórias*[3], esse é o livro que eu lhe quisera ver fazer e que (ou então eu sou um tapado em psicologia literária) auguro Você faria excelentemente de um modo original e raro.

Estou criticando o Nabuco[4]. É um prazer porque o homem é efetivamente forte. Tem pensamentos de muita finura e penetração.

Deixei-lhe todos os *Temps* ultimamente recebidos, aliás desta vez pouco interessantes. Dos dois discursos acadêmicos só me agradou o do Deschanel[5], por quem, entretanto, não tenho nenhuma simpatia.

Todo seu

Veríssimo.

---

1 ❧ Eis o personagem José Dias do *Dom Casmurro,* com seus incorrigíveis superlativos. (IM)

2 ❧ Alcides Medrado tinha a mesma idade que Veríssimo (ambos nascidos em 1857). Dedicou-se ao periodismo e ao ensino em Minas Gerais, ocupando também o cargo de secretário da Escola de Minas de Ouro Preto. (IM)

3 ❧ Ver em [484], tomo III, carta em que Veríssimo "cobra" as memórias de Machado ao fazer a crítica de *Páginas Recolhidas* (1899). (IM)

4 ❧ Referência a *Pensées Détachées et Souvenirs* (1906), que Machado comentou extensamente em [908]. Sobre a crítica agora anunciada, ver cartas [934], de 07/02/1907, e [961], de 27/05/1907. (IM)

5 ❧ Paul Deschanel (1855-1922) exerceu as funções de presidente da França de fevereiro a setembro de 1920 e era membro da Academia francesa. (IM)

[930]

De: GODOFREDO RANGEL
Fonte: Manuscrito Original, Arquivo ABL.

Vila Silvestre Ferraz, 18 de janeiro de 1907.
Sul de Minas.

Machado de Assis,

Não vai senhoria antes do nome[1]. Senhor é tudo que há, desde o meu boticário até o Chico Bigorna, exceto gente. Dar-lhe esse prenome seria o mesmo que lhe enfiar no corpo um fato de aluguer, coisa parecida com a beca que trinta bacharelandos vestem sucessivamente para o quadro [de] fim de ano, ou botinas que já se impregnaram de exalações de pés alheios.

Antes de fazer esta, hesitei um ror de vezes, possuído dum terror caipira: "E se o homem me põe no jornal?" Aproveito agora um intervalo de coragem para lhe escrever.

— Escrever p*ar*a quê? Com que fim?

— Leve o caso aos seus vinte e dois anos. Lembre-se do autor que era a sua Bíblia, que era p*ar*a o senhor o que *Machado* de Assis é para mim, e veja se não gostaria dumas linhas endereçadas em sua intenção? Seria se o *bon Dieu*, com os seus compridos dedos providenciais (vide a técnica do destino), lhe tivesse gatafunhado um recadinho do céu.

Talvez não tivesse a minha audácia; ou atrevimento; ou bobice.

Tenho comigo uma ideiazinha simples, em excesso cândida e roceira. Como em toda a minha vida não vi um grande homem, ainda dos menores, exceção feita do mocinho da botica, que é um rapaz *futuroso*, tenho uma ilusão que não me larga, apesar das cinquenta rabanadas de bom senso que lhe atiro: não posso crer na sua humanidade, como na de [Rabela]is, Cervantes, Dickens, Wells... Crê? Escrevo-lhe esta sem du[vidar][2] que estou escrevendo para o céu, aonde Mercúrio a levará valendo-se das mãos do Senhor Administrador dos Correios do Rio. Isto é verdade, em tom de troça. Penso que não me levará o mesmo a mal. Gosto muito de me pôr [à] vontade, quando a ocasião convida. Se, no entanto, lhe parecer mal-educado, subentenda uma zumbaia e um "Vossa Excelência" em cada cantinho deste papel.

Peço-lhe resposta, breve que seja. Algumas linhas suas me dariam uma semana de vaidade exultante. Em recompensa, prometo-lhe uma segunda, desinteressada, contando-lhe o que disser e pensar o povo daqui quando me vir nas mãos palavras suas. Prestar-lhe-ei conta minuciosa de cada despeito, pasmo, moteio ou indiferença. Sabe que é muito detestado? Aqui na minha terrinha há gente que lhe vota um ódio até ao suicídio ou ao assassinato. Há poucos dias um abalizado negociante exclamou:

— Ainda que me dessem 20 contos eu não relia o *Brás Cubas*.

E esse mesmo moço, cuja gravidade antecipou a idade, aventurou que era impossível, sem hipocrisia, gostar-se de Machado [de] Assis.

Eu protestei.

— Mas qual o merecimento desse homem?

E eu (vê que covardia, caro Mestre?) eu calei-me, vencido antes da luta, aterrorizado pelo berro desse homem [que] foi dado em tom formidável.

[Di]ferente é o caso do empregadinho da botica. Este diz que o admira, mas é mentira, mentira descarada. Depois lhe contarei coisas dele.

E até o nosso chefe político, pessoa considerável, um homem que tem mais ciência que vinte poços, exclamou um dia:

— Machado de Assis não tem um pensamento profundo!

Uns pedem-lhe pensamentos profundos, outros, pensamentos sublimes. Entenda-se esta gente? E é desta terra e deste estrume que nasceu esta flor[3].

Creio, porém, não lhe estar dizendo novidades. O negociante grave, o chefe político profundo, e o mocinho da botica (uma águia!), já os deve o *senhor* ter encontrado às cambadas pelo mundo.

Para rematar, juro-lhe que não sou futuroso, nem literato e nem uso cabeleira trágica, despenhada sobre os ombros. Sou um meríssimo leitor.

Veja, se isso é o bastante para se dar o trabalho de escrever-me, contando as coisas que lhe aprouver contar-me e, a mais, se é de carne e osso, filho de Adão, habitante deste planeta, se mora em casa, calça botina, e mangia e bee e dorme e veste panni[4].

Godofredo Rangel

---

1 ∾ Esta curiosa carta, escrita por um professor de 22 anos, dá ideia do talentoso escritor que se tornaria Godofredo Rangel. Terá Machado respondido? Até agora, não há pista. (IM)

2 ∾ O original está bastante deteriorado. Magalhães Jr. (2008), com acesso ao documento há cerca de 30 anos, transcreveu "duvidar" como "iludir-me" e antes interpretou o quase ilegível "Rabelais". (IM)

3 ∾ Referência de Brás Cubas à família e a si próprio: "Dessa terra e desse estrume é que nasceu esta flor." (*Memórias Póstumas de Brás Cubas*, capítulo XI). (SPR)

4 ∾ Final *italianado*, sem grifo: "come bem e dorme bem e veste bom tecido". Explica-se porque Godofredo Rangel cursou a Faculdade de Direito de São Paulo, na época da grande imigração italiana. (IM)

[931]

Para: JOAQUIM NABUCO
Fonte: Fundação Joaquim Nabuco. Fac-símile do cartão-postal original.

[Rio de Janeiro,] janeiro de 1907[1].

Meu querido Nabuco, aqui vai uma lembrança do velho tronco solitário e amigo[2].

Machado de Assis

Ex*celentíssi*mo Sen*ho*r
Joaquim Nabuco
Brazilian Embassy
Washington
U. S. of America

1 ∾ Só se conhece o verso deste "Bilhete-Postal do Brasil", digitalizado pela Fundação Joaquim Nabuco. É missiva inédita. (IM)

2 ∾ Ainda ignorando a imagem estampada no anverso, podemos supor que ela se associe à frase de Nabuco em carta a Graça Aranha*, quando a este enviou o ramo do carvalho de Tasso, entregue a Machado na sessão de solene de 10/08/1905: "Devemos tratá-lo com o carinho e a veneração com que no Oriente tratam as caravanas a palmeira às vezes solitária do oásis." Ver nota 1, em [839]. (IM)

[932]

De: JOÃO RIBEIRO
Fonte: Cartão-Postal, Arquivo ABL.

[Rio de Janeiro, janeiro de 1907.]¹

Saudações pelo ano-bom de

1907

João Ribeiro.

Excelentíssimo Senhor
Machado de Assis
Por obséquio da Livraria Garnier
Nesta Cidade

1 ∾ Postal com fotografia da atual avenida Rio Branco e a legenda "Avenida Central – Rio de Janeiro". (IM)

[933]

De: MAGALHÃES DE AZEREDO
Fonte: Manuscrito Original, Arquivo ABL.

Roma, 5 de fevereiro de 1907.

66, via Sicilia.

Meu querido Mestre e Amigo,

Há dias reconheci num sobrescrito a sua letra; abri o envelope com impaciência, esperando uma bela carta. Eram apenas três linhas num bilhete-postal¹; sem dúvida, antes isso que nada; eu, porém, esperava mais. Em setembro² (digo Setembro) mandei-lhe uma carta bem longa; depois, mandei-lhe o *Hino da Púrpura*³ e umas fotografias da Capela Sistina⁴.

Por que não me respondeu até hoje⁵? Bem vê que não me anima pelo seu exemplo a ser assíduo nas cartas; mas deixe estar; tomo a mim a tarefa que o Mestre não quer aceitar; será o meu exemplo que o persuadirá. Outro dia vi aqui o Heitor Cordeiro⁶, que se recomendou à minha simpatia com o título de amigo seu, de amigo de um tão grande amigo meu; bastava esse para eu o tratar com verdadeiro carinho. Ora, conversando nós longamente a seu respeito, ele me disse que na Suíça, onde esteve doente vários meses, recebeu umas vinte cartas suas⁷. Imagine como eu fiquei triste pensando que no mesmo período eu não tivera nem vinte, nem dez, nem cinco, nem uma! Bem vê, *on n'est jamais trahi que par les siens...*⁸.

Mas o meu desejo natural de desculpar logo interveio: ele esteve mal, sofreu operações perigosas⁹, era natural que o seu interesse por uma saúde tão ameaçada se revelasse frequente e insistente. Mas vamos; escreva-me de vez em quando. A segura e antiga amizade de uma alma como a sua é coisa preciosa em si mesma, e cujo valor não depende de sinais externos; mas por isso mesmo que ela tanto vale, as suas demonstrações são caras e desejadas. As joias devem brilhar, o sol deve alumiar e aquecer.

Voltando ao Heitor Cordeiro: sabe que eu não o teria reconhecido? está muito pálido, e perdeu trinta e sete quilos (ainda assim tem quase o dobro do meu corpo)¹⁰. Em todo o caso, está muito melhor, e em via de cura completa; a prova é que anda, autorizado pelo médico, a percorrer a bela Itália. A mulher é uma brasileira muito elegante, simpática e distinta¹¹. É um prazer para nós encontrar no estrangeiro patrícios que tão gentilmente honram a nossa terra. Dona Francisca e o marido estão neste momento em Nápoles, mas voltarão amanhã a Roma, e certamente ainda os veremos antes do seu regresso para a Suíça¹².

Quanto à minha vida literária que, bem sei, sempre lhe interessa, já lhe disse que estou trabalhando muito, embora dê poucas coisas ao público. Tenho uma nova coleção de versos líricos quase pronta, mas não será impressa por agora. Ocupo-me especialmente de um livro de *episódios*: suponho que terá lido um deles, O *amiguinho morto*, no último número da *Renascença*[13]. É um quadro que tem, naturalmente, existência própria, mas que só atingirá o seu completo valor de *relação* quando colocado entre os outros na galeria já organizada. De fato, esse elogio de uma alma humilde de cão, mais capaz que as almas humanas que a rodeiam de se imolar a um *sentimento único*, se achará no volume ao lado de *episódios* heroicos, trágicos, idílicos, na maioria de inspiração muito ampla e grandiosa.

Naquele o estilo é singelo e quase humilde como o próprio assunto, e as emoções rudimentares, por isso mesmo profundas e absolutas, buscam a sua expressão mais direta, mais imediata. Achei o tom justo? não excedi na simplicidade, no desadorno? dão esses traços a representação verdadeiramente poética sonhada por mim? Eu gostaria bem de ter sobre isso a sua opinião, franca e sem reserva alguma. Se não leu ainda O *amiguinho morto*, leia-o com atenção, e diga-me o seu parecer; não repare nos erros de revisão que escaparam à vigilância de dois amigos, ou antes, já que eu suponho que eles os corrigiram, à diligência dos sempre beneméritos tipógrafos.

Agradeço-lhe de coração a visita que fez à minha querida Mãe[14]. Ela me deu logo notícia da longa conversa que tiveram. A sua demora tem-se prolongado muito mais do que ela e eu supúnhamos; das saudades de ambos, da dor desta separação embora temporária não lhe quero falar. Há muitos anos conhece os meus sentimentos de filho e sabe que minha Mãe, viúva desde muito moça, me consagrou a sua vida inteira. Felizmente muito breve a teremos de novo aqui, talvez neste mês que corre.

Adeus, querido Mestre e Amigo, aceite afetuosas saudações nossas. Eu o abraço de coração. Seu muito dedicado

Azeredo

1 ∞ Documento ainda não localizado. (SE)

2 ∞ Ver [911], de 19 de setembro de 1906. (SE)

3 ∞ O livro *Hino de Púrpura* (1906) é dedicado a D. Joaquim Arcoverde (1850- -1930), o primeiro cardeal da América Latina. Azeredo tinha um carinho especial pelo arcebispo do Rio de Janeiro (1897-1907), que servira entre 1890-1892 no colégio jesuíta São Luís, em Itu, São Paulo, o mesmo onde Azeredo completara a sua formação (1882-1887). D. Joaquim deixou o colégio para tornar-se bispo auxiliar de São Paulo (1892-1894). Azeredo conviveu com ele na capital paulista, onde morou com a mãe enquanto estudou nas Arcadas (1888-1893) e onde frequentou com assiduidade a comunidade católica. Depois, D. Joaquim tornou-se arcebispo de São Paulo (1894-1897), na sucessão de D. Lino Deodato (1826-1894). Em 1896, Azeredo já na Santa Sé, e D. Joaquim, primeiramente arcebispo de São Paulo e depois do Rio de Janeiro, estreitaram relações em razão de suas ocupações. O Colégio São Luís de Itu permaneceu com um forte vínculo, apesar de terem passado por lá em época diferentes. (Azeredo, 2003). (SE)

4 ∞ Cartões-postais ainda não localizados (SE)

5 ∞ No ano de 1905, a última vez que Machado lhe escreveu foi em 21 de novembro, carta [862]. (SE)

6 ∞ Ver as cartas de Heitor Cordeiro*, [919] e [937], esta última de 20/02/1907. (SE)

7 ∞ Se não for exagero de Heitor ou do ciumento Azeredo, pode-se supor que algumas dessas cartas remanesceram. São documentos ainda não localizados. (SE)

8 ∞ Não se é traído senão pelos seus. (SE)

9 ∞ Heitor Cordeiro estava enfermo desde fins de 1905. Em 17 de maio de 1906, embarcou com a família no navio alemão *Prinz Waldemar* rumo ao porto de Hamburgo. De lá, o seu destino primeiro foi a cidade de Boulogne-sur-Mer, na França. Na Europa, tentará todos os recursos disponíveis pela medicina da época em busca de recuperar a saúde, mas acabará falecendo vitimado pelo câncer em fevereiro de 1908, aos 43 anos incompletos. (SE)

10 ∞ "O Dr. Heitor Cordeiro é conhecido no nosso foro por sua ilustração, critério e *gordura*." – *O Tagarela*, 1904. (SE)

11 ∞ Francisca Carolina Vasconcelos de Basto Cordeiro*, filha dos condes Smith de Vasconcelos, neta de Joana de Novais*. (SE)

12 ∞ Quinze dias depois, Heitor escreverá a Machado, de Lausanne. Ver carta [937], de 20/02/1907. (SE)

13 ∞ Sob a direção de Rodrigo Octavio* e Henrique Bernardelli*, a revista *Renascença* foi publicada entre março de 1904 e setembro de 1908, com periodicidade mensal, perfazendo um total de 55 números. (SE)

14 ∾ Leopoldina Magalhães de Azeredo esteve no Brasil entre 1906 e 1907. Tornara-se viúva antes mesmo de o filho nascer. O seu marido, Caetano Pinto de Azeredo, havia morrido aos 25 anos de varíola, meses antes do nascimento. Caetano era proprietário de uma firma de ensaque de café, com sede na rua Teófilo Otoni, 92, no centro do Rio de Janeiro. Ver nota 5, [911]. (SE)

[934]

Para: JOAQUIM NABUCO
Fonte: Fundação Joaquim Nabuco. Fac-símile do manuscrito original.

Rio de Janeiro, 7 de fevereiro de 1907.

Meu querido Nabuco,

Esta carta é breve, o bastante para lhe dizer que todos nós lembramos de Você, notícia ociosa. O Veríssimo escreveu, a propósito do seu livro das *Pensées détachées*, os dois excelentes artigos que você terá visto no *Jornal do Comércio*, para onde voltou brilhantemente com a Revista literária[1]. Fez-lhe a devida justiça que nós todos assinamos de coração[2]. A minha carta, aquela que tive a fortuna de escrever antes de ninguém, era melhor que lá tivesse também saído[3].

Aqui vou andando, meu querido amigo, com estas afeições da velhice, que ajudam a carregá-la. Não sei se terei tempo de dar forma e termo ao livro que medito e esboço[4]; se puder, será certamente o último. As forças compreenderão o conselho, e acabarão de morrer caladas.

Estou certo que Você achou todos os seus em boa saúde, e ansiosos de ver o seu amado chefe. Peço-lhe que lhes apresente os meus respeitos, e também que me recomende ao am*i*go Chermont[5]. Não lhe peço que se lembre de mim, porque sei, com ufania e gosto, que nunca me esqueceu, e sempre quis ao seu

velho adm*ira*dor e grato amigo

M. de Assis.

1 ∞ Seção de crítica literária, ver em [929]. (IM)

2 ∞ A apreciação de José Veríssimo* é extremamente longa e ocupou boa parte da primeira página do *Jornal do Comércio* nos dias 14 e 21 de janeiro. Tem algumas observações muito severas, que magoaram Nabuco. Este manifestou seu desagrado na carta [961], de 27/05/1907, cuja nota 3 complementa as presentes observações. Assinale-se que o crítico paraense não incluiu, em livro, a análise de *Pensées Détachées*, talvez por ter reconhecido o próprio rigor, possivelmente um resíduo da carta, de 10/01/1905, que lhe dirigira Nabuco (1949), agradecendo o envio da quarta série de *Estudos*:

> "Meus votos são que o seu admirável talento encontre o seu alvo, em vez de dispersar-se assim, pode-se dizer, ao capricho dos outros. Tenho grande ambição pelo sr., porque é dos que verdadeiramente admiro, no mais elevado sentido, no mais elevado sentido da expressão. Às vezes penso que escrever a nossa história literária seria o melhor. Mas apesar de que tudo se transforma e se engrandece sob sua pena, não o quisera ver tratando de assuntos efêmeros, analisando obras secundárias, pois o intuito da posteridade é que o verdadeiro talento não deve servir de veículo da celebridade ao que merecia ter morrido – e reconhecido – no seu tempo."

Em 1916, publicava-se a *História da Literatura Brasileira*, de Veríssimo. O crítico dedicou boas páginas a Joaquim Nabuco, sublinhando que seu "talento literário realçou de tal maneira a feição política, que era a principal do seu espírito, que fê-lo um verdadeiro, um grande escritor". Observa ainda que o "seu fino sentimento artístico, fizeram dele um dos mais completos e insignes homens de letras que temos tido." Várias obras são citadas e elogiadas, mas não se encontra referência a *Pensées Détachées*... (IM)

3 ∞ Ver o elogioso comentário de Machado em [908]. (IM)

4 ∞ O *Memorial de Aires*. (IM)

5 ∞ Epaminondas Leite Chermont*, então secretário da embaixada do Brasil em Washington, que acompanhara Nabuco na III Conferência Pan-Americana, realizada no Rio de Janeiro em 1906. (IM)

[935]

De: MÁRIO DE ALENCAR
Fonte: Revista da Academia Brasileira de Letras, XXXVI, n.º 115, 1931.

Tijuca, 8 de fevereiro de 1907.

Meu querido Amigo.

Esta é a terceira carta que escrevo daqui; a primeira foi para meu sogro[1] e a segunda para meu irmão[2], a quem não escrevia há muito tempo. Digo-lhe isso repetindo o que estive a dizer comigo mesmo para justificar-me de não lhe haver ainda escrito. Não me satisfaz a desculpa nem eu me justifico dessa falta; afirmo-lhe, porém, que desde que estou aqui não houve dia em que não pensasse no *Senhor* com saudade e afetuoso cuidado pela sua saúde. Como tem passado? Dê-me logo que possa notícias suas com todas as minúcias, pois sabe que me interessam e não me cansam nunca.

Eu vou passando melhor que na cidade[3]. Faz-me bem aos nervos este ambiente sossegado, em que não ouço outras vozes além do canto de pássaros e cigarras e do burburinho de águas nascentes. A paisagem me encanta os olhos e eu não me fatigo de olhá-la: há sempre que ver e admirar na natureza e é o que pode talvez vencer a minha preocupação de mim mesmo. Faço todos os esforços possíveis para esquecer-me vivendo a vida objetiva, evitando até os livros para não pensar. Não tenho lido nada, nada, nem mesmo os jornais. Contento-me com as informações que me dão os que os leem. Passeio muito, às vezes só, às vezes com os meus filhos[4]. Com estes só posso andar nos caminhos limpos, em que não haja o perigo de cobras. Quando vou só, procuro de preferência o mato e, apesar do receio que tenho das cobras, sinto-me bem ali, caminhando sob árvores grandes, rompendo a custo o caminho embaraçado de cipós e de galhos. O chão é fofo, da camada de um palmo de folhas secas, que ali estão a cair há 30 ou mais anos, que é o tempo do abandono desta chácara[5]. A chácara está em ruína. Ainda ontem vi, com pena, arruída parte de uma ponte, sobre a lagoa; era um dos mais lindos passeios que tínhamos aqui. Outros passeios bonitos são o da Cascatinha e o da Vista do Mar, ambos obstruídos pelo mato; pretendo na próxima semana, ajudado por um trabalhador, desembaraçar os caminhos a foice. Será um exercício para os meus braços e um remédio para o meu espírito. Depois, sentindo-me forte, voltarei aos livros de que tenho saudade. Trouxe comigo Camões, o *Inferno* de Dante, Teócrito[6], Prometeu[7], as suas *Poesias* e a *Bíblia*. Trouxe também esboços de trabalhos meus anteriores à minha moléstia. Se pudesse preocupar-me com eles, ficaria bom. Quando poderá ser? Anda-me o espírito ainda tão desencantado, tão lerdo, tão frio!

Adeus, meu bom Amigo, receba um abraço meu e recomendações de Babi e Mamãe. Escreva-me logo que puder. Seu muito amigo

Mário

Endereço – Chácara Cochrane – Alto da Tijuca.

---

1   Sobre o comendador Leo de Afonseca, ver nota 10, carta [1030], de 08/02/1908. (SE)

2   O diplomata Augusto Cochrane de Alencar*. (SE)

3   Nesta época, o Alto da Tijuca era considerado um arrabalde da cidade do Rio de Janeiro, como a Gávea e o Leblon também eram. Esses ainda eram lugares para quem gostasse de viver retirado ou de passar temporadas de descanso. Aliás, persistiu por muito tempo o uso da expressão "ir à cidade" significando "ir ao centro", porque, apesar de as regiões antes consideradas arrabaldes ou zona rural terem se incorporado à cidade como bairros, os seus habitantes mantiveram o uso linguístico que expressava uma situação anterior. (SE)

4   Mário e Babi tinham seis meninos. Ver nota 3, carta [921]. (SE)

5   Os trinta anos de abandono da antiga Chácara do Castelo, agora chamada de Chácara Cochrane, correspondem ao tempo decorrido desde a morte do pai de Mário, em 12 de dezembro de 1877. Depois de seu casamento, José de Alencar* elegera a chácara como seu refúgio. A propriedade pertencia a seu sogro, o médico homeopata Tomás Cochrane (1805-1873), pai de D. Georgiana Cochrane de Alencar (1846-1913). (SE)

6   Há uma tradução francesa dos poemas de Teócrito – *Idylles et Epigrammes, Odes Anacreóntiques* – feita por Leconte de Lisle, em 1861. Registre-se, no entanto, que Mário

de Alencar sabia cabalmente o grego, idioma que lia com regularidade, a partir do qual iniciou a tradução para o português do *Prometeu Acorrentado*, de Ésquilo, como dirá em cartas de 1908. Não há informações se as concluiu. (SE)

7 ⚭ Há uma tradução francesa do *Prometeu Acorrentado* feita por Leconte de Lisle (1818-1894), publicada em 1872, que, aliás, na carta [1026], de 21/01/1908, retornando a um tema que lhe era caro, Machado diz estar lendo. Tratou-o também com Magalhães de Azeredo*. Em 16 de dezembro de 1903, este enviou incluso à carta [729] um bilhete-postal em branco, pedindo que Machado o devolvesse com versos autógrafos, de preferência o soneto *Prometeu*, muito de sua admiração. Na verdade, o soneto se chama *Desfecho* e abre o livro *Ocidentais*, que compõe as *Poesias Completas* (1901). Depois de alguma conversa epistolar sobre o tema, Machado enviou o soneto solicitado. Ver carta [761], no tomo IV. (SE)

[936]

De: HENRIQUE BERNARDELLI
Fonte: Cartão de Visita Original, Arquivo ABL.

Rio [de Janeiro], 14 de fevereiro de 1907.

Caro mestre

Considerando a reprodução fo*tográfi*ca de uma pintura mais falsa que a tradução de um livro, entendo que não se deveria, nem fo*tografa*r, nem traduzir[1] nem ler conferências[2].

Estas considerações me fizeram preferir dedicar-lhe estes primeiros ensaios de gravura a Ponta-seca, que lhe oferece este seu admirador[3].

HENRIQUE BERNARDELLI[4]

---

1 ⚭ Desenho de um rostinho. (IM)

2 ⚭ Outro rostinho desenhado. (IM)

3 ⚭ A gravura está exposta na ABL. (IM)

4 ⚭ Bernardelli pintara antes o retrato a óleo de Machado de Assis, realizado mediante uma iniciativa de Rodrigo Octavio* em 1905. (IM)

[937]

De: HEITOR DE BASTO CORDEIRO
Fonte: Manuscrito Original, Arquivo ABL.

Adresse Télégraphique
Richemont – Lausanne
Téléphone n.° 736

Grand Hôtel Richemont

Lausanne, Suisse

[Lausanne,] 20 de fevereiro de 1907.

Meu caro Machado.

    Recebi e imensamente agradeço sua boa cartinha[1] em intenção de meu aniversário natalício; pela mais feliz das coincidências essa carta, como as mais que me felicitavam por tal motivo, chegou-me às mãos no próprio dia dos meus anos; tive assim a ilusão de que tinha parentes e amigos junto de mim e, como de ilusão vive o homem... enquanto pode, senti-me verdadeiramente feliz nesse dia apesar de passá-lo em terra estrangeira e de só ter comigo uma pequena parte[2] da minha grande família.

    Em poucas horas deixaremos Lausanne e, apesar do muito que aqui fui protegido pela Providência, deixo-a sem saudades; Lausanne é a cidade mais triste, mais insípida e mais propensa ao *spleen* e à tristeza que eu conheço. Por quê? Não sei dizer. A vista sobre o lago é belíssima, emoldurado este pela calma da montanha mais bela que se pode imaginar. A construção da cidade é bonita e obedece às regras da moderna arquitetura. Há teatros com espetáculos todas as noites e no inverno as maiores comunidades musicais visitam-na como às demais cidades suíças de população mais densa. Entretanto a cidade é triste, enfadonha e não há estrangeiro que aqui não se sinta mal disposto e inclinado a ideias tristes.

É um fato que constato, mas que não sei explicar; o que vale a Lausanne é a grande proximidade, em que está de Genebra e de Montreux, centros de grandes distrações, lugares preferidos por estrangeiros e com muita vida e animação; quem é obrigado a residir em Lausanne tem o recurso de fugir a Genebra e Montreux, que estão em constante e rápida comunicação com Lausanne, a I.ª a uma hora de distância e a segunda a meia hora.

Com licença do Roux[3] fiz uma fugida à Itália, onde demoramo-nos cerca de quatro semanas, que foram muito bem aproveitadas, que regalo para o espírito e para o coração! Em Roma tive a fortuna de fazer o conhecimento do Magalhães de Azeredo[4], para quem tive altas credenciais — as de ser seu grande amigo e não menor admirador; conversamos muito a seu respeito, rendeu-nos agradável assunto para palestrarmos duas noites inteiras. Que simpático e distinto rapaz! Quão interessante é a esposa[6]!

Adeus, meu bom amigo. Receba muitas saudades de Francisca e deste seu grande amigo, muito obrigado, muito devedor

e muito admirador

Heitor[7]

---

1   Documento ainda não localizado. Trata-se de uma carta de congratulações pela data de 17 de fevereiro de 1865, nascimento de Heitor Cordeiro. (SE)

2   A mulher Francisca Cordeiro* e os cinco filhos: Rodolfo, Míriam, Valesca, Haroldo, Heitor. O caçula, Mário, nascerá em dezembro de 1907, e Heitor falecerá dois meses depois do seu nascimento. Sobre o pequeno Mário, ver nota 3, carta [919]. (SE)

3   Provavelmente Dr. Emile Roux (1853-1933), importante imunologista e bacteriologista do Instituto Pasteur, em Paris. Dr. Roux descobriu o soro contra a difteria, a primeira terapia efetiva contra a doença; foi um dos mais próximos colaboradores de Louis Pasteur (1822-1895) e cofundador do instituto. (SE)

4   Magalhães de Azeredo* faz longo comentário acerca da presença de Heitor e Francisca, na Itália, na carta [933]. (SE)

5   Maria Luísa Caymari de Azeredo. (SE)

6 ∾ Em 24 de abril de 1907, aparentemente melhor, Heitor e a família retornaram ao Brasil a bordo do navio *Aragon*. Viajara em maio de 1906 no vapor de bandeira alemã *Prinz Waldemar* com destino ao porto de Hamburgo, permanecendo cerca de onze meses na Europa. Ver também carta [919]. (SE)

[938]

De: OLIVEIRA LIMA
Fonte: Manuscrito Original, Arquivo ABL.

Engenho Cachoeirinha, Escada, Pernambuco, 21 de fevereiro de 1907.

Prezado amigo:

antes[1] que me esqueça ou deixe passar o tempo, faço a minha declaração de voto em favor do Artur Orlando para a vaga do Loreto[2]. Em que ficou o negócio da candidatura do Assis Brasil? Pela *vária* do Jornal[3], ele se não havia apresentado. É verdade? O Artur Orlando anda com grande receio de naufragar, mas creio que nem há o perigo de colisão, porque está navegando só[4]. Como vai de saúde? Eu por aqui estou, no melhor dos climas... tropicais (temperatura de 28° de dia [e] de 18° à noite), saudável e agradável é certo, comendo traíra e pitus, pacas e capivaras, afora a infinita coleção de bolos da nossa pastelaria nacional (as receitas aqui ainda não se perderam, graças a Deus), e trabalhando muito em 3 coisas – o D. João 6.º que vou levar a cabo, o Pan-Americanismo que o Nabuco é quem há de levar a cabo, e as Coisas diplomáticas que o Barão levará a cabo se quiser. Leio muito e passeio um pouco, à tarde, pelo cercado e pela estrada entre os canaviais já cortados e os de plantio próximo. De quando em vez chega um amigo do Recife, a indagar se estou vivo ou se já me encarnei num galo de campina, que é um animal bonito e combativo, cuja transmigração (para ele) me sorri. Um abraço muito cordial do seu muito reconhecido e amigo

M. de Oliveira Lima.

1 ∾ Oliveira Lima não fez parágrafo depois de "amigo"; a carta, em papel de pequena dimensão, tem o texto corrido. (IM)

2 ∾ Franklin Dória*, o barão de Loreto, fundador da Cadeira 25. Seu falecimento ocorreu em 28/10/1906 e em dezembro do mesmo ano, informa Magalhães Jr. (2008), Oliveira Lima escrevera ao primeiro-secretário Rodrigo Octavio* comunicando que Artur Orlando seria candidato. (IM)

3 ∾ *Jornal do Comércio*. (IM)

4 ∾ Artur Orlando não teve concorrente na eleição realizada em 27/06/1907 e foi recebido por Oliveira Lima. Ver em [1012], de 15/11/1907, e [1015], de 09/12/1907. (IM)

[939]

> De: MÁRIO DE ALENCAR
> *Fonte*: Bilhete-Postal Original, Arquivo ABL.

Tijuca, 7 de março de 1907.

Escrevi-lhe no dia 28 uma carta[1] que meu cunhado mandou entregar no Garnier[2] no dia 1. Não tendo recebido resposta até hoje, fico na dúvida se lhe chegou a carta às mãos, e ao mesmo tempo receio que não esteja bem. Peço que me escreva dando notícias suas. Logo que puder descer, irei vê-lo na Secretaria. Vou passando menos mal, agora recomecei a ler. *Le roman de Sainte-Beuve*[3] é monótono ou a monotonia está em mim mesmo. Continuo os meus passeios pela mata e todo o meu empenho tem sido adormecer a alma. Desperto tenho a impressão de espanto e tristeza que me veio deste mal. Adeus.

Seu do coração

Mário

Ex*celentíssi*mo Sen*ho*r
Machado de Assis
Cosme Velho n. 18
Laranjeiras

1 ◦◦ Esta carta de 28 de fevereiro é um documento ainda não localizado. (SE)

2 ◦◦ A livraria Garnier servia como escritório informal de vários intelectuais que a frequentavam diariamente, como por exemplo, Veríssimo*, Mário, Rodrigo Octavio*, Capistrano*, Sousa Bandeira*, Bilac*, Elísio de Carvalho* e outros. Marcavam encontro com pessoas, recebiam ou deixavam encomendas, correspondência, recados, bilhetes e presentes. Vários correspondentes de Machado de Assis fazem uso desta função paralela da Garnier. (SE)

3 ◦◦ *Le Roman de Sainte-Beuve* é de autoria de Gustave-Simon Stéphane Charles. Foi publicado em 1906 e trata essencialmente da relação amorosa de Adèle Foucher (1803--1868), mulher de Victor Hugo (1802-1885), com o crítico literário Sainte-Beuve (1804-1869). (SPR)

[940]

Para: MÁRIO DE ALENCAR
Fonte: COUTINHO, Eduardo; OLIVEIRA, Teresa Cristina Meireles de. *Empréstimo de Ouro*. Rio de Janeiro: Ouro Sobre Azul, 2009. Fac-símile do original.

[Rio de Janeiro,] 7 de março 1907.

Meu querido amigo,

Pela sua carta[1] vejo que está passando bem, melhor que na cidade. Viva a paisagem e as vozes e vistas que também são médicos e remédios certos e capazes. A sua descrição fez-me lembrar a que daí fez seu glorioso pai[2]. Vá, meu amigo, entregue-se aos passeios e ao trabalho manual que projeta até que torne e continue os outros. Conto que os seus nervos se aquietem e passem a obedecer, como já fazem.

Esta resposta vai demorada, porque a sua carta veio achar-me com um princípio de *gripe* que continua; trouxe-me o corpo amolestado, além de outros fenômenos característicos, como a falta de apetite, amargor de boca e recrudescimento do coriza[3]. Um hospital, meu querido! Há três noites não saio de casa. Em plena *gripe* tinha passado duas delas em pleno jardim vizinho, sentado, apanhando sereno. Enfim, parece-me que melhorarei, não sei; enquanto não me deixarem sair de noite, não posso ir como quisera à rua de Olinda[4]. Vá pondo à conta do meu mal esta letra irregular e velha, que está cada vez pior.

Peço-lhe que apresente os meus respeitos às duas boas companheiras daí[5], e receba um abraço *grande* de amigo, que dá para dividir com os filhos e ainda lhe sobrará m*ui*to. Adeus, meu querido. Quisera falar-lhe bastante, mas é melhor cá. Creia no amigo velho do coração

Machado de Assis

---

1 ∾ Referência à carta [935]. (SE)

2 ∾ Em carta de 1868 a Machado de Assis, José de Alencar* fala longamente do Alto da Tijuca, hoje região tratada como Alto da Boa Vista. Ver carta [74], tomo I. (SE)

3 ∾ Neste início de ano, era a segunda vez que Machado fazia referência a algum tipo de mal-estar. Na carta [927], mencionou uma pequena crise de seu grande mal. Agora, a gripe. A sua saúde dava mostras de estar declinando. Registre-se também o uso da palavra "coriza" como masculina por Machado. Esta palavra, que em tempos muito recuados era usada no masculino, no momento histórico de Machado e Mário (início do século XX), é tratada como palavra de gênero vacilante, decorrente da duplicidade de gênero ainda manifesta. Mário vai usar o artigo feminino e Machado, o masculino, o uso de ambos é sistemático. (SE)

4 ∾ Provavelmente está se referindo à residência do sogro de Mário (rua Marquês de Olinda, 74), a quem Machado disse na carta [927], que pretendia visitar. (SE)

5 ∾ D. Georgiana e D. Helena, respectivamente mãe e esposa de Mário de Alencar. (SE)

[941]

Para: MÁRIO DE ALENCAR
Fonte: COUTINHO, Eduardo; OLIVEIRA, Teresa Cristina Meireles de. *Empréstimo de Ouro*. Rio de Janeiro: Ouro Sobre Azul, 2009. Fac-símile do original.

Rio de Janeiro, 13 de março 1907.

Meu querido amigo,

Já lhe escrevi uma carta[1] que lhe terá chegado às mãos pouco antes da que me enviou datada do mês passado, 28[2]; e a essa já lhe respondi também, salvo se estou confundindo datas. Ao cartão-postal[3] que me enviou creio haver respondido também. Seja como for, vou sentindo demora nas suas letras, mas a notícia que tenho de que despende grande parte do tempo com trabalhos físicos em proveito do mal compensa este silêncio. Li o que me disse dos seus passeios e dos livros que terá começado ou vai começar a ler; tudo é bom. O Leo deu-me notícias suas há dias e ontem, e boas. Pretendo ir vê-lo sábado[4], dia certo de estar em casa. Não fui ainda antes por ter sido atacado da *gripe* durante alguns dias; agora vou melhorando.

Mande-me algumas linhas dizendo como vão os seus nervos. Eu espero que bem. Estes amigos são teimosos, mas não inteiramente, e creio que começando a ir desaparecem. Assim aconteceu a uma das filhas do Parreiras Horta[5], que ele levou o ano passado para Europa, com o mesmo mal e a tuberculose em 2.º grau; voltou há três dias inteiramente curada e gorda.

Receba os meus desejos de o ver assim de volta, e antes do abraço com que o espero, receba este para si e para seus filhos. Às excelentes Esposa e Mamãe peço-lhe que apresente os meus respeitos[os] cumprimentos. Adeus, e até breve.

O velho amigo,

Machado de Assis

1 ∾ Documento não localizado. (SE)

2 ∾ Esta carta de Mário, de 28 de fevereiro de 1907, é um documento de localização ignorada. (SE)

3 ∾ Mário lhe enviou um bilhete-postal em 7 de março de 1907. (SE)

4 ∾ Na cidade do Rio de Janeiro, Mário residia com os sogros na rua Marquês de Olinda, 74, Botafogo. (SE)

5 ∾ Antigo colega de repartição de Machado, o engenheiro José Freire Parreiras Horta (1847-1910) foi casado com uma das filhas de Afonso Celso de Assis Figueiredo (visconde de Ouro Preto), o mesmo que em 1873 levou Machado para os quadros da burocracia oficial, como amanuense do Ministério da Agricultura, Comércio e Obras Públicas. O Dr. Parreiras Horta foi casado com Paula Margarida Toledo de Figueiredo, falecida em 1892, em Juiz de Fora. O casal teve cinco filhos: Carmen, Paulo, Afonso Celso, Leopoldina e Izilda. É provável que Machado esteja se referindo a Carmen de Figueiredo Parreiras Horta, que veio a falecer em 1913, aos 31 anos. (SE)

[942]

> De: MÁRIO DE ALENCAR
> *Fonte: Revista da Academia Brasileira de Letras*, XXXVI, n.º 115, 1931.

Tijuca, 14 de março de 1907.

Meu querido amigo

Recebi a sua carta de 7 e hoje a datada de 13; não recebi as outras a que se refere na última. Terão sido extraviadas no Correio? Esta minha vai muito demorada, apesar do meu desejo de lhe responder logo à carta de 7. Creia que não foi por esquecimento ou falta de interesse em ter notícias suas; a causa é o entorpecimento de espírito em que tenho andado. Não tenho escrito a ninguém nem coisa nenhuma, nem tenho lido nada. Estou como da outra vez, há anos, em que deixei de fumar uns vinte dias seguidos: trazia o espírito adormecido, e era incapaz do menor esforço de atenção. Reanimei-me voltando ao vício. Agora quero resistir à suposta causa, e procuro atribuir o mal à influência da natureza. Resolvido a não pensar, e com os sentidos voltados para fora, ia-me deixando embrutecer. Todo excesso é mau, e até mesmo no admirar é preciso comedimento. A contemplação absorta da natureza identifica a gente à matéria bruta; sofre-se uma ausência de entendimento. É verdade que assim e só assim o gozo é completo, porque o mal está na inteligência. Mas apesar de tudo, viva a inteligência, viva o mal, se o espírito pode achar no esforço de exprimi-lo o pretexto para ir vivendo e o meio de esquecer a vida. Torno aos meus livros; a natureza fique apenas para fundo de quadro; não quero olhá-la sem crítica. Ainda hoje de manhã de volta do meu passeio, estive a ler as suas *Poesias*[1]. Sabe que é um dos seus livros que eu mais prezo, e que eu não sei qual mais prezo no *Senho*r, se o prosador, se o poeta?

Já lho disse mais de uma vez, mas não me canso de o repetir, como não canso de ler seu livro, em que raro é que eu não ache a música que me pede o estado de alma. Hoje, por exemplo, a *Musa consolatrix*[2]: "Que vales tu, desilusão dos homens? / Tu que podes, ó tempo? / A alma triste do poeta sobrenada / À enchente das angústias…"

O efeito dessa leitura em mim é forte e benéfico, e só lhe comparo o da leitura de suas cartas, que são dos melhores remédios que tenho tido.

Dia em que as recebo é um dia de festa para mim.

Pela carta de hoje vi que ainda vai melhorando da *gripe* de que eu o julgava curado. Contra a coriza, que é o mais aborrecido dos sintomas, por que não pede ao Miguel Couto[3] um remédio, ao menos um paliativo para quando seja mais intensa? O melhor remédio, porém, será não se expor ao sereno, como fez e confessou que imprudentemente. Fazendo exercício a pé, com as noites que tem havido, creio que não lhe será nocivo o sereno; mas, sentado, por força que havia de se resfriar. Se eu estivesse aí ter-lhe-ia dado um bom remédio com que podia cortar a *gripe*: é *arsenicum album 3.ª* em *tabletes*; tenho a experiência da sua eficácia em casos desses. Espero entretanto que a moléstia esteja acabada, que já durou muito e demais, e peço-lhe que me dê notícias sem demora, com o que mostrará que me perdoou a desta minha carta.

Adeus, meu querido amigo. Mamãe e Babi agradecem seus cumprimentos que retribuem afetuosamente. Abraços das crianças e meus com muita saudade.

Seu muito grato,

Mário de Alencar.

---

1 ∽ O livro *Poesias Completas* (H. Garnier, 1901) reuniu os trabalhos anteriores: *Crisálidas* (1864), *Falenas* (1870), *Americanas* (1875), acrescido das *Ocidentais*, que reuniu a obra poética esparsa. (SE)

2 ∽ Em 1902, este poema – *Musa Consolatrix* – também havia ecoado fortemente no espírito de Magalhães de Azeredo*, grande amigo de Mário de Alencar. Ver nota 16, carta [669], tomo IV. Em 1908, Mário retornará a este poema numa carta comovente. Diante do desalento de Machado, já nos seus momentos finais, Mário lhe pede que não desista diante do que piedosamente chamou de *transitório* e *doloroso*, insistindo para que continuasse a encontrar consolo na arte. Ver a carta de Mário, [1102], de 06/08/1908. (SE)

3 ∽ Sobre o Dr. Miguel Couto*, ver nota 5, carta [1029], de 06/02/1908. (SE)

[943]

De: JOAQUIM NABUCO
Fonte: Manuscrito Original, Arquivo ABL.

Washington, 15 de março de 1907.

Meu caro Machado,

O meu voto é pelo D*outor* Artur Orlando[1], se ele for o único candidato, e, tendo competidores, ainda é dele, exceto se os competidores forem o Assis Brasil e o Jaceguai, que têm compromisso meu anterior em cartas escritas a V*ocê* mesmo[2].

Queira portanto votar por mim, conforme estas instruções.

Não me deixe o D*outor* Orlando naufragar sem uma combinação que lhe garanta a eleição para a futura vaga. Um homem como ele pode ser vencido numa eleição acadêmica, não pode, porém, ser derrotado sem desar[3] para os eleitores.

A nossa balança é de pesar ouro somente. Ele mesmo, estou certo, não se aborreceria de ser segunda escolha em competição com o *Doutor* Assis Brasil, que já teve uma (ou duas?) *non réussites*[4].

Eu desejava-lhe entretanto[5] uma vaga que lhe permitisse falar de Pernambuco largamente, mas teria que escolher entre mim e o Oliveira Lima e nenhum dos dois ele podia preferir ao outro. Em todo caso alguém mais da filosofia que o Dória. Mas é odioso esperar vagas determinadas[6].

Do seu Velho Amigo

Joaquim Nabuco

---

1 ∾ Artur Orlando da Silva (1858-1916), político, filósofo, publicista e ensaísta pernambucano, seria eleito em 27/06/1907 para a Cadeira 25, sem concorrente. (IM)

2 ∾ A insistência de Nabuco em desejar que Assis Brasil e Jaceguai* se tornem acadêmicos é patente nas suas cartas do tomo IV e do presente tomo. (IM)

3 ∾ Desaire, deselegância, desdouro. Graça Aranha (1923) trocou o castiço "desar" por "pesar". (IM)

4 ∾ Tentativas "sem êxito". Assis Brasil concorrera somente à vaga de Eduardo Prado, tendo a candidatura retirada na sessão em que se elegeu Afonso Arinos*, em 31/12/1901. (IM)

5 ∾ Este "entretanto" substitui o mais eloquente "mesmo", rasurado no manuscrito. (IM)

6 ∾ Franklin Dória*, barão de Loreto, era baiano. Esta ideia de "odiosas" futuras vagas para cumprir um objetivo — no caso a do próprio Nabuco ou a de Oliveira Lima* — reflete a extrema preocupação do primeiro com a política eleitoral da Academia. Coube ao último receber Artur Orlando, em 28/12/1907. (IM)

[944]

> Para: MÁRIO DE ALENCAR
> *Fonte*: COUTINHO, Eduardo; OLIVEIRA, Teresa Cristina Meireles de. *Empréstimo de Ouro*. Rio de Janeiro: Ouro Sobre Azul, 2009. Fac-símile do original.

Rio [de Janeiro], 18 de março de 1907.

Meu querido amigo,

Respondo à sua carta de 14, que me trouxe excelente impressão, confirmando a que o Leo me tem dado. Faz bem em alternar os livros com os quadros naturais. Ao cabo, tudo concorre para a completa cura. Não é preciso dizer o gosto que me deu afirmando que entre as leituras figuram alguns versos meus, *Musa consolatrix*. Eu já me não sinto com vigor que possa transmitir a alguém, a não ser que a pessoa beneficiada não tenha em si me*s*ma a disposição de me aceitar algumas velhas lembranças; em tal caso, a maior e melhor parte do remédio está no próprio enfermo. É o nosso caso.

Estou curado da gripe. O coriza vai a bom caminho, e posso crer que só me resta a parte que arrasto comigo há anos.

Estes meus últimos dias têm sido de enfado, e naturalmente não é assunto que procure o papel[1]. Falaremos quando voltar. Contente-se, por ora, de ir lendo o que lhe mandar este pobre amigo.

Não sei se alguém lhe disse já que o Magalhães (Azeredo) e a senhora embarcaram ou vão embarcar com destino ao Rio de Janeiro[2]. Veio ontem no *Jornal do Comércio*. Justamente agora que eu ia responder à carta que ele me mandou há dias[3]. Não me falou nela da viagem; dizem-me que o motivo pode prender com a morte do sogro[4]. Vá relevando esta letra execrável, cada vez pior que a de costume[5].

Por que não escreve alguma coisa? Ideias fugitivas, quadros passageiros, emoções de qualquer espécie, tudo são coisas que o papel aceita, e a que mais tarde se dá método, se lhes não convier o próprio desalinho. Eu confesso-lhe que estou agora inteiramente parado no que quisera fazer andar.

Meus respeitos às doces companheiras da sua vida, abraços para as crianças e um para si do am*i*go velho,

Machado de Assis

---

1 ∾ Aqui os temperamentos se encontram. É a primeira vez na *Correspondência* do presente tomo que Machado se diz abertamente enfadado. A personalidade em crise de Mário tinha os seus encantos: a acuidade com que analisava os próprios estados psíquicos aflitivos, o profundo sentimento de afastamento e o tédio do mundo, as mazelas físicas e imaginárias, o temperamento reservado e a modéstia sincera colocavam Machado muito à vontade para falar das suas grandes dores e pequenas aflições. Sobre a crise de Mário, ver carta [942]. (SE)

2 ∾ Referência cruzada. Magalhães de Azeredo*, também íntimo de Mário, andava arredio. Tal atitude não escapara a Machado. Na última carta, [933], de 5 de fevereiro de 1907, Azeredo não aludira à sua viagem ao Brasil, como sempre fazia. Machado soube pelo jornal. Ao mencionar o fato com Mário, atribuindo um valor repentino à viagem – a morte do sogro Bernardo Caymari – Machado desejava medir a atitude de Azeredo ao não avisá-lo. Não desconhecia os fortes laços entre Mário e Azeredo. Queria saber se Azeredo tivera tempo de avisar Mário. Registre-se, por fim, que Mário vai demorar a resposta mais do que o habitual. Machado lhe escreverá ainda mais uma vez, em 25 de março, [945], antes que venha a resposta em 26 de março, [946] e, nela, não há menção a Azeredo. Isto só ocorrerá na carta [947], do dia seguinte, 27 de março, quando Mário enfim diz que vai descer do Alto da Tijuca para ir ao encontro de Azeredo no desembarque, o que, aliás, termina por não fazer. (SE)

3 ∾ A última carta de Azeredo é 5 de fevereiro. Se houver outra carta entre 5 de fevereiro e 18 de março, seria um documento ainda não localizado. (SE)

4 ∾ O velho amigo de Machado, da década de 1860, Bernardo Caymari, já então viúvo, falecera em 12 de fevereiro de 1907, na sua casa da rua Monte Caseros, 1, em Petrópolis. (SE).

5 ∾ Há informação de que Mário e Magalhães de Azeredo trocaram copiosa correspondência. A parte relativa a Mário de Alencar esteve durante muitos anos sob a guarda de seus filhos. A de Magalhães de Azeredo, que não estiver no Arquivo ABL, é possível que se encontre no Arquivo Histórico do Itamaraty. (SE)

[945]

Para: MÁRIO DE ALENCAR
Fonte: COUTINHO, Eduardo; OLIVEIRA, Teresa Cristina Meireles de. *Empréstimo de Ouro.* Rio de Janeiro: Ouro Sobre Azul, 2009. Fac-símile do original.

[Rio de Janeiro,] 25 de março de 1907.

Meu querido amigo,

Imagino que esta carta se vai fazer encontradiça com alguma sua, a última, a que eu espero em resposta à que lhe mandei na semana passada[1]. Notícias suas tenho-as tido pelo Leo e são boas. Conto que as que me mande agora confirmem as dele. Vá desculpando a letra, e o mal-alinhado. Este seu velho amigo é um pobre diabo cansado, que mal dá de si alguma coisa pouca, desalinhada e torta.

Sábado passado era meu plano ir à rua de Olinda fazer a visita que prometi; mas o Leo me disse que ia nessa noite ao concerto do Sousa Coutinho[2]; adiei a visita para o outro sábado.

Cá embaixo não há nada que já não saiba lá no Alto, e aliás o papel apenas bastará para dizer de nós mesmos. Sei que todos vão bem, e imagino que o resto do seu mal desaparecerá depressa. A sessão da Câmara em Maio nos aproximará[3], como de outras vezes; o pior é se o seu interlocutor já estará mais enfadonho que dantes; o que é possível, e, se me consultar bem, é certo.

Soube pelo Leo que um dia destes dará cá um pulo, a fugir, e tornará logo para a Tijuca. Se neste meio-tempo tiver um minuto para mim, eu o receberei como empréstimo de ouro[4]. Ontem, estando com o Capistrano[5], perguntou-me ele se iríamos aí à Tijuca visitá-lo. Só o poderíamos fazer em domingo, e eu pensei comigo no de Páscoa; mas depois adverti na visita que tenho de fazer à sobrinha de minha mulher Laura Costa[6]. Demais, é fim do trimestre adicional, em que a Contabilidade[7] de todos os Ministérios trabalha muito. Tudo estará feito domingo; eu é [que] já não darei para tanto.

Peço-lhe que apresente os meus respeitos às suas queridas Mãe e Esposa, e dê um abraço nas crianças, com um para si e saudades.

Machado de Assis

---

1 ⚘ Machado escreveu-lhe em 18 de março de 1907, carta [944]. (SE)

2 ⚘ Trata-se do barítono português Francisco de Sousa Coutinho (1866-1924), o *Chico Redondo*, da Imperial Ópera de Berlim, que deu um concerto na noite de 23 de março de 1907, na presença do presidente da República Afonso Pena, no Teatro São Pedro. (SE)

3 ⚘ Mário trabalhava na Câmara Federal. (SE)

4 ⚘ *Empréstimo de Ouro* é também o nome escolhido para o livro editado por Eduardo Coutinho e Teresa Cristina Meireles de Oliveira (2008), no qual reuniram as transcrições e os fac-símiles de cartas enviadas por Machado a Mário de Alencar, pertencentes ao acervo do Centro de Estudos Afrânio Coutinho, da Faculdade de Letras, da UFRJ. (SE)

5 ⚘ Capistrano de Abreu*, ao lado de Magalhães de Azeredo* e Machado de Assis, foi amigo pessoal e correspondente de Mário de Alencar. Temperamento forte, seria o menos provável dos íntimos interlocutores de Mário, no entanto, foi bem próximo. No prefácio à *Correspondência de Capistrano de Abreu* (1977), o historiador José Honório Rodrigues (1913-1987) afirma que, dentre todas as cartas editadas, as trocadas com Mário são as de significação pessoal mais alta, nas quais o historiador cearense mais fala abertamente de si e de seus projetos, de política, da família, das pessoas e das coisas. Capistrano se vinculava ao jovem Mário pela profunda admiração que votava a José de Alencar* (1829-1877), a quem conhecera em Maranguape e a quem devia a vinda para o Rio de Janeiro. Aliás, assinale-se que tal admiração era também comum a Machado de Assis. Capistrano e Mário corresponderam-se e frequentaram-se de 1896 até 1925, ano da morte de Mário. É curiosa essa longa intimidade, pois, algumas vezes, a sinceridade de Capistrano beirava a rudeza. Em carta de 28 de outubro de 1909, apesar de admirar José de Alencar, Capistrano lhe diz:

> "O papel está pedindo mais tinta, e passo a assunto extremamente delicado. / V. precisa deixar seu pai de lado; o que ele podia dar-lhe de bom já deu; mais convivência do que V. tem tido com o espírito dele, agora só pode lhe fazer mal; paralisaria seu desenvolvimento, condenaria V. ao triste papel de epígono. Seu pai deu-lhe um exemplo bem claro. O velho [senador] Alencar em política representou um papel que nunca será devidamente apreciado, porque seu pai, que podia fazê-lo,

não teve tempo para tanto. Apesar de tudo, seu pai, quando começou a carreira política, procurou abrir caminho por outro rumo. / E seu pai deixou-lhe um aviso. Nas horas de pensamento louco, em [que] as ideias atiram-se a cabriolas pelo vácuo, tenho cismado que seu pai previu um filho como V., sacrificando ao amor filial energias que depois lhe faltarão para a evolução própria, e quis deixar-lhe um conselho, uma norma de vida, contido na *Encarnação* [romance escrito em 1877, publicado postumamente]. Medite-o, acenda e dispare o gás, deixe o passado, volte para o presente." – Sobre Capistrano de Abreu, ver biografia, tomo II. (SE)

6 ∾ Laura Costa era filha de Sara Braga e Costa*, sobrinha de Carolina*. (SE)

7 ∾ Machado era o chefe da Diretoria-Geral de Contabilidade do Ministério da Indústria, Viação e Obras Públicas desde a gestão do ministro Lauro Müller*, do governo Rodrigues Alves (1902-1906). O ministério tinha mais duas diretorias-gerais: a da Indústria, chefiada por José Francisco Soares Filho e a de Obras e Viação, chefiada por José Freire Parreiras Horta. Sobre este último, ver nota 5, carta [941]. (SE)

[946]

De: MÁRIO DE ALENCAR
Fonte: Revista da Academia Brasileira de Letras, XXXVI, n.º 115, 1931.

Tijuca, 26 de março de 1907.

Meu querido amigo.

Creio ter escolhido mal o dia de hoje, e este momento, para escrever-lhe. O espírito está abatido. Por mais que procure desviá-lo da melancolia, ela não o deixa e o tem fechado entre névoas. A beleza do céu, a alegria do sol não puderam influir em mim; as impressões da natureza são fugitivas e não bastam para fazer esquecer o mal que trago comigo e que destruiu em mim o encanto da vida. Resisto quanto posso, mas não consigo vencê-lo. É inútil buscar ilusões depois que se sentiu a desilusão de tudo. Acho tudo inútil, tudo frágil, tudo vão. Nestas ocasiões nem mesmo a leitura me vale. Escrever? Pensei em fazer alguma coisa, mas não achava outro assunto senão a minha tristeza e eu já me convenci de que não posso dar a expressão do que ela é; é dolorosa, mas indefinível. Pensei em fazer traduções do grego; comecei há dias a dos *Sete contra Tebas*, de Ésquilo; no primeiro dia divertiu-me o trabalho, no dia seguinte pareceu-me inútil, embora não me desagradasse o que estava feito. Agora, neste momento, voltou-me o desejo de recomeçá-lo e talvez o continue quando acabar de escrever-lhe. E assim estou. Pelo que lhe digo, e pelo modo por que lho digo, o Senhor fica fazendo ideia do meu pobre espírito. Mas basta de mim. O Senhor como tem passado? Voltou ao Miguel Couto[1]? Voltando, não se esqueça de falar-lhe dessa coriza crônica, que ele talvez possa atenuar se não curar.

E do seu trabalho? A última vez que falamos dele, disse-me que começava a revê-lo[2]. Que o não perturbem os trabalhos da Secretaria é o que desejo e me animo a pedir-lhe.

Aqui esteve de visita o Werneck[3], que me deu notícias do Graça Aranha[4]. Disse-me que ele não tem passado bem, com ameaças do mesmo incômodo que o afligiu há meses. Soube de alguma coisa? Fiquei pesaroso com a notícia, que terá influído não pouco para a melancolia que me voltou. Vou escrever ao Graça.

Mamãe e Babi mandam recomendações, as crianças abraços e eu um grande e saudoso.

Seu sincero e de coração

Mário de Alencar.

---

1 ∾ Sobre o Dr. Miguel Couto*, médico que atendia Machado, ver nota 5, carta [1029], de 06/02/1908. (SE)

2 ∾ *Memorial de Aires*. Ver também nota 1, carta [1016], de 16/12/1907. (SE)

3 ∾ Possivelmente o médico Dr. Carlos Leoni Werneck, amigo de Mário de Alencar, que morava na rua Sorocaba e tinha também uma chácara no Alto da Tijuca. Registre-se que Carlos Werneck é também correspondente de Capistrano de Abreu*. (SE)

4 ∾ Graça Aranha* se encontrava no Brasil, em Petrópolis. (SE)

[947]

De: MÁRIO DE ALENCAR
Fonte: Revista da Academia Brasileira de Letras, XXXVI, n.º 115, 1931.

Tijuca, 27 de março de 1907.

Meu querido amigo.

Já lhe havia escrito e fechado a carta de ontem, quando me chegou a sua de 25. Foi uma surpresa, e o prazer que me deu foi grande. Era o remédio de que eu precisava e veio oportunamente. Foi bastante ver a letra querida (de que o *Senhor* insiste em dizer mal) para que as minhas ideias tomassem outro rumo. Da leitura da carta não lhe direi o bem que me fez. Acabando de lê-la, pensei em rasgar a que tinha escrito; mas adverti que fazia mal; essa carta era a expressão do que eu sentia ao escrevê-la; em outra, que escrevesse, diria a diferença do pensamento e das sensações. O pensamento era animador, e as sensações de quase alegria; apesar de que, perdoe o meu egoísmo, a sua carta me trouxe a sensação de um espírito também abatido e triste. Mas nisso mesmo estava o melhor efeito da carta, que foi desviar a minha atenção de mim próprio e dar ao meu espírito um cuidado afetuoso, com que saiu da monotonia em que andava. O que afirma de si é absolutamente inexato; ninguém lhe sentiu ainda o menor indício de cansaço, nem o que o *Senhor* produz é senão perfeito e grande. Poucos dias antes de vir para cá reli aquela sua carta ao Nabuco[1]; e estive a pensar comigo que mais valia ter escrito aquela carta que muito livro bom que anda aí e talvez aquele mesmo livro que ela louvava. Falo-lhe dela porque é o último trabalho seu, e em que se vê que o vigor do seu engenho é o mesmo que antes e a arte se aperfeiçoa quanto possível depois de já ser perfeita. O que não será esse novo trabalho que o *Senhor* tem agora em mãos? E estou eu a dizer-lhe isso que o *Senhor* sabe melhor do que eu, e só num momento de enfado talvez desconheceu em si! O meu, sim, é que está cansado e pobre e já não dá para mais nada, tendo dado tão pouco. A sua carta curou-me o abatimento moral, mas o da inteligência ficou e é talvez pior hoje que ontem. Esta carta para começá-la, gastei, creia que lhe falo a verdade, cinco folhas de papel; e começada ontem, 27. Só hoje a estou continuando, com a dificuldade que há de ter notado[2]. Não me falta o que dizer, mas faltam-me as palavras; duvido das mais comuns; estou em suma como um principiante sem vocabulário e sem sintaxe. Se a tivesse acabado cedo, teria-a mandado pelo portador que levou os cambucás[3]. A lembrança do presente foi de Babi, mas eu quis ter o trabalho de colhê-los e escolhê-los, e nisso gastei boa parte da manhã. Quando estava há poucas horas continuando a carta, chegou aqui o Sousa Bandeira, que me veio visitar. Não o tinha visto ainda depois que voltou da Europa; abracei-o com muita alegria. Ele lhe dirá a impressão que teve desta chácara em ruínas, que fica esperando agora a visita grande, que o *Senhor* anuncia em sua carta. Lembrando-lha Capistrano mostrou mais uma vez que é meu amigo[4]. Eu é que não me animava a convidá-lo, receando o incômodo da viagem. Agora, porém, que ela vai ser mais curta, combinaremos um dia com antecedência a sua vinda, para que eu lhe mande o carro que há de trazer-nos da Boa Vista até aqui. Disso falaremos com mais largueza quando estivermos juntos aí. Talvez o veja antes que lhe chegue esta carta, pois conto descer amanhã para ir ao encontro do Magalhães de Azeredo que vem no *Savoia*[5]. Independente desse motivo, tencionava descer um dia para ver meu sogro e minha sogra[6] e ir visitá-lo. Vê-lo era preocupação principal na minha ida à cidade; e se o não fosse, seria-o agora depois da expressão de ouro com que o *Senhor* me convida a ir falar-lhe na Secretaria. Até amanhã, pois, salvo se me não for possível ir à cidade. Receba recomendações de mamãe e Babi [,] abraços das crianças e um apertado do seu muito amigo

Mário de Alencar

---

1 ❧ Referência à carta [908], na qual Machado comenta com o autor das *Pensées Détachées* as suas impressões sobre o livro recém-lançado. (SPR)

2 ~ Daqui em diante a carta foi escrita em 28 de março. Também na correspondência entre Machado e Azeredo*, algumas vezes isso ocorreu. Em geral, são cartas longas, perdidas em alguma gaveta ou no *mare magnum* dos papéis, e que foram interrompidas por exigências do cotidiano ou por razões emocionais. Reencontradas numa nova circunstância, eram retomadas em outra data. No caso de Mário, ele próprio declara a natureza emocional da sua dificuldade momentânea. (SE)

3 ~ Cambucá é a fruta do cambucazeiro, árvore frutífera nativa da Mata Atlântica, muito frequente na costa brasileira até a primeira metade do século XX. Hoje é pouco conhecida. (SE)

4 ~ Mário de Alencar e Capistrano de Abreu* cultivaram uma grande amizade, da qual as muitas cartas trocadas durante vinte e nove anos dão testemunho. Capistrano subia frequentemente à Tijuca para visitá-lo ou visitar o Dr. Werneck, de quem era também muito íntimo. Sobre o Dr. Werneck, ver nota 3, [946]. (SE)

5 ~ Sobre a chegada de Magalhães de Azeredo ao Rio de Janeiro, ver carta [950], de 01/04/1907. (SE)

6 ~ Sobre o casal Leo de Afonseca, ver nota 10, carta [1030], de 08/02/1908. (SE)

[948]

Para: MÁRIO DE ALENCAR
Fonte: COUTINHO, Eduardo; OLIVEIRA, Teresa Cristina Meireles de. *Empréstimo de Ouro.* Rio de Janeiro: Ouro Sobre Azul, 2009. Fac-símile do original.

[Rio de Janeiro,] 28 de março de 1907.

Meu querido amigo,

Anteontem mandei-lhe uma carta[1], e ontem à tarde recebi outra sua; cruzaram-se. A sua foi-me entregue no Garnier, aonde foi levada em mão, por um moço que o empregado não conhece.

Li-a logo e entristeceu-me naturalmente. As notícias que eu tinha eram boas; estavam longe do desânimo que me manifesta agora. Tudo o que eu lhe possa dizer contra esse desânimo sei que é inútil, mas o próprio texto me faz esperar que o remédio virá por si. Quando me diz que, já aborrecido da versão de Ésquilo[2], sente contudo desejo de recomeçá-la, revela nisso um estado de espírito vacilante, mas não prostrado de todo; e para o mal do espírito basta que ele vislumbre alguma coisa. A paisagem não dará tudo, o ar também não, e as musas (digo assim, pois que trato das antigas) fazem pagar caro os seus favores. Não importa; lá tem os filhos, que lhe querem e merecem, a Esposa que não menos merece e quer, e a Mãe, que vale por todos e sente por todos.

Amanhã, — não, — depois de amanhã, sábado, hei de estar com Miguel Couto[3], e oportunamente lhe direi o que houvermos conversado.

O meu trabalho teve uma interrupção de dias; não sei se lhe disse isto. Eu começo a desconfiar que alguma das minhas cartas não lhe terá chegado. Agora quero ver se acabo a leitura e faço o remate. Li o que soube do Graça[4]; é o que também ouvi ao Tasso Fragoso[5], mas é coisa diversa do seu caso.

A Academia vai cuidar de recomeçar as suas sessões. A eleição é em abril[6]. Ficaremos sem o Rodrigo Octavio, que embarca para a Europa domingo[7], e só voltará em Julho. Adeus, meu querido amigo, recomendações aos seus dois anjos da guarda, e abraços para as crianças e para si.

Velho amigo agradecido

Machado de Assis

---

1 ∾ Este documento a que Machado alude seria de 26 de março de 1907. A última carta dele conhecida no período é de 25 de março. Se a informação não for apenas um pequeno lapso de memória, este documento não foi ainda localizado. (SE)

2 ∾ Mário tinha levado à chácara do Alto da Tijuca o texto de *Sete contra Tebas* no original a fim de traduzi-lo para o português. Tinha o hábito de ler diariamente textos em grego e inglês, idiomas que dominava como poucos. Capistrano de Abreu* faz alusão em suas cartas a respeito disso. Registre-se que em 21 de janeiro de 1908, [1026], Machado lhe dirá que está lendo a peça de Ésquilo, na versão francesa. Ver também cartas [935], [946] e nota 3, [1025]. (SE)

3 ∾ Sobre o tratamento com o Dr. Miguel Couto*, ver carta [1029], de 06/02/1908. (SE)

4 ∞ Nesta ocasião, Graça Aranha* estava no Brasil, morando em Petrópolis. (SE)

5 ∞ Em 1885, Augusto Tasso Fragoso (1869-1945) casou-se com sua prima Josefa Graça Aranha, a D. Iaiá. Fragoso era ao mesmo tempo primo e cunhado do acadêmico Graça Aranha. Fragoso e Iaiá tiveram seis filhos: Evangelina, Murilo, Beatriz, Heloísa, Marina e Maria da Glória. O casal morava na rua Daví Campista, 57. (SE)

6 ∞ Rodrigo Octavio* viajou em 31 de março de 1907, num domingo. (SE)

[949]

De: RODRIGO OCTAVIO
Fonte: Manuscrito Original, Arquivo ABL.

Rio [de Janeiro], 30 de março de 1907.[1]

Ex*celentíssi*mo Se*nh*or Presidente da Academia Brasileira de Letras.

Tenho a honra de participar à V*ossa* Ex*celência* que no dia 31 do corrente parto para [a] Europa por tempo indeterminado e peço à V*ossa* Ex*celência* se digne de providenciar a fim de que eu seja substituído na Secretaria da Academia[2].

Aproveito do ensejo para apresentar à V*ossa* Ex*celência* e aos nossos ilustres colegas as minhas despedidas e a manifestação do meu mais elevado apreço e consideração.

Rodrigo Octavio

---

1 ∞ Papel timbrado "Rodrigo Octavio / Advogado / Rua da Quitanda, 47". Neste endereço reuniu-se a Academia até 1905. (IM)

2 ∞ Já na Europa, Rodrigo Octavio foi nomeado pelo barão do Rio Branco* para secretariar a delegação brasileira na II Conferência Internacional da Paz, em Haia – episódio muito detalhado por Rodrigo em *Minhas Memórias dos Outros*, Nova Série, 1935. A permanência se estendeu bastante e sua reeleição para o cargo de Primeiro-Secretário da Academia está registrada na ata da sessão de 28/11/1907. (IM)

[950]

Para: MÁRIO DE ALENCAR
Fonte: COUTINHO, Eduardo; OLIVEIRA, Teresa Cristina Meireles de. *Empréstimo de Ouro*. Rio de Janeiro: Ouro Sobre Azul, 2009. Fac-símile do original.

[Rio de Janeiro,] 1.º de abril de 1907.

Meu querido amigo,

Só à noite de sábado[1] recebi a sua carta de 27, e ainda assim foi preciso mandar ver se a havia na caixa; provavelmente foi posta depois que eu saí. Vinha de esperar o Magalhães Azeredo até 7 ¼ horas no Pharoux, onde ele desembarcou às 10 e meia. Ontem é que nos falamos, de manhã, no Largo do Machado, e de tarde em casa do tio Coelho, rua Marquês de Abrantes *número* 97. Lá lhe dei o seu recado, e ele ficou sentido do desencontro. Hoje deve subir para Petrópolis com a família.

A minha ideia era ir sábado visitar o Leo[2], mas a chegada e a espera do nosso amigo, fez-me ir jantar às oito horas, e só às nove poderia sair do Cosme Velho. Adiei a visita.

Li e reli as palavras que me diz, e ainda bem que a minha carta lhe produziu esse efeito, o mesmo que parece haver sentido com a nossa conversação. Tanto melhor, meu amigo. Já sabe que a sua moléstia é uma impressão, e basta alguém de boa vontade, o que lhe não falta, ao contrário. Não falei ao Azeredo na mesma que ele teve em Roma, e de que se curou totalmente; está o mesmo rapaz antigo. Conversamos do que pudemos, e prometi, se possível, dar um pulo a Petrópolis, mas não sei. Já tenho dito a mesma coisa a amigos que lá tenho, e a quem desejo muito, mas ainda não cumpri nada.

Novamente agradeço a D*ona* Helena os cambucás que me mandou; estavam saborosos, conforme lhe disse. Também lhe disse que os dividi com uma vizinha.

Não fale na mocidade do meu espírito, que está velho ou pior. Adeus, meu amigo; até à primeira ou até o fim do mês. O Azeredo, pelo que me disse, quer cuidar do discurso de entrada na Academia; teremos festa³. A nova eleição é lá para o fim do mês. Peço que apresente os meus respeitos à Mamãe e à Esposa, lembre-me às crianças e receba um abraço do velho am*i*go.

Machado de Assis

1 ∾ A carta de 27 de março só chegou às mãos de Machado em 30 de março, sábado, no dia em que foi ao cais Pharoux recepcionar Magalhães de Azeredo*, que chegara do porto de Gênova no vapor *Savoia*, vindo em razão da morte de Bernardo Caymari, pai de sua mulher. Machado, possivelmente cansado, não esperou pela chegada do navio. Só se viram no dia seguinte, na casa da tia de Azeredo, D. Júlia Magalhães Coelho. O casal Azeredo retornará à Itália somente em 9 de setembro de 1907, permanecendo no Brasil por seis meses, hospedado em Petrópolis, a maior parte do tempo na casa que pertenceu a Caymari, na rua Monte Caseros, 1. Mário, que na carta [947], avisou que ia receber Azeredo no cais, acabou desistindo. (SE)

2 ∾ Há dois Leo de Afonseca. Sobre a homonímia, ver nota 10, carta [927]. Sobre o comendador Afonseca, ver nota 10, carta [1030], de 08/02/1908. (SE)

3 ∾ Da última vez que veio ao Brasil, entre 1902-1903, Azeredo negociou intensamente a sua posse solene, mas esta acabou não ocorrendo. Fixado em Petrópolis, não teria como subir a serra à noite e não desejava ficar no Rio em atenção à mulher Maria Luísa, que temia a febre amarela e cuja família morava lá. Essa foi a explicação oficial que deu a Machado, mas havia uma segunda e importante razão: à época a maior parte do corpo diplomático estrangeiro tinha sua representação na serra, além de muitos diplomatas brasileiros e mesmo o próprio barão do Rio Branco* tinham casa de veraneio lá. Ver também cartas [673], de 05/12/1902 e [675], de 08/02/1902, tomo IV. (SE)

[951]

De: BARÃO DO RIO BRANCO
Fonte: Cartão de Visita Original, Arquivo ABL.

Rio [de Janeiro], 6 de abril de 1907.

Ao meu Mestre e amigo Machado de Assis saúda afet*uosamen*te

RIO-BRANCO

e m*ui*to agradece [a sua visita]¹

1 ∾ É possível (e muito provável) que a presença de Machado no Itamaraty respondesse a uma convocação de Rio Branco, cujo objetivo era concretizar uma espetacular escala no Brasil do historiador italiano Guglielmo Ferrero*, que daria conferências em Buenos Aires a convite do jornal *La Nación*. Ver carta [959], de 18/05/1907. Ferrero, genro do famoso criminalista e cientista italiano Cesare Lombroso (1835-1909), brilhava em Paris com as suas conferências históricas pronunciadas no Collège de France. Sousa Bandeira*, que voltara pouco antes da Europa, alardeou o êxito de Ferrero em *O País*, no artigo publicado a 09/03/1904. Tendo em vista a viagem do historiador à Argentina, nosso chanceler, sempre interessadíssimo na projeção do Brasil em âmbito internacional, resolveu que o convite a Ferrero não devia ter caráter oficial, mas vir de uma entidade privada, no caso a Academia Brasileira de Letras. Esta, sem qualquer recurso financeiro, seria provida por verba pública, cerca de 50 contos de réis, repassada pelo ministério onde Machado trabalhava (como Chefe de Contabilidade!) e era chefiado por Miguel Calmon. As 20 cartas trocadas entre os protagonistas dessa manobra do barão – ele próprio, Machado, Ferrero, Graça Aranha*, Sousa Bandeira* – e de amigos comuns que comentaram o fato ocupam lugar de destaque no presente tomo. Em sua Apresentação, Sergio Paulo Rouanet analisa o desenrolar dessa maratona, que exauriu o disciplinado presidente da Academia, entre abril e novembro de 1907, e foi admiravelmente descrita em capítulos específicos por Josué Montello (1986) e Magalhães Jr. (2008). (IM)

[952]

De: GRAÇA ARANHA
Fonte: Manuscrito Original, Arquivo ABL.

Petrópolis, 10 de abril de 1907.

Meu querido Machado de Assis,

Lembro-me agora, à última hora, da nossa eleição de amanhã[1]. Aí vai o meu voto. É uma formalidade; mas eu não quisera que o Artur Orlando entrasse para a Academia sem o meu voto, uma vez que os meus compromissos com o Assis Brasil não têm mais razão de ser. Grande Euclides![2]

Ando muito saudoso de Você, meu velho e incomparável amigo!

E espero com ânsia junho que me levará ao Rio por uma longa temporada, que me consolará em sua companhia de toda a solidão do estio.

Nós temos sempre muito o que dizer um ao outro.

E ainda que seja por um instante, não deixarei de vê-lo à primeira vez que descer.

Um abraço do

    seu do coração

    Graça Aranha.

---

1 ✦ Graça Aranha confundiu-se. Não haveria ainda eleição acadêmica, pois diz a ata da sessão de 11/04/1907:

"A ordem do dia era tomar conhecimento das candidaturas apresentadas à vaga do Barão de Loreto, mas havendo falecido o Sr. Teixeira de Melo, o Sr. Presidente propôs, com aprovação geral, que se suspendesse a sessão como homenagem de pesar pela perda do saudoso companheiro."

Como candidato único, Artur Orlando, receberia o voto (por carta) de Graça em 27/06/1907. (IM)

2 ✦ Euclides da Cunha* trabalhava pela reapresentação de Assis Brasil à Academia, mas tal fato não ocorreu. Como bem observa Magalhães Jr. (2008), naquela altura o apetite pela imortalidade andava bem debilitado. (IM)

---

[953]

Para: MÁRIO DE ALENCAR
Fonte: COUTINHO, Eduardo; OLIVEIRA, Teresa Cristina Meireles de. *Empréstimo de Ouro*. Rio de Janeiro: Ouro Sobre Azul, 2009. Fac-símile do original.

Rio [de Janeiro], 11 de abril de 1907.

Meu querido amigo,

Recebi a sua carta de 8 ontem à tarde, de maneira que só agora posso responder-lhe. Li o que me diz acerca do seu atual mal-estar e outros fenômenos. Qualquer que tenha sido a causa dessa agravação, vejo que está melhor, e ainda bem. Eu, que tenho mais direito a enfermidades, não lhe digo senão que as vou espiando com olhos cansados. O muito trabalhar destes últimos dias tem-me trazido alguns fenômenos nervosos; nem por isso deixo de lhe mandar cá debaixo as animações necessárias, por mais enfadonhas que lhe pareçam.

O Magalhães de Azeredo só uma vez desceu de Petrópolis, e eu apenas o vi de passagem; ficou de tornar um dia destes. Já lhe contei o nosso encontro no dia seguinte ao da chegada da Europa[1]. Não terá havido extravio das duas cartas que lhe escreveu agora?

Não sei se leu ontem que hoje há sessão na Academia para cuidar da próxima eleição e de outros assuntos. Acabo de ler que ontem faleceu o Teixeira de Melo[2]. Desaparecera, há muito, presa de um mal cruel; é mais uma vaga na Academia.

Li o que me diz do "Registro" que o Bilac escreveu acerca da Academia[3]. Em França há muito quem ataque ou diga mal da Academia, mas são os que estão fora dela; os que a compõem sabem amá-la e prezá-la. Aqui a própria Academia acha em si mesma a oposição.

Adeus, meu amigo; acabo já por faltar tempo. Estive sábado passado na rua de Olinda, com os seus amáveis sogros e cunhados[4], e passei uma boa hora de conversação. Lá falamos, é claro, a seu respeito, e a impressão que me deram é boa. Adeus; recomendações à sua Mamãe e à sua Babi, e os abraços do costume para as crianças e para si.

amigo velho

Machado de Assis

---

1 ⁓ Machado e Azeredo* encontraram-se no Largo do Machado e depois combinaram se ver na casa da tia Júlia, viúva do temido tio Coelho da infância de Azeredo, na rua conde de Baependi. (SE)

2 ⁓ Amizade dos tempos de juventude de Machado, José Alexandre Teixeira de Melo* faleceu aos 73 anos, no dia anterior, 10 de abril de 1907, na sua modesta casa em Ipanema, na rua Quatro de Dezembro e que atualmente leva o seu nome. Sobre ele, ver carta [51] tomo I. (SE)

3 ∾ A carta na qual Mário de Alencar fez o comentário é um documento não localizado. Na seção "Registro", que manteve no jornal *A Notícia* de 1900 a 1908, Olavo Bilac* escreveu em 3-4 de abril de 1907:

"Noticiou há dias a *Gazeta* que o falecido acadêmico barão de Loreto legou à Academia Brasileira vários manuscritos, que possuía, do poeta Junqueira Freire, patrono de sua cadeira. Esses manuscritos já foram, parece, recolhidos ao arquivo acadêmico. Serão publicados? A Academia goza do privilégio da impressão gratuita — e nada lhe custaria prestar esse serviço à literatura nacional. Serviço que não seria pequeno, porque na coleção dos inéditos de Junqueira Freire doados pelo barão de Loreto figuram poemas, dramas e poesias avulsas do poeta. / Parece, porém, que a Academia não quer sair do seu inútil e cômodo papel de companhia meramente representativa. Reunião de quarenta figuras ornamentais e simbólicas, como as que outrora enfeitavam as proas dos navios; e, nisso, quer ela em mais um ponto imitar a Academia Francesa, de que é a cópia fiel e a reprodução servil. / Não se pode conceber mais condenável propósito. Hoje em dia, neste século de atividade febril, ninguém compreende que haja no mundo um só homem ocioso. O trabalho é mais o fim e o destino da vida humana: é a sua essência, a sua explicação, a sua razão de ser. E como se há de compreender que seja ociosa, que fique absolutamente inativa, que se imobilize numa petrificação decorativa, — uma corporação em que foram reunidos, ou em que se deve supor que foram reunidos, os homens mais notáveis da literatura de um país? / Há tempo, um acadêmico, — um dos mais ilustres, e que faz parte da administração acadêmica, lembrou que cada um dos membros da companhia poderia chamar a si o encargo de promover e fiscalizar a impressão de uma edição popular das obras do seu respectivo patrono, prefaciando-a e escoimando-a de erros e anotando-a. Não haveria nisso despesa, porque, como já lembrei, a Academia goza do privilégio da impressão gratuita; e haveria grandes vantagens para a educação popular e para a glória dos nossos grandes escritores mortos, porque o povo poderia adquirir por baixo preço as obras-primas da nossa literatura, e porque essas obras apareceriam limpas das monstruosidades que nelas enxertam a desídia e o mau gosto dos editores de meia-tigela. / A ideia é admirável, proveitosa e de fácil execução. Parece que justamente por isso não foi aceita... / E a Academia continua a ser uma corporação absolutamente inútil. Cada um de nós é ali dentro um faquir, extasiado na contemplação do próprio umbigo e na contemplação dos umbigos dos vizinhos. Esse êxtase umbilical é realmente muito cômodo; mas é também muito vergonhoso, numa época em que a vida sem trabalho é um absurdo. Aquilo não parece Academia: parece um Asilo de Inválidos." (SE)

4 ∾ Sobre a família do sogro de Mário de Alencar, ver nota 10, carta [1030], de 08/02/1908. (SE)

[954]

De: MANUEL TELES RABELO
Fonte: Manuscrito Original, Arquivo ABL.

Manuel Teles Rabelo
Rio de Janeiro
Brasil[1]

Rio de Janeiro, 25 de abril de 1907.

Excelentíssimo Senhor Doutor Machado de Assis.

Respeitosas saudações.

Venho abusar da reconhecida bondade do Mestre na literatura nacional, implorando a grande fineza de escrever alguma coisa e firmar o postal[2], que tenho a ousadia de enviar para *esse* fim, e espero de Vossa Excelência merecer tão grande obséquio, pois seria um crime de minha parte, se na coleção de postais não tivesse o vosso precioso autógrafo.

Admirador e humilde criado

Manuel Teles Rabelo[3]

Rua Barão de Guaratiba 30 "A"
Catete – Rio –

---

1 ◈ Carimbo. (SE)

2 ◈ Sobre o modismo de álbuns e cartões-postais, ver carta [650], tomo IV. (SE)

3 ◈ Manuel Teles Rabelo era estafeta de I.ª classe da Estação Central da Repartição Geral de Telégrafos, ou seja, era o responsável pela distribuição dos telegramas. Em setembro de 1907, fundou a Associação Beneficente dos Estafetas da Repartição Geral dos Telégrafos, da qual foi seu primeiro presidente. A associação tinha sede na rua dos Andradas, 85, centro do Rio de Janeiro. (SE)

[955]

De: VIRGÍLIO VÁRZEA
Fonte: Manuscrito Original, Arquivo ABL.

Rio [de Janeiro], 27 de abril de 1907.

Ex*celentíssi*mo *Senho*r Machado de Assis, presidente da Academia Brasileira de Letras.

Peço à V*ossa* Ex*celênci*a a bondade de inscrever-me como candidato à vaga aberta nessa Instituição pelo falecimento do ilustre poeta Teixeira de Melo[1].

Com a mais alta simpatia e apreço

De V*ossa* Ex*celênci*a Patrício e Adm*ira*do*r*

Virgílio Várzea.

---

1 ⚬ Teixeira de Melo* faleceu em 10/04/1907. O escritor catarinense, postulante à Cadeira 6, retiraria a candidatura; ver carta [995], de 19/09/1907. (IM)

[956]

De: MÁRIO DE ALENCAR
Fonte: *Revista da Academia Brasileira de Letras*, XXXVI, n.° 116, 1931.

[Rio de Janeiro, sem data.][1]

Meu ilustre amigo,

Vim pessoalmente responder ao seu bilhete, mas acabo de saber que está com o Ministro e não poderá falar tão cedo a ninguém. Deixo este escrito em papel indigno de suas mãos e em letra indigna de seus olhos, mas não trago outro comigo nem contava com a decepção de o não ver.

Augusto está em casa de Mamãe[2], travessa Marquês de Paraná, n.° 9.

Os meus vão bem; eu sempre doente do espírito ou talvez da ausência dele.

Seu dedicado

Mário de Alencar

---

1 ∾ Na edição da Jackson (1937), este bilhete foi situado entre os dias 4 de agosto e 12 de dezembro de 1907, sem nenhum esclarecimento. Neste período, no entanto, o diplomata Augusto Cochrane de Alencar*, irmão mais velho de Mário, não estava mais no Brasil. A última vez em que estivera no Rio de Janeiro foi entre 17 de abril e 6 de junho de 1907. Há registro da sua entrada e saída do país. Esta carta, portanto, deve se situar neste período. Aliás, é possível que seja de abril, logo no início de sua permanência. Provavelmente Machado soube que Augusto chegaria e quis informar-se de onde ficaria hospedado. Sobre a sua vinda ao Rio, ver nota 2, carta [971]. (SE)

2 ∾ Georgiana Cochrane de Alencar, viúva de José de Alencar*. (SE)

[957]

Para: JOAQUIM NABUCO
Fonte: Fundação Joaquim Nabuco. Fac-símile do manuscrito original.

Rio de Janeiro, 14 de maio de 1907.

Meu caro Nabuco,

Dei conta aos colegas da Academia de seu voto na vaga do Loreto em favor do Artur Orlando[1]. Para tudo dizer, dei notícia também do voto que daria ao Assis Brasil ou ao Jaceguai. A este contei também o texto da sua carta, e instei com ele para que se apresente candidato à vaga do Teixeira de Melo (a outra está encerrada e esta foi aberta), mas insistiu em recusar. A razão é não ser homem de letras. Citei-lhe, ainda uma vez, o seu modo de ver que outrora me foi dito, já verbalmente, já por carta; apesar de tudo declarou que não. Quanto ao Assis Brasil, foi instado pelo Euclides da Cunha e recusou também. A carta dele, que o Euclides me leu, parece-me mostrar que o Assis Brasil estimaria ser acadêmico; não obstante, recusa sempre; creio que por causa da *non réussite*. Sinto isto muito, meu querido Nabuco.

Para a vaga do Teixeira de Melo apresentaram-se já dois candidatos, o Virgílio Várzea e o *Paulo* Barreto, que assina *João do Rio*. O Secretário Medeiros² já lhe há de ter escrito sobre isto. Sabe que o Rodrigo Octavio está agora na Europa.

Estas são as notícias eleitorais. Dos trabalhos acadêmicos já há de ter notícia que, por proposta do Medeiros estamos discutindo se convém proceder à reforma da ortografia³. Ao projeto deste (tendente ao fonetismo) opôs-se logo o Salvador de Mendonça, que apresentou um contraprojeto assinado por ele e pelo Rui Barbosa, Mário [de] Alencar, Sílvio Romero, Euclides da Cunha, Lúcio de Mendonça. Este propõe que a Academia cuide de organizar um dicionário etimológico, fazendo algumas emendas segundo regras que indica. O João Ribeiro opõe-se ao contraprojeto, e as nossas três sessões têm sido interessantes e são acompanhadas na imprensa e no público.

Adeus, meu caro Nabuco, desculpe esta letra que nunca foi boa e a idade está fazendo pior, e não esqueça o velho amigo que não o esquece e é dos mais antigos, e agora o mais triste.

Machado de Assis

---

1 ∾ Ver carta [943]. (IM)

2 ∾ Medeiros e Albuquerque*, secretário-geral interino. (IM)

3 ∾ O assunto começara a ser debatido na sessão de 02/05/1907 e foi o tema principal das sessões que se realizaram até setembro do mesmo ano, como é possível acompanhar detalhadamente nas respectivas atas. O caráter polêmico da reforma exemplifica-se na carta aberta de Carlos de Laet* [962], de 30/05/1907. (IM)

[958]

> Para: CAMILLO CRESTA
> *Fonte:* Manuscrito Original, Arquivo ABL.

Rio [de Janeiro], 18 de maio de 1907.

Ex*celentíssi*mo S*enho*r *Camillo* Cresta,

Aproveitando a sua viagem à Itália, peço-lhe o obséquio de levar a carta junta e entregá-la ao S*enho*r Guglielmo Ferrero[1]. Pelo que ela diz verá que a Academia Brasileira, de que é membro correspondente aquele grande escritor[2], sabe que ele vem brevemente a Buenos Aires; nela lhe pede que se demore alguns dias no Rio de Janeiro, onde nos poderá fazer duas ou três conferências. Naturalmente esta interrupção da viagem lhe trará algum transtorno, e para compensá-lo e acudir às despesas de estadia pode oferecer-lhe a soma de dez mil liras, que lhe serão entregues pelo modo que parecer melhor[3].

Agradecendo-lhe desde já este obséquio, peço-lhe também que disponha de mim para o que for do seu serviço, como

Adm*irado*r, am*igo* e ob*rigad*o

Machado de Assis

---

1 ❧ Trata-se de um rascunho. A carta para Guglielmo Ferrero*, entregue a Cresta, provavelmente não chegou a tempo ao destinatário. Sobre o convite ao conferencista italiano, ver nota 1 em [951]. Devido ao desencontro epistolar, houve nova investida – um telegrama expedido para Barcelona, conforme se verifica na carta [963], de 10/06/1907. (IM)

2 ❧ Ferrero seria o 2.º ocupante da Cadeira 16 do quadro de sócios correspondentes. (IM)

3 ❧ Como se observará amplamente na correspondência relativa à visita de Ferrero, houve muitas modificações na proposta inicial. (IM)

[959]

Para: GUGLIELMO FERRERO
Fonte: Original Manuscrito. Arquivo ABL.

[Rio de Janeiro,] le 18 mai 1907.[1]

Monsieur,

Cette lettre, que j'ai l'honneur de vous écrire au nom de l'Académie Brésilienne, vous sera remise par M*onsieur* Camillo Cresta, notre ami[2]. L'Académie, dont vous venez d'être élu membre correspondant, connaît votre prochain voyage à Buenos Aires. Elle recevrait un grand honneur et un bien vif plaisir, si vous vouliez passer quelques jours à Rio de Janeiro. Ici, Monsieur, où vous avez des admirateurs fervents et nombreux, vous pourriez nous donner deux ou trois conférences publiques. Le sujet en serait à votre choix; naturellement il sera italien, comme vous-même, et moderne, comme votre esprit; personne ne sait dire comme vous de ce qui est matière artistique et sociale.

Nous serons bien heureux si vous acceptez cette invitation. Monsieur Cresta nous dira par lettre ou par télégramme votre réponse, et j'en donnerai la nouvelle à mes amis et nos confrères[3].

Agréez, Monsieur Ferrero, mes respectuex hommages et l'assurance de notre grande admiration.

Machado de Assis[4]

---

1 ∾ Trata-se de um rascunho, explicitando, elegantemente, o plano de Rio Branco*. Ver nota 1 em [951]. (IM)

2 ∾ Ver carta [958]. (IM)

3 ∾ Resposta de Camillo Cresta* não localizada. (IM)

4 ∾ TRADUÇÃO DA CARTA:
Rio de Janeiro, 18 de maio de 1907 / Prezado Senhor: esta carta, que tenho a honra de escrever em nome da Academia Brasileira, ser-lhe-á entregue pelo Senhor Camillo Cresta, nosso amigo. A Academia, da qual o Senhor foi eleito membro correspondente, tomou conhecimento de sua próxima viagem a Buenos Aires. Seria

para a Academia uma grande honra e um vivo prazer se o Sr. passasse alguns dias no Rio de Janeiro. Aqui, onde o Sr. tem muitos e fervorosos admiradores, o Sr. poderia oferecer-nos duas ou três conferências públicas. O assunto seria de sua escolha; naturalmente, seria italiano, como o Sr. mesmo, e moderno, como seu espírito; ninguém sabe falar como o Sr. sobre todos os temas artísticos e sociais. / Ficaremos muito felizes se o Sr. aceitar este convite. O Senhor Cresta nos comunicará sua resposta, por carta ou telegrama, e informarei a respeito nossos amigos e confrades. / Receba, Senhor Ferrero, minhas homenagens respeitosas e a expressão de nossa grande admiração. / Machado de Assis. (SPR)

[960]

De: MARIA AVELAR DE QUEIRÓS
Fonte: Manuscrito Original, Arquivo ABL.

[Rio de Janeiro,] 23 de maio de 1907.

Meu bom amiguinho S*enho*r Machado.

Tencionando realizar o meu casamento no dia 22 de Junho, e sendo o S*enho*r nosso bom e verdadeiro amigo, de tantos anos, não posso deixar de convidá-lo para meu padrinho no ato civil.

No religioso é tio Artur Napoleão e senhora[1], pois só convido para este ato, pessoas da minha sincera amizade.

Como sabe estamos agora morando na rua dos Junquilhos 3, em Santa Teresa, portanto é provável que seja o casamento aqui mesmo na igreja das Neves às 11 horas da manhã.

Recomendações de mamãe[2].

Aceite todo o afeto da sua amiguinha

Maria Avelar Queirós.[3]

---

1 ∾ Viúvo de Lívia Avelar, tia da missivista, o pianista português Artur Napoleão*, grande amigo de Machado, casara-se em segundas núpcias. (IM)

2 ∾ Adelina, filha de Miguel de Avelar, casou-se com Francisco Gonçalves de Queirós em 1871. Sobre a família da signatária, ver tomo II, cartas de L. de Almeida* e de Artur Napoleão*. (IM)

3 ∾ O convite de Maria, nesta carta inédita, lança agora uma luz sobre o desconforto de Machado ao ser convocado por Rio Branco* para receber Guglielmo Ferrero*, em escala no Rio, rumo a Buenos Aires. Na carta [964], de 11/06/1907, ao barão, ele diz que procurará "conciliar a passagem do *Cordoba* a uma cerimônia que tenho de comparecer no mesmo dia 22"; era um compromisso muito sério, que escapou aos biógrafos machadianos. Para a felicidade do padrinho e do barão, Ferrero passou pelo Rio de Janeiro no dia seguinte. Ver em [969], de 25/06/1907. (IM)

[961]

De: JOAQUIM NABUCO
Fonte: Manuscrito Original, Arquivo ABL.

BRAZILIAN EMBASSY

Washington, 27 de maio de 1907.

Meu caro Machado,

Como para a vaga do Barão de Loreto só concorreu o Doutor Artur Orlando, o meu voto prometido a ele sob condição de não ser o Jaceguai, nem o Assis Brasil, candidato, é dele ipso facto[1]. Sob a mesma condição dou o meu voto na eleição para a vaga do Doutor Teixeira de Melo ao Paulo Barreto. Concorrendo, ou o Jaceguai ou o Assis Brasil, o meu voto será do que concorrer. Concorrendo os dois, do Jaceguai. Terei sido quem o animou a apresentar-se e tenho sempre sustentado que a Marinha falta na nossa Academia, (assim como o Exército, mas no Exército não sei de escritor igual ao nosso Jurien de la Gravière[2]), por isso votarei no Jaceguai por mais que me custe não poder dar também o meu voto ao meu colega Assis Brasil. Queira Você votar por mim de acordo com estas instruções.

O meu livro tem sido bem acolhido em França. Aí suponho que o Veríssimo o matou. Quando se diz de um livro que fora melhor não ter sido publicado, tem-se-lhe rezado o *requiescat*[3]. Entre nós dois lhe direi que o deputado Paul Deschanel[4] o propôs para um prêmio da Academia Francesa. Segundo o Regimento da Academia não há prêmio senão para as obras inscritas para o concurso e assim tive que inscrever-me! A responsabilidade da iniciativa, porém, não é minha. O Barão de Courcel[5] também fez o elogio dele na Academia de Ciências Morais e Políticas[6]. Estou muito grato a tão generoso acolhimento. Sei que a crítica do Veríssimo aí fez muito mal ao livro, porque me repetiram um dito de um dos rapazes da Missão Naval: que o meu livro não tinha atualidade. Atualidade um livro de pensamentos! E um livro escrito há treze anos que deixei dormir por não me preocupar de "atualidade". Ora isso é do Veríssimo.

Espero que V*ocê* tenha sempre a saúde com que o vi durante a minha estada no Rio. Que saudades trouxe suas, meu caro Machado. Como a vida ao seu lado é sempre um novo encanto!

Do Amigo e Velho Admirador

Joaquim Nabuco.

---

1 ∾ No original, não está em itálico. Ver em [943]. (IM)

2 ∾ Jean Pierre Edmond Jurien de la Gravière (1812-1892), almirante e escritor francês, foi membro da Academia das Ciências Morais e Políticas (1866) e da Academia Francesa (1888). Informou o jornal *Le Monde Illustré* a 5 de julho de 1862:

«Promu récemment au grade de vice-amiral, M. Jurien de la Gravière est un des officiers généraux qui est arrivé le plus jeune à une haute position. C'est non-seulement un marin consommé, mais aussi un littérateur distingué et un des historiens dont les ouvrages ont le plus fait connaître les faits glorieux de la marine française. Les 'Souvenirs d'un contre-amiral' sont dans les mains de tous les officiers de marine, l'homme spécial et les descriptions techniques s'y cachent avec habilité sous un grand charme de récit et une préoccupation instinctive du pittoresque. Pendant la guerre de Crimée, l'amiral Jurien de la Gravière, alors capitaine de vaisseau, fut choisi pour chef d'état-major de l'amiral Bruat. Chacun sait les immenses services rendus par la marine à cette époque. Lors de la grande revue de la reine d'Angleterre à Spithead, M. Jurien fut désigné par l'Empereur pour aller complimenter Sa Majesté Britannique /.../» (IM)

TRADUÇÃO:
"Promovido recentemente ao posto de vice-almirante, o Sr. Jurien de la Gravière está entre os oficiais-generais que chegaram mais jovens a uma posição elevada. É não só um marinheiro consumado como um distinto homem de letras e um historiador cujas obras tornaram mais conhecidos os feitos gloriosos da marinha francesa. Suas 'Recordações de um contra-almirante' estão nas mãos de todos os oficiais de marinha; nesse livro, o especialista e as descrições técnicas se escondem com habilidade sob uma narrativa sedutora e uma preocupação instintiva com o pitoresco. Durante a guerra da Crimeia, o almirante Jurien de la Gravière, então capitão de mar e guerra, foi escolhido para chefe do estado-maior do almirante Bruat. Todos conhecem os imensos serviços prestados pela marinha nessa época. Por ocasião da grande revista da rainha da Inglaterra em Spithead, o Sr. Jurien foi designado pelo Imperador para cumprimentar Sua Majestade Britânica /.../" (SPR).

3 ∽ José Veríssimo*, na carta [929], informara a Machado estar criticando *Pensées Détachées* de Nabuco: "É um prazer porque o homem é efetivamente forte." Não obstante, sua longuíssima análise foi severa – ver notas à carta [934]; com razão, o autor se sentiu ferido e manifesta aqui sua profunda mágoa, a começar pelo início da crítica:

"Para entendermos bem o novo pensamento do Sr. Joaquim Nabuco e a obra em que se ele revelou explicitamente, precisamos, porém, remontar às causas e circunstâncias que o determinaram e em que se desenvolveu. Alcançou o Sr. Nabuco uma tão justa culminância na nossa vida espiritual, que pode a crítica sem impertinência ou indiscrição ocupar-se dele, como se o visse à perspectiva afastada que dão a morte ou a glória."

Ou, ainda, sobre o fato de ser o livro escrito em francês:

"Nas palavras amigas com que o Sr. Joaquim Nabuco me endereçou o seu formoso livro, dignou-se ele de lembrar-se de que, nas nossas palestras na *Revista Brasileira*, me ouviu muitas vezes dizer que ninguém deve escrever em língua estrangeira. É verdade, e continuo firme no juízo ainda depois do brilhante desmentido que parece dar-lhe este livro do Sr. Nabuco, ao seu francês que julgo puríssimo e será certamente elegante como de quem o aprendeu principalmente com Renan."

E adiante:

"/.../ o escritor literário que usa uma língua estrangeira se coloca numa posição falsa. Alheia-se de sua literatura nacional e sem nenhuma probabilidade de se incorporar na língua em que escreveu."

Estes poucos exemplos já dão sentido à amargura que se manifesta no penúltimo parágrafo da presente carta, alternando com vivas satisfações do autor (ver notas abaixo). (IM)

4 ∾ Agradecendo a proposta, Nabuco registra nos *Diários* (2008) que escreveu, em 22/04/1907, carta ao político francês Paul Deschanel (1855-1922). (IM)

5 ∾ Alphonse Chodron de Courcel (1835-1919), diplomata e político francês. (IM)

6 ∾ Graça Aranha* (1923) informa que ao apresentar *Pensées Détachées* à Academia de Ciências Morais, Courcel salientou, ao lado da perfeita correção do francês de Nabuco, a riqueza ousada das suas metáforas, revelando com isso a "origem tropical do autor". (SPR)

[962]

De: CARLOS DE LAET
Fonte: LAET, Carlos de. *Crônicas*. Org. Homero Sena. Rio de Janeiro: ABL, 2000.

[Rio de Janeiro, 30 de maio de 1907.][1]

KARTA

ke, kontra o semifonetismu du sidadão Medeirus, au sidadão Maxadu Dasis dirije un emperradu etimolojista, ô fonetista radikal.

Meu karu Maxadu Dasis.

Não temus estado juntus, á muintus mezes, i konpletamente ignoru kual a tua maneira de pensar a respeitu da nova reforma ortografica, de invensão du Medeirus Albukerke[2]. Não axas tu ke para uma revolusão é muinto pôku, i para uma desorden já é demais?

Á, nu ke vai fazendu a Akademia, grande falta de lojica. Vêjase, por exenplu, akilu du *agá*! Não u admite nu meiu das palavras, i todavia u tolera nu principio dalgumas. Ô u *agá* é bon, ô é mau. Si é bon, kontinúe a viver onde kér ke seja; si é mau, suprimase de todu.

Eu já esprimi a minha opinião konservadora em uma karta ke publicamente dirigi á Excelentisima Señora Dona Karmen Dolores[3], elegante escritora dus domingus nu *País*. Nistu, komu nu demais, talvês tu, ke muintu konvives kon jovens akademikus, mi áxis atrazado i anakroniku;

mas, pasiensia! Kada kual é komu Deus u fês, i forsozamente ten de obedecer á sua indole. Não tendu julgado bôa a perturbasão de quinze de novembru, akela ke á filosofia koroada substitui a tirania do barrete frigiu[4], tanben me não póde sorrir esta bernarda[5] das letras, igualmente alocada e temerária.

Depois de serta idade, meu karu Maxadu, kuasi nus limitamus á prolongasão du ke até então temus sidu. U ke mórmente nus aprás é u ke nus deliciô en ôtros tempus, i kero krer ke nistu entra muinto da rekordasão. U mundu esterior própriamente só nus fas vibrar até serto numeru de janeirus; e é presisu ter a natureza essepsional de un Afonsu Pena, por ezenplu, para, já entradu en anus, aprender modas novas, i fingir de inperador kon kavalaria atrás du karru. En lovor de Sua Esselensia, nesta adaptasão a modernus idiais [i] freskas praxes deskubro a prova de uma fibra muinto mais rija du ke parése indikar u fiziku du mesmu Afonsu, ke já era deputadu i ministru da korôa kuando ainda Medeirus com Aristides, o Lôbu, soletrava o *abesê* da demokracia.

Eu não sei, karisimu Maxadu, si tanben tu konservas aus jesuitas akele orror ke kontra eles nus ensinarão us nosus mestres, todus, ô kuasi todus, formadus i inspiradus na eskola du Ponbal[6], ke na ponta du naris (komo lá dizia o francês Xoazeul) trazia senpre un jezuita a kavalu[7]; mas en todu kasu, ás de admirar a famoza fraze du padre Ritxi[8] cuandu intimadu a reformar alguns artigus da Konstituisão da sua orden, korajozu replikô: "Sind u[d] sund, aud non sind"[9] – isto é, ke sertas kôsas u melhor é deixalas kuais são, ô de todu abolilas. Istu de *agá* mau nu meiu e bon nu prinsipiu não se konpadése com a lojica, ke tudu governa, até mesmu as revolusões.

Fálase muinto en ortografia fonetika: mas en ke se rezume ela? Na ekuasão du son i da grafia: ora, tal ekuasão não eziste, nunca ezistirá con un alfabetu, ke kual u ke erdamus dus latinus, é au mesmu tempu defisiente e superabundante.

Con efeitu as letras das vogais são en numeru inferior au das vozes, i já na mesma lista das vogais aparése a duplikata du *i* e duo *ipsilon*, tão odiozu este ultimu aus foneticistas da Akademia. Deixu de falar nas ôtras duplikatas dos *xis* e du *cê agá*, du *gê* i du *jota* en tantas palavras, edsétera, edsétera. Logo, nunka será posivel fazer ortografia fonetika, antes ke Medeirus e seus adeptus corrijão u alfabetu, ô inventen ôtro melhor, asin komu tão bem corrijirão a monarkia i todus us seus errus.

Eskolhidu u novu alfabetu, ô pelu menus modifikadu o atual de fórma ke a kada son korresponda uma letra, ô kuando muintu duas (komu nu kasu du *erre* forte medial, i du duplo *élle, ll,* para figurar u ke oje se grafa como *élle agá*) klaru está ke ben diferente fikaria u aspetu, a fizionomia du idioma vernaculu escritu, asumindu feisões de *esperantu*, ô mesmo de groelandês... Mas, segundu parése aver ditu u señor Lafaiete au esprefeitu Passus, não se póde fazer uma *omelete* sen kebrar us óvus, nen ortografia fonétika sen mandar au infernu a tradisão.

Uma das kôsas ke eu reklamaria, si mu permitisen as minhas kondisões de eternu vensidu, seria a supresão do *cê*, por não ser letra sinsera.

A duplicidade dese karater antes du *e*, ô du *i*, i antes du *a, o* i *u* não se mi afigura menos odioza ke a dôtros xamadus *adezistas*, kér dizer akeles sujeitos ke mudão segundu a okasião. (Não aludu ao nosu venerandu Pena, de ken até já lovei a fibra, com ke arrosta u insultu dus anus.) Urje, pois, akabar com o *cê* i substituilo pelo *k*, ô pelo *ésse*, konforme soar.

A objesão de un konpetente, u espirituozu *Fóca*, kolega ke é meu nu Jornal do Brazil, absolutamente não sufraga a periklitante kausa do *cê*, porkê só grande malisia poderá konfundir u *kágado*, proparocsitonu (komu la dizen us Emeterius[10]) i u seu paronimu parocstitnu, partisipio de verbo ke não keru sitar.

Asin, meu karu Maxadu Dasis, não é u *ká*, letra de un só parecer, un só rosto i uma só fé, u karáter ke é justu desaparesa da escritura; i sin un *cê* de dous valores, i ke de mais toma sedilha, por kúmulu de indecóro.

Si, portantu, ouvese eu tempu de ir á Akademia, ke se reúne kuando estô tratando de kosas infinitamente menus divertidas, ô ensinando u gregu a baxarelandus, ô iniciando ôtros neófitus nus misterius dus logaritmus, minha proposta, pôku mais ô menus, seria esta, salvu as emendas con ke me advertise a tua esperiensia:

Primeiru, ke se deite fóra o *cê*, pelo seu caráter dúplice i adezista, pasandu a ser subistituidu pelo *ká*, kuando forte, i pelo *ésse*, sempre singelu, kuandu sibilante.

Segundu, ke banidu seja, i de vês, u negregrado *agá*, eskrevenduse con duplo *élle*, *ll*, o ke ora se grafa con *élle agá*, á moda fransesa ô kastellana: i póndose un til sobre o *enne* para grafar o son atual du *enne agá*. Deste módu, kuandu pâra mais não preste, as señoritas ficarião definitivamente españolas. Tudu istu, compreendese, enkuantu u Medeirus não forjar novu alfabetu, en ke aja carateres especiais para tais konsonansias.

Terseiru: ke nunka se dobre letra alguma, com desesperu da etimologia, mas ekonomia de tempu, de tinta e de talentu dus meninus de eskola, konforme ben ponderô o nosu Bilake. Essesões unicas, u *elle* dobradu du casu presedente, e talvês, u nome *Penna*, en atensão ao ditu Afonso.

Kuartu: ke igualmente só se atribua ao *gê* un son unicu, tiradu u *jota* que indebitamente asume antes du *e* i du *i*. Asin, nu vokabulu *ningen*, desnesesariu será u diagrama *gê u* (gu); i da mesma fórma nas ôtras palavras.

Kintu: ke os *ós* finais fexadus en *us*, komo en *us* sejan grafadus. Ken us mandô fexarense tantu?

Sestu: dispensar u risku de união, ô *ifen*, entre us verbus i us pronomes enkliticus. É luxo, já omitidu pelus klásikus.

Setimu: deixar au *ême* sómente u valor de konsonante; i por sinal de nazalidade adotar esclusivu o *ene*.

Oitavu: solisitar en pró desta revolusão u asensu du Institutu Istoriku, da Kaixa de Konversão, du Apostoladu Positivista e dôtras asosiasões tão reformadoras kuão poderosas.

Nonu, i últimu: banir u *cê agá* (substituidu ô por *xis*, como en *xapéo*; ô por un *ka*, komo en *kronika*); banir u *double u*, *w*; banir u *pe agá*, mesmo a despeitu do *Fóca*; banir u *ipsilon* esseto na palavra Ruy, por deferensia au maior jenio da Amerika du Sul; banir u *quê*, banir...

— Mas istu fôra muito banir, dirás tu, meu karu Maxadu, kon toda a bondade du teu koração.

Não fás mal, respondu eu: não á revolusão sen banimentu. É presizu banir avós, fillos, netus, bisnetus, tataranetus. Banir tudu. Asin o ezige a seguransa da ortografia fonetika, i dôtras instituisões ben consolidadas.

Adeus. Uma bela tarde, kuando menus pensares i u permitirem as raizes gregas ô kubicas, darei un pulu até ao silojeu, i de duas uma: ô me alistarei na falanje do Salvador, defendendu a etimolojia, ô baterei u semifonetismu du Medeirus, propugnandu o fonetismu jakobinu, kual u da grafia desta karta.

Teu egs korde amigu e admirador

Karlus de Laéte[11].

---

1 ∾ Data de publicação no *Jornal do Brasil*. (IM)

2 ∾ Cabe reproduzir a perfeita nota de Homero Sena, a quem se deve o volume 61 da Coleção Afrânio Peixoto (Laet, 2000). Diz Sena, sobre esta carta aberta:

"Crítica zombeteira à primeira simplificação ortográfica levada a efeito no Brasil, em 1907, pela Academia Brasileira de Letras. Embora tomasse alguns princípios do grande foneticista português Gonçalves Viana (cuja obra – *Ortografia Nacional* – é de 1904), a reforma Medeiros e Albuquerque, propugnada por amadores e curiosa, revelou-se congenitamente defeituosa, e não vingou. Por motivos óbvios conservamos a ortografia original."

Acrescente-se que a iniciativa de Medeiros e Albuquerque* encontrou enérgica oposição, liderada por Salvador de Mendonça*. Ver cartas [957] e [973], de 07/07/1907. (IM)

3 ∾ Carmen Dolores, pseudônimo da romancista, contista, cronista e poeta Emília Moncorvo Bandeira de Melo (1852-1910), que manteve a coluna "A semana" no jornal *O País*. (IM)

4 ∾ Laet permanecia monarquista irredutível. (IM)

5 ∾ Nome do movimento revolucionário ocorrido em Braga (Portugal) em 1862. Por derivação, insurreição, motim. (IM)

6 ∾ O marquês de Pombal iniciou o conhecidíssimo episódio da proscrição dos jesuítas, que culminaria com a extinção da Companhia de Jesus, por bula do papa Clemente XIV, em 1773. A ordem, numa resistência subterrânea de quatro décadas, foi restabelecida e recuperou sua força. Além de monarquista, dardejando a República

e os republicanos, como se vê ao longo desta carta aberta, Laet era um católico assumido. (IM).

7 ~ Etienne François, duque de Choiseul (1719-1785), homem público francês, amigo dos enciclopedistas e promotor da expulsão dos jesuítas em seu país. (IM)

8 ~ Padre Lorenzo Ricci – o Geral dos jesuítas quando a ordem foi extinta – morreu encarcerado no castelo de Santo Ângelo, em 1775. (IM)

9 ~ "Sejam como são, ou não sejam." (IM)

10 ~ Hemetério José dos Santos (1858-1939), professor e escritor negro, que acusaria Machado de omissão na causa abolicionista e de desprezo à madrasta Maria Inês (*Gazeta de Notícias*, 29/11/1908). Seu escrito, logo reproduzido em outras publicações, deu origem a levianos e tendenciosos comentários biográficos, ainda verificáveis mais de cem anos após a morte do mestre. (IM)

11 ~ Esta carta aberta foi reproduzida na *Revista Brasileira*, Fase VIII, julho-agosto--setembro 2012, Ano I, n.º 72. (IM)

[963]

De: BARÃO DO RIO BRANCO
Fonte: Manuscrito Original, Arquivo ABL.

Rio [de Janeiro], 10 de junho de 1907.

Meu caro Mestre e Amigo *Senh*or Machado de Assis.

O seu telegrama[1] foi entregue ontem em Barcelona a *Guglielmo* Ferrero, passageiro do *Cordoba*[2].

Eis o que recebi do Cônsul-Geral do Brasil:

> "9 de junho. – Entreguei cópia do telegrama dirigido pelo Presidente da Academia Brasileira a Guglielmo Ferrero que muito agradece distinção nomeação membro estrangeiro[3]. Roga Machado de Assis procurá-lo passagem *Cordova* Rio para entender-se sobre conferência, tendo sumo prazer poder tudo conciliar. Córdova deve passar Rio dia 22 corrente."[4]

Creia-me sempre, meu caro Mestre, seu

m*ui*to af*etuos*o amigo obrigado

Rio Branco

1 ∾ Telegrama ainda não localizado. (IM)

2 ∾ Nesta carta, em papel timbrado 'Gabinete do Ministro das Relações Exteriores', Rio Branco manifesta claramente o empenho na vinda de Guglielmo Ferrero* para dar conferências no Brasil, a convite da Academia. Ver cartas [958] e [959], respectivamente dirigidas a Camillo Cresta* e Ferrero. Vale recordar o comentário de Montello (1986): "Com a sua clarividência de diplomata, Rio Branco sabe medir a importância da cortesia brasileira nas impressões sul-americanas do historiador italiano." Observe-se que a sua escrita denota rapidez e por isso a mesma carta traz o nome do navio grafado '*Cordoba, Cordova* e *Córdova*'. (IM)

3 ∾ Segundo ocupante da Cadeira 16, dos sócios correspondentes, na sucessão de Giosuè Carducci, "providencialmente" falecido a 15/02/1907. Não se achou registro em ata dessa eleição, habilmente articulada por Machado para provar o apreço ao esperado visitante. (IM)

4 ∾ Na minuta desta carta, conservada no Arquivo Histórico do Itamaraty, Rio Branco escreveu e depois riscou a frase "Ficam assim satisfeitos os seus desejos e os da Academia." Na verdade, os desejos eram do próprio barão. (IM)

[964]

Para: BARÃO DO RIO BRANCO
Fonte: Manuscrito Original, Arquivo Histórico do Itamaraty.

Rio [de Janeiro], 11 de junho de 1907.

Meu caro e eminente amigo *Senhor* Barão do Rio Branco,

Muito e muito agradeço a carta de ontem em que me comunica o que lhe telegrafou o Cônsul-Geral do Brasil em Barcelona, acerca do convite que fiz por parte da Academia Brasileira ao *Guglielmo* Ferrero. Este diz que procura conciliar tudo: também eu procurarei conciliar a passagem do *Cordoba* a uma cerimônia a que tenho de comparecer no mesmo dia 22[1]; falarei sobre isto ao Graça Aranha[2], e irei à Agência da Companhia saber a hora da chegada.

Continuo a aguardar as suas ordens como

Velho ad*mira*dor e afetuoso amigo e ob*riga*do

Machado de Assis

1 ◦ Casamento de Maria de Avelar Queirós*, que convidara Machado para ser seu padrinho; ver carta [960]. Felizmente, o *Cordoba* só fez a almejada escala no Rio de Janeiro em 23/06/1907. Ver em [969], de 25/06/1907. (IM)

2 ◦ Sob as ordens de Rio Branco, Aranha* se tornaria o ágil executor das providências relativas à visita de Ferrero* e cicerone do conferencista em tempo integral. Ver suas missivas até novembro de 1907, bem como a Apresentação do presente tomo. (IM)

[965]

De: GRAÇA ARANHA
Fonte: Manuscrito Original, Arquivo ABL.

Petrópolis, 17 de junho de 1907.

Meu querido Machado de Assis,

Conforme lhe prometi vou amanhã ao Rio para me ocupar exclusivamente da recepção ao Ferrero.

Se V*ocê* puder apareça no Ministério do Exterior, às 2 horas ou mesmo antes um pouco; poderíamos conversar com o Rio Branco e assentar tudo[1].

Seu dedicado

Graça Aranha.

1 ◦ Josué Montello (1986) comenta:

"Graça Aranha /.../ soube aproveitar a estada de Ferrero para queimar o seu melhor incenso em volta de Rio Branco. E logo depois do banquete oferecido ao visitante pelo Itamaraty, aparou bem a pena, enviando uma carta [a Rio Branco] de derramados louvores /.../. 'Tive a deliciosa ilusão de que Cícero era recebido por Péricles... Jantávamos em Atenas'". (IM)

[966]

> De: BELMIRO BRAGA
> *Fonte:* Manuscrito Original, Arquivo ABL.

Juiz de Fora, 21 de junho de 1907.

Glorioso Mestre e Amigo.

Venho, nestas linhas, trazer-lhe os meus sinceros parabéns pelo dia de hoje e com eles os meus votos para que esta data — tão grata às letras brasileiras — se prolongue por muitos e muitos anos.

Aqui, entre estes servos mineiros, tem Vossa Excelência um coração que lhe acompanha os passos, alegrando-se com as suas alegrias e chorando com as suas tristezas.

Deus, que é bom, há de dar a esse coração sempre e sempre motivos para viver alegre.

Orgulho-me de ser

De Vossa Excelência

patrício, muito amigo e muito admirador

Belmiro Braga

[967]

> Para: MÁRIO DE ALENCAR
> *Fonte:* Cartão de Visita. *Ilustração Brasileira*, ano 17, 50.
> Arquivo Nacional. Fac-símile do original.

[Rio de Janeiro,] 23 de junho de 1907.

Meu querido Mário, venha jantar[1].

MACHADO DE ASSIS[2]

18 Cosme Velho

1 ᖇ Os biógrafos em geral afirmam que Machado quase não recebia as pessoas em casa. É verdade que recebia pouco, mas recebia. Os condes de São Mamede e filhos; o casal Joana* e Miguel de Novais*, até que os dois partissem em definitivo para Portugal; os barões Smith de Vasconcelos e família; D. Eufrosina Martins Ribeiro e família compunham o círculo dos íntimos do Cosme Velho, que frequentaram o chalé do casal Machado de Assis, naquela familiaridade comum entre vizinhos amigos daquele tempo. Fora do círculo restrito do Cosme Velho, recebeu em casa José Veríssimo* quando este chegou do Pará; e o jovem Azeredo*, quando em férias, visitou-o diversas vezes. Depois da morte de Carolina*, Machado passou a receber mais amiúde uns poucos do círculo literário. Mário de Alencar, José Veríssimo, Graça Aranha*, Sousa Bandeira* e Rodrigo Octavio* estiveram algumas vezes no chalé. Neste documento, Mário é convidado para jantar dois dias depois do aniversário de Machado, num domingo. Sobre a roda de amigos do Cosme Velho, ver nota 6, carta [302], tomo III. (SE)

2 ᖇ Documento inédito. Não consta de nenhum epistolário, tampouco há referência a ele entre os biógrafos machadianos. (SE)

[968]

De: GUGLIELMO FERRERO
Fonte: Telegrama Original, Arquivo ABL.

[Santos, 24 de junho de 1907.][1]

Signor Machado de Assis Presidente Academia Letteraria Rio

Al momento d partire saluto lei tutta l accademia migrasiando (*sic*) anche a nome della mia signora per infinite gentilesse.

Guglielmo Ferrero[2]

1 ᖇ Deliberadamente, reproduzimos a cópia feita por funcionário brasileiro dos Correios e Telégrafos, sem correções, apenas retificando o prenome do signatário, que aparece como "Guglilhmo". Documento inédito. (IM)

2 ᖇ A mensagem seria: "Al momento de partire saluto lei tutta l'academia ringraziando a nome della mia signora per infinite gentilesse." (No momento de partir saúdo o Senhor e toda a Academia agradecendo também em nome da minha senhora pelas infinitas gentilezas). (SPR)

[969]

Para: BARÃO DO RIO BRANCO
Fonte: Manuscrito Original, Arquivo Histórico Itamaraty.

[Rio de Janeiro,] Terça-feira [25 de junho de 1907].[1]

Meu eminente amigo Senhor Barão do Rio-Branco,

    Creio responder ao sentimento da Academia Brasileira agradecendo à Vossa Excelência os obséquios com que distinguiu anteontem o ilustre Guglielmo Ferrero, nosso sócio correspondente[2]. A Academia convidara o historiador italiano a vir trazer aqui algumas das lições que há pouco ditou em Paris e agora vai levar a Buenos Aires, e ele aceitou da melhor vontade fazê-lo em seu regresso para a Europa. A ação de Vossa Excelência deu assim relevo grande ao nome do Brasil, recebendo a Ferrero e a sua esposa pelo modo que o seu bom gosto e a dignidade do governo lhe sugeriram, em nome deste, e por honra da nossa associação, em que Vossa Excelência tão digna parte ocupa.

    Queira aceitar os meus protestos[3] de sincera amizade e elevada consideração.

Machado de Assis

---

1   Pela primeira vez, foi possível definir a data desta carta, que figura em epistolários e estudos biográficos com a simples datação de "terça-feira". Tal terça-feira foi o dia 25 de junho de 1907, pois verificamos que a passagem de Ferrero* pelo Rio de Janeiro, rumo a Buenos Aires, ocorreu no domingo 23 de junho. Machado de Assis foi de lancha recebê-lo a bordo do *Cordoba*, trouxe-o com a esposa para um passeio pela cidade – durante o qual negociou o pagamento pelas futuras conferências do italiano – e depois acompanhou o casal ao banquete no Itamaraty, oferecido pelo barão do Rio Branco*, mentor do convite ao conferencista. Essa homenagem contou com a presença de altas personalidades, entre as quais o ministro Miguel Calmon du Pin e Almeida, chefe de Machado e mais adiante repassador dos 50 contos provindos do Tesouro para financiar a almejada visita do conferencista italiano. Este e a esposa foram reconduzidos de lancha ao *Cordoba* pelo presidente da Academia anfitriã que, tarde da noite, concluiu essa maratona decididamente avessa à discreta rotina da sua

vida diária. Ver carta [970] de Magalhães de Azeredo*, de 26/06/1907. E era só o começo do episódio "Ferrero", a repercutir na correspondência de 1907. Ver comentários na Apresentação. (IM)

2 ∞ Ver em [963]. (IM)

3 ∞ O rascunho conservado na ABL termina aí. (IM)

[970]

De: MAGALHÃES DE AZEREDO
Fonte: Manuscrito Original, Arquivo ABL.

Petrópolis, 26 de junho de 1907.

1, rua Monte Caseros[1]

Querido Mestre e Amigo,

Ainda amanhã não me será possível ir à sessão da nossa Academia[2], e rogo-lhe que me perdoe esta ausência, que espero compensar com grande assiduidade futura. Acabo de oficiar solenemente ao nosso Mário, declarando que dou o meu voto ao Artur Orlando; mas para maior segurança, sendo possível que por qualquer motivo ele não vá à Biblioteca da Câmara, confirmo aqui o voto para todos os efeitos.

Então, como estava valente outro dia, singrando as ondas da Guanabara alta noite, depois de tantas horas de movimento contínuo do corpo e do espírito! Eu fui hóspede, à noite, do palácio Itamaraty[3]; lá me fizeram a cama num grande salão forrado de damasco, e ornado das efígies de todos os Presidentes do Brasil. Não sei se foi o gênio da República, tão militante e fogoso *Deodoro ac Floriano imperantibus*[4], ou a ventania sibilante da noite, o que me impediu de dormir. É certo que só "perdi a consciência exterior" das 3 às 5 da madrugada, e fugi a correr para Petrópolis pela primeira barca. Cheguei extenuado.

Adeus, até muito breve. Um abraço muito afetuoso do seu

Azeredo

1 ◦ઍ Missiva tarjada pelo falecimento do sogro Bernardo Caymari. Ver nota 4 carta [944]. (SE)

2 ◦ઍ Na sessão de 27 de junho de 1907, entre outros assuntos, seria realizada a eleição à vaga deixada pelo barão de Loreto*, para a qual foi eleito Artur Orlando (1858-1916). (SE)

3 ◦ઍ O barão do Rio Branco* tinha o hábito de, estando no Rio de Janeiro, pernoitar no palácio do Itamaraty. Depois para maior comodidade passou a morar ali, quando não estava em Petrópolis. O palácio, antiga sede do poder executivo da República, havia se transformado desde 1897 em Ministério das Relações Exteriores. O convite pode ser um indicativo da aproximação entre Azeredo e o barão. (SE)

4 ◦ઍ *Deodoro ac Floriano imperantibus*: sendo governantes Deodoro e Floriano. (SPR)

[971]

De: AUGUSTO COCHRANE DE ALENCAR
Fonte: Cartão-Postal Original, Arquivo ABL.

Via New York, Southampton[1]

[Sem local,] 27 de junho de 1907.

(...) estas coisas

um (...)

do amigo e admirador

Alencar[2]

---

1 ◦ઍ Cartão-postal que retrata a destruição da *Port Royal Street*, provocada pelo grande terremoto que abalou a cidade de Kingston, na Jamaica, por volta das 15h e 30m, do dia 15 de janeiro de 1907, fazendo grande número de mortos e deixando muitos feridos. (SE)

2 ◦ઍ Irmão mais velho de Mário*, o diplomata Augusto de Alencar estivera no Rio de Janeiro vindo de Buenos Aires, no vapor francês *Atlantique*. Chegou à cidade em 17 de abril e viajou no navio inglês *Byron* rumo a Nova York, em 5 de junho. É possível que tenha estado com Machado durante a sua permanência na cidade. Ver também carta [956]. (SE)

[972]

> De: AUGUSTO DE LIMA
> *Fonte:* Manuscrito Original, Arquivo ABL.

[Belo Horizonte, junho de 1907.¹]

Excelentíssimo Senhor Machado de Assis

Para preencher a vaga do finado Barão de Loreto, na Academia de Letras, voto no Senhor Artur Orlando.

Reitero os protestos de estima, com que sou,

De Vossa Excelência

Amigo e confrade admirador

Augusto de Lima

---

1 ∾ Local e data inferidos pelo texto. A eleição de Artur Orlando ocorreu em 27/06/1907. Observe-se que o missivista, residindo em Belo Horizonte, só tomaria posse da Cadeira 12 em 05/12/1907. (IM)

[973]

> Para: JOAQUIM NABUCO
> *Fonte:* Fundação Joaquim Nabuco. Fac-símile do manuscrito original.

Rio [de Janeiro], 7 de julho de 1907.

Meu caro Nabuco,

Conforme a sua recomendação de março dei o seu voto ao Artur Orlando. Ao Jaceguai comuniquei as suas preferências, mas ainda assim recusou apresentar-se dessa vez. A sua carta de maio, porém, trazendo-me a notícia do voto ao Senhor Paulo Barreto na vaga de Teixeira de Melo, falou ainda desenvolvidamente sobre o Jaceguai para preferi-lo no caso em que ele e o Assis Brasil pleiteassem a cadeira¹. Encontrando o Jaceguai, dei-lhe a notícia desta resolução, e ele, terminando no dia seguinte o prazo das inscrições, mandou-me de manhã a carta de candidatura, que comuniquei à Academia. Cumprirei a indicação do voto, e, pelo que ouço, creio que será eleito o nosso almirante.

Quanto ao Assis Brasil, apesar do que lhe escreveu o Euclides da Cunha, não quis apresentar-se na primeira vaga. Em carta que posteriormente escreveu ao Lúcio de Mendonça, vi que teria prazer em ser eleito, mas entendia não poder ser candidato.

Há de ter lido nos jornais que a Academia anda em trabalhos de língua, a propósito de um projeto do Medeiros e Albuquerque, ao qual se opôs com outro o Salvador de Mendonça. É negócio que tem interessado o público e alguns estudiosos; deve ser votado esta semana[2].

Não lhe falo das festas do Guilherme Ferrero, porque os jornais lhas terão contado. Foram só horas, mas vivas. Quatro da Academia fomos recebê-lo a bordo e mostrar-lhe e à senhora uma parte da cidade, e o Rio Branco ofereceu-lhes um jantar em (*sic*) Itamaraty[3]. Quando Ferrero tornar de Buenos Aires, lá para setembro, ficará aqui um mês, e as festas serão provavelmente maiores.

Li as notícias que me dá do acolhimento que encontra em França o seu livro das *Pensées*, e não é preciso dizer o gosto que me trouxeram. Não creia que a crítica o matasse aqui; ele é dos que sobrenadam. O tempo ajudará o tempo, e o que há nele profundo, fino e bem dito conservará o seu grande valor. Sabe como eu sempre apreciei essa espécie de escritos, e o que pensei deste livro antes dele sair do prelo[4]. O prêmio da Academia Francesa virá dar-lhe nova consagração.

Adeus, meu caro Nabuco; a minha saúde não é pior do que era há um ano; a velhice é que não é menor, naturalmente, e a fadiga que se aproxima com os seus braços frouxos, e daqui a pouco exaustos[5].

Não sei ainda a direção que dê a esta carta, se para a embaixada, se para Paris. Qualquer dos dois caminhos leva a Roma, e lá achará o meu coração, como o seu está comigo.

Velho adm*ira*dor e am*i*go
Machado de Assis.

1 ∽ Ver carta [961]. (IM)

2 ∽ A comissão originalmente incumbida de propor a reforma ou fixação da ortografia, composta por João Ribeiro*, José Veríssimo* e Silva Ramos*, fora nomeada em 05/05/1906. A partir de 02/05/1907, o assunto empolga os partidários da proposta simplificadora assinada por Medeiros e Albuquerque*, à qual logo se opôs Salvador de Mendonça*, formando-se as correntes "foneticista" do primeiro e a "etimológica" do segundo. Outras dez sessões foram dominadas pelo debate e pela discussão minuciosa de cada item, ocorrendo em 17/08/1907 a aprovação do plenário. Houve interesse público sobre a matéria, cujo desfecho seria a adoção da revolucionária ortografia "simplificada" em caráter restrito a alguns exames públicos. A respeito da reforma, ver cartas [957] e [962]. (IM)

3 ∽ Ver carta [969]. Quanto aos incumbidos de receber Ferrero*, mencionam-se em ata os nomes de Lúcio de Mendonça*, Raimundo Correia* e Medeiros e Albuquerque*. Quem ciceroneou de fato o visitante foi Machado. Ver carta [969]. (IM)

4 ∽ Ver em [908]. (IM)

5 ∽ Por trás desse desânimo, existe um dado positivo: na antevéspera, 5 de julho de 1907, Machado assinara contrato com o editor H. Garnier*, vendendo-lhe "a propriedade inteira e perpétua da sua obra 'Memorial de Aires'", pela quantia de um conto e quinhentos mil-réis. Vale lembrar que em [934], precisamente seis meses antes de escrever esta carta, Machado afirmara a Nabuco: "Não sei se terei tempo de dar forma e termo ao livro que medito e esboço; se puder, será certamente o último." E o *Memorial* saiu, triunfalmente, em julho de 1908. (IM)

[974]

De: HERÁCLITO GRAÇA
Fonte: Manuscrito Original, Arquivo ABL.

Petrópolis, 8 de julho de 1907.[1]

Ilustríssimo Excelentíssimo Senhor Joaquim Maria Machado de Assis

Digníssimo Presidente da Academia Brasileira de Letras

Informado pelo Secretário da Academia, Senhor Mário de Alencar[2], de ordem de Vossa Excelência que, residindo eu, há cerca de dois anos, nesta Cidade, posso, usando da permissão do artigo 22 do Regimento

Interno, tomar, por uma simples declaração, a posse da cadeira, que me foi conferida por eleição dos ilustres Membros da mesma Academia, venho prevalecer-me de semelhante meio para o fim referido, agradecendo à Academia o grande favor da eleição[3] com que me honrou sobremodo e que aceito penhoradíssimo, e habilitando-me desde já a tomar parte em seus importantes trabalhos.

À V*ossa* E*xcelênci*a e aos demais Membros da Mesa a quem envio esta declaração, apresento os protestos da elevada consideração e sincera estima que merecidamente lhes tributo.

Heráclito Graça

---

1 ∞ Carta lida na sessão de 11 de julho de 1907. Heráclito Graça, que fora eleito em 30 de julho de 1906, tornou-se o segundo ocupante da Cadeira 30, na vaga de Pedro Rabelo, que havia falecido em 27 de dezembro de 1905. (SE)

2 ∞ Mário de Alencar* havia substituído Rodrigo Octavio*, que estava fora do país. (SE)

3 ∞ Monarquista, Heráclito Graça, durante os eventos que culminaram com a proclamação da República, já havia se retirado da vida política, dedicando-se exclusivamente à sua banca de advocacia. Era amigo de Rio Branco* de longa data, pois este fora seu colaborador no jornal *A Nação*, onde conviveram. O barão conhecia a sua capacidade e saber jurídico e, por isso, nomeou-o advogado do Brasil junto aos Tribunais Arbitrais Brasileiro-Peruano e Brasileiro-Boliviano. Por seu desempenho impecável no julgamento dos atos administrativos e conflitos territoriais, Heráclito tornou-se depois consultor jurídico do Ministério das Relações Exteriores, ganhando por esta posição grande notoriedade. (SE).

[975]

| Para: FANNY DE ARAÚJO
| *Fonte: Revista da Sociedade dos Amigos de Machado de Assis.*
| Rio de Janeiro: 1959, n.º 2. Fac-símile do cartão de visita original.

[Rio de Janeiro,] 11 de julho de 1907.

Talvez a última saudação do velho amigo[1]

MACHADO DE ASSIS

18 Cosme Velho

---

1   Ver o cartão bem mais extenso [896], enviado a D. Fanny em 11/07/1906. No atual, fica patente o sentimento de proximidade da morte, confidenciado à fiel amiga do próprio Machado e de Carolina*. (IM)

[976]

| De: GUGLIELMO FERRERO
| *Fonte:* Manuscrito Original, Arquivo ABL.

Buenos Aires, 14 juillet de 1907.

Royal Hotel[1]

Cher Monsieur et confrère,

    Vous me pardonnerez si je ne vous ai pas remercié, après mon télégramme de Santos, un peu plus longuement, par lettre, de toutes les amabilités, dont vous et vos amis m'avez comblé à Rio[2]. Mais, j'ai eu tant à faire ici; et je suis encore à présent tout occupé! Je ne vous dirai qu'une chose: j'ai gardé des 4 heures passées à Rio un souvenir féérique. Je ne sais pas ce qui nous enchantés le plus – ma femme et moi – si la splendeur de la nature ou l'amabilité des hommes![3]

Je viens vous causer aussi de mes conférences. J'ai à présent pu établir un plan assez précis de mes pérégrinations. D'après ce plan, je pourrai être à Rio pour le 15 Septembre. Vous conviendrait-il d'établir les conférences entre le 15 Septembre et le 15 Octobre? Comme les conférences sont *huit*, à deux par semaine, elles prendraient 4 semaines, comme ici, pour être faites. Le choix des jours serait laissé entièrement à vous. Les honoraires seraient, comme nous les avons arrangés sur le petit bateau, de 5.000 francs par conférence.

Il me serait agréable de recevoir ici une confirmation de tous ces points, pour que je puisse prendre définitivement mes dispositions et définir dans tous les détails la dernière partie de mon voyage. Je vous serais très reconnaissant si vous m'envoyez quelques renseignements sur les hôtels de Rio auxquels je pourrais m'adresser, pour fixer les logements[4].

Je ne vous dis pas avec quel plaisir je passerai un mois et demi ou deux mois au Brésil. Je suis très curieux de voir et d'étudier avec un peu d'attention et de soin votre pays, sa nature, ses hommes, la vie sociale et politique, son activité intellectuelle et économique. Et il me sera agréable, à mon retour, de faire connnaître les résultats de mes investigations à l'Europe, qui a encore tant d'idées absurdes et erronées sur l'Amérique méridionale.

Veuillez, cher Monsieur, agréer l'expression de mes plus cordiales salutations et celles de ma femme.

Tout à vous

Guglielmo Ferrero[5]

---

1 ∾ Papel timbrado, com local e ano impressos no cabeçalho. Também no cabeçalho se vê a imagem do hotel, que ficava em Corrientes, 782, esquina Esmeralda, tendo por proprietário L. Schaeffer. (IM)

2 ∾ Ver em [968]. (IM)

3 ∾ Ver em [969]. (IM)

4 ∾ Machado responderá na carta [981], sem data. (IM)

5 ∾ TRADUÇÃO DA CARTA:
Buenos Aires, 14 de julho de 1907. / Royal Hotel / Prezado Senhor e confrade, / O Sr. me perdoará se eu não lhe agradeci, depois do meu telegrama de Santos, um pouco mais longamente, por carta, por todas as amabilidades que me foram prodigalizadas no Rio pelo Sr. e seus amigos. Mas tive tanto que fazer aqui; e estou ainda completamente ocupado! Só lhe direi uma coisa: conservei das 4 horas passadas no Rio uma recordação feérica. Não sei o que mais nos encantou, a mim e à minha mulher, se o esplendor da natureza ou a amabilidade das pessoas. / Passo a conversar, também, sobre minhas conferências. Estabeleci agora um plano bastante preciso sobre minhas peregrinações. Segundo esse plano, poderei estar no Rio em 15 de setembro. Seria conveniente que as conferências se realizassem entre 15 de setembro e 15 de outubro? Como as conferências são *oito*, duas por semana, elas se estenderiam por 4 semanas, como aqui. A escolha dos dias seria inteiramente sua. Os honorários seriam de 5.000 francos por conferência, como combinamos na lancha. / Gostaria de receber aqui uma confirmação sobre todos esses pontos, para que eu possa tomar minhas providências em caráter definitivo e definir em todos os pormenores a última parte da minha viagem. Ficaria grato se o Sr. me enviasse algumas informações sobre os hotéis do Rio, aos quais eu pudesse me dirigir, para fazer as reservas. / Não posso dizer-lhe com que prazer passarei um mês e meio ou dois meses no Brasil. Estou muito curioso de ver e estudar com um pouco de atenção e cuidado seu país, sua natureza, seus homens, sua vida social e política, sua atividade intelectual e econômica. E em meu regresso comunicarei com muito prazer os resultados de minhas investigações à Europa, que tem ainda tantas ideias absurdas e errôneas sobre a América meridional. / Queira aceitar, prezado Senhor, a expressão das mais cordiais saudações de minha parte e das de minha mulher. / Todo seu, Guglielmo Ferrero. (SPR)

[977]

Para: BONIFÁCIO GOMES DA COSTA
Fonte: Manuscrito Original. Arquivo Histórico, Museu da República.

Cosme Velho, 21 de julho de 1907.

Meu caro Bonifácio,

A minha intenção era ir hoje a *São Cristóvão*[1], mas o céu fez cair água por todos os poros, e eu tenho aqui uma grande pasta que me veio ontem da Secretaria. Não podendo ir, mando-lhe os cumprimentos pelo dia de anos, e logo que possa, irei repetir-lhos de boca. Lembranças à Sara, aos pequenos e à Laura; e um abraço para todos do velho[2]

Machado de Assis

---

1 ～ Praia de São Cristóvão, 147. Residência do aniversariante. (IM)

2 ～ Sara*, sobrinha de Carolina*, representava a "família" de Machado, e vinha passando muitas atribulações porque o major Bonifácio fora punido por insubordinação, episódio relatado por Magalhães Jr. (2008). O biógrafo menciona a repercussão na imprensa, citando uma notícia pormenorizada em *O País*, de 27/03/1907. (IM)

[978]

De: RODRIGO OCTAVIO
Fonte: Cartão-Postal Original, Arquivo ABL.

Heidelberg, 22 de julho de 1907.[1]

Deste velho castelo, termo de minha viagem pelo Reno e onde vim visitar o nosso Nabuco[2], saúdo o caro mestre e sempre lembrado amigo.

Rodrigo Octavio

---

1 ～ Postal com fotografia e a legenda "Heidelberg Schloss". Documento inédito. (IM)

2 ～ Esta foi uma pausa das atividades durante a Conferência da Paz (1907), com o intento de rever Joaquim Nabuco* em Heidelberg, de onde este escrevera, propondo um encontro. Conforme relata o autor de *Minhas Memórias dos Outros* (1934), infelizmente Nabuco partira "na véspera" para Baden-Baden, por motivo de saúde; já nos *Diários* (2008), Nabuco registrou: "Heidelberg. Hôtel d'Europe – 25 de julho". Mas o memorialista conseguiria encontrá-lo em Baden-Baden e, juntos, correram, a bordo do "possante carro" do amigo comum A. de Siqueira, "pelos campos vizinhos e, quase sempre, pelos caminhos cheios de mistério da Floresta Negra." (IM)

[979]

| Para: SALVADOR DE MENDONÇA
| *Fonte*: ASSIS, Joaquim Maria Machado de. *Machado de Assis, Obra Completa*. Rio de Janeiro: Nova Aguilar, 2008.

Rio de Janeiro, 23 de julho de 1907.

Meu querido Salvador.

 A data vai errada, mas tu desculparás a falta de ontem; ainda é tempo de mandar um abraço pelo teu aniversário[1]. Somos dois velhos companheiros, a quem o tempo poderá ter levado muita coisa, mas deixou sempre a afeição moça. Cumprimenta por mim à tua E*xcelentíssi*ma Senhora e aos teus filhos, e continua a crer no

Teu do coração

Machado de Assis.

---

1   Nos últimos anos, os dois passaram a se cumprimentar habitualmente por seus aniversários, separados exatamente por um mês: Machado em 21 de junho e Salvador em 21 de julho. Desta vez Machado se equivocou em um dia. Registre-se, por fim, que talvez seja com Salvador que Machado manteve uma correspondência mais abertamente nostálgica, em honra ao passado e à juventude. Ver também [980]. (SE)

[980]

| De: SALVADOR DE MENDONÇA
| *Fonte*: Manuscrito Original, Arquivo ABL.

Hotel Balneário, Ipanema, 25 de julho de 1907.

Meu querido Machado de Assis.

 Recebi ontem tua carta e teu abraço. A data é 21, mas para ti meus braços estão sempre abertos, como para um irmão.

Foi em 1857[1], do mês não me lembro, não houve talvez mês, pois eu passava quase diariamente pelo largo do Rocio, em caminho do Tautphoeus[2] para o Paula Brito[3], teatro de *São Pedro* ou rua do Ouvidor: tinhas 18 anos e eu 16, como (...) aos poucos começamos a querer-nos, com essa afeição que recordas e que dura há meio século, sem uma nuvem, sem um arrufo, sem uma palavra menos amiga. Mostra-me, se és capaz, outro par de amigos velhos que tenham sido assim amigos 50 anos!

 Com lembranças de Maria e das meninas.

 Sempre teu

 Salvador de Mendonça.

---

1 ◦ Essa carta situa o início da amizade de ambos, as circunstâncias e a época, mas certamente com os limites que uma recordação de cerca de cinquenta anos pode impor em termos de exatidão. (SE)

2 ◦ Sobre o barão Tautphoeus (1810-1890), ver tomo IV. (SE)

3 ◦ Francisco de Paula Brito (1809-1861), primeiro editor de Machado de Assis, e proprietário de *A Marmota Fluminense*. (SE)

[981]

Para: GUGLIELMO FERRERO
Fonte: ASSIS, Joaquim Maria Machado de. *Obra Completa*. Rio de Janeiro: W. M. Jackson, 1937.

[Rio de Janeiro, sem data.]

Cher Monsieur et éminent confrère,

Avant tout, acceptez mes salutations pour vos grands succès à Buenos Aires; c'est justement ce que nous attendions tous de la capitale argentine.

Mes amis et moi nous avons lu votre lettre du 14, et votre plan nous paraît infiniment agréable[1]. Peut-être il nous conviendrait mieux si vous pouviez arriver à Rio le 11 septembre: vous trouveriez ici votre ami Monsieur Paul Doumer², qui est près d'arriver³.

Les conférences sont *huit*, comme vous dites, à deux par semaine avec les honoraires de 5.000 francs par conférence. Au cas où il vous conviendrait d'en diminuer le nombre pour élargir les excursions qui rentrent dans votre plan, afin de mieux connaître notre pays, il vous sera entièrement libre de le faire, sans y perdre rien dans la totalité des honoraires ajustés. Croyez bien que toutes les dispositions seront prises pour que ces excursions à l'intérieur soient réalisées dans les meilleures conditions, non seulement du coté des dépenses, dont vous n'aurez aucun souci, mais aussi des attentions dues à votre éminente personnalité.

Nous serons très heureux de lire ce que vous direz en Europe de notre pays, après ce voyage d'un mois et demi, ou deux mois. On nous fera bonne justice, d'autant plus facilement que la voix qu'on entendra sera plus autorisée⁴.

Pour ce qui est de logement à Rio un de nos amis⁵ a reçu vos ordres et fera comme vous dites, de façon que vous n'aurez rien à chercher ou attendre, aussitôt arrivé.

Je vous prie, Monsieur, de présenter à Madame Ferrero mes plus respectueuses salutations et de recevoir les miennes.

Tout à vous⁶.

[Machado de Assis]⁷

---

1 ∾ Ver carta [976]. (IM)

2 ∾ Paul Doumer (1857-1932), político francês que se tornaria presidente da república em 1931 e morreu assassinado por Paul Gurgolov; era este um russo, formado em medicina, cuja permanência na França expirava em agosto de 1932; dizia-se "presidente dos fascistas russos" e queria se vingar do governo francês porque este não interveio em seu país contra os bolchevistas. Gurgolov morreu guilhotinado em 14/09/1932. (IM)

3 ∾ Machado se equivoca quanto ao dia. A visita de Doumer ocorreria em 01/09/1907. Aguardando o visitante, Machado teve uma crise de epilepsia. O

fotógrafo Augusto Malta registrou o episódio que, divulgado pela imprensa, teria bastante repercussão. Ver cartas [989] e [991], respectivamente de 02 e 04/09/1907. (IM)

4 ∾ Ferrero publicou apenas um artigo em *Le Figaro*. Ver nota 3 na carta [1053], de 08/05/1908. (IM)

5 ∾ O amigo é, muito provavelmente, Graça Aranha*. (IM)

6 ∾ A fonte citada informa que este documento é um rascunho, ainda não localizado. (IM)

7 ∾ TRADUÇÃO DA CARTA:
Prezado Senhor e eminente confrade, / Antes de mais nada, aceite meus cumprimentos por seus grandes sucessos em Buenos Aires, é justamente o que esperávamos da capital argentina. / Meus amigos e eu lemos sua carta do dia 14, e seu plano nos parece infinitamente agradável. Talvez ele nos conviesse mais se o Sr. pudesse chegar no Rio em 11 de setembro: o Sr. encontraria aqui seu amigo o Sr. Paul Doumer, que chegará breve. / As conferências são oito, como o Sr. diz, duas por semana, com os honorários de 5.000 francos por conferência. Caso lhe conviesse diminuir seu número para aumentar as excursões incluídas em seu plano, a fim de conhecer melhor nosso país, o Sr. está inteiramente livre de fazê-lo, sem nada perder dos honorários combinados. Creia que todas as providências serão tomadas para que essas excursões ao interior sejam realizadas nas melhores condições, não somente no que se refere às despesas, que não precisam preocupá-lo de modo algum, como no que diz respeito às atenções devidas à sua eminente personalidade. / Teremos grande alegria em ler o que o Sr. dirá na Europa sobre nosso país, depois dessa viagem de um mês e meio, ou dois meses. Seremos tratados com justiça, o que será tanto mais fácil quanto a voz que se ouvir será mais autorizada. / Quanto ao alojamento no Rio, um de nossos amigos recebeu suas ordens e fará como o Sr. deseja, de modo que logo ao chegar o Sr. não precisará procurar ou esperar. / Rogo-lhe, Senhor, que apresente à Senhora Ferrero minhas saudações mais respeitosas e que receba as minhas. / Todo seu / [Machado de Assis]. (SPR)

[982]

De: GRAÇA ARANHA
Fonte: Manuscrito Original, Arquivo ABL.

Petrópolis, sexta-feira, 2 de agosto de 1907.

Meu querido Machado de Assis,

O dia de hoje amanheceu para mim com a sua carta[1], cheia de tranquilidade sobre o caso Ferrero[2] e anoiteceu com este telegrama do Lugné Poe sobre o álbum, que já estava nos inquietando[3]. Vou deitar-me muito sossegado, satisfeito de não me ter enganado nem com os homens nem com as coisas, agradecido de sua consoladora fé em mim, e regalar-me nesta grande paz, lendo o livro de *Georg* Brandes[4], que acaba de chegar-me de Londres e que trata de Goethe, Chateaubriand, Atala, Adolphe, Corina, e por onde passa leve, intangível, aquela que viveu na carne mais espiritual do seu tempo, que inquietou e não consolou: Madame Récamier[5].

Boa noite, meu querido Machado. Sua comadre sorri amorosa para a nossa Amizade; seu afilhado *cresce* para ser digno de Você.

Seu do coração

Graça Aranha.

---

1 ∽ Missiva ainda não localizada. (IM)

2 ∽ Provável referência à carta [976], de Guglielmo Ferrero*. Sob as ordens do chanceler Rio Branco*, Graça Aranha era o grande articulador da visita do conferencista italiano ao Rio de Janeiro, a convite da Academia, conforme planejara o barão. Ver nota 1 em [951]. (IM)

3 ∽ Álbum de autógrafos pertencente a Francisca Smith Vasconcelos de Basto Cordeiro*, que fora entregue ao ator francês Aurélien Marie Lugné Poë (1869-1940), um dos convidados do banquete oferecido por Rio Branco a Ferrero em 23/06/1907. Este assunto acha-se desenvolvido na carta [984], de 05/08/1907, enviada por Lucilo Bueno* a Machado. (IM)

4 ∽ Georg Brandes (1842-1927), crítico dinamarquês. (IM)

5 ∾ Ver a exuberante carta [490], tomo III, de Graça Aranha: nela o missivista discorre sobre os aposentos de Madame Récamier em Coppet e faz provocações maliciosas ao circunspecto Machado de Assis. (IM)

[983]

> De: MÁRIO DE ALENCAR
> *Fonte: Revista da Academia Brasileira de Letras*, XXXVI, n.º 115, 1931.

Rio [de Janeiro], 4 de agosto de 1907.

Meu querido Amigo,

Minha sogra[1] manda pedir-lhe que venha jantar hoje aqui. Sabe que faz anos o meu sogro e ela já lhe fez o convite para vir à noite; a sua presença no jantar é desejada, porque é um motivo mais para a nossa alegria e é uma honra para a nossa festa de família. Não faça cerimônia; só achará pessoas da casa e por conseguinte estará entre amigos.

Seu do coração

Mário de Alencar.

Jantamos às 6 ½.

---

1 ∾ D. Francisca de Afonseca casada com o comendador Leo de Afonseca, o aniversariante. O casal Mário de Alencar e seus seis filhos moravam com os Afonseca na casa da rua Marquês de Olinda, 74. Sobre Leo e Francisca de Afonseca, ver nota 10, carta [1030], de 08/02/1908. (SE)

[984]

De: LUCILO BUENO
Fonte: Manuscrito Original, Arquivo ABL.

Rio [de Janeiro], 5 de agosto de 1907.

Excelentíssimo Senhor Doutor Machado de Assis.

Pede-me o Doutor Graça Aranha o favor de fazer chegar às mãos de Vossa Excelência o álbum de autógrafos[1] pertencente à Madame Heitor Cordeiro[2]. Esse álbum foi entregue pelo Senhor Poe[3] a um portador que veio de São Paulo, e como houve descuido em acusar-se o recebimento no devido tempo, o Doutor Graça Aranha lhe roga a fineza de telegrafar ao Senhor Poe anunciando a chegada do álbum ao Rio e a sua entrega à pessoa a quem era destinado.

Perdoe essas ao seu

atento admirador e criado

Lucilo Bueno.

---

1 ~ Ver em [982]. (IM)

2 ~ A amiga Francisca Smith de Vasconcelos de Basto Cordeiro*, casada com Heitor de Basto Cordeiro*. (IM)

3 ~ O ator e produtor teatral Aurélien Marie Lugné Poë (1869-1940), que passara pelo Rio de Janeiro em 1907, sendo um dos convidados ao banquete oferecido por Rio Branco* a Guglielmo Ferrero* em 23/06/1907. Ver carta [969]. Poë, com um célebre companheiro, André Antoine (1858-1943) promoveu decisiva modernização do teatro na França. (IM)

[985]

De: GUGLIELMO FERRERO
Fonte: Manuscrito Original, Arquivo ABL.

[Mendoza,] le 12 août 1907.

Grande Hotel Gianino y Levy

Cher Monsieur.

Je vous écris de Mendoza, pendant mon voyage dans l'intérieur de la République Argentine. J'ai réfléchi pendant ces jours sur mes futures conférences de Rio; et j'ai une idée à vous soumettre[1].

Rio est le plus grand centre de haute culture intellectuelle de l'Amérique du Sud. Je viens y parler sur l'invitation de l'Académie littéraire, c'est à dire d'un corps savant. Ces deux considérations m'ont fait penser s'il ne serait pas mieux de répéter à Rio, non les conférences de Buenos Ayres, mais celles de Paris.

Vous savez que pour Buenos Ayres j'ai préparé 8 conférences, adaptées à un public plus large et plus mêlé, que celui que j'avais à Paris. J'ai traité des sujets plus généraux. Les huit conférences du Collège de France au contraire résumaient le Vème et le VIème volumes de l'édition française qui paraîtront l'hiver prochain, c'est à dire, l'histoire du gouvernement d'Auguste. C'est un sujet plus restreint, que j'ai pu traiter avec plus de précision et de finesse que les grands sujets des conférences de Buenos Ayres. Pour un public intelligent et fin, elles seraient plus intéressantes. Elles forment en outre une unité beaucoup plus logique et parfaite.

D'ailleurs je crois qu'à Rio on serait plus content si je répète un cours fait à Paris, que si je répète un cours fait à B*uenos* Ayres. Et l'Académie littéraire serait, je crois, contente de faire répéter dans la Capitale du Brésil un cours qui a été tenu au Collège de France et qui a eu un si grand retentissement.

Je n'aurais aucune difficulté de répéter le cours de Paris en français. Je sais que les classes intellectuelles du Brésil comprennent plus facilement le français que l'italien; et pour moi il serait aussi commode de parler en français ou en italien.

Je vous ai écrit il y a un mois une lettre, à laquelle je n'ai pas encore reçu réponse². Je vous prie de répondre aux questions posées dans celle-ci de manière que je puisse recevoir votre lettre aux premiers jours de Septembre, quand je serai retourné a *Buenos* Ayres pour un petit séjour. Je vous prie d'adresser la lettre à La Nación³.

Naturellement les considérations pour lesquelles je vous propose le changement sont confidentielles. Je vous prie de les examiner avec vos amis et de me communiquer le résultat. En tout cas, je fairai ce que vous paraît meilleur.

Je vous communique en même temps que je m'embarquerai à Montevideo sur l' Umbria, qui part de *Buenos* Ayres le 18 Septembre. Je serai donc à Rio le 21 ou 22 Sept*embre*.

Agréez, cher président, mes plus cordiales salutations.

Tout à vous

Guglielmo Ferrero⁴

---

1 ∾ Ver Apresentação. (IM)

2 ∾ A resposta encontra-se na carta [981]. (IM)

3 ∾ O jornal *La Nación*, que tomara a iniciativa de convidar Ferrero para proferir uma série de conferências em Buenos Aires. (IM)

4 ∾ TRADUÇÃO DA CARTA:

12 de agosto de 1907. / Prezado Senhor, / Escrevo-lhe de Mendoza, durante minha viagem ao interior da Argentina. Refleti durante esses dias sobre minhas futuras conferências do Rio; e tenho uma ideia a submeter-lhe. / O Rio é o maior centro de alta cultura intelectual da América do Sul. Vou falar aí a convite da Academia literária, isto é, de uma corporação científica. Essas duas considerações me fizeram pensar se não seria melhor repetir no Rio, não as conferências de Buenos Aires, mas as de Paris. / O Sr. sabe que para Buenos Aires preparei 8 conferências, adaptadas a um público maior e mais heterogêneo que o de Paris. Tratei de assuntos mais gerais. As oito conferências do Collège de France, ao contrário, resumiam o V e o VI volumes da edição francesa, que aparecerão no próximo inverno, isto é, a história do governo de Augusto. É um assunto mais restrito, que eu pude tratar com mais precisão e fineza que os grandes assuntos das conferências de Buenos Aires. Para um público inteligente e fino, elas seriam mais interessantes. Formam

além disso uma unidade mais lógica e perfeita. / De resto, acredito que no Rio se preferiria que eu repetisse um curso dado em Paris que repetisse um curso dado em Buenos Aires. E creio que a Academia literária ficaria satisfeita que se repetisse um curso dado no Collège de France e que teve grande repercussão. / Eu não teria nenhuma dificuldade em repetir em francês o curso dado em Paris. Sei que as classes intelectuais compreendem mais facilmente o francês que o italiano; e para mim seria igualmente cômodo falar em francês ou em italiano. / Escrevi-lhe há um mês uma carta, da qual não recebi ainda resposta. Peço-lhe que responda às perguntas ali formuladas, de maneira a que eu possa receber sua carta nos primeiros dias de setembro, quando eu tiver voltado a Buenos Aires, para uma breve permanência. Peço-lhe dirigir a carta a La Nación. / Naturalmente as considerações pelas quais lhe proponho a mudança são confidenciais. Peço que as examine com seus amigos e me comunique o resultado. Em todo caso, farei o que lhe parecer melhor. / Comunico-lhe ao mesmo tempo que embarcarei em Montevidéu no Umbria, que parte de Buenos Aires em 18 de setembro. Estarei portanto no Rio em 21 ou 22 de setembro. / Receba, caro Presidente, minhas cordiais saudações. / Todo seu / Guglielmo Ferrero. (SPR)

[985 A]

De: MÁRIO DE ALENCAR
Fonte: Revista da Academia Brasileira de Letras, XXXVI, n.° 115, 1931.

[Rio de Janeiro, 17 de agosto de 1907.][1]

Meu querido amigo

O meu reumatismo piorou esta manhã e não me deixou sair. Apesar disso pensava em ir à sessão e há pouco saí com o pensamento exclusivo. Tive de voltar, porém, mesmo antes de tomar o bonde, porque a dor na espádua me incomoda muito. Desculpe-me pois a ausência involuntária.

Mando-lhe a ata da sessão de 1.° e o original da proposta de João Ribeiro.

Seu do coração

Mário de Alencar

I ∞ Inferiu-se a data de 17 de agosto após consulta às Atas da Academia Brasileira de Letras. Na ata da sessão de 1.º de agosto, há menção à proposta de João Ribeiro*, que foi apresentada em aditamento à reforma ortográfica que vinha sendo discutida pelos acadêmicos. Na função de secretário da ABL, Mário havia levado o rascunho da sessão e a proposta para organizar a ata daquele dia. Na sessão seguinte, 17 de agosto, levaria a ata do dia 1.º pronta e devolveria a proposta, não fosse o contratempo. Recorreu, então, a alguém que levou tudo até Machado. (SE)

[986]

De: GUGLIELMO FERRERO
Fonte: Manuscrito Original, Arquivo ABL.

[Cordoba,] le 26 août 1907.

Gran Hotel San Martin[1]

Cher Monsieur.

J'ai reçu ici à Cordova (*sic*) votre aimable lettre. C'est donc entendu. Il m'est impossible, à cause des engagements déjà pris, de me trouver à Rio pour le 11[2]. Comme je vous ai dit, j'arriverai avec l' *Umbria*, le 21. Je regrette beaucoup de ne pas voir M*onsieur* Doumer, que je vous prie de saluer de ma part.

Je réfléchirai sur ce que vous me dites quant au nombre de conférences. Je désire en même temps développer um large système d'idées, dans la capitale intellectuelle de l'Amérique du Sud, comme de voir le plus que je peux de votre immense pays, dans ce trop court séjour. Je tâcherai de mettre d'accord les deux choses. D'ailleurs, je vous ai écrit une lettre il y a quelques jours en vous proposant un changement dans les conférences[3]: comme votre lettre me laisse la plus entière liberté, je prendrai bientôt une décision définitive em mélangeant les deux programmes.

Je vous prie de saluer de ma part tous les amis de Rio; de présenter mes hommages à M*onsieur* le baron de Rio Branco et de me croire votre dévoué[4]

Guglielmo Ferrero[5]

1 ◦◦ Papel timbrado, com gravura do hotel "el primero de Cordoba", de propriedade de Angel Zuzaeta, "calle San Geronimo esq. Buenos Aires. Plaza Principal". (IM)

2 ◦◦ Em [981], Machado escreve 11, mas a data prevista seria 1.º de setembro. (IM)

3 ◦◦ Ver em [985]. (IM)

4 ◦◦ Ver Apresentação. (IM)

5 ◦◦ TRADUÇÃO DA CARTA:
   26 de agosto de 1907. / Prezado Senhor / Recebi aqui em Córdova sua amável carta. Está pois entendido. É-me impossível, devido a compromissos já assumidos, estar no Rio no dia 11. Como lhe disse, chegarei no *Umbria* no dia 21. Lamento muito não ver o Senhor Doumer, a quem peço cumprimentar de minha parte. / Refletirei sobre o que o Sr. disse quanto ao número de conferências. Desejo ao mesmo tempo desenvolver um amplo sistema de ideias na capital intelectual da América do Sul, e ver o máximo possível desse imenso país, numa estadia demasiado curta. Tentarei compatibilizar as duas coisas. Aliás eu lhe escrevi uma carta há alguns dias propondo uma mudança nas conferências: como sua carta me deixa inteira liberdade, tomarei breve uma decisão definitiva, misturando os dois programas. / Peço-lhe cumprimentar de minha parte todos os amigos do Rio; apresentar minhas homenagens ao Sr. barão do Rio Branco e crer-me seu devotado / Guglielmo Ferrero. (SPR)

[987]

De: TOBIAS MONTEIRO
Fonte: Manuscrito Original, Arquivo ABL.

[Rio de Janeiro,] 28 de agosto de 1907.

Meu caro amigo

Lembrou-se que a meu pedido assinou o convite para Doumer[1] vir ao Brasil? Ele chega domingo *provavelmente* às 10 da manhã[2]. Pode ser antes ou depois das 10. Teremos lancha na *Guarda*moria da Alfândega. Falhando essa hora há o recurso de Pharoux.

Acho de meu dever avisá-lo *por* parecer-me que os signatários do convite quererão recebê-lo.[3]

Seu muito afetuoso
Tobias Monteiro

1 ◦∾ Paul Doumer (1857-1932). Ver em [981]. (IM)

2 ◦∾ Doumer, um homem público de renome internacional, veio ao Brasil por iniciativa do barão do Rio Branco*, tendo Tobias Monteiro, redator do *Jornal do Comércio*, articulado o convite do qual Machado de Assis, como presidente da ABL, foi signatário. O visitante chegou em 01/09/1907. Enquanto o esperava no cais Pharoux, Machado sofreu um ataque de epilepsia, registrado pelo fotógrafo Augusto Malta, e divulgado pelos jornais do dia seguinte. (IM)

3 ◦∾ No Arquivo ABL, encontram-se três vias da nota do Hotel dos Estrangeiros, referentes à hospedagem (32 diárias) e extras de Paul Doumer e Edouard Julia, no montante de 1.903$100. Nota emitida para o Ministério da Indústria e Viação em 02/10/1907 e recibo firmado pelo proprietário do hotel, Cândido Ferreira da Silva, em 28/11/1907. (IM)

[988]

De: MAGALHÃES DE AZEREDO
Fonte: Cartão-Postal Original, Arquivo ABL.

Petrópolis, 31 de agosto de 1907.

Hotel da Europa[1]

Querido Mestre e Amigo,

Não tenho podido voltar ao Rio; nos primeiros dias da estada aqui, andei indisposto ainda, e depois, até hoje, tenho andado ocupadíssimo com os preparativos da viagem[2] e outros trabalhos. Tencionava descer hoje, mas fiquei afinal por não estar bom o tempo. Conto ir ao Rio depois de amanhã, e ter o prazer de vê-lo então. Quanto sentirei deixá-lo e começo já a ter saudades suas; falo das grandes saudades dos que o grande mar separa. Abraça-o cordialmente

Azeredo[3]

*Excelentíssi*mo *Senho*r Machado de Assis
Ministério da Viação e da Indústria
Praça 15 de Novembro
Rio de Janeiro

1 ◦∾ Magalhães Azeredo chegara com a mulher ao Brasil em março, por causa da morte do sogro Bernardo Caymari. Hospedaram-se na antiga residência deste, na rua Monte Caseros, 1, Petrópolis. Em algum momento de sua permanência na cidade, Azeredo deixou a casa e tomou hospedagem no Hotel da Europa. Cidade de veraneio, Petrópolis se tornara o centro diplomático do país. A cidade abrigava diversos hotéis elegantes para atender aos veranistas e aos diplomatas que instalavam residência ali. O Hotel de Europa, dirigido por M. e Mme. Jules Gay, situava-se na avenida Sete de Abril, 40, próximo ao Palácio de Cristal e à igreja do Sagrado Coração de Jesus, no eixo elegante da cidade serrana. (SE)

2 ◦∾ O casal Azeredo voltará à Itália no início de setembro de 1907. (SE)

3 ◦∾ Cartão-postal com a imagem da avenida Koeller. (SE)

[989]

De: BELMIRO BRAGA
Fonte: Manuscrito Original, Arquivo ABL.

Juiz de Fora, 2 de setembro de 1907.

Ilustre Mestre.

Venho nestas linhas fazer-lhe uma visita e, ao mesmo tempo, cientificar-lhe o meu grave pesar pelo desastre ocorrido anteontem com V*ossa* Ex*celência* no cais Pharoux[1].

Espero em Deus que, ao chegar-lhe esta às mãos já esteja completamente são.

Orgulho-me de ser

De V*ossa* Ex*celência*

Patrício, adm*i*rador, amigo e cr*i*ado at*en*to

Belmiro Braga

---

1 ◦∾ A crise epiléptica, fotografada por Augusto Malta. Ver em [987]. Machado responderá ao admirador mineiro em [991], dois dias depois, referindo-se à "vertigem" que fora divulgada na imprensa. É quase um bilhete, mas significativo, por conta do recato do escritor a respeito da epilepsia. (IM)

[990]

> De: GUGLIELMO FERRERO
> *Fonte:* Manuscrito Original, Arquivo ABL.

Buenos Ayres, 3 Septembre 1907[1].

Cher Monsieur et confrère.

Je vous écris de B*uenos* Ayres, où je suis retourné hier. J'ai réfléchi, pendant le voyage, sur votre lettre; et voici ce que je vous propose.

J'arriverai avec l' Umbria le 21 ou 22 Sept*embre*. Je pourrai commencer les conférences Jeudi 26; et a en faire *six*, qui seront les suivantes: 1.°) La "corruzione romana" e la vita moderna; 2.°) Giulia e Tiberio; 3.°) Antonio e Cleopatra; 4.°) La Gallia, o i paesi nuovi nella storia antica; 5.°) Nerone; 6.°) La missione storica dell'impero romano. Je serais très content si on pouvait me faire faire ces six conférences en deux semaines – trois par semaine. J'aurais ainsi fini vers le 10 ou 11 octobre; et comme je partirai le 6 novembre pour l'Europe, j'aurais trois semaines pour voyager un peu dans le pays. D'ailleurs, je crois qu'il est mieux d'aller vite avec les conférences; l'attention se soutient plus facilement. A Buenos Ayres même j'aurais été jusqu'à un certain point plus content, si on avait fait les conférences en trois semaines au lieu de quatre.

Quant à la langue, je vous propose une solution qui pourra vous paraître d'abord un peu bizarre, mais qui semble devoir contenter tout le monde. Je vous propose de faire la 1ère, la 3ème et la 5ème en italien; la 2nde, la 4ème et la 6ème en français. Ainsi les italiens seraient satisfaits; et les brésiliens qui connaissent mieux le français que l'italien aussi. Comme ces conférences doivent servir aussi à la diffusion de mes idées, je désire naturellement de me faire comprendre par le plus grand nombre de personnes. La combinaison des deux langues me semble à ce point de vue présenter beaucoup d'avantages[2].

Je partirai Dimanche soir le 8 Septembre pour Montevideo où je resterai au Grand Hôtel jusqu'au 19.

Quant à mon logement, je désire avoir deux chambres, avec deux lits toutes les deux; et un petit salon, dans un hôtel qui soit situé dans une belle situation et qui fasse payer les prix raisonnables.

Au revoir donc bientôt. Je vous prie de présenter mes hommages au baron de Rio Branco et à tous vos amis, que je suis impatient de revoir dans la merveilleuse Rio de Janeiro...

tout à vous

Guglielmo Ferrero[3]

---

1   Magalhães Jr. (2008) indica "33 Sept.". (IM)

2   Ver Apresentação. (IM)

3   TRADUÇÃO DA CARTA (incluindo, entre colchetes, a tradução das palavras em italiano):

    Buenos Aires, 3 de setembro de 1907. / Prezado Senhor e confrade. / Escrevo-lhe de Buenos Aires, para onde voltei ontem. Refleti, durante a viagem, sobre sua carta; e eis o que lhe proponho. / Chegarei no *Umbria*, em 21 ou 22 de setembro. Poderei começar as conferências na quinta-feira 26, e fazer *seis*, que serão as seguintes: (1) La "corruzione romana" e la vita moderna [A "corrupção romana" e a vida moderna]; (2) Giulia e Tiberio [Júlia e Tibério]; (3) Antonio e Cleopatra; (4) La Gallia, o i paesi nuovi nella storia antica [A Gália, ou os países novos na história antiga]; (5) Nerone [Nero]; (6) La missione storica dell'impero romano [A missão histórica do império romano]. Eu ficaria muito grato se pudesse fazer estas seis conferências em duas semanas, três por semana. Eu terminaria assim em torno de 10 ou 11 de outubro, e como partirei em 6 de novembro para a Europa, sobrariam três semanas para viajar um pouco no país. Creio, aliás, que é melhor ir mais rápido com as conferências; a atenção se sustenta mais facilmente. Mesmo em Buenos Aires eu teria até certo ponto ficado mais satisfeito se tivesse feito as conferências em três semanas, em lugar de quatro. / Quanto à língua, proponho-lhe uma solução que à primeira vista poderia parecer-lhe estranha, mas que deveria contentar a todos. Proponho fazer a 1.ª, a 3.ª e a 5.ª conferência em italiano; a 2.ª, a 4.ª e a 6.ª, em francês. Assim os italianos ficariam satisfeitos; e os brasileiros que conhecem melhor o italiano que o francês, também. Como estas conferências devem servir também à difusão das minhas ideias, desejo naturalmente ser compreendido pelo maior número de pessoas. A combinação das duas línguas parece-me desse ponto de vista apresentar muitas vantagens. / Partirei no domingo à noite, dia 8 de setembro, para Montevidéu, onde ficarei no Grande Hotel até o 19. / Quanto ao alojamento, desejo ter dois quartos, cada um com dois leitos; e um pequeno salão num hotel localizado numa bela situação, que cobre preços razoáveis. / Até breve, portanto. Peço-lhe apresentar minhas homenagens ao barão do Rio Branco e a todos os seus amigos, que estou impaciente de rever no maravilhoso Rio de Janeiro... / Todo seu, / Guglielmo Ferrero. (SPR)

[991]

Para: BELMIRO BRAGA
Fonte: *Revista da Sociedade dos Amigos de Machado de Assis.* Rio de Janeiro: 1960, n.º 4. Fac-símile do manuscrito original.

Rio de Janeiro, 4 de setembro de 1907.

Meu caro am*ig*o e confrade,

Recebi com a sua carta de anteontem a visita que me fez por motivo da vertigem que me acometeu no cais Pharoux, domingo[1]. Restabeleci--me depressa, e daqui agradeço cordialmente as palavras de simpatia que me escreveu e a que já me acostumou a sua bondade para com este

Velho colega e am*ig*o

Machado de Assis[2]

---

1 ◦ Ver em [989]. O pronto agradecimento de Machado, tratando-se de fato para ele muito espinhoso (crise epiléptica) é um modelo de elegância e atenção para com o seu incondicional admirador Belmiro Braga. (IM)

2 ◦ Esta carta vem precedida de um sensível artigo da Sra. Maria Alice N. S. Leuzinger, detentora do original. Em seu depoimento, ela conta que, na juventude, testemunhou uma crise de Machado ocorrida numa ótica da rua Buenos Aires:

"Justo ao meu lado, um senhor bem trajado foi acometido de um ataque, debatendo-se alguns segundos e caindo pesadamente ao solo. Na queda, derrubou uma das vitrines, que se estilhaçou, espalhando lascas de vidro, armações e lentes. /.../ Um dos estilhaços feriu-me no braço, mas no primeiro momento nem percebi.

/.../ Era uma das "vertigens" de Machado de Assis que eu assistia: a mesma cor dramática, o mesmo aspecto tétrico e pungente. Testemunha ocular, podia avaliar, em toda a crueza, o drama do grande escritor. /.../ Tão emocionada estava e tão subjugada pela força dolorosa da sugestão, que nem reparei que o sangue me escorria do braço, manchando a manga da blusa. Tirei o lenço para enxugar o suor da testa do desconhecido e estancar o sangue que lhe brotara do lábio mordido. Fi--lo com cuidado e unção, em que havia mais reverência que compaixão, mais ternura que solidariedade. /.../ Nas breves linhas da carta aqui reproduzida, Machado de Assis agradece a Belmiro Braga, passada a crise, o interesse demonstrado pelo amigo. Pouco ou nada deixa transparecer do drama angustioso: fecha-se no seu laconismo de esteta, no seu estoicismo de sábio. Apenas a resignação mansa e dolorida que já lhe conhecemos."(IM)

[991 A]

De: MÁRIO DE ALENCAR
Fonte: *Revista da Academia Brasileira de Letras*, XXXVI, n.º 115, 1931.

[Rio de Janeiro,] 6 de setembro de 1907.

Meu querido amigo,

Minha sogra[1] manda dizer-lhe que amanhã não estaremos em casa, porque iremos jantar com meu cunhado Leo[2], que faz anos.

Não fui à cidade hoje para descansar a perna doente.

Adeus. Meu abraço do seu verdadeiro do coração

Mário de Alencar

---

1 ∾ Sobre Francisca Eugênia da Gama Cochrane (1850-1943), a Dona Chiquinha, mãe do aniversariante, ver nota 10, carta [1030], de 08/02/1908. (SE)

2 ∾ Nascido no dia 7 de setembro de 1877, em Santos, Leo de Afonseca Júnior mudou-se para o Rio de Janeiro ainda criança, quando a sua família se transferiu para a cidade. Estudou no prestigioso Colégio Abílio. Em 1893, entrou para a Escola Militar da Praia Vermelha tendo participado da luta contra Floriano Peixoto (1839--1895). Em seguida envolveu-se numa revolta de alunos contra o comando da escola

e terminou sendo desligado. Tempos depois, foi anistiado, mas não retornou. Iniciou então os seus estudos de estatística do comércio exterior com Mr. Willeman, um economista e estatístico inglês, especialmente contratado pelo Ministério da Fazenda, principiando com ele uma nova abordagem avaliativa das transações comerciais no ministério. Ao longo dos anos, Leo de Afonseca Júnior tornou-se uma autoridade em matéria de economia financeira e estatística, com diversos trabalhos publicados. Aposentou-se como diretor-geral da Diretoria de Estatística do Ministério da Fazenda. Residia na rua Visconde de Caravelas, 54, Botafogo. Casou-se em 1905 com Celina Lima e Silva (1883-1948), conhecida como D. Tutera, com quem teve cinco filhos: José, Otávio, Leo, Regina e Maria. Leo de Afonseca Júnior faleceu no Rio de Janeiro, no dia 2 de fevereiro de 1949, aos 71 anos. (SE)

[992]

Para: MAGALHÃES DE AZEREDO
Fonte: Manuscrito Original, Arquivo ABL.

Rio de Janeiro, 7 de setembro 1907.

Meu querido amigo e colega,

Não sei aonde lhe mande esta carta; vai para Petrópolis simplesmente, esperando que o seu nome dispense outra indicação.

Já percebe o motivo; é um abraço de velho amigo e companheiro neste dia de seus anos, e talvez seja o último[1]. Aceite-o de coração e não esqueça o triste que lho manda. Não sei se o verei antes do embarque para Roma, nem se este é sempre a 9; espero vê-lo. Apresente os meus respeitos às duas santas companheiras da vida, e até breve.

Velho amigo e colega

Machado de Assis

---

1 ∾ Este não foi o último aniversário de Azeredo que Machado viu; embora estivesse muito mal, ainda vivia em 7 de setembro de 1908. (SE)

[993]

De: LÉGATION DE FRANCE
Fonte: Manuscrito Original, Arquivo ABL.

[Rio de Janeiro, setembro de 1907.][1]

LÉGATION DE FRANCE AU BRÉSIL

Le Ministre de France[2] prie Monsieur Machado de Assis, Président de l'Académie Brésilienne, de bien vouloir en faire l'honneur de venir dîner[3] chez lui à l'Hôtel dos Estrangeiros[4], le Samedi 7 Septembre à 8 heures.

RSVP

---

1 ∾ TRADUÇÃO DO CONVITE:

LEGAÇÃO DA FRANÇA NO BRASIL / O Ministro da França solicita ao Senhor Machado de Assis, Presidente da Academia Brasileira, de por gentileza lhe fazer a honra de vir jantar com ele no Hotel dos Estrangeiros, no sábado, 7 de Setembro, às 8 horas. Responder, por favor. (SE)

2 ∾ Albert-François-Idelfonse d'Antouard de Wasservas (1861-1944) era o enviado extraordinário e ministro plenipotenciário francês no Brasil. É autor de diversos livros, cujo caráter sócio-histórico resulta de seus estudos e de sua observação durante a permanência nos postos diplomáticos. Entre eles, há um estudo intitulado *Le Progrès Brésilien: la Participation de la France* (Paris: Plon, 1910), com prefácio de Gabriel Hanotaux (1853-1944). (SE)

3 ∾ O jantar em honra a Paul Doumer (1857-1932) na noite de 7 de setembro, no hotel dos Estrangeiros, contou com a presença de ilustres personalidades, entre elas: o ministro Calmon, o prefeito Sousa Aguiar, o Dr. Teixeira Soares, o intendente de Paris Henri Turot, o cônsul francês de Labordère, o secretário da legação Lebrun, o Sr. Raul do Rio Branco, Tobias Monteiro* e outros. Machado, parece, declinou do convite. Paul Doumer estava hospedado no quarto 39 do hotel; havia chegado ao cais Pharoux pelo vapor *Cordillière*, em 1.º de setembro. (SE)

4 ∾ *Self made man*, Paul Doumer foi professor de matemática e jornalista, tornando-se mais tarde conhecido como economista. Nomeado governador-geral da Indochina francesa (1896-1902), retornou de lá coberto de glórias para vida parlamentar. Do ponto de vista da política colonialista da época, a sua administração foi amplamente reconhecida porque, além de manter a colônia pacificada, estimulou o desenvolvimento

e a prosperidade, o que resultou em grandes benefícios econômicos para a França. Na volta da Ásia, eleito deputado, foi conduzido sucessivas vezes à presidência da comissão do orçamento da Câmara dos Deputados. Em 1903, tornou-se presidente da Câmara. Manteve-se sempre na imprensa tratando de questões de política, história e economia. No Brasil, veio fazer uma série de conferências no Rio de Janeiro e em São Paulo. Viajou também ao Paraná. Há notícias de que escreveu dois volumes sobre a viagem ao Brasil. Em 1931, Doumer foi eleito presidente da França, mas teve o seu governo encerrado prematuramente em 1932 ao ser assassinado com três tiros, por um imigrante russo ligado ao Movimento Branco antibolchevique, o médico Paul Gorguloff (1895-1932). (SE)

[993 A]

Para: MÁRIO DE ALENCAR
Fonte: Catálogo da Exposição Machado de Assis, 1839-1939.
Rio de Janeiro: Ministério da Educação e Saúde, 1939.

[Rio de Janeiro,] Domingo, 8 de setembro de [1907].[1]

Meu querido amigo,

Agradeço-lhe a fineza do aviso, e peço-lhe que faça o mesmo a Dona Chiquita. Sexta-feira precisei falar-lhe; falo-ia ontem, se fosse à noite à sua casa; procurá-lo-ei amanhã na Câmara.

Recuerdos para todos, e um abraço do

amigo velho

Machado de Assis

---

1 ∾ A data "Domingo, 8 de setembro" permitia-nos quanto ao ano as seguintes alternativas: 1901 ou 1907. Entretanto não poderia ser 1901 porque Machado alude à Câmara dos Deputados e, até 1902, Mário foi um modesto funcionário do Departamento Nacional de Ensino, do Ministério da Justiça e Negócios Interiores. Somente no governo Rodrigues Alves (1902-1906), mudou de posição na burocracia estatal, tornando-se oficial de gabinete do ministro da Justiça e Negócios Interiores, J. J. Seabra*. Ao fim do mandato presidencial, ocupando cargo de confiança, Mário

desincompatibilizou-se da função. Certamente foi nomeado para a função de bibliotecário na Câmara Federal, durante o governo Afonso Pena (1906-1909), pois, na correspondência com Machado, a biblioteca da Câmara só passa a ser citada a partir de 1907. (SE)

[994]

De: MAGALHÃES DE AZEREDO
Fonte: Manuscrito Original, Arquivo ABL.

Sardegna¹, 16 de setembro de 1907.

Oceano Atlântico — 17.° 03 lat. N. — 20.° 26' long. O

Meu querido Mestre e Amigo,

Aí tem exatamente determinado o ponto do Oceano Atlântico em que nos achamos neste momento. Mas esta carta, não tendo eu completa confiança no clássico recurso da garrafa lacrada e atirada às ondas, partirá de Las Palmas² entregue aos correios regulares de Sua Majestade Católica. Não poderemos descer a terra na grande Canária porque lá chegaremos quase à noite. Ficaremos tediosamente a bordo assistindo ao embarque do carvão, que em poucos minutos tornará negra e imunda uma boa parte do vapor. Paciência; água é que não faltará para limpá-lo depois. A cidade de Las Palmas não deve ser uma grande beleza, a julgar pela vizinha Tenerife que conhecemos; mas depois de onze dias de navegação é um prazer dar alguns passos mesmo na aldeia mais estúpida do mundo...

Em todo o caso, de Las Palmas em diante a travessia será muito menos monótona e pesada. Veremos terra quase sempre, pelas alturas de Gibraltar caminharemos por muitas horas entre a África e a Espanha vendo-as ambas, no dia seguinte estaremos em Barcelona, e vinte e seis horas depois desembarcaremos no molhe de Gênova.

Eu já não tenho a mesma paciência de outrora para estas viagens longas. Viajo ordinariamente para chegar, e o tempo me parece lentíssimo.

"Livres corramos sobre as ondas livres
Do Oceano indomado por tiranos,
Livre como saiu das mãos do Eterno"...³

Lembra-se desses belíssimos versos? O Oceano é livre ainda (e nem sempre igualmente); mas o homem é muito menos livre no mar que em terra, a não ser algum pescador aventureiro e solitário. Quanto maior independência de direção e movimento tem a gente, não digo já no campo, mas nas ruas de uma cidade qualquer, do que nesta imensidade de água! De que vale que seja quase infinita se na realidade estamos continuamente limitados a estes poucos metros de madeira e ferro? E este regímen ao mesmo tempo de hotel e de quartel que se deve observar a bordo? Em suma tudo isto dá grandes desejos de chegar a terra, apesar da extrema beleza e da profunda poesia de certas horas no mar. Agora, por exemplo, enquanto lhe escrevo, um imenso luar se reflete e treme no imenso espelho das ondas...

Adeus, querido Mestre e Amigo; esta carta é só para dar-lhe notícias nossas, e dizer-lhe as muitas saudades com que o lembro. De Gênova⁴ lhe enviarei algumas linhas ao menos; de Roma lhe escreverei muito e com frequência. Escreva-me também, peço-lho com grandíssimo empenho. Afetuosos cumprimentos nossos. Abraça-o de coração o sempre seu muito dedicado

Azeredo

---

1 ∞ *Sardegna* era o nome do navio em que Azeredo estava embarcado voltando à Itália. (SE)

2 ∞ Esta carta chegou às mãos de Machado por intermédio de Mário de Alencar*, conforme diz Azeredo na carta [1002], de 03/10/1907. (SE)

3 ∞ Trecho do Canto I, do poema "Luís de Camões" de Almeida Garrett. (SE)

4 ∞ Azeredo desembarcou no porto de Gênova, seguindo depois para Roma. (SE)

[995]

De: VIRGÍLIO VÁRZEA
Fonte: Manuscrito Original, Arquivo ABL.

Rio [de Janeiro], 19 de setembro de 1907.

Excelentíssimo Senhor Doutor Machado de Assis, presidente da Academia Brasileira.

Tenho a honra de participar à Vossa Excelência que motivos íntimos levam-me a desistir da minha candidatura à cadeira vaga no seio dessa Instituição pelo falecimento do ilustre poeta Teixeira de Melo[1].

De Vossa Excelência, com a mais alta consideração e leal estima, patrício e admirador

Virgílio Várzea.

Rua Conselheiro Pertence, 25. Catete.

---

1 ∾ Ver em [955]. Virgílio Várzea ainda se candidataria às vagas de Aluísio Azevedo*, Salvador de Mendonça* e Paulo Barreto*, obtendo votos insuficientes. (IM)

[996]

De: AUGUSTO DE LIMA
Fonte: Manuscrito Original, Arquivo ABL.

Belo Horizonte, 21 de setembro de 1907.[1]

Excelentíssimo Senhor Machado de Assis,

Se aprouver à Vossa Excelência, convindo à Academia de Letras, eu lembro um dos primeiros dias de outubro para a minha apresentação, podendo, por exemplo, ser o 12.

Já tenho pronto o discurso, que remeterei ao Senhor Medeiros e Albuquerque, meu paraninfo, logo que Vossa Excelência o haja assim resolvido[2].

Com as homenagens de apreço e admiração,

De Vossa Excelência

Amigo e confrade

Augusto de Lima

---

1 ∾ Papel timbrado: "Arquivo Público Mineiro / Gabinete do Diretor". (IM)

2 ∾ Augusto de Lima foi eleito para a Cadeira 12 em 05/02/1903, mas sua recepção só se deu em 05/12/1907, embora a ata da sessão de 14 de novembro registrasse: "É designado o dia 30 do corrente para a recepção do Sr. Augusto de Lima." (IM)

[997]

De: HERÁCLITO GRAÇA
Fonte: Manuscrito Original, Arquivo ABL.

Petrópolis, 25 de setembro 1907.

Ilustríssimo Excelentíssimo Presidente da Academia Brasileira de Letras

Residindo nesta Cidade e impossibilitado de comparecer à próxima sessão da Academia para a eleição de um Membro da mesma Academia na vaga disputada[1] pelo Senhor Almirante Jaceguai e Paulo Barreto, envio à Vossa Excelência o meu voto[2] na sobrecarta inclusa, para ser apurado.

Reitero à Vossa Excelência os protestos da minha mais alta admiração e sincera estima

Heráclito Graça

---

1 ∾ Na sucessão ao fundador Teixeira de Melo*, Cadeira 6, foi eleito Artur Silveira da Mota*, o almirante Jaceguai, na sessão de 28 de setembro de 1907. Candidato de Joaquim Nabuco* havia tempo, Artur Jaceguai concorreu sozinho, pois Paulo Barreto* e Virgílio Várzea* haviam retirado as suas candidaturas. Ver carta [999], de 27/09/1907. (SE)

2 ◦ Na sessão de 28 de setembro houve treze acadêmicos presentes, dos quais doze votaram em Artur Jaceguai e um em Paulo Barreto, ainda que este último tivesse desistido na véspera da eleição e comunicado à mesa. Ver carta [999], de 27/09/1907. Os votos remetidos por telegrama ou carta, como foi o caso do de Heráclito Graça, foram computados em favor de Jaceguai. (SE)

[998]

Para: MÁRIO DE ALENCAR
Fonte: Cartão de Visita. *Ilustração Brasileira*, ano 17, 50. Arquivo Nacional. Fac-símile do original.

Rio de Janeiro, 26 de setembro de 1907.

Meu caro Mário,

MACHADO DE ASSIS

Além desses telegramas e bilhetes, há um pedido que achei para o Marechal Pires Ferreira[1]. O portador deste espera a resposta aí na Câmara.

18 Cosme Velho

---

1 ◦ Marechal Firmino Pires Ferreira (1848-1930), veterano da Guerra do Paraguai, figura conhecida no mundo social e na vida política da então capital da República. Assentou praça em 1865, tornou-se oficial em 1868 e marechal em 1906, posto no qual se reformou em 1913. Nascido em Barras, Piauí, foi eleito senador pelo seu estado sucessivas vezes a partir de 1894 até 1920. Em 1927, foi eleito novamente senador. Faleceu no exercício do cargo. A rua Marechal Pires Ferreira, situada no Cosme Velho, foi aberta em parte do terreno em que esteve a casa de Machado de Assis. (SE)

[999]

> De: PAULO BARRETO
> *Fonte*: Fundação Biblioteca Nacional. *Gazeta de Notícias*, 1907. Setor de Periódicos. Microfilme do original impresso.

[Rio de Janeiro, 27 de setembro de 1907.]

[Il*ustríssi*mo *Senho*r Machado de Assis,]

Tenho a honra de participar à Vossa E*xcelência* que desisto da minha candidatura à vaga de Teixeira de Melo.

Há para isso motivos excelentes, o primeiro dos quais é não atentar, nem mesmo com uma perda honrosa à vitória, que desejo completa, de um venerável marinheiro que nos campos de batalha foi sempre vencedor nunca vencido.

As glórias pertencem às Academias.

Com admiração e respeito,

Paulo Barreto[1]

---

1 ∾ Documento não incluído nos epistolários. Paulo Barreto embora fale em "motivos excelentes" explicita apenas um. Manteve-se a data da publicação na *Gazeta de Notícias*. (SE)

[1000]

> De: SOUSA BANDEIRA
> *Fonte*: Manuscrito Original, Arquivo ABL.

Rio [de Janeiro], 29 de setembro de 1907.

Caro mestre

Venho lembrar-lhe, que hoje às 7 horas da noite, esperamos ter o prazer de contá-lo entre os nossos convivas, para jantar[1].

Desde já agradece

  o am*igo* af*etuoso*

  Sousa Bandeira

---

1 ❧ Sousa Bandeira, muito ligado a Rio Branco* e um dos que participaram decisivamente da organização da visita de Guglielmo Ferrero* capitaneada pelo chanceler, provavelmente alude a um jantar oferecido ao conferencista italiano que chegara ao Rio de Janeiro a 23/09/1907. (IM)

[1001]

Para: GONÇALVES E COMPANHIA
Fonte: Manuscrito Original, Arquivo ABL.

[Rio de Janeiro, setembro de 1907.]¹

Il*ustríssi*mo S*enho*r Gonçalves e Comp*anhia*²

  Pode entregar, por aluguel, para o Palácio Monroe, durante as seis conferências de Guglielmo Ferrero, cinquenta dúzias de cadeiras ao preço de trinta mil réis (30$000) cada diária, durante aquele prazo. Mande-me a conta a mim como Presidente da Academia Brasileira.

  De V*ossa* S*enhoria*

  At*en*to V*enerad*or e obr*igado*

  Machado de Assis

---

1 ❧ A primeira da série de seis conferências pronunciadas por Guglielmo Ferrero* no Pavilhão Monroe ocorre no dia 26 de setembro; possivelmente a encomenda do mobiliário deu-se uma semana antes do evento. Sobre Guglielmo Ferrero, ver Apresentação do presente tomo. (SE)

2 ❧ Trata-se de uma firma de móveis e armações com sede na rua Visconde do Rio Branco, 14, e uma filial na rua da Carioca, 45 e 47, centro do Rio. Há no Arquivo ABL o recibo enviado ao presidente da Academia, em três vias, datado de 14 de outubro de 1907, acusando o pagamento do aluguel das cadeiras. (SE)

[1002]

De: MAGALHÃES DE AZEREDO
Fonte: Cartão-Postal Original, Arquivo ABL.

Roma, 3 de outubro de 1907[1].

66, via Sicília

Querido Mestre e Amigo,

O nosso Mário já lhe deve ter dado uma carta que lhe expedi de Las Palmas, por intermédio dele. De Gênova não lhe pude escrever uma linha[2]; a alfândega nos tomou o pouco tempo de que dispúnhamos, e demo-nos por muito felizes podendo partir para aqui no mesmo dia do desembarque. Hei de falar-lhe ainda da viagem numa longa carta, mas por hoje apenas lhe posso mandar estas linhas rápidas, porque os trabalhos de reinstalação me absorvem todo. Afetuosos cumprimentos da minha Família, e um abraço muito saudoso do sempre seu

Azeredo

Via Modena-Lisboa
Brasile

Ex*celentíssi*mo *Senho*r Machado de Assis
Ministério da Indústria e da Viação
Rio de Janeiro

---

1 ∾ Cartão-postal inédito, retratando o Anfiteatro Flávio (Coliseu), em Roma. (SE)

2 ∾ Na carta [994], de 16/09/1907, expedida de Las Palmas, Azeredo disse que escreveria quando chegasse a Gênova. (SE)

[1003]

> De: ARTUR JACEGUAI – ARTUR
> SILVEIRA DA MOTA
> *Fonte:* Manuscrito Original, Arquivo ABL.

[Rio de Janeiro,] 17 de outubro de 1907.

Meu Caro Machado de Assis

Conquanto ainda sujeita a única (*sic*) revisão mais cuidadosa remeto-lhe a cópia inclusa do que vai ser o meu discurso de recepção na Academia[1].

O meu copista é péssimo, pelo que obrigou-me a fazer inúmeras correções que afeiam horrivelmente a cópia. Além disso não posso reler trabalho meu sem emendá-lo: nunca me satisfazendo, passado qualquer intervalo de tempo, o que escrevi anteriormente.

Alegrar-me-ei muito se Você julgar a minha pobre prosa digna de ser lida perante a ilustre Academia de sua presidência e o auditório seleto que me preparam.

Diga-me com franqueza o seu juízo: a sinceridade não me arrepia.

Seu am*i*go velho e admirador

Jaceguai

---

1 ∾ Na sessão de 25 de abril de 1907, a Cadeira 6 foi declarada vaga em razão da morte de Teixeira de Melo*, em 10 de abril. Na sessão de 12 de setembro de 1907, o presidente fixou o dia 28 de setembro como a data da eleição. Neste dia, o almirante Artur Jaceguai foi eleito. (SE)

[1004]

De: GRAÇA ARANHA
Fonte: Manuscrito Original, Arquivo ABL.

[Rio de Janeiro, 24 de outubro de 1907.]¹

Quinta-feira

Machado de Assis, querido amigo,

não² sei se o Bandeira³ lhe comunicou que ontem depois da conversa que tive com o Rio Branco aqui ficou decidido que o banquete da Academia seria neste hotel⁴.

Não é o ideal, mas com muito *boa vontade* (que há da parte da proprietária entusiasta) e um pouco ou muito do nosso muito gosto, pode-se fazer alguma coisa distinta.

Hoje nós vamos ao baile, às 10 horas. Até as 9 estou livre. Venha aqui depois do seu jantar e num canto do jardim, no fundo de uma sala conversaremos um pouco. O meu dia de ontem! nem falemos...

O de hoje muito recuperado pela manhã com a visita ao laboratório de Manguinhos, agora um pouco no Ministério e fugindo da rua do Ouvidor por causa da praga dos pedintes de convites para o baile.

E por isso não lhe dei parte da nossa resolução, que espero seja aprovada por V*ocê*. Aliás V*ocê* nos tem dado tanta carta branca, que vamos aturando mas para a maior Glória da Academia.

Até logo? Olhe que amanhã à tarde vamos para Petrópolis, e depois de amanhã à secreta Minas.

Seu do coração

Graça Aranha

---

1 ∽ A carta só indica o dia da semana. Inferiu-se a data através do "diário" de Machado, circunstanciando a visita de Ferrero* (Montello, 1986), onde se encontra o seguinte registro: "24 de outubro / Graça Aranha veio pedir-me ontem à noite um cheque de 1.000$ para a excursão a Minas; mandei-lho hoje de manhã." O dia 24 caiu numa 5.ª feira, coincidindo com o teor da missiva. (IM)

2 ∾ O missivista inicia a carta com minúscula. (IM)

3 ∾ Sousa Bandeira*. (IM)

4 ∾ De 20 de setembro até 12 de outubro, Ferrero* hospedou-se com a família no Hotel Alexandra (em geral grafado "Alessandra" pelos correspondentes) de propriedade de Mlle. Lentz, à rua das Laranjeiras, 181. A fatura se acha no Arquivo ABL. Do seu valor (6.059$000), pouco mais da metade é referente a "extraordinários". O pagamento foi abonado por Graça que, para atender *full-time* ao ilustre conferencista, também se hospedara no Alexandra. Ali realizou-se o banquete, em 31/10/1907, no qual Machado proferiu um dos seus raros discursos. O rascunho manuscrito e um exemplar impresso na ocasião conservam-se no Arquivo ABL; tais documentos legitimam a transcrição abaixo, na qual foram retificados vários equívocos presentes em publicações ulteriores:

> "Sr. Guglielmo Ferrero, / A Academia Brasileira convidou-vos a dar conferências neste país. Contava decerto com a admiração que lhe haviam imposto os vossos escritos, mas a vossa palavra excedeu a sua confiança. Não é raro que as duas formas de pensamento se conjuguem na mesma pessoa; conhecíamos aqui este fenômeno e sabíamos dele em outras partes, mas foi preciso ouvir-vos para senti-lo ainda uma vez bem, e por outra língua canora e magnífica. / Agora que ides deixar-nos levareis à Itália, e por ela ao resto do mundo europeu, a notícia do nosso grande entusiasmo. Creio que levareis mais. O que o Brasil revelou da sua crescente prosperidade ao eminente historiador de Roma ter-lhe-á mostrado que este pedaço da América não desmente a nobreza da estirpe latina e crê no papel que de futuro lhe cabe. E se com essa impressão política levardes também a da simpatia pessoal e profunda que inspirastes a todos nós, a Academia Brasileira folgará duas vezes pelo impulso do seu ato de convite, e aqui vô-lo declara, oferecendo-vos este banquete."

Vale lembrar que essa apoteose teve direito a orquestra regida pelo maestro João Raimundo; ver nota 1 em [1011], de 14/11/1907. Montello (1986) indica o hotel Metrópole como local da homenagem a Ferrero. (IM)

[1005]

> Para: MÁRIO DE ALENCAR
> *Fonte*: Catálogo da Exposição Machado de Assis 1839-1939.
> Rio de Janeiro: Ministério da Educação e Saúde, 1939.

[Rio de Janeiro,] 27 de outubro de 1907.

Ao querido amigo Mário,

Devolvo agradecido a capa e as galochas. Não sou mais longo por estar agora com uma visita. Meus respeitos a todos e aos pequenos. Até amanhã.

[Machado de Assis]

[1006]

> De: ARTUR JACEGUAI – ARTUR SILVEIRA DA MOTA
> *Fonte*: Manuscrito Original, Arquivo ABL.

Repartição da Carta Marítima[1]
Estados Unidos do Brasil
Diretoria-Geral

Rio de Janeiro, 28 de outubro de 1907.

Meu Caro Machado de Assis,

Acabo de receber resposta do Arinos[2]. Diz-me ele, estará aqui no dia 30, de manhã, contando com a minha recepção no dia 31; mas se o banquete[3] é no último do mês, há equívoco, que convém corrigir.

Não lhe embaracem quaisquer correções V*ocê* entenda dever se fazer em meu discurso: até a última hora estarei pronto a obedecê-lo. Mande-me dizer o que haja resolvido definitivamente.

Seu amigo velho e admirador

Jaceguai

1 ∾ Trata-se da Diretoria de Hidrografia e Navegação, criada em 1876, com o nome de Repartição Hidrográfica e que, em 1891, foi reorganizada sob a denominação de Repartição da Carta Marítima. Integrando o sistema de apoio da Marinha brasileira, o órgão é responsável pelo mapeamento hidrográfico, pelo planejamento logístico de navegabilidade, além de coordenar, administrar e controlar as atividades técnicas relacionadas aos serviços de hidrografia, navegação oceanografia, meteorologia, geofísica e sinalização náutica. Jaceguai foi diretor--chefe da Carta Marítima de 1907 a 1912, ano em que pediu reforma no posto de almirante de esquadra. (SE)

2 ∾ O acadêmico Afonso Arinos de Melo Franco*, ocupante da Cadeira 40, recebeu Artur Jaceguai na Academia Brasileira de Letras em 9 de novembro de 1907. O almirante era figura muito prestigiada em sua época. A sua festa de posse foi bastante concorrida, reunindo no Silogeu empresários, intelectuais, damas elegantes e personalidades do meio político, entre elas, o presidente da República Afonso Pena (1906--1909), os ministros Rio Branco*, Augusto Tavares de Lira (1872-1958) e Alexandrino de Alencar (1848-1926), respectivamente responsáveis pelas pastas das Relações Exteriores, do Interior e da Marinha. (SE)

3 ∾ Possivelmente trata-se do banquete em homenagem a Guglielmo Ferrero*, ocorrido no dia 31 de outubro no Hotel Alexandra. Ver [1004], nota 4. (SE)

[1007]

De: GRAÇA ARANHA
Fonte: Manuscrito Original, Arquivo ABL.

[Petrópolis,] Terça-feira, 5 de novembro de 1907.

Meu querido Machado de Assis,

Agora me é muito difícil sair desta quietação em [que] me sinto tão bem depois daquele excessivo movimento. Só vou ao Rio depois de amanhã. Irei vê-lo. Como lhe disse no embarque do Ferrero, não encontrei senão um *menu* com a *loba*[1] e esse foi o do Ferrero. Procurei por toda a parte o outro, e sem resultado. Quanto ao seu discurso, os exemplares dele em número superaria[m] cem, deixei-os com o Bandeira[2]. Olhe, querido Machado, essa recepção do Jaceguai. Não é bom precipitar, e é preciso anunciar pela imprensa com muita antecedência o dia, fazer uma certa reclame³, e pôr à disposição do público letrado e o da Marinha muitos cartões. A Academia teve tão grandes sucessos que não se deve expor a um fiasco. Até quinta-feira.

Seu do coração

G. A.

---

1 ∞ Os menus foram artisticamente desenhados por Mlle. Vencelins; ver em [1013], de 20/11/1907. O que coube a Olavo Bilac* está no livro *Para uma história da belle époque: a coleção de cardápios de Olavo Bilac* (2011). (IM)

2 ∞ Sousa Bandeira*. O discurso está reproduzido em nota, na carta [1004]. (IM)

3 ∞ Do francês, o substantivo feminino *réclame* (anúncio, publicidade). (IM)

[1008]

| De: INGLÊS DE SOUSA
Fonte: Manuscrito Original, Arquivo ABL.

Rio [de Janeiro], 5 de novembro de 1907.

*Excelentíssi*mo *Senho*r Machado de Assis

Meu caro Mestre

Os que fazeres da minha profissão impedem-me absolutamente de continuar a servir o cargo de Tesoureiro¹ da Academia. Venho pedir-lhe que me dê substituto, a quem devo entregar os papéis que estão em meu poder. Saldo é que não entrego porque não há. As minhas contas, como vê, são fáceis de prestar.

Creia-me sempre

Seu adm*ira*dor e am*i*go ob*ri*g*ado*

Herculano M. Inglês de Sousa

R*ua* General Câmara², 13

1 ◊ Inglês de Sousa era tesoureiro da Academia desde a sua fundação. Em ata de 14 de novembro de 1907, a sua renúncia à função foi comunicada e aceita pelo plenário, contudo permaneceu no exercício de modo interino até a sua substituição por Filinto de Almeida*, ocorrida em 28 de novembro de 1907. (SE)

2 ◊ Popularmente ainda era conhecida como rua do Sabão, nome oriundo do período colonial. Antigo Caminho para a Candelária, nos seiscentos, teve diversos nomes: rua de Gonçalo Gonçalves (antigo morador e benfeitor da Santa Casa); rua do Azeite do Peixe, quando nela existia a distribuidora de azeite de baleia para iluminação caseira; e rua do Sabão, quando foi ali instalado o armazém de sabão do Rio colonial, no tempo em que era monopólio de um amigo do rei de Portugal fazer e vender sabão à população. A rua General Câmara corria em paralelo com a de São Pedro. Ambas desapareceram quando da abertura da avenida Presidente Vargas nos anos de 1940, e correspondem às pistas extremas de ambos os lados. (SE)

[1009]

De: ARTUR JACEGUAI – ARTUR SILVEIRA DA MOTA
Fonte: Manuscrito Original, Arquivo ABL.

[Rio de Janeiro,] 6 de novembro de 1907.

Meu Caro Machado de Assis

Remeto-lhe a última cópia do meu discurso de introdução[1], como pretendo proferi-lo, salvo as emendas e correções que V*ocê* quiser aplicar-lhe, as quais obedientemente atenderei.

Seu velho am*i*go e admirador

Jaceguai

---

1 ◊ Discurso de posse solene, proferido no Silogeu, em 9 de novembro de 1907, três dias depois da data desta carta. (SE)

[1010]

De: MAGALHÃES DE AZEREDO
Fonte: Cartão-Postal Original, Arquivo ABL.

Roma, 7 de novembro de 1907.[1]

66, via Sicilia

Parece-me que agora sou eu que tenho razão para estas queixas dos amigos. Há quase dois meses que daí parti[2], e ainda não tive uma palavra sua, nem do Mário. Isto não está bem! Eu tenho escrito por todos ou quase todos os correios. Queria mandar-lhe hoje uma longa carta, em vez destas poucas linhas, mas não é certo que não devo mandá-la enquanto não tiver notícias suas?[3]

Abraços e saudades somente

Azeredo

Excelentíssimo Senhor
Machado de Assis
Ministério da Indústria e da Viação
Rio de Janeiro
(Brasile)

---

1 ✥ Cartão-postal inédito com vista da Passeggiata del Monte Pincio, Fontana avanti l'Academia di Francia. (SE)

2 ✥ Azeredo deixou o Rio de Janeiro no início de setembro de 1907. Sobre a partida e a despedida de Azeredo, ver cartas [988] e [992]. (SE)

3 ✥ Este trecho, apesar de modalizado pela polidez, expressa a disposição contrariada de Azeredo, atitude que nas cartas de 1904, 1905, 1906 e 1907, veio se acentuando. (SE)

[1011]

> De: GRAÇA ARANHA
> *Fonte*: Manuscrito Original, Arquivo ABL.

Rio [de Janeiro], 14 de novembro de 1907.

Meu caro Machado de Assis,

O maestro João Raimundo [,] que tanto nos encantou com sua orquestra no banquete ao Ferrero, apresenta a sua conta e eu lhe peço, se for possível, o favor de mandar pagar, porque está conforme[1].

Seu dedicado

Graça Aranha

---

1 ∞ Encontra-se no Arquivo ABL o seguinte documento:

"A Academia Brasileira / Deve / a João Raimundo Rodrigues / pela orquestra de 30 professores que tocou durante o banquete realizado no dia 31 do corrente ano, no Hotel Alessandra, oferecido ao Senhor Guglielmo Ferrero – R 900$000 / Rio de Janeiro, 4 de novembro de 1907. / João Raimundo Rodrigues. // Recebi a quantia de novecentos mil-réis. / Rio de Janeiro, 16 de novembro de 1907. / João Raimundo Rodrigues." (IM)

[1012]

> Para: OLIVEIRA LIMA
> *Fonte*: Manuscrito Original. The Oliveira Lima Library; The Catholic University of America, Washington.

[Rio de Janeiro,] 15 de novembro de 1907.

Meu caro amigo e confrade,

Recebi a sua carta de ontem, 14, e aqui lhe respondo[1]. O nosso colega Artur Orlando também me procurou ontem para me comunicar o discurso à V*ossa* E*xcelência*, a quem folgo de dizer, em nome de todos nós, cabe muito bem recebê-lo na Academia².

Em conversação perguntei ao Orlando se, devendo ser recebido daqui a poucos dias o Augusto de Lima, e tendo sido recebido este mesmo mês o Jaceguai, não haveria algum inconveniente na recepção dele logo depois de ambos.

À tarde, em sessão acadêmica, comuniquei aos nossos companheiros o que se passara. O Augusto de Lima também está com o discurso pronto e entregue ao Medeiros e Albuquerque, que o receberá³. Então este nos disse que na Câmara se entenderá com o Orlando, a ver se acham alguma combinação. Ia escrever-lhe isto mesmo, quando recebi a sua carta, a que ora respondo. Podemos encontrar-nos amanhã no Garnier.

Conto que haja passado bem, e espero se sirva apresentar os meus respeitosos cumprimentos à Excel*entíss*ima Senhora D*o*na Flora. Creia-me sempre, com a maior consideração,

        am*igo* ad*mir*ador e obr*ig*ado

        Machado de Assis

---

1 ∽ Carta ainda não localizada. (IM)

2 ∽ Artur Orlando, segundo ocupante da Cadeira 25, foi eleito em 27/06/1907, na vaga de Franklin Dória*. Recebeu-o Oliveira Lima, em sessão de 28/12/1907. (IM)

3 ∽ Recepção em 05/12/1907. Sobre o discurso de Oliveira Lima, ver carta [1015], de 09/12/1908. (IM)

[1013]

De: SOUSA BANDEIRA
Fonte: Manuscrito Original, Arquivo ABL.

Rio de Janeiro, 20 de novembro de 1907.[1]

Caro Mestre

Por muito atarefado não posso hoje mover-me do escritório.

Por este motivo envio-lhe, em vez de lho levar pessoalmente, o recibo de M*ademoi*selle Vencelins[2].

Quanto ao cheque, ou à importância, caso não lhe seja possível mandar pelo portador, rogo-lhe que guarde para quando nos avistarmos, ou faça como lhe for mais cômodo.

Como sempre, disponha do

am*i*go mu*i*to af*etu*oso

Sousa Bandeira

---

1 ∞ Papel timbrado "J. C. de Sousa Bandeira / Advogado / Rua do Rosário, 68". (IM)

2 ∞ No Arquivo ABL, encontra-se o recibo manuscrito, com a letra de Sousa Bandeira:

"Recebi do Exmo. Sr. Machado de Assis, D. Presidente da Academia Brasileira, a quantia de quinhentos mil-réis (500$000) importância dos *menus* que pintei para o banquete oferecido ao Sr. G. Ferrero, no dia 31 de oitubro (*sic*) último."

Abaixo, datado e assinado: "20 de Novembro de 1907 / (...) Vencelins". (IM)

[1014]

> De: JOSÉ VERÍSSIMO
> *Fonte*: Manuscrito Original, Arquivo ABL.

Rio [de Janeiro], 5 de dezembro de 1907.

Meu caro Machado

Motivo de força maior me priva da satisfação de assistir à recepção do nosso novo confrade, o insigne poeta e meu muito prezado amigo Augusto de Lima[1].

De sua constante bondade espero lhe comunique isto mesmo, com a expressão sincera do meu pesar.

Mas o único a lastimar sou eu.

Creia-me sempre muito cordialmente

Seu

José Veríssimo

---

[1] O mineiro Augusto de Lima*, eleito em 05/02/1903 como 2.º ocupante da Cadeira 12, foi, finalmente, recebido por Medeiros e Albuquerque* em 05/12/1907. (IM)

[1015]

> Para: OLIVEIRA LIMA
> *Fonte*: Manuscrito Original. The Oliveira Lima Library; The Catholic University of America, Washington.

[Rio de Janeiro,] 9 de dezembro de 1907.

Caro confrade,

Devolvo-lhe o discurso, agradecendo o prazer antecipado que me deu. Já lhe disse em que discordo, mas a divergência não diminui o

apreço[1]. Peço-lhe que apresente os meus respeitos a Dona Flora, e aceite para si as recomendações do
Velho amigo
Machado de Assis

---

1 ∞ Trata-se da recepção de Artur Orlando. Ver em [1012]. No discurso, Oliveira Lima discorre sobre a política externa brasileira conduzida por Rio Branco*, seu notório desafeto mas também confrade na Academia, e manifesta o próprio ponto de vista defendido com vigor em vários escritos. O novo acadêmico dissera:

"O Dr. Oliveira Lima pertence ao número dos diplomatas brasileiros tão devotados quão simpáticos colaboradores do Sr. Barão do Rio Branco, trabalhando com esforço, perseverança, bravura moral e intelectual para que, contra a sentença *Terrae dominium finitur, ubi finitur armorum vis*, predominem nas relações entre o Brasil e os povos circunvizinhos a ideia e o sentimento do justo, *desideratum* impossível de realizar-se sem uma nítida delimitação de fronteiras, e para que, apesar de trazer em seu pavilhão o Cruzeiro do Sul, a nossa pátria não continue a formar com os outros países da América Meridional uma espécie de 'nebulosa geográfica' em face da cintilante constelação que se chama Estados Unidos da América do Norte."

Para imaginar o desconforto do Presidente Machado, veja-se a seguinte amostra da resposta:

"Quanto ao seu aspecto internacional, seria mal cabido o momento de pô--lo [o discurso de Orlando] em suspeição, quando acabamos de presenciar o formoso espetáculo de todas as nações cultas do globo congregando-se no intuito de promoverem a conservação entre si da paz [Conferência de Haia, 1907] e, na pior hipótese, de reduzirem ao mínimo os males da guerra. Se todos os derradeiros propósitos dessa reunião se tivessem cumprido, é que a humanidade estaria inteiramente mudada e que o reinado da perfeita equidade e bondade haveria substituído o da parcial iniquidade e malignidade. / Fez-se, entretanto, bastante para evidenciar a boa vontade geral e deixou-se de fazer o que implicaria o prolongamento da desigualdade moral, consagrando a desigualdade política. A diplomacia contou, pois, desta vez uma vitória certa, não um simulacro de vitória como os que por vezes apregoa como frutos reais da sua diligência. /.../ Não vos é desconhecida, sei mesmo que partilhais minha carência de preconceitos com relação à diplomacia. Se é irreverência não a julgar uma ciência esotérica, fechada aos profanos, de demorada e penosa iniciação, somos nós os culpados desse pecado. As frivolidades mais fúteis podem, de resto, requerer um longo aprendizado, exigir uma educação especial."

Os textos completos acham-se em *Discursos Acadêmicos* (2005). (IM)

[1016]

De: MÁRIO DE ALENCAR
Fonte: Revista da Academia Brasileira de Letras, XXXVI, n.º 115, 1931.

Rio [de Janeiro], 16 de dezembro de 1907.

Meu querido amigo

Disse-lhe hoje as minhas impressões da leitura de *Memorial de Aires*[1], mas receio não as ter dito bem e em ordem, e volto à ideia anterior de as exprimir por escrito[2].

Em primeiro lugar a emoção de prazer e de orgulho de ter em mãos, sob os meus olhos, com o seu consentimento, mais do que isso, por espontâneo oferecimento seu, o exemplar em provas de um romance não conhecido nem lido de ninguém. Há sentimentos que eu não sei nem saberei nunca dizer; ficam em mim para sempre, mal traduzidos, pelo gesto e pela palavra, porque não bastam ou porque eu temo dar-lhes um tom e maneira que pareçam intencionais. A certeza de ser o único a ler o seu livro, único a merecer-lhe essa intimidade do seu grande espírito, fazia-me crescer a meus próprios olhos. Fosse embora por generosidade sua, o que eu sabia é que antes de todos, mais do que todos, eu experimentava o gozo de ler um livro seu, inédito e novo.

Sabe já que o li no domingo e o reli segunda-feira e hoje, faltando-me apenas a última folha que não acabei por ter sido interrompido na leitura, e não querer demorar a devolução das provas.

Este, como todos os seus livros, como todos os livros pensados e acabados, ganha em ser relido. A perfeição exige ser meditada para ser sentida e entendida. Não há perder nas suas palavras coisa nenhuma, porque tudo tem o seu valor fixo. Falo-lhe, pois, das impressões posso dizer que definitivas ou quase; e querendo qualificar o *Memorial de Aires*, os adjetivos que achei ajustados foram estes: delicioso, fino, superior, perfeito. Só podia escrevê-lo quem escreveu *Brás Cubas*, *Quincas Borba*, *Dom Casmurro*, *Esaú e Jacó*, e *Várias Histórias*.

Memorial de Aires tem a mesma força, a mesma novidade, e tem mais que os outros, com exceção de *Esaú e Jacó* e *Dom Casmurro*, o apuro da perfeição, e, sem exceção de nenhum outro, uma parte grande e admirável, que é efeito da colaboração de um sentimento novo, o mesmo que fez o soneto *A Carolina* e que nestas páginas traçou aquela figura verdadeira e sagrada de Dona Carmo. O mundo poderá admirá-la e há de admirá-la como criação de arte; eu, que adivinhei o modelo, li-o comovido, cheio de respeito pela doce evocação. Revelou-me este livro que toda a minha estima do seu grande espírito, por maior que fosse, ainda era menor do que devia ser. A sua alma discreta guardava e guarda ainda feições e maneiras que o mundo não lhe conhece nem presume. Se eu pude adivinhá-las, entendê-las, é porque tive a fortuna de acompanhá-la de perto nestes últimos anos e ouvir-lhe com carinhosa atenção as palavras de seu coração saudoso.

Beijo-lhe as mãos, meu amigo, pela confiança com que me honrou; devo-lhe o entendimento da parte íntima desse livro e do que ainda não conhecia da nobreza e elevação da sua alma. Ela achou o meio de não entregar à indiferença do mundo a expressão da saudade da companheira querida: depois daquele soneto, fez-lhe este retrato que é imortal, mas que o mundo não saberá que é da colaboração de duas almas inseparáveis. Agora julgo saber por que me dizia que este seria o seu último livro. Mas espero que não. Achará em si mesmo o modo de escrever outros, sem que lhes falte essa colaboração que lhe anima a vida solitária.

Não acabei esta carta no dia em que a comecei a escrever; houve falta de tempo e depois indisposição física, que tem continuado. Querendo retomá-la hoje $(21)^3$ para contar-lhe ainda outras impressões do seu livro, sinto a falta dele a fim de particularizar muitos pontos que admirei. O que é certo, porém, é que a impressão total perdura e é forte. Recomeçaria a relê-lo com a mesma curiosidade e o mesmo gosto. Este, como os outros livros seus, é um todo acabado e perfeito, de partes acabadas e perfeitas, à maneira grega, à maneira dos deuses. Não há trechos superiores a outros. Quem o lê pode admirar a uns mais que a outros, mas a diversidade da impressão vem da disposição de espírito do leitor, não da matéria ou da execução da obra. Em outro momento, para o mesmo leitor os trechos menos admirados antes o serão mais que os outros. O que não sofre alternativa de admiração é a sua língua, da qual eu já tive ensejo de dizer o que penso, mas não fatiga repetir que é inimitável: exprime tudo e é tão simples, tão divinamente simples! Cada vez que o leio, em trabalho novo, penso comigo que não há ir além da perfeição, que vejo; mas outro trabalho seu que apareça dá-me igual espanto e igual pensamento.

O *Memorial de Aires* tem, além dos outros méritos próprios do autor, a originalidade da forma do romance. Estou que ainda não houve nenhum, com essa forma de diário, objetivo. Werther e os do seu gênero são autobiografias, de composição relativamente fácil. Mas um diário de anotações da vida alheia com a naturalidade de observações e comentários íntimos, com o interesse crescente de um romance, e ao cabo um romance, é caso único. A objeção que se poderia fazer é que não parece natural que um homem, escritor embora, sem querer fazer um romance, se detenha a anotar fatos, isoladamente insignificantes, relativos às pessoas que conhece. Mas no caso do Aires a objeção não subsiste; porque Aires acha nas anotações uma maneira de exprimir o que às vezes nele próprio é inconsciente, o sentimento que tem por Fidélia. É um sentimento que ele próprio não define, mas existe e lhe leva o espírito e o coração presos da viúva; seria ainda amor, se ela o amasse; não sendo amado, é o gosto de ver como ela veio a amar o outro além do marido defunto. O que seria amor no primeiro caso, passa a ser interesse de filosofia no segundo. E com essa contradição de sentimentos, fica perfeito o tipo de Aires, humano como as coisas humanas.

Os outros tipos todos são admiráveis desde a Mana Rita, Faria, o criado José, Cesária, Aguiar, até Fidélia, até Dona Carmo, que não tem igual em outro livro. Disse-lhe alguma coisa que notei e para a qual pedia a sua indulgência: observações de aprendiz ao mestre benévolo e complacente.

E para pôr termo a esta carta desordenadamente feita, apesar do fim que trouxe, digo-lhe ainda o meu grande agradecimento pela generosidade do seu espírito.

Seu muito amigo

Mário de Alencar

---

1 ∾ Mário leu as provas do *Memorial de Aires* no mínimo seis meses antes do lançamento, pois o livro só saiu em julho de 1908. A primeira edição não tem o registro da data, já que não traz o colofão, mas conforme consta na carta [1074], de 16/07/1908, foi posto à venda na livraria Garnier no dia 17 de julho. Nos jornais, a partir do dia 20 de julho, passou a circular o seguinte anúncio:

"H. Garnier, livreiro-editor / Novidade Literária / Machado de Assis / **Memorial de Aires / que hoje damos ao público.** / Esta nova obra do excelso escritor / documenta mais uma vez todas / aquelas qualidades do engenho, imaginação, / linguagem, estilo, que deram ao Sr. Machado de Assis / o primado das nossas letras. / I vol*ume* – brochura .... 4$000 / pelo Correio mais .... $500." (SE)

2 ∾ Mário publicou o artigo no *Jornal do Comércio* em 24 de julho. Ver também em *Alguns Escritos* (H. Garnier, 1910). (SE)

3 ∾ Mais uma carta interrompida e retomada. Sobre o assunto, ver nota 2, carta [947]. (SE)

[1017]

Para: MÁRIO DE ALENCAR
Fonte: COUTINHO, Eduardo; OLIVEIRA, Teresa Cristina Meireles de. *Empréstimo de Ouro*. Rio de Janeiro: Ouro Sobre Azul, 2009. Fac-símile do original.

[Rio de Janeiro,] 22 de dezembro de 1907.

Meu querido amigo,

Confiando-lhe a leitura do meu próximo livro, antes de ninguém, correspondi ao sentimento de simpatia que sempre me manifestou, e em mim sempre existiu, sem quebra nem interrupção de um dia; não há que agradecer este ato. Queria a impressão direta e primeira do seu espírito culto, embora certo de que aquele mesmo sentimento o predispunha à boa vontade[1].

Assim foi; a carta que me mandou respira toda um entusiasmo que estou longe de merecer, mas é sincera, e mostra que me leu com alma. Foi também por isso que me achou o modelo íntimo de uma das pessoas do livro, que eu busquei fazer completa sem designação particular, nem outra evidência que a da verdade humana.

Repito o que lhe disse verbalmente, meu querido Mário, creio que este será o meu último livro; faltam-me forças e olhos para outros; além disso, o tempo é escasso e o trabalho lento. Vou devolver as provas ao editor, e aguardar a publicação do meu *Memorial de Aires*.

Adeus, meu querido Mário, ainda uma vez agradeço a sua boa amizade ao pobre e velho amigo

Machado de Assis

---

1 ∞ Somente outro correspondente recebeu de Machado tamanho privilégio: Miguel de Novais*, que na década de 1890, comentou em carta o livro *Várias Histórias*, cujo exemplar o escritor tinha lhe enviado meses antes de sua publicação. Miguel, numa segunda carta que se perdeu, apontou-lhe algum senão, o que motivou por parte de Machado uma correção no texto final. Ver nota 2 carta [351], tomo III. (SE)

[1018]

De: AUGUSTO COCHRANE DE ALENCAR
Fonte: Cartão-Postal Original, Arquivo ABL.

Quito[1], [dezembro de] 1907.

Mil felicidades em 1908 deseja-lhe

A. de Alencar[2]

Via Valparaiso — Buenos Aires
Señor Machado de Assis
18 Cosme Velho
Laranjeiras
Rio de Janeiro
Brasil

1 ∾ Cartão-postal com vista panorâmica da Laguna de Mojanda, situada nos limites das províncias de Imbabura e Pichincha, no Equador. (SE)

2 ∾ Augusto de Alencar esteve servindo como encarregado de negócios de 18/04/1905 a 31/03/1907 no Paraguai. Em seguida foi designado 1.º secretário da legação brasileira no Equador, em 23/02/1907, onde serviu como encarregado de negócios de 21/10/1907 a 31/03/1910, quando foi promovido a ministro residente na Colômbia e, 1911, enviado extraordinário e ministro plenipotenciário no Peru. (SE)

[1019]

De: BELMIRO
Fonte: Cartão-Postal Original, Arquivo ABL.

Paris, dezembro de 1907.[1]

7, rue de Bayeux

À Vossa *Excelênci*a e à sua *Excelentíssi*ma família[2], muitas e muitas Boas-Festas

Do mu*i*to amigo

Belmiro

*Excelentíssi*mo. *Senho*r
*Douto*r Machado de Assis
Casa Garnier
Rua do Ouvidor
Rio de Janeiro

1 ∾ Postal com a legenda "Paris – Place de la Concorde". Na parte superior, local, data e assinatura, que supomos ser a do pintor e caricaturista Belmiro de Almeida,

participante, com Machado, da fundação do Grêmio de Letras e Artes (1887), ver [266], tomo II, e ilustrador eventual da *Gazeta de Notícias*, na qual retratou Magalhães de Azeredo* em 1894. (IM)

2 ∾ Neste epistolário, talvez a única referência à "família" de Machado, então viúvo. Documento inédito. (IM)

[1020]

Para: JULIEN LANSAC
Fonte: Manuscrito Original, Arquivo ABL.

[Rio de Janeiro, final de 1907 ou início de 1908.][1]

Mon cher Monsieur Lansac

Voici les épreuves de mon «Memorial de Ayres». Pour éviter de perdre du temps, en demandant de nouvelles épreuves, je vous prie bien recommender (*sic*) à Paris la plus grande attention à mes corrections; elles sont nombreuses et il y en a beaucoup de nouvelles à cause de notre réforme ortographique de l'Académie[2]. Surtout je vous prie de recommender (*sic*) les pages 176, 184, 20(3), où il y a des morceaux qui peuvent n'être pas compris si on ne les lis (*sic*) pas bien atten[tivement][3]

[Machado de Assis][4]

---

1 ∾ Rascunho sem data. Em [1016], Mário de Alencar* revela ter lido as provas do *Memorial de Aires*, privilégio que Machado concedeu somente ao cunhado Miguel de Novais*. (IM)

2 ∾ Acima do cabeçalho, existem as seguintes indicações:

"acção (213]
transfusão (227]
facto – (230]
egreja (255)
acto (51)" (IM)

3 ∾ Manuscrito incompleto e com muitas emendas. Cabe informar que o *Catálogo* da Biblioteca Nacional (1939) deu este parágrafo como continuação de outro (também em rascunho) referente aos *Contos Fluminenses*, que tiveram segunda edição publicada por Hippolyte Garnier* em 1899. Ver [485], tomo III. Quanto ao *Memorial de Aires*, o contrato de publicação foi assinado em 05/07/1907, e a transcrição do presente rascunho entra na correspondência machadiana após a aprovação da reforma ortográfica "em todos os seus termos" (ata de 17/08/1907). Por conseguinte, as observações sobre as provas teriam sido feitas no final de 1907 ou no início de 1908, ano de lançamento da derradeira obra machadiana. Sobre a reforma ortográfica de 1907, ver cartas [957], [962] e [973]. (IM)

4 ∾ TRADUÇÃO DA CARTA:

Prezado Sr. Lansac / Eis as provas do meu "Memorial de Aires". Para evitar perda de tempo, solicitando novas provas, peço-lhe recomendar a Paris a maior atenção às minhas correções; elas são numerosas, e muitas se devem à nossa reforma ortográfica, proposta pela Academia. Rogo-lhe, em especial, recomendar as páginas 176, 184 [e] 20(3), onde há passagens que podem não ser compreendidas se não forem lidas atent[amente] / [Machado de Assis]. (SPR)

[1021]

Para: MÁRIO DE ALENCAR
Fonte: Cartão de Visita. *Ilustração Brasileira*, ano 17, 50. Arquivo Nacional. Fac-símile do original.

[Rio de Janeiro,] 1.º de janeiro de 1908.

Ao meu querido am*i*go Mário de Alencar,

à sua digna esposa e aos seus felizes filhos[1] envia saudações de ano-bom

Machado de Assis[2]

18 Cosme Velho

---

1 ∾ Sobre os filhos de Mário e Helena de Alencar, ver nota 3, carta [921]. (SE)

2 ∾ Documento Inédito. Não há registro a respeito dele entre os biógrafos. (SE)

[1022]

> De: BARÃO DO RIO BRANCO
> *Fonte:* Cartão de Visita Original, Arquivo ABL.

[Sem local,] 1.º de janeiro de 1908.

Ao seu mestre e amigo Machado de Assis

RIO-BRANCO

MINISTRO DE ESTADO DAS RELAÇÕES EXTERIORES

saúda afetuosamente, desejando-lhe felizes anos

[1023]

> De: JOÃO RIBEIRO
> *Fonte:* Cartão-Postal Original, Arquivo ABL.

[Rio de Janeiro,] 1.º de janeiro de 1908.[1]

Neste

1.º – 1.º – 08

Saudações

do

João Ribeiro

Ex*celentíssi*mo S*en*hor
Machado de Assis
Cap*ital* Federal
18 – Cosme Velho

---

1 ∞ Anverso com o dístico "Salve 1908" e flores, em graciosa composição *art nouveau*. Documento inédito. (IM)

[1024]

Para: JOAQUIM NABUCO
Fonte: Fundação Joaquim Nabuco. Fac-símile do manuscrito original.

Rio de Janeiro, 14 de janeiro de 1908.[1]

Meu querido Nabuco.

 Esta carta já o encontra desde muito na embaixada[2]. Tenho tido notícias suas, e ultimamente por um trecho de jornal que V*ocê* me mandou, lembrando aquela noite dos "Deuses de Casaca"[3]. Vão longe essas e outras noites; restam as afeições seguras, fortes e boas como a sua.

 Aqui estamos em plenas festas americanas, que me fazem lembrar as do Congresso[4]. As da esquadra são mais ruidosas e extensas[5], mas o esplendor das outras é inesquecível. Há verdadeiro carinho e gentileza de ambas as partes, e V*ocê* que colaborou com o Rio Branco na obra de aproximação dos dois países, receberá a sua parte de satisfação.

 Há de ter tido notícia das duas recepções acadêmicas, a do Orlando e a do Augusto de Lima. A do Orlando foi pouco depois da eleição. Apesar do calor intenso e da chuva que caiu à tarde, a concorrência foi grande, e lá estavam muitas senhoras. O Presidente da República não pôde ir por incômodo, mas fez-se representar. O discurso de recepção foi feito pelo Oliveira Lima; falou-se muito do seu Pernambuco e de filosofia, além de poesia[6]. Antes dessa houve a recepção de Augusto de Lima, eleito há anos, que só agora pôde vir tomar posse da cadeira; falou em nome da Academia o Medeiros e Albuquerque[7]. Enfim, a Academia vai sendo aceita, estimada e amada. Quando V*ocê* tornar de vez à nossa terra, lá terá o lugar que com tanto brilho ocupou e é seu naquela casa[8]. O que não sei é se ainda me acharei neste mundo; releve-me esta linha de rabugice, é natural aos 69 anos (quase).

 Aqui lemos o que se disse em França do seu livro das "Pensées", e também na Itália. O artigo de Vicenzo Morello ainda me pareceu mais fino que o de Faguet[9]. Eu, por mim, já havia escrito aquela carta de 19 de agosto de 1906, há pouco mais de um ano, em que lhe disse todo o bem que me sugeriram tais e tão profundas páginas[10].

Alguns dos nossos amigos andam dispersos. O Lúcio de Mendonça, que organizou a Academia, foi há tempos acometido de uma doença dos olhos, e resolveu ir à Alemanha para ser examinado e tratado. Foi, já com a vista muito baixa, e segundo notícias que chegaram há dias teve lá uma congestão cerebral que o deixou paralítico de um lado, e volta. Também ouvi que não terá sido congestão, mas paralisia somente, consequente da origem do mal que é na espinha. Ele foi daqui abatido, deve regressar pior, porque a doença de que se trata, segundo ele mesmo me disse, é a que teve uma irmã.

Adeus, meu querido Nabuco. Escreva-me logo que possa; meia dúzia de linhas amigas, que me recordam tantas coisas, valem por uma ressurreição. Peço-lhe que apresente os meus respeitos a Madame Nabuco, e me recomende a seus bons filhos. E receba para si um apertado abraço do

Velho admirador e amigo

Machado de Assis

---

1 ∾ Machado escreveu "1907", mas esse lapso se corrige pelo conteúdo da carta. (IM)

2 ∾ Nabuco partira para a Europa em 01/06/1907, retornando a Washington em 07/10/1907. (IM)

3 ∾ Comédia machadiana (1864), encenada na Arcádia Fluminense em dezembro de 1865. (IM)

4 ∾ III Congresso Pan-Americano, realizado no Rio de Janeiro em 1906. (IM)

5 ∾ Visita da esquadra norte-americana do Atlântico, que rumava ao Pacífico, contornando o estreito de Magalhães. Com 26 vasos de guerra e 15.000 homens, chegou ao Rio de Janeiro em 12/01/1908. Foi festejada oficialmente e pela população da cidade. Dez dias depois, o presidente Afonso Pena despediu-se, a bordo, do comandante Robley D. Evans. (IM)

6 ∾ Ver carta [1012] para Oliveira Lima*. A recepção ocorreu em 28/12/1907. (IM)

7 ∞ O mineiro Augusto de Lima*, eleito em 1903, só veio a tomar posse em 05/12/1907. (IM)

8 ∞ Secretário-Geral, eleito em janeiro de 1897. (IM)

9 ∞ Graça Aranha* (1923) reproduziu integralmente o artigo do escritor, professor e crítico francês Emile Faguet (1847-1916), publicado na revista parisiense *Les Annales Politiques et Littéraires* em 29/09/1907; uma longa crítica, com traços severos: "Joaquim Nabuco, evidentemente um pseudônimo (*sic*)", é um "filósofo bem interessante"; após inúmeras considerações – várias destas bastante favoráveis – Faguet finaliza a apreciação citando o próprio autor, que assim se definira:

"Ciência alguma estudei, língua alguma possuo, ignoro os processos de todas as artes; logo não sou escritor. Não me filio em matéria de pensamento, nem aos vertebrados, nem aos articulados, mas aos simples espongiários do grande oceano humano. A exemplo da esponja, não faço senão embeber-me da sua onda, não sentindo o amargor, mas somente a frescura." (III: 52, na tradução de Carolina Nabuco, 1937.)

O francês conclui seu artigo elogiando a "voz forte muito bem articulada" de Nabuco. A seguir, Graça Aranha apresenta a crítica do jornalista e político italiano Vicenso Morelli (*sic*), sob o pseudônimo de Rastignac, traduzida da *Tribuna* de Roma e publicada no *Jornal do Comércio* em 14/01/1908; o italiano – cujo nome correto era Vicenzo Morello (1860-1933), aliás grafia utilizada por Machado – acolhe as *Pensées* como um "livro todo cheio de pensamentos que são joias extraídas das profundas minas da vida moral e social". (IM)

10 ∞ Ver em [908]. (IM)

[1025]

De: MÁRIO DE ALENCAR
Fonte: Revista da Academia Brasileira de Letras, XXXVI, n.º 115, 1931.

Tijuca, 17 de janeiro de 1908.

Meu querido amigo.

Não vou à cidade desde segunda-feira; não por preguiça, mas por indisposição de nervos e inquietação de espírito.

Não tinha a intenção de ficar aqui esta semana; projetava sempre descer no dia seguinte, mas repetindo-se o mal-estar do corpo, ficava. E assim se passaram cinco dias. E não foi outra a razão de não lhe haver eu escrito pedindo notícias suas e dando minhas.

Aqui me sinto melhor; não leio jornais, não ouço o tumulto das ruas[1], não vejo marinheiros americanos e das salvas da esquadra mal ouvi o tênue eco de um ou outro tiro que transpõe a montanha. Ouço apenas as cigarras, que não me canso de ouvir e os passarinhos e as outras vozes sonoras e boas da natureza. As vozes humanas são todas amigas, mas não bastam, nem excluem a saudade de outras que deixei aí, entre as quais a sua é das principais e mais queridas. A falta delas é o único senão nestes dias quase felizes que vou passando. Escrevi ao 1.º secretário da Câmara[3] pedindo-lhe um mês de descanso, e caso não o obtenha, pedirei por dois meses. Preciso deste repouso, e estou resolvido a curar-me. Um ano e meses que passei foram penosos bastante, para que ainda me deixe sacrificar por necessidade ou conveniências de emprego.

Ao cérebro dou o menor trabalho que posso. Leio pouco e não tenho escrito nada. Penso no meu *Prometeu*[3] e vou tomando notas e componho sem ordem algumas ideias. Quando me sentir mais forte, pegarei do trabalho para me ocupar somente dele. Será então o meu companheiro até a velhice ou até a morte. Quero fazê-lo em verso solto e nisso lhe dou a prova de que, fazendo-o, não penso no público, não cogito da glória senão de realizar uma ideia que agrada ao meu espírito. Sei que não há cinquenta pessoas que se disponham a ler um longo trabalho em verso solto. Que importa? Se eu me sentir contente ao fazê-lo e acabá-lo, e se houver cinquenta pessoas que o leiam, ou mesmo uma, eu darei por bem pago o meu esforço.

Dei-lhe notícias minhas; agora peço que me dê as suas. Sabe que as peço com interesse de amigo.

Adeus

Seu de coração

Mário de Alencar

1 ⁕ A esquadra norte-americana, sob o comando do almirante Robley Dunglison Evans (1846-1912), estava fundeada na baía da Guanabara desde 12 de janeiro. Formada por quatro divisões com quatro couraçados, uma flotilha com cinco *destroyers*, outra de avisos auxiliares, um navio-oficina e cinco carvoeiros, a presença da esquadra foi um acontecimento na cidade. Os jornais trataram do assunto durante dias e dias. Mário, aborrecido da confusão, adiou a sua volta à cidade, desde 13 de janeiro, segunda-feira, dia seguinte à entrada na esquadra. Permaneceu no Alto da Tijuca. (SE)

2 ⁕ A partir de 1903, o deputado James Fitzgerald Darcy (1876-1952) tornou-se o primeiro-secretário da mesa diretora da Câmara dos Deputados. Filho do inglês James Darcy e da gaúcha Josefa Maria de Sá, nasceu na cidade de Rio Grande, no conhecido Sobrado dos Azulejos, em cujo andar térreo funcionava o *New London and Brazilian Bank*, do qual seu pai era o gerente. Darcy foi deputado pelo Rio Grande do Sul em sucessivas legislaturas. Foi também consultor-jurídico da Associação Comercial do Rio de Janeiro e da Federação das Associações Comerciais do Brasil (1908-1924). Foi vice-presidente do Conselho Administrativo da Caixa Econômica Federal (1912--1924). Em 1919, foi presidente da Comissão de Reforma das Caixas Econômicas e, entre 1919-1920, consultor-geral da República. Darcy também fez parte de algumas das comissões de negociação da dívida externa brasileira. (SE)

3 ⁕ Em 26 de março de 1907, [946], para tentar sair de si mesmo, Mário começou a verter do grego para o português *Os Sete contra Tebas*, de Ésquilo, mas desistiu conforme consta da carta [948], de 28 de março. Além disso, vinha lendo no original, do mesmo autor, o *Prometeu Acorrentado*. Agora, informa que teria a intenção de compor um poema, em versos soltos, sobre este mito, tal como fez Machado em *Desfecho* (*Poesias Completas*, 1901). (SE)

[1026]

Para: MÁRIO DE ALENCAR
Fonte: COUTINHO, Eduardo; OLIVEIRA, Teresa Cristina Meireles de. *Empréstimo de Ouro*. Rio de Janeiro: Ouro Sobre Azul, 2009.
Fac-símile do original.

Cosme Velho, 21 de janeiro de 1908.

Meu querido amigo,

A sua carta de 17 chegou-me ontem, 20, e só agora de manhã lhe respondo.

Não cuidei que a causa da ausência destes dias fossem nervos; agora o sei e creio. Já nos habituou[1] a esses sujeitos, maus inquilinos, que quando se metem a proprietários efetivos abusam desapiedadamente da casa. Felizmente parece que estes vão cedendo; apesar disso, a sua resolução de obter descanso ou licença para se tratar de vez e seguidamente, é boa. Por mais que me custe a ausência estimo saber que caminha para o total restabelecimento. Lá tem consigo, na família, o melhor viático do coração.

Tem ainda o do espírito, esse Prometeu que o atrai e para o qual toma notas e colige ideias. Sobre o verso solto em que pretende fazê-lo não pode ter senão os meus aplausos. Sabe como aprecio este verso nosso, que o gosto da rima tornou desusado; é o verso de Garrett e de Gonçalves Dias, e ambos, aliás, sabiam rimar tão bem.

Agora, ao levantar-me, apesar do cansaço de ontem, meti-me a reler algumas páginas do *Prometeu* de Ésquilo, através de Leconte de Lisle[2]; ontem entretive-me com *Fedon*[3] de Platão, também de manhã; veja como ando grego, meu amigo. Oxalá possa chegar a ver, parte que seja do seu trabalho. E folgo muito que ponha nele a paciência das obras perfeitas.

Escrevia há dias ao Magalhães de Azeredo[4], que se queixava do nosso silêncio; disse o que cumpria em resposta a tão bom amigo. Há dias também escrevi ao Nabuco[5], mas a carta só partiu ontem.

Há algumas outras notícias que interessariam contadas, mas não dão para escritas. De mim vou bem, apenas com os achaques da velhice, mas suportando sem novidade o pecado original, deixe-me chamar-lhe assim. Creio que o Miguel Couto me trouxe a graça[6].

Um dia destes o Leo[7] esteve comigo no Garnier, e, falando-me a seu respeito, disse-me que o (*sic*) se o visse lhe dissesse ter aqui nas mãos do Jacinto[8] umas cartas; provavelmente já lá foram.

Adeus, meu querido am*i*go, recomende-me a D*o*na Helena, a Mamãe e a todos os seus meninos. Creia-me sempre

Seu do coração

Machado de Assis

1 ∾ A frase "Já nos habitou a esses sujeitos" é de difícil compreensão. Não é culpa da transcrição, que está fiel ao manuscrito, como se pode ver no *fac-símile* do *Empréstimo de Ouro*, e sim do próprio Machado, exaurido pela doença. O problema está no verbo: Machado não queria dizer "habitar", mas "habituar". Se fizéssemos as alterações necessárias, a frase faria perfeito sentido, e teria até certo charme machadiano: "[Você, Mário] já nos habituou a esses sujeitos [isto é, os nervos], maus inquilinos que quando se metem a proprietários efetivos abusam desapiedadamente da casa". Nunca saberemos a causa profunda do equívoco, mas a técnica de sua construção é clara: no momento em que ia escrever "habituar", Machado já estava antecipando mentalmente a frase seguinte, em que compararia os nervos a inquilinos, e graças à quase identidade fonética desses dois termos (habitar e habituar) escreveu habitar quando queria dizer habituar. (SPR)

2 ∾ A peça que Machado estava lendo, *Prometeu Acorrentado*, de Ésquilo, fora traduzida em 1872, por Charles-Marie René Leconte de Lisle (1818-1894), poeta parnasiano francês. Registre-se que Mário andava às voltas com tema. Ver nota 3, [1025]. Ver também nota 7, [935] e nota 2, [948]. (SE)

3 ∾ Nesse diálogo, Fedo faz uma narrativa completa dos últimos momentos de Sócrates, durante os quais este expusera a vários dos seus discípulos, inclusive ao próprio Fedo, a doutrina da imortalidade da alma e a ideia de que todo aprendizado é a rememoração de algo aprendido numa vida anterior. (SPR)

4 ∾ Documento ainda não localizado. (SE)

5 ∾ Provavelmente a carta [1024], de 14 de janeiro. (SE)

6 ∾ Este trecho sugere que a epilepsia de Machado, o seu pecado original, estava sendo controlada por alguma medicação que Miguel Couto* lhe prescrevera, talvez o bromureto de potássio. (SE)

7 ∾ É possível que, neste caso, se trate do cunhado Leo de Afonseca Júnior, irmão de Babi e homônimo do pai, o comendador Leo de Afonseca, com quem Mário de Alencar morava na casa da rua Marquês de Olinda. Sobre essa homonímia, ver nota 10, [927]. Sobre o sogro de Mário, ver nota 10, [1030], de 08/02/1908. Registre-se, por fim, que Mário e Babi também tinham um filho por nome Leo, neste caso Leo Cochrane de Alencar. Sobre ele, ver nota 2, carta [991 A]. (SE)

8 ∾ Quando Hippolyte Garnier*, aos 77 anos, assumiu os negócios da livraria Garnier, depois da morte de Baptiste-Louis (1893), colocou Julien Lansac* à frente da filial carioca. Jacinto Silva, funcionário da casa, passou então a ser o assistente direto do novo gerente, conquistando muita autonomia devido à sua competência e às dificuldades de Lansac com a língua portuguesa. Alguns anos mais tarde, transferiu-se a São

Paulo, indo dirigir o departamento de livros da famosa casa Garraux e foi responsável pela iniciação de José Olympio (1902-1990) no universo da edição de livros, quando este bem jovem empregou-se ali. Em 1920, Jacinto saiu da Garraux e instalou a própria editora — *O Livro*, estabelecida na rua Quinze de Novembro, 32, no centro histórico paulistano, e que se transformou no mais importante ponto de encontro dos modernistas de São Paulo. (SE)

[1027]

De: MÁRIO DE ALENCAR
Fonte: Revista da Academia Brasileira de Letras, volume XXXVI, n.º 115, 1931.

Tijuca, 1.º de fevereiro de 1908.

Meu querido amigo.

Recebi o seu telegrama[1] e agradeço-lhe cordialmente o afetuoso abraço que me mandou. Pensava que o *Senhor* não conhecia a data[2] e não lha comuniquei porque ela a mim próprio já passa despercebida. O valor dela é o que lhe dão os amigos, e agora senti o bem que faz ver-se a gente lembrada pelos amigos distantes. A outra alegria da data é que ela é também do aniversário do Gil[3]. As crianças gostam de fazer anos, animam-se com os presentes e animam os outros, ainda mesmo os tristes como eu.

Tenho outra vez o espírito abatido[4]. Tive-o levantado e disposto ao trabalho, mas um não sei quê veio abalá-lo e ele voltou ao que é de natureza ou de achaque velho. Durante uma semana trabalhei no *Prometeu*[5] e nos *Cantos Brasileiros*[6], pegando de um ou de outro conforme a inclinação do momento. Depois, ainda agora, veio a tristeza, uma tristeza vaga, que por não vir de causa certa e concreta, é talvez pior que a outra, e fiquei e estou incapaz de trabalhar ou pensar. Evito os livros, para não sentir o pensamento. Ando e agito-me para esquecer-me. Oh! que inveja tenho das pedras insensíveis!

Adeus, meu querido amigo. O tom destas linhas não diz com o fim que elas levam; e estou a aborrecer-lhe o espírito com as minhas fraquezas enfadonhas. Escreva-me dando notícias suas.

Seu do coração

Mário

Tenho pensado no pobre Heitor[7] e na expressão que o Senhor dava o outro dia ao martírio dele.

---

1 ∾ Telegrama ainda não localizado. (SE)

2 ∾ Trata-se do aniversário de 36 anos de Mário de Alencar, ocorrido no dia 30 de janeiro. (SE)

3 ∾ Gil Afonseca de Alencar (1900-1961), um dos filhos de Mário. Sobre os filhos do casal Alencar, ver nota 3, carta [921]. (SE)

4 ∾ Possivelmente a notícia do falecimento de Heitor de Basto Cordeiro*, ocorrido neste dia 1.º de fevereiro, já corria a cidade. As cartas subsequentes [1028], de 04/02/1908, [1029], de 06/02/1908 e [1030], de 08/02/1908, tratarão da forte impressão que esta morte prematura causou em seu espírito. Sobre a morte de Heitor, ver os comentários de Mário na carta [1029]. (SE)

5 ∾ Sobre *Prometeu Acorrentado*, ver nota 2, [948]; nota 3, [1025] e nota 2, [1026]. (SE)

6 ∾ Não se encontrou na obra publicada de Mário de Alencar semelhante título. (SE)

7 ∾ Sobre Heitor de Basto Cordeiro, ver cartas [901], [905], [919], [933], e [937]. Ver também as cartas [1029], de 06/02/1908 e [1030], de 08/02/1908. (SE)

[1028]

Para: MÁRIO DE ALENCAR
Fonte: Arquivos Implacáveis. *O Cruzeiro*. 30.08.1958.
Fundação Biblioteca Nacional.

Cosme Velho, 4 de fevereiro de 1908.

Meu querido amigo.

Recebi sua carta ontem[1], e só agora de manhã lhe respondo. Realmente, não contava com o tom que lhe deu; essa tristeza que lhe voltou e lhe parece achaque velho é preciso vencê-la de todo. Sei o que dirá, por lho ter ouvido; dir-me-á que não está na vontade, e que me parece certo, mas há esforço, ainda que não mecânico, donde pode vir a restauração de ânimo. Talvez a solidão lá de cima, sem outra variedade, seja uma causa ocasional e inesperada; pode até ser persistente. O seu fim, refugiando-se aí, foi justamente libertar-se do espetáculo banal das coisas cá de baixo e dar-se todo a um alto pensamento; não contou com esse outro efeito. Eu, no seu caso, dividia-me, agitava-me um pouco, e o espírito sacudido ganharia forças.

Ontem estive com o Sousa Bandeira[2] que me disse não o ter visto desde muitos dias. Não tenho visto o Leo[3], e anteontem soube que estivera adoentado, mas já ontem vi o nome dele entre os das pessoas que foram levar pêsames à Legação de Portugal.

Leu a notícia da morte do Heitor[4]; os últimos dias foram o requinte do longo padecimento. Indo ao enterro, domingo, comparei a morte do pobre Heitor e a de D. Carlos[5], e não pude deixar de pensar que a deste, apesar de tudo, foi feliz; foi a morte de César "inesperada e rápida". Sobre este acontecimento tão trágico e outros muito teríamos que falar. Quando desce? Acabo esta carta às carreiras, e peço-lhe que apresente as minha recomendações a todos, e receba um abraço do amigo velho

Machado de Assis

1 ∾ Machado se refere à carta [1027], de 1.º de fevereiro. Registre-se que o fac-símile da presente carta não foi integralmente publicado nos "Arquivos Implacáveis", mas apenas um pequeno trecho do último parágrafo. Portanto a transcrição em sua maior parte seguiu a lição de João Condé (1912-1966), que no título da sua coluna informa ser "Carta Inédita de Machado de Assis", sem, no entanto, dar a origem do manuscrito. (SE)

2 ∾ O acadêmico Sousa Bandeira* teve uma relação de bastante proximidade com Mário de Alencar. Por isso, Machado faz referência a ele em algumas cartas. (SE)

3 ∾ Sobre a homonímia envolvendo o nome Leo de Afonseca, ver nota 10, carta [927]. Sobre o comendador Leo de Afonseca, conhecido dos tempos de juventude de Machado de Assis, ver nota 10, [1030], de 08/02/1908. (SE)

4 ∾ Heitor de Basto Cordeiro* falecera no dia 1.º de fevereiro aos 43 anos incompletos, de câncer, doença contra a qual lutava havia no mínimo dois anos. Filho do conde Dinis Cordeiro*, sobrinho dos barões de Werneck, Heitor era uma figura de projeção no meio empresarial e social do Rio de Janeiro. Atuava no fórum defendendo os interesses de grandes empresas comerciais brasileiras e estrangeiras, e era membro atuante de importantes associações culturais e religiosas da época. Além de circular nas festas mais elegantes da cidade, ele e sua bela mulher Francisca* recebiam com regularidade nos salões da sua casa da rua das Laranjeiras, 78. Fazia parte também da diretoria do Cassino Fluminense. Por isso, a sua morte precoce, apesar de esperada, provocou grande abalo no seu círculo de relações. Heitor era também um dos advogados do espólio da condessa de São Mamede, Joana Maria*, que em 1876 tornou-se a primeira mulher de Miguel de Novais*, irmão de Carolina*. Sobre Heitor de Basto Cordeiro, ver cartas [901], [905], [919], [933] e [937]. (SE)

5 ∾ Sobre o assassinato de D. Carlos, ver nota 3, carta [1029], de 06/02/1908. (SE)

[1029]

De: MÁRIO DE ALENCAR
Fonte: *Revista da Academia Brasileira de Letras*, XXXVI, n.º 117, 1931.

Rio de Janeiro, Tijuca, 6 de fevereiro de 1908.

A morte do Heitor[1], posto que prevista, e até desejada por todos os que lhe conhecíamos o sofrimento incurável, causou-me abalo não pequeno. A ideia do seu sofrimento passou, e senti o contraste forte e horrível entre o moço que eu conheci e estimei e o corpo inerte que ia ser enterrado. Lembrou-me com insistência a imagem antiga, animada pela vivacidade habitual do gesto e da palavra. Não tendo acompanhado dia a dia o deperecimento dele, veja só a passagem brusca do caminho que não se pode medir. Parece-me então impossível, embora o compreenda e saiba, que a sensibilidade abandone tão depressa o corpo. Tudo isso é banal, mas para o sentimento não há banalidades e eu estou a dizer-lhe o que senti, e ainda sinto ao lembrar-me do pobre Heitor. Já lá vão sete dias que ele é morto, e o pensamento de que estou a falar dele como coisa que existiu, me é também penoso. Falta-me o que ele teve, e eu quisera ter, a fé religiosa[2] e consoladora de tudo. Invejo os que a têm, como o nosso Magalhães de Azeredo, o qual numa carta há dias recebida me fala do Natal e de Jesus com um sentimento profundo e alto, e que se não altera ao contato das ideias nem dos fatos. Com esse abrigo de espírito, pode-se ser feliz, e ele o é. Sabe ou crê saber para onde vai, confia em si e no Céu e goza a vida. A mim falta-me tudo. Pergunto aos ventos: Para quê? Para onde? E o silêncio agitado dos ventos me deixa na ansiedade da interrogação infinita.

Sobre a morte de D*om* Carlos e do Príncipe[3], fiz a reflexão que o *Senhor* fez. Foi a melhor morte, inesperada e breve. Quem a devia esperar ou recear era o Governo Português, pois aqui, a tão grande distância e há meses, já se falava aquele desfecho como coisa possível. A imprevidência dos Ministros de lá é indesculpável. Compreende-se uma agressão de homens armados de revólver, que se pode trazer escondido, mas de carabinas, numa rua da capital, em pleno dia! E a polícia? Não tenho lido os jornais, onde haverá talvez a explicação de tudo, até da imprevidência ou a incapacidade dos homens de Governo. Lá e cá estimamos essa maneira de governar violentamente e irrefletidamente, sem o paciente cálculo do que há de vir. Fazem-se os homens de governo da noite para o dia, sem exame. Esses mesmos monarquistas, que foram agora ajoelhar-se ante o trono, que convicção, que sentimento revelavam há poucos dias? Nenhum previu ou se esforçou por prever as consequências da desordem moral em que se lançaram. Agora o empenho de todos é o Governo. Lá como aqui, não há seriedade nos homens públicos. Sabem os palavrões com que se finge amor da pátria e não aprendem mais nada.

Teve notícias do seu livro? Já deve haver tempo para alguma resposta do Garnier sobre a revisão das últimas provas.

E a sua saúde? Ontem ou anteontem de manhã, em ocasião de muita chuva, pensei no Senhor e na sua viagem para a cidade sob o aguaceiro. Em dias assim seria bem que não saísse, para não sofrer agravação o seu defluxo e não apanhar reumatismo. Não se esqueça que a sua saúde vale mais que os papéis da Secretaria e de todas as Secretarias. Calmon[4] sabe disso e será o primeiro a dar-lhe razão da sua ausência

Tem voltado ao Miguel Couto[5]?

Eu vou indo, menos bem com a chuva, que me não deixa sair aos passeios pela mata. Estes passeios acalmam-me os nervos e distraem o meu espírito. As árvores são boas companheiras, animam os olhos e falam em surdina conversando com as águas e a viração. Gosto de ouvi-las e não penso em mim. O estado moral que lhe disse na outra carta, não seria efeito da solidão; mas da vida de fora, de que me chegam os ecos tristes ou monótonos. Tenho trabalhado pouco, mas não deixo de pensar no *Prometeu*[6]. Há dois dias fiz outros versos que me foram pedidos por minha irmã Adélia[7] para o jubileu de *Nossa Senhora* de Lourdes e serão publicados num jornal de Lorena. Se me vier o jornal, eu lho mandarei para ver a qualidade do trabalho, que talvez não saísse muito mau. A minha dificuldade agora está em impedir que a ideia dos *Cantos Brasileiros*[8] me distraia do *Prometeu*. Eu desejaria trabalhar e pensar somente neste.

Adeus. Até um dia qualquer em que irei vê-lo de surpresa.

Seu muito sincero,

Mário de Alencar

1 ∾ Sobre a morte de Heitor de Basto Cordeiro*, ver nota 4, carta [1028]. (SE)

2 ∾ A família de Heitor era muito religiosa. Lopo Dinis Cordeiro*, seu pai, era uma liderança na comunidade católica do Rio de Janeiro, tendo recebido o título de conde por breve do papa Leão XIII, em agosto de 1892, em razão dos serviços prestados às corporações religiosas. Entre as muitas ações, ressalte-se que o conde, como 1.º secretário e depois presidente da Sociedade de São Vicente de Paulo, construiu a capela da Imaculada Conceição de Botafogo. A sua filha Julieta Cordeiro e sua nora Francisca*, mulher de Heitor, eram zeladoras da Associação do Asilo Bom Pastor. Heitor também foi 1.º secretário da Sociedade de São Vicente de Paulo, prestando serviços vários, inclusive jurídicos. Em 1907, quando voltou da Europa, a sociedade rezou missa de ação de graças por seu restabelecimento. Quando faleceu, Heitor recebeu a extrema-unção pelas mãos do abade coadjutor do Mosteiro de São Bento, Dom Crisóstomo de Saegher, sendo o seu corpo enterrado com o escapulário de oblato da ordem. (SE)

3 ∾ O assassinato de D. Carlos (1863-1908) e do príncipe herdeiro D. Luís Felipe (1887-1908), ocorrido também no dia 1.º de fevereiro, comoveu a sociedade carioca, que, diga-se, tinha ainda uma forte presença lusitana, não apenas nas ruas em razão da imigração das camadas menos favorecidas em busca de oportunidade, mas também pela marcante presença no meio empresarial da cidade. A família real portuguesa foi emboscada a tiros de carabina e revólver no Terreiro do Paço em Lisboa, quando retornava de Vila Viçosa, no Alentejo, por volta das 17 horas. D. Carlos e D. Luís Felipe foram mortos. D. Amélia (1865-1951) e o infante D. Manuel (1889-1932) escaparam. A rainha, ilesa; e o infante, ferido sem gravidade. Os assassinos, Alfredo Costa e Manuel Buíça, foram mortos na hora pela escolta real. (SE)

4 ∾ Sobre o ministro Miguel Calmon, titular da pasta à qual Machado estava subordinado, ver nota 11, carta [927]. (SE)

5 ∾ Miguel Couto* atendia Machado havia já algum tempo. Na carta [942], de 14 de março de 1907, diante de uma gripe persistente, Mário sugere que Machado peça um remédio ao médico. O escritor parece resistir um pouco. Em 26 de março, [946], Mário insiste que peça uma medicação contra a coriza crônica. Em 28 de março, [948], Machado diz que estará com o médico e que o informará a respeito da consulta. Na carta [1026], de 21 de janeiro de 1908, Machado lhe diz acreditar que "o Miguel Couto me trouxe a graça". É possível que estivesse usando algum sal de bromo, talvez bromureto de potássio. O fato é que passou um período sem crises epilépticas. Mas, dezesseis dias depois de ter "alcançado a graça", teve uma forte ausência, que o fez dizer na carta [1030], de 8 de fevereiro: "Eu sou desses enfermos, como sabe, e, como sabe também, doente sem médico". É uma afirmativa estranha. Teria momentaneamente se desencantado com o médico? Em 20 de fevereiro, [1032], Mário lhe perguntará "Foi ao Miguel Couto na 5.ª feira? Que lhe disse?". Três dias depois, [1033], Machado

dirá que esteve com o médico. Miguel Couto permanecerá atendendo o escritor até o final. Sobre ele, ver também a biografia no tomo IV. (SE)

6 ∾ Sobre *Prometeu Acorrentado*, ver nota 7, [935]; nota 3, [1025]; e nota 2, [1026]. (SE)

7 ∾ Adélia (1874-1946), a irmã caçula de Mário. À época era casada com o oficial do exército Samuel Augusto de Oliveira (1870-1932). Além dela, Mário tinha mais quatro irmãos: Augusto* (1865-1927); Elisa (1867-1889), chamada em família de Lili; Clarice (1869-1957) e Cecy (1870-1953), também conhecida como Babi, aliás, o mesmo apelido de Helena, a mulher de Mário. (SE)

8 ∾ Até o momento não se encontrou este título na obra publicada de Mário de Alencar. (SE)

[1030]

Para: MÁRIO DE ALENCAR
Fonte: Transcrições, Arquivo ABL.

Cosme Velho, 8 de fevereiro de 1908.

Meu querido amigo.

 O tom da sua carta de anteontem revela bastante melhora[1]. E talvez esta venha também das tristes notícias que lá chegaram, donde verá que [,] ruins ou excelentes, as notícias distraem e ajudam a combater o mal. O mal não é tão grande como parece; é agudo, porque os nervos são doentes delicados, e ao menor toque retraem-se e gemem. Eu sou desses enfermos, como sabe, e, como sabe também, doente sem médico[2].

 Gostei de ler tudo o que me diz a propósito do Heitor[3]; mostrei as suas palavras à baronesa e ao barão[4]. Não tenho visto a viúva, que não foi à missa pública, mas à outra particular e sua na Glória, mas sei que está muito abatida. Também gostei de ver o que pensa no caso de Dom Carlos I; é o que naturalmente devem pensar todos. De acordo com o seu juízo sobre palavrões e ambições pessoais.

 A minha saúde não vai mal, exceto o que lhe direi adiante, e não é a "ausência" que senti ontem, esta foi rápida, mas tão completa que não me entendi ao tornar dela. Daí a pouco entendi tudo, e deixei-me estar. A exceção prende com o seu conselho de não sair por baixo de água. Cá tenho o reumatismo de que me fala, é no pé esquerdo, desde bastantes dias. Não sei que lhe faça, nem sei se há que fazer. Vou andando, mal ou bem, a princípio mal, mas depois domino-me um pouco.

Ainda bem que trabalha e pensa no *Prometeu*[5]. Firme-se aí; o caso é digno do pensamento, e não impede os *Cantos Brasileiros*[6]. Fico à espera dos versos que me anuncia haver escrito a pedido de sua irmã.

Sobre o meu livro, nada; talvez, na semana próxima venha resposta[7], e diz o Lansac[8] que provavelmente o livro chegará no meado de março; espero. Aproveito a ocasião para lhe recomendar muito que, a respeito do modelo de Carmo, nada confie a ninguém; fica entre nós dois[9].

Aqui há dias uma senhora e um rapaz disseram-me ter ouvido que eu estava *publicando* um livro; ele emendou para *escrevendo*; eu neguei uma e outra coisa. Pouco antes, em um grupo no Garnier, perguntando-me alguém se tinha alguma coisa no prelo, outro alguém respondeu: "Tem, tem..." Podia ser conjetura, mas podia também ser notícia. Talvez não valha a pena tanto silêncio da parte do autor. Ontem estive com o Leo e Dona Chiquinha[10] na Candelária, à missa do Heitor; pedi notícias suas, mas não sabiam nada. Agora dê notícias minhas aos seus, cumprimentos ao Gil[11] pelos anos, e lembranças aos meninos. Registro a promessa da descida em breve. Com o Bandeira e o Moacyr[12] tenho falado a seu respeito. Até breve.

O velho amigo

Machado de Assis

---

1 ❧ Machado, perspicaz, alegrou-se com o fato de Mário, um homem introspectivo, com grande dificuldade de sair de si mesmo, mostrar interesse por temas da realidade externa: a morte de Heitor* e o assassinato de D. Carlos, fazendo considerações ponderadas tanto num quanto no outro assunto. (SE)

2 ❧ Esta é uma afirmativa ambígua, pois Machado já estava sob os cuidados de Miguel Couto* desde 1907. Aliás, é possível que estivesse tomando algum sal de bromo.

Ver carta [1026]. Agora, diante de nova crise, teria momentaneamente se desencantado? Apesar disso, continuará sendo assistido por Miguel Couto. (SE)

3 ∽ Heitor de Basto Cordeiro. Ver também cartas [901], [905], [919], [933], [937] e [1029]. (SE)

4 ∽ Machado, após a missa de sétimo dia de Heitor, mostrou a carta de Mário, [1029], de 6 de fevereiro, aos barões Smith de Vasconcelos, pais de Francisca de Basto Cordeiro*, a viúva. Na carta, Mário tinha sido muito eloquente ao falar sobre o morto. Machado por certo se sentiu tocado, não só porque apreciasse Heitor, mas também pela sólida amizade que o unia aos Smith de Vasconcelos. A baronesa, mãe de Francisca, era filha de Rodrigo e Joana Felício*, os condes de São Mamede. Não foi a primeira vez que Mário expressou-se de modo tão oportuno. É bom lembrar que no episódio da dispensa de Machado (1897-1898), pelo ministro Sebastião Lacerda, Mário lhe remeteu a carta [413], tomo III, que deixou o escritor muito comovido, conforme a carta [414]. O temperamento reservado de Mário, pouco afeito ao ruído e à autopromoção, dava a Machado uma indicação de sinceridade de propósitos. (SE)

5 ∽ Sobre o *Prometeu Acorrentado*, ver nota 3, [1025]. (SE)

6 ∽ Sobre os *Cantos Brasileiros*, ver nota 8, carta [1029]. (SE)

7 ∽ Machado está se referindo à preocupação com o lançamento do *Memorial de Aires*. Segundo Magalhães Jr. (2008), devido às condições de sua saúde, o escritor temia não vê-lo nas livrarias. Inicialmente o editor havia programado o lançamento para março, depois adiou para junho; por fim o livro saiu em meados de julho. Sobre a data de lançamento do *Memorial de Aires*, ver nota 1, carta [1074], de 16/07/1908. Ver também a carta [1032], de 20/02/1908. (SE)

8 ∽ Julien Emmanuel Bernard Lansac*, o gerente da H. Garnier, no Rio de Janeiro. (SE)

9 ∽ Este trecho dará azo a longas explicações entre os dois. Em resposta, a 20 de fevereiro, [1032], Mário gentilmente lembrará que o próprio Machado havia divulgado a alguns amigos ser Carolina o modelo de D. Carmo, no *Memorial de Aires*. Machado então lhe escreverá em 23 de fevereiro, [1033], desfazendo o imbróglio. Por fim, registre-se que Magalhães Jr. (2008) assinala uma contradição na atitude de Machado. Para o biógrafo, se tinha tanto pudor em revelar aspectos de sua vida íntima, por que então o fez? O questionamento em parte é pertinente. Por outro lado, Machado talvez apenas desejasse não estar presente quando o modelo fosse revelado, sigilo temporário. (SE)

10 ∽ O comendador Leo de Afonseca (1849-1913), velho camarada de Machado na imprensa, nasceu em Lisboa, filho de Luís Vicente de Afonseca e Maria Carolina de Afonseca, dama oriunda de uma antiga família de Minas. Educado em Lisboa, veio para o Brasil aos 18 anos, a fim de dedicar-se ao comércio. Viveu um tempo no Recife e depois em Santos, onde trabalhou na casa bancária do Barão de Mauá. Fixou-se em

São Paulo, iniciando a vida de jornalista no antigo *Província*. Em 1883, fundou com Gaspar da Silva o *Diário Mercantil*, que foi à época o mais importante indicador literário, prestando inestimável serviço à literatura ao divulgar novos escritores e ao estimular o gosto do público. Tornaram-se célebres as *Páginas Literárias* dos domingos nas quais colaborou a fina flor da literatura brasileira e portuguesa. Ao *Diário Mercantil* deu os melhores anos. Durante a campanha abolicionista, foi incansável servidor da causa e dedicado colaborador de Luís Gama (que já atuava na Secretaria de Agricultura, onde estava Machado). O jornal acabou com o fim da monarquia; então a convite do banqueiro Francisco de Paula Mayrink (1839-1907), Leo transferiu-se ao Rio de Janeiro, afastando-se do jornalismo, das letras e das causas públicas, tornando-se durante muito tempo auxiliar e amigo do conselheiro Mayrink. Casado com Francisca Eugênia da Gama Cochrane (1850-1943), o casal tinha quatro filhos: Helena Afonseca de Alencar, casada com Mário*; Leo de Afonseca Júnior, casado com Celina de Lima e Silva de Afonseca; Luís Vicente de Afonseca, casado com Maria do Carmo Freitas de Afonseca e Alcino de Afonseca, casado com Maria Dulce Haddock Lobo de Afonseca. Nos últimos anos de vida, o comendador presidiu o Liceu Literário Português. Leo e D. Chiquinha moravam na rua Marquês de Olinda 74, Botafogo. Sobre o filho do comendador, Leo Júnior, ver nota 2, carta [991 A].(SE)

11 ∾ Gil era filho de Mário e Babi. Ver nota 3, [921]. (SE)

12 ∾ O acadêmico Sousa Bandeira* e o educador Primitivo Moacyr (1869-1942). (SE)

[1031]

De: JOAQUIM NABUCO
Fonte: Manuscrito Original, Arquivo ABL.

Washington, 13 de fevereiro de 1908.

Meu querido Machado

Sua carta deu-me um dos grandes prazeres hoje da minha vida: o de sentir que tenho um lugar na sua afeição. Elas são preciosas para mim todas igualmente.

Vejo que a Academia foi inventada a tempo e na hora justa. Ela tem a grande missão de o consolar e de fazer-lhe companhia. Os ausentes, como eu, estão lá ao seu lado em pensamento. E os mortos são somente ausentes.

Muito sinto o que Você me diz do nosso fundador[1]. Possa ele não sofrer muito e ter ao menos algum alívio a tão triste fim — ainda mais triste para quem foi pouco feito como ele para a passividade e a inação.

Que fim levou o Graça?

Muito prazer tive com a simpatia mútua entre o nosso povo e os Americanos. A Haia ia nos fazendo perder de vista a nossa única política possível[2]. Eu em diplomacia nunca perdi um só dia o sentido da proporção e o da realidade. É que um indivíduo pode sempre fugir à desonra e ao cativeiro, mas as nações não se podem matar como ele. Alguns milhares morrerão em combate, mas a totalidade passa sob o jugo. As maiores nações procuram hoje garantir-se por meio de alianças; como podem as nações indefesas contar somente consigo? E desde que o nosso único apoio possível é este, por que não fazermos tudo para que ele não nos venha a faltar? Essa é a minha intuição e tive por isso o maior prazer com esse renascimento da simpatia entre as duas nações por ocasião da visita da esquadra Americana. Basta, porém, de confidências de alcance político. Aqui vão outras íntimas.

Ocupei-me muito ultimamente com a revisão de um drama em verso francês que escrevi há trinta anos. O assunto, como Você talvez se lembre, é a conquista, ou antes o desmembramento, da Alsácia-Lorena. Nenhum francês poderia falar com a minha imparcialidade sobre a Alemanha, que também aparece grande no drama. Toda a questão é o direito de conquista. Não posso, porém, aparecer na publicação, apesar de ser a criação puramente literária, como drama, e de *princípio*, como motivo. Estão agora estudando o caso amigos meus da França. Estou muito contente da obra depois da revisão e da mudança do final. Antes parecia-me *mal-acabada*. Esperemos que ambos a leremos impressa, ainda que sem o meu nome[3].

E Você meu caro Amigo? Nada tem Você mais que fazer contra o esquecimento, já está em plena luz. Agora é gozar do triunfo.

Até quando? Um abraço apertado do Velho Camarada que não se lembra mais desde quando o admira.

J. Nabuco

Post Scriptum: E o terremoto de Lisboa? O Tejo não merecia essa marca trágica! Pobre Rainha!⁴

---

1 ∾ Lúcio de Mendonça*. Ver em [1024]. (IM)

2 ∾ Interessante referência à participação de Rui Barbosa* na II Conferência da Paz em Haia (1907). Rio Branco* convidara Nabuco para chefiar a delegação do Brasil e depois convidou Rui. Este, como vice-presidente do Senado, teria precedência, e Nabuco declinou do convite inicial, pois não poderia ser o segundo representante brasileiro. Comentando o fato, fez a seguinte observação, conforme se lê na nota 347 dos *Diários*:

> "Nenhuma nação mandou à Haia na Primeira Conferência um embaixador com[o] segundo delegado. E depois o presidente da Conferência Pan-Americana do Rio, segundo na delegação do Brasil a Haia, que desprestígio para aquela Conferência. /.../ Que fiz eu a esse homem?" (Nabuco, 2008).

O "homem" era Rio Branco. Aliás, não faltam queixas do chanceler, sobretudo quanto à criação da embaixada em Washington (1905): "Agora nem mesmo quer que a ocupe tranquilamente. Procura pôr-me em falsa posição da qual talvez só possa sair, escusando-me deste posto." (IM)

3 ∾ A peça é *L'Option* (*A Opção*). Carolina Nabuco (1928) recorda que, em Washington, o pai "revê com amor uma obra de mocidade, escrita em francês" (1876-1877). Era uma tragédia clássica, em versos alexandrinos, "composta sob a emoção da guerra de 1870". Anos depois, Nabuco voltava ao antigo trabalho, lendo trechos para seus convivas na embaixada. No capítulo final da biografia paterna, Carolina reproduz parte de *L'Option*, obra publicada em Paris, pela Hachette (1910). (IM)

4 ∾ Evocando o catastrófico terremoto que praticamente destruiu Lisboa em 01/11/1775, Nabuco alude ao assassinato do rei D. Carlos e do príncipe real Luís Filipe em 01/02/1908, quando ambos, com a rainha Dona Amélia, atravessavam em carruagem aberta a Praça do Comércio (na época conhecida como Terreiro do Paço). Seu outro filho, D. Manuel II, foi o último rei de Portugal, deposto com a proclamação da República em 05/10/1910. A "pobre Rainha", Amélia de Orleans (1865--1951), mulher bela, fina e dedicada à assistência ao povo português, sobreviveu muitos anos à tragédia, enfrentando grandes sofrimentos no exílio. Ainda em 1907, Machado dedicou-lhe um soneto que foi incluído em *Outras Relíquias* (1910), com o título: "No Álbum da Rainha Amélia". (IM)

[1032]

De: MÁRIO DE ALENCAR
Fonte: Manuscrito Original, Arquivo ABL.

Tijuca, 20 de fevereiro de 1908.

Meu querido Amigo,

Quando estivemos juntos o outro dia, não lhe falei do que era o assunto principal[1], a parte de sua carta última relativa ao *Memorial de Aires*. Asseguro-lhe que, se alguém sabe ou desconfia do seu livro, não o soube por comunicação minha; guardei sobre ele e sobre a impressão, completo segredo[2]. Não se esqueça que o *senhor* mesmo, em um jantar há coisa de um ano, respondendo a uma pergunta do Senador Pinheiro Machado[3], lhe disse ter um novo livro em via de publicação. A Graça Aranha e a José Veríssimo também o *Senhor* confiou o segredo; e pelo Graça, veio a saber dele o nosso Magalhães de Azeredo, segundo ouvi a este, quando aqui esteve. Por conseguinte a responsabilidade da divulgação está repartida por não poucos. Da parte que me cabe, afirmo-lhe que foi conscienciosamente aceito e guardado, e continua a sê-lo até que venha o livro.

Dizendo-lhe que não revelei a existência do *Memorial*, quase que não preciso acrescentar que não disse a minha impressão de leitura. Não a disse a ninguém, nem a ninguém direi aquela presunção que fiz e acertou de ser verdadeira, sobre o modelo de *Dona* Carmo. A esse respeito a sua confiança não foi mal usada; e eu farei por corresponder a tão alta prova de afeição.

Depois que desci à cidade, não tenho feito nada, pouca leitura, pouco pensamento ou nenhum. Atribuí o mal-estar do espírito ao estômago e obriguei-me durante dias à dieta de leite. O resultado foi enfarar-me o leite. Continuo não sei como... Além do que está em mim, tenho para aborrecer-me o espírito o estado de saúde do meu sogro, que está gravemente enfermo[4]. Achei-o o outro dia desfigurado; e a fraqueza de que ele se queixava era grande e visível. De então para cá o meu pensamento volve sobre essa preocupação a cada instante.

E o *Senhor* como vai? Foi ao Miguel Couto[5] na 5.ª feira? que lhe disse ele?

Adeus. Nesta carta malfeita deixo a expressão melhor de mim mesmo. Abraça-o com saudade.

Seu sincero amigo

Mário de Alencar

---

1 ∾ O *assunto principal*, que renderá tantas explicações de parte a parte, estava contido numa frase de Machado de 8 de fevereiro, [1030]: "Aproveito a ocasião para lhe recomendar muito que, a respeito do modelo de Carmo, nada confie a ninguém; fica entre nós dois." Consciencioso, Mário sentiu-se compelido a garantir a sua lealdade, dando-lhe todas as explicações. Seis meses antes do lançamento do *Memorial de Aires* lera as provas, privilégio, aliás, concedido a poucos. Consultar carta [1016], de 16 de dezembro de 1907, na qual comenta os efeitos da leitura do romance em seu espírito. Ver também nota I da mesma carta. (SE)

2 ∾ O pudor de Machado em revelar aspectos de sua vida íntima talvez fosse apenas um cuidado, não queria dar explicações a esse respeito no pouco tempo que lhe restava, nem estar presente quando o modelo fosse revelado. Ver também carta [1030]. (SE)

3 ∾ José Gomes Pinheiro Machado (1851-1915), o então poderosíssimo vice-presidente do Senado Federal, controlava a Comissão de Verificação dos Poderes, cuja função era definir quais candidatos entre os eleitos pelo voto poderiam tomar posse. Atualmente essa função é uma das atribuições da Justiça Eleitoral. (SE)

4 ∾ Sobre a doença do comendador Leo de Afonseca, ver nota 6, carta [1033], de 23/02/1908. Sobre ele, ver nota 10, carta [1030]. (SE)

5 ∾ É provável que Machado tenha se consultado com Miguel Couto* no dia 13 de fevereiro, a quinta-feira anterior à do dia 20. Nesta consulta, o médico lhe prescreveu nova medicação anticonvulsivante. Sobre o Dr. Miguel Couto, ver nota 5, carta [1029]. (SE)

[1033]

Para: MÁRIO DE ALENCAR
Fonte: COUTINHO, Eduardo; OLIVEIRA,
Teresa Cristina Meireles de. *Empréstimo de Ouro*.
Rio de Janeiro: Ouro Sobre Azul, 2009. Fac-símile
do original.

Cosme Velho, 23 de fev*ereiro* de 1908.

Meu querido amigo,

Hoje de manhã, chegando a casa pensei escrever-lhe um bilhete de simples lembrança, e achei a sua carta de 20[1]. Lá se foi a ideia do bilhete, e aqui vai a resposta à carta[2].

Esta é quase toda de explicações e mostra a impressão que lhe deu a minha acerca do *Memorial de Aires*. Agradeço-lhas, mas não valia a pena, já porque a divulgação não viria de sua parte, já porque, dado viesse, seria ainda um sinal da afeição que me tem. Não, meu querido Mário, o que lhe contei na última carta fi-lo por lhe confiar estes incidentes, e foi bom que o fizesse, visto o que me recordou agora desde a minha resposta ao Pinheiro Machado até às confidências ao Graça e ao José Veríssimo. Quer saber? Na mesma data da sua carta (20) comuniquei ao *José* Veríssimo a notícia do livro, como se fosse inteiramente nova; é certo que ele não se deu por achado. Acrescentei-lhe a primeira ideia de confiar aos quatro (o Magalhães de Azeredo não podia entrar por estar em Roma[3]) a publicação do manuscrito, caso eu viesse a falecer. Repita tudo isso consigo e diga-me se há nada mais indiscreto que um autor, ainda quase septuagenário, como eu. E diga-me também, pois que leu as provas, se o livro vale tantas cautelas e resguardos.

A segunda e menor parte da sua carta é a seu mesmo respeito, incômodos e o resto; nada de escritos ou só negativamente. O mal-estar de espírito a que se refere não se corrige por vontade, nem há conselho que o remova, creio; mas, se um enfermo pode mostrar a outro o espelho do seu próprio mal conseguirá alguma coisa. Também eu tenho desses estados de alma, e cá os venço como posso, sem animações de esposa, nem risos de filhos. Veja se exclui todo o presente, passado e futuro, e fixe um só tempo que compreenda os três: *Prometeu*. A arte é remédio e o melhor deles[4].

Compreendo que o mal de seu sogro o impressione. Estive anteontem com ele na Avenida[5]; ele ia para casa e demoramo-nos pouco, porque a tarde vinha caindo e ele tinha de se recolher cedo por causa da bronquite. Ainda assim falamos uns cinco ou seis minutos. Também eu o achei abatido, mas admirei a força de resistência, ouvindo-lhe contar serenamente as noites que tivera. Sorria como de costume. Há uma nota elegante que ele nunca perde. Não o achei desfigurado[6].

Eu vou emagrecendo, e o trabalho neste trimestre adicional cresce e cansa. Estive com o Miguel Couto naquele dia; ouviu-me e receitou-me um remédio novo, que não existe aqui[7], nem no Werneck, nem no Silva Araújo nem no Rangel[8]. Ficou de entender-se com o Werneck para mandar buscá-lo; depois disse-me que era melhor ver se o prepara aqui mesmo, e eu continuo a tomar os que me dera antes.

O mais à vista. Papel não comporta tédios. Lembranças a todos os seus, e para si receba um abraço do

Velho amigo

Machado de Assis

---

1 ✎ Trata-se exatamente da carta [1032], na qual Mário esclarece como terceiros teriam sabido da existência do *Memorial de Aires* e, sobretudo, como teriam relacionado Carolina* ao personagem de D. Carmo, a esposa dedicada e amorosa do velho Aguiar, no romance. Mário respondeu a Machado com firmeza, uma vez que havia lido as provas do romance e sublinhara as coincidências de caracteres entre a personagem e Carolina, conforme escreveu à época, em [1016], de 16 de dezembro de 1907:

"*Memorial de Aires* tem a mesma força, a mesma novidade, e tem mais que os outros, com exceção de *Esaú e Jacó* e *Dom Casmurro*, o apuro da perfeição, e, sem exceção de nenhum outro, uma parte grande e admirável, que é efeito da colaboração de um sentimento novo, o mesmo que fez o soneto *A Carolina* e que nestas páginas traçou aquela figura verdadeira e sagrada de Dona Carmo. O mundo poderá admirá-la e há de admirá-la como criação de arte, eu, que adivinhei o modelo, li-o comovido, cheio de respeito pela doce evocação." (SE)

2 ∾ A carta [1030], de 8 de fevereiro, motivou a resposta firme de Mário em [1032]. Aliás, acostumado a escrever quase diariamente a Machado, Mário demorou a resposta, talvez por ter se sentido melindrado com o pedido, supondo por trás alguma suspeita. A resposta franca de um temperamento vacilante não escapou ao escritor. Por outro lado, pode se depreender das cartas deste momento que talvez Machado não desejasse que a inconfidência o atingisse ainda em vida. Pudor que a morte calaria. Ver também [1030]. (SE)

3 ∾ Magalhães de Azeredo*, entretanto, soubera por intermédio de Graça Aranha*, conforme diz Mário na carta [1032]. (SE)

4 ∾ Neste parágrafo todo dedicado a consolar Mário acerca de sua profunda crise pessoal, Machado acaba falando de si mesmo com muita franqueza, tocando num dos pontos fortes da identificação entre eles, quando diz que "um enfermo pode mostrar a outro o espelho do seu próprio mal". Ao mesmo tempo, aponta as diferenças no enfrentamento da crise: um tem a família e a possibilidade da arte, outro tem só a arte. Sobre *Prometeu Acorrentado*, ver nota 6, carta [1029]. (SE)

5 ∾ Depois da reforma do prefeito Pereira Passos, o eixo elegante do centro do Rio estava se deslocando da rua do Ouvidor para a avenida Central, atual Rio Branco. Sobre essa mudança, ver nota 5, carta [919]. (SE)

6 ∾ O comendador Leo de Afonseca, apesar da dispneia que o acometia em decorrência da bronquite, viverá até 1913. Ver também nota 10, carta [1030]. (SE)

7 ∾ Na consulta da quinta-feira, provavelmente 13 de fevereiro, Miguel Couto* lhe recomendou uma nova droga importada da França, que servia para controlar as crises convulsivas: tribromureto de A. Gigon. Sobre essa medicação, ver nota 3, [1102] e nota 1, [1103], ambas de 6 de agosto, e nota 4, [1105], de 8 de agosto de 1908. (SE)

8 ∾ Três importantes estabelecimentos do centro do Rio. A partir dos anos 1870, as antigas boticas foram sendo substituídas por grandes farmácias, em geral com laboratórios e fábricas no próprio prédio ou nas imediações, e sempre com um farmacêutico formado à frente. A farmácia de Vicente Werneck Pereira da Silva & Companhia, fundada em 1881, ficava na rua dos Ourives, 73. A dos Irmãos Francisco e Luís Eduardo da Silva Araújo, fundada em 1891, ficava na rua Primeiro de Março, 1 e 3. A sociedade, com a morte de Francisco (1844-1906), teve nova composição: o velho Luís Eduardo (1850-1924), os filhos Carlos e Luís Eduardo Júnior, e seu sobrinho Bráulio da Silva Araújo. A farmácia manteve-se sempre no mesmo endereço. Já a dos Irmãos Orlando, Horácio e Antenor Fonseca Rangel – a Farmácia Rangel – situava-se na avenida Central, 140, esquina com a rua da Assembleia. Fundada em 1892, na rua da Ajuda, 18, em 1897, transferiu-se para a rua Gonçalves Dias, 41, e, em fevereiro de 1907, para uma enorme edificação própria no novo eixo elegante do Rio. (SE)

[1034]

De: MÁRIO DE ALENCAR
Fonte: Manuscrito Original, Arquivo ABL.

Tijuca, 27 de fevereiro de 1908.

Meu querido Amigo,

Reli há pouco a sua carta[1]. Se me fosse possível ir de um salto, sem o incômodo, a demora e a inquietação do bonde, iria vê-lo neste momento para continuar a palestra da carta. As suas palavras me fazem bem e confirmam o conceito que lhe tenho ouvido várias vezes e agora me lembrou "A arte é remédio e o melhor deles". É o mesmo pensamento da primeira poesia das *Crisálidas* — Musa Consolatrix[2] — de 1861. A continuidade do pensamento e a realização dele através de tantos anos e pela forma perfeita que é a dos seus livros, a das suas palavras as menos refletidas e as das suas cartas, são coisas raras no mundo e aqui nunca vistas. O *Senhor* dá um exemplo que se não pode imitar sem o dom nativo, que não há esforço que supra. Nos que o não têm [,] a vontade não impede o desfalecimento do espírito, a distração para os gozos inferiores e mais acessíveis. Para o *Senhor* tudo é pretexto para a arte, e o que não cabe nela transforma-se ao toque do seu espírito. Haveria para um curioso de bom gosto uma ocupação compensadora na pesquisa dos seus menores pareceres de funcionário público. O que não tem em si mesmo valor senão ocasional e restrito aos interessados no assunto, revestido da sua palavra estará ali como uma página literária, modelo da língua e da arte.

Ora, pensando assim, por convicção que lhe conto sinceramente, como pensar que o *Memorial de Aires* não vale todos os cuidados que o *Senhor* tem tido? Já lhe disse em carta a minha impressão de leitura[3]. A ausência do livro não a diminuiu e estou ansioso por lê-lo novamente. Tenho-o como complemento admirável da sua obra admirável.

O que me referiu sobre a comunicação feita a Veríssimo como confidência nova, é apenas um descuido da memória que tem outras muitas coisas que a ocupam. Acontece-me a mim a mesma coisa e acontecerá a outros, menos nervosos que nós[4]. A sua carta, como lhe disse, foi remédio para o meu espírito. Recomecei a trabalhar e vou indo. Logo que esteja pronto o 1.º canto do *Prometeu*[5] irei tomar-lhe um pouco de tempo pedindo-lhe que o leia e me ajude com o seu conselho a fazer este trabalho. Desejo fazê-lo bem, mas só terei a confiança indispensável se merecer a sua aprovação o que está feito.

Meu sogro[6] e minha sogra[7] estiveram aqui dois dias. Foram contentes, e eu também fiquei satisfeito de os ver a ele mais forte e a ela mais animada. Efetivamente é de admirar a força de resistência que ele tem, a doença não lhe abate o espírito e no intervalo dos sofrimentos ele ainda acha gosto em rir.

O meu reumatismo continua, e neste momento mesmo está a trabalhar-me a paciência. Em todo caso ficaria consolado se ele fosse todo o meu mal.

Segunda-feira, 2 de março, conto ir à cidade e irei vê-lo na Secretaria[8].

Adeus. Os meus todos se recomendam afetuosamente.

Receba um abraço do seu

de coração

Mário de Alencar

---

1 ✦ Trata-se da carta [1033]. (SE)

2 ✦ A leitura do poema *Musa Consolatrix* transformará o tema da arte consoladora diante das adversidades em um assunto frequente nas cartas de Mário deste ano de 1908, seja consolando-se a si próprio, seja consolando Machado de Assis. Na carta [1102], de 06/08/1908, Mário copiará trechos do poema, numa tentativa de ajudar Machado a superar o desânimo profundo que se abatia sobre o seu espírito, em decorrência da doença e do fim que se avizinhava. O tema já havia comparecido em cartas anteriores, tanto com Mário quanto com Magalhães de Azeredo*. Ver nota 4, carta [1033]. Ver também cartas [669], do tomo IV e [942], no presente tomo. (SE)

3 ✦ As impressões de Mário a respeito do *Memorial de Aires* constam da carta [1016]. (SE)

4 ∾ Referência discreta à epilepsia, doença comum aos dois, que tem entre os seus sintomas os lapsos de memória. (SE)

5 ∾ Sobre a ideia de compor o poema – *Prometeu Acorrentado* – durante a permanência na chácara da Tijuca, ver nota 3, carta [1025]. (SE)

6 ∾ Sobre o comendador Leo de Afonseca, ver nota 10, carta [1030]. (SE)

7 ∾ Sobre D. Francisca Eugênia, esposa do comendador Afonseca, ver nota 1, carta [983]. (SE)

8 ∾ Machado de Assis, apesar de estar doente, continuou a dar expediente na Secretaria do Ministério, segundo Magalhães Jr. (2008), até o início de junho, quando teria entrado de licença, e não teria mais retornado. (SE)

[1035]

De: GRAÇA ARANHA
Fonte: Manuscrito Original, Arquivo ABL.

Petrópolis, sexta-feira, 6 de março de 1908.

Meu querido Machado de Assis,

Pensei descer hoje para vê-lo. Estou, porém, tão ocupado que só terça-feira estaremos juntos.

Adivinho o que o preocupa. E creio que liquidaremos esse pequeno caso sem dificuldade[1].

Na semana passada procurei-o. Não lhe disseram nada! Ah! aquele homem funéreo que V*ocê* colocou à porta do seu purgatório[2].

Um abraço do seu

sempre e sempre

Graça Aranha

---

1 ∾ Ao longo desta *Correspondência*, já foi sublinhado o fato de não terem sido localizadas missivas de Machado a Graça Aranha, salvo [344], tomo III, e o postal [734], tomo IV, que se encontram no Arquivo ABL. Se a alusão sobre o que preocupava

Machado estava em algum cartão ou bilhete, não existe qualquer pista. A Academia ainda permanecia em recesso, sendo retomadas as sessões a 4 de abril. Por outro lado, o leitor atento à correspondência entre Machado e Mário de Alencar*, no final de fevereiro de 1908, terá notado a preocupação do mestre quanto ao vazamento de informações sobre o *Memorial de Aires*, ainda no prelo (ver [1030], [1032], [1033] e [1034]). Graça era um dos poucos a saberem da obra, comunicando a novidade a Magalhães de Azeredo*, e já tinha feito um verdadeiro estrago em 1899, com seu pastiche fantasioso de *Dom Casmurro* antes da publicação daquele romance. Ver [490], tomo III. (IM)

2 ∾ Possivelmente um funcionário subalterno da Secretaria de Viação. (IM)

[1036]

Para: MÁRIO DE ALENCAR
Fonte: Transcrições, Arquivo ABL.

Rio de Janeiro, 21 de março de 1908.

Meu querido Mário,

 Não desceu ontem nem hoje; espero que não tenha sido por causa do incômodo. O Pedrinho Werneck[1] disse-me quinta-feira que nesse mesmo dia o recebera lá, vindo daqui, e lhe dera aquele nosso cordial; e o Leo ontem confirmou a notícia, dizendo-me que o acompanhara até a farmácia e depois ao bonde. Espero que a ausência de ontem e de hoje não tenha nada com isso. Não lhe digo o que são nervos; eu, que os conheço, posso aliás falar de cadeira. Em todo caso, com este descanso e o de amanhã, domingo, conto que desça segunda-feira, forte e lépido.

 À vista confirmarei o que já lhe digo seguida da boa impressão que me deixou o final do canto, as saudações de Prometeu e a descida ao vale. Prossiga na obra e achará nela o melhor dos cordiais. Tenho só dois leves reparos, mas só à vista. Recomende-me aos seus e a si, como

Velho am*ig*o dedicado

M. de Assis

1 ∾ Provavelmente trata-se de Pedro Paulo Werneck Machado, filho de Manuel Vieira dos Santos Machado e Carolina Werneck da Silva Machado. Manuel Machado, à época desta carta já falecido, foi um importante negociante e exportador de café na praça do Rio de Janeiro, foi também vice-presidente da Companhia de Comissões e Ensaque de Café. O irmão de Pedro, o médico Aureliano Vieira Werneck Machado, foi um dos fundadores da Sociedade Brasileira de Dermatologia e diretor da Faculdade de Medicina e Cirurgia do Rio de Janeiro. Provavelmente Pedrinho tinha laços de parentesco com o farmacêutico e proprietário da Farmácia Werneck, Vicente Werneck Pereira da Silva, na qual Machado aviava as suas receitas. Registre-se que *Fabulário* (1907), de Coelho Neto, é dedicado a Pedrinho. Ver também nota 3, [946], e nota 8, [1033]. (SE)

[1037]

De: MAGALHÃES DE AZEREDO
Fonte: Manuscrito Original, Arquivo ABL.

Roma, 28 de março de 1908.[1]

66, via Sicilia

Meu querido Mestre e Amigo,

Ora vamos a ver se finalmente lhe posso escrever esta carta que há tanto tempo — quanto, nem sei mais calcular — me anda arquitetando na cabeça as *ordens* dos seus pensamentos e das suas palavras. Escrevê-la de novo, posso dizer, ou, pelo menos, começá-la de novo; pois é certo que a comecei há mês e meio ou dois meses, e tive de interrompê-la, e agora entre os meus papéis, que se acumulam uns sobre os outros como camadas de aluvião, não sei a quantos metros de subsolo se achará.

Às vezes me pergunto se efetivamente tantos impedimentos se opõem aos meus projetos epistolares e literários, ou se eu é que perdi toda a noção de método no trabalho e economia do tempo. Pode ser que com frequência a minha vontade se sinta mole e indecisa para iniciar qualquer tarefa, mas isso vem da própria confusão do espírito diante de tantas coisas diversas a fazer, quando contra o que verdadeiramente se faria com gosto e com alma se levantam mil compromissinhos, mil deverezinhos pequeninos e antipáticos, visitinhas a pagar, bilhetinhos a deixar ou a mandar, escritos ou em branco, etc. etc. etc. (só posso exprimir a raiva que tudo isso me causa, com o emprego do *etc.* que eu particularmente detesto). Ah! não há dúvida, meu querido Mestre e Amigo; quando principia o inverno, principiam para nós as inúmeras obrigações oficiais e sociais que, não contentes de ocupá-lo todo, entram ainda pela primavera, e ousam, descaradas! entrelaçar-se com as rosas de maio... Não nego que essas maçadas famosas sejam compensadas de quando em quando por encontros e conversas, nos salões, nos passeios, com pessoas agradáveis de frequentar pela distinção, pelo espírito, pela bondade ou pela beleza...

Mas a parte dos *Cacetes* é sempre incomparavelmente maior. À força de tratá-los cheguei à conclusão de que eles estão constituídos tacitamente (tacitamente só de um ponto de vista, que de ordinário são loquacíssimos) numa espécie de Maçonaria Internacional cujo poder é muito mais vasto, muito mais sólido que o do Czar[2] e o do próprio Papa. Desde criança que os conheci — e os abominei — no nosso Brasil; e na minha vida de "caminheiro de estradas infinitas", ainda não estive em parte alguma — cidade, vila, aldeia, ou raso campo — onde os não encontrasse, mais ou menos numerosos e obstinados. Alguns, alheios à nossa existência, mas quase todos *inevitáveis*; outros unidos a nós por vínculos diversos, mesclados às nossas horas, às nossas ideias, aos nossos projetos; caros até alguns por outras qualidades que têm. Ao pensar nestes, e no quanto são amoladores, nos enternecemos, e suspiramos: Coitados! não é por mal... — E então eles se tornam onipotentes; invadem-nos até os sonhos, alta noite... — Coitados de nós, sim! — Ri-se a minha Família, riem-se os poucos amigos habituais, e estranhos como eu àquela imensa Maçonaria, quando, à mesa, eu assim me queixo de uma contínua usurpação do meu tempo que com tanto mais proveito poderia despender; mas no fundo acham que tenho razão[3].

Aqui chegam também quase todos os dias, para nos consolarem do nosso exílio, compatriotas de várias idades, fisionomias e profissões; mas são tão raros entre eles os que realmente *devem vir a Roma!* A quantos tenho de ouvir que esta *como cidade vale pouco*, e apenas possui *umas antiguidades*, que nem a todos agradam! Oh! por Júpiter e por Minerva! e direi ainda, pelos Apóstolos Pedro e Paulo! E nós que tanto amamos estas cadentes ruínas, estes velhos muros tisnados e frondosos! nós que sofremos e nos lamentamos, quando há meses os camartelos dos bárbaros modernos ousaram rasgar neles, bem perto da nossa casa, largas feridas que parecem ainda sangrar! *Quod non fecerunt barbari, fecere Barberini*[4], gritou Pasquino indignado nos dias *nepotísticos* do Pontífice-poeta Urbano VIII. Mas é preciso também confessar que os bárbaros não fizeram, e não fazem agora os seus sucessores municipais, o que os Barberinos souberam fazer. Se estes despojaram sacrilegamente colossos antigos e venerandos (não foram aliás os primeiros em tal irreverência), souberam resgatar o seu delito com as obras de beleza e majestade que criaram em Roma. O maravilhoso palácio da *Rua das Quatro Fontes* aí está a proclamá-lo, e as simbólicas abelhas do brasão dessa ilustre família ainda brilham no seu vivo ouro, e parecem adejar, e parecem ainda fabricar o doce mel, em paredes de templos, em pedestais de estátuas, nos quatro cantos da Urbe. E estes outros sujeitos, estes romanos degenerados, que ocupam as câmaras comunais no Capitólio, nesse Capitólio que viu Camilo vencedor e Marco Antônio Colona regressando de Lepanto, que têm sabido senão demolir, para levantar do solo bairros inteiros antiestéticos, grosseiros e vulgares, agravados aqui e ali por monumentos modernos de uma pretenciosidade grotesca! Mas, meu querido Mestre e Amigo, é desses bairros e desses pretensos monumentos que mais gostam ou unicamente gostam na sua maioria os nossos bons compatriotas que vêm cá. Nada sentem, ficam frios, diante da praça de Espanha com a sua escadaria deliciosa, ou da Vênus Capitolina ou da Virgem de Foligno; mas extasiam-se diante do mastodôntico Palácio novo de Justiça, e se admiram São Pedro, não é pela harmonia das proporções e pela nobreza das esculturas, mas pela riqueza dos mármores multicores; e se dizem admirar o *Moisés* e a Capela Sistina é por pura convenção, e por medo de parecerem *caipiras*...

Cada vez mais me convenço de que o sentimento da arte e da *humanidade* é um dom raríssimo, até entre pessoas inteligentes e instruídas; não direi propriamente *cultas* porque sem aquela centelha íntima de vida superior não existe genuína cultura... Oh! que outros brasileiros desejara eu aqui! o Mestre e Amigo, por exemplo, e o nosso Mário; é verdade que já aqui tive por três meses inolvidáveis o meu querido Mourão[5], tão digno esse também de amar Roma e de ser amado por ela; e creio de fato que com ela contraiu eternas núpcias espirituais.

Muitas coisas deste gênero lhe hei de dizer com maior desenvolvimento, quando lhe mandar aquelas *flores e folhas* do Foro, do Palatino, da Via Ápia, e de outros ilustres lugares, para que as guarde ao lado do ramo arrancado ao multicentenário carvalho do Tasso[6], sacro pela recordação do Poeta e pelo fogo do céu que o fulminou.

Não esqueci, bem vê, essa promessa; mas nem pude ainda colher as *flores e folhas*, nem escrever as páginas que devem acompanhar esse dom de poesia e melancolia. Terá notado que desde o meu regresso não publiquei mais artigo algum no *Jornal*; tenho feito alguma coisa em poesia, mas sem desejo de publicidade por agora; estou num período de recolhimento e isolamento, em que pouco me seduz a perspectiva de me rever em letra de forma. Tenho estudado também, um pouco; mas, repito, os *Cacetes* não me deixam senão raramente; e três ou quatro leituras importantes, começadas com entusiasmo, tive de abandonar a meio por falta de tempo e tranquilidade.

Já sabe decerto que o Ferrero[7] passou alguns dias em Roma; deu-me ele cordialmente muitas horas de agradável e proveitosa convivência, apesar de disputado por ocupações e obrigações diversas. Procuramos torná-lhe familiar a nossa casa, da qual ele levou tão boa impressão que juntamente com a Senhora[8] nos fez prometer que lhes faríamos uma visita em Turim no outono vindouro. O Graça lhe terá mostrado o brinde que eu fiz ao Ferrero em nome dos Amigos daí e no meu próprio. Ficamos afetuosamente relacionados, e escrevemo-nos já várias vezes. Ele disse-me que está lendo com grande interesse as suas obras. A Senhora vai publicar daqui a dias na *Nuova Antologia* as suas impressões do Brasil. Ambos se preparam para uma viagem aos Estados Unidos; Ferrero vai convidado pessoalmente pelo Presidente Roosevelt. Nos meus *Estudos Italianos*, que tomarão dois volumes e não pequenos (não sei se o título será esse), hei de publicar desenvolvido e em parte refundido o artigo que sobre ele dei ao *Jornal* por ocasião da sua breve passagem pelo Rio a caminho de Buenos Aires.

Na sua carta queixava-se do isolamento a que o reduzira o verão: agora terá já recobrado os companheiros habituais das conversas do Garnier. O Mário já desceu da Tijuca? Há muitos meses que não recebo uma linha do nosso preguiçoso amigo; não posso crer que nas alturas da Boa Vista excessivos trabalhos o tenham extenuado; penso antes que a sombra daqueles arvoredos, e sobretudo o canto das cigarras estivas, deviam ter, como acontece em outras partes quando é verão, influências invencivelmente soporíferas, ou então convidariam, obrigariam a um estado contemplativo, extático; da contemplação e do êxtase se passa aliás bem facilmente ao sono. Mas agora, suponho, a Biblioteca da Câmara já o reconquistou; não, não; a Câmara ainda está fechada... Pelo que imagino ainda na mesma Tijuca o mesmo Mário indolente e indeciso[9]...

E o *Cajuí*[10]? deixe-me pedir-lhe notícias desse outro companheiro das nossas palestras. Sabe que muitas vezes me lembro dele e do nosso cantinho de *club* na salinha escura do *Santos Dumont*[11], quando o acaso me coloca em alguma *osteria* romana com um ou dois amigos diante de *un mezzo litro*, ou como se diz em romano, de uma *fojetta*, de *cesanese* [del Piglio], de Marino, ou de *aleático* de Grottaferrata? E afinal esqueceu-me trazer uma garrafa de *Cajuí* para saboreá-lo e distribuí-lo (sou incapaz de beber uma garrafa inteira) nas Termas de Caracala! Oh! tenho muitas vezes, acredite, fundas saudades do Rio! e não só das pessoas caras que aí deixei, mas da própria cidade e da sua magnífica moldura tríplice de céu, mar e montes! A brisa da Guanabara, livremente adejando pelas largas e longas avenidas, deu-me ao rosto e aos cabelos uma carícia tropical que nunca esqueci; e as novas elegâncias da nossa terra e da nossa gente me ficaram gravadas na retina... Mas sobretudo eu senti e trouxe da minha recente estada[12] aí uma revelação intensa, inebriante e dileta da natureza brasileira, que eu nunca provara no mesmo grau nem quando, menino ou já moço, aí morei tantos anos. E ela agora está definitivamente incorporada ao fundo intelectual e sentimental da minha própria personalidade. E Petrópolis? a silenciosa, pensativa e encantada Petrópolis do inverno, sua melhor estação? Que lembrança estremecida e magoada tenho dessa incomparável solidão, ninho de poesia e de amor! Estou meditando um hino, não, uma suave e íntima elegia em honra dela... Aí no Rio, entretanto, deve ferver agora a atividade nos preparativos da próxima exposição[13]: pelos jornais tenho visto os grandiosos projetos que se vão executando. É certo que ao vasto certâmen internacional faltará a *great attraction*, a mais significativa para a comemoração do centenário histórico que se vai celebrar: a presença de Dom Carlos. Pobre Dom Carlos! Eu desde que estive aí receei que a sua viagem ao Brasil não se pudesse realizar. Via como todos muito grave e perigosa a situação política de Portugal, e o Rei me fazia a impressão de um cavaleiro denodado, temerário, montado num animal dificílimo, talvez impossível de domar; temia que este o atirasse por terra, mas não pensava que lhe fizesse perder a vida; o trono apenas, provavelmente. Que pena a de um fim tão trágico para um homem que tanto amava a vida, os seus gozos e os seus transes, para um artista fino e voluptuoso, constrangido pela fatalidade da sua missão histórica a tornar-se um déspota revolucionário! sim, um déspota revolucionário por mais que as duas palavras pareçam excluir-se. Déspota nos meios que foi forçado a usar, revolucionário no intuito que tinha de renovar a organização, o mecanismo político do seu povo, contra a oligarquia dos partidos clássicos dominantes. Eu tive ocasião de conhecê-lo em

Lisboa, há cinco anos, e já então me pareceu, na breve conversa que tivemos, um homem naturalmente benévolo e risonho, mas preocupado com a situação e resolvido a lutar. Lembra-me que falando-se da plena liberdade, ou antes, da licença, que desfrutam nos países latinos os agitadores políticos, a propósito de uns distúrbios eleitorais sucedidos no Rio por aqueles dias, ele nos observou: "É isto que eu lhes estou sempre a dizer. Essas coisas são muito bonitas em teoria, mas na prática dão mau resultado." — Naquela minha estada em Lisboa pude também verificar a sua absoluta impopularidade. A gente que no Chiado e na Avenida o via passar todos os dias, de manhã e de tarde, a poucos passos de distância, na sua vitória ou no seu fáeton[14], olhava para ele com indiferença e frieza, como para um estrangeiro importuno. E, é triste reconhecê-lo, essa impopularidade não cessou com a sua trágica morte, que afinal foi sentida com muitas restrições e por poucos. Mereceu ele essa aversão do povo e essa hostilidade à sua própria memória? — Eu transladando-me à sua posição, isto é, à posição de um Rei que sobe moço ao trono, encontra uma nação politicamente apodrecida, explorada entre a apatia cética da quase totalidade dos cidadãos por poucos centos de politicantes inteiramente alheios aos interesses do país, e durante quase vinte anos ouve e lê continuamente as mais duras invectivas nacionais e estrangeiras contra a decadência da sua pátria — não posso senão louvar e aplaudir o sonho audaz e belo que ele nutriu de regenerar Portugal. Um Rei, mesmo simplesmente constitucional, se não é um mero fantoche sem alma, não pode suportar sem reagir, sem rebelar-se, uma situação como a que Dom Carlos teve de sofrer por tão longo tempo; os ministros entram e saem, podem na oposição atirar sobre os adversários a responsabilidade da má governação; o Rei fica sempre no seu posto, e indiretamente o atingem os reproches e as injúrias que os partidos alternativamente se atiram. Como condenar um monarca em tais condições, se tendo encontrado um homem de caráter, de pulso, como o Franco[15], se deixa arrebatar pela esperança de empreender e efetuar com ele o saneamento moral da nação? Não discuto agora a legitimidade e a bondade intrínseca dos meios empregados para isso; não pretendo decidir *se era possível* evitar, chegadas as coisas aonde haviam chegado, o sistema de repressão intransigente, que afinal produziu a catástrofe. Mas o intento do Rei era nobre e generoso; esta consideração deveria valer algo para os que tão asperamente o condenam. É certo que Dom Carlos se divertia demais, viajava e gastava demais; a questão dos adiantamentos à Coroa foi deplorável, e é ainda hoje o argumento mais forte dos seus inimigos *usque ad mortem et ultra*[16]. Se ele fosse um homem austero e irrepreensível, como Dom Pedro V[17], seu tio, um asceta, um santo, talvez os acontecimentos tivessem tomado outro rumo. Faltou-lhe autoridade moral para o exercício de uma ditadura que a própria nação reconhecesse oportuna e salutar. Mas faltou-lhe, sobretudo, o *sucesso*, o grande justificador dos golpes de estado... E isso, digo-o francamente, é o que mais me entristece: é a consideração da inutilidade completa do período ditatorial e da mesma catástrofe de 1.º de fevereiro... Ao menos saísse do sangue de Dom Carlos e do seu filho inocente a aurora de regeneração nacional que ele sonhara; mas não; após os excessos do *franquismo,* após todo o horror do atentado, *tudo continua e continuará como antes.* Pelo que vou vendo e posso julgar, Portugal parece-me um país que sobrevive a si mesmo, um país confirmado na sua fatal decadência; talvez chegue, e aliás não me admiraria que chegasse, a perder a independência política, sob o pretexto da federação ibérica; mas não creio que se torne mais a levantar da prostração em que jaz, e da insignificância em que caiu diante do mundo. A "bem nascida segurança" e "não menos certíssima esperança" do espírito, da língua e da glória futura de uma raça que foi grande, está no Brasil somente; os seus herdeiros somos nós, e devemos tomar resolutamente a administração desse capital, como filhos há muito emancipados cujo pai enfermo e demente já não tem força nem prestígio para representar a família nos atos públicos e nas manifestações de personalidade jurídica. E com isto, adeus por hoje. Hei de escrever-lhe agora com mais frequência, sem a ambição de mandar-lhe cartas tão extensas, que é também o que demora a correspondência. Dê-me notícias suas, sempre desejadas. Aceite afetuosos cumprimentos nossos e um abraço muito saudoso do seu

Azeredo

13 de abril. Acabo de receber uma carta do nosso Mário. Cá espero ansiosamente o *Memorial de Aires*[18]. Um bravo à sua atividade de pensador e artista, à perpétua juventude do seu espírito!

---

1 ∾ Carta tarjada. Possivelmente luto por seu sogro, Bernardo Caymari, falecido em 12 de fevereiro de 1907. (SE)

2 ∾ Czar Nicolau II (1868-1917). (SE)

3 ∾ No universo da correspondência expedida por Magalhães de Azeredo, esta carta é muito singular. É a única em que faz abertamente humor. As suas cartas, além de trazer notícias da Europa, tratavam de temas variados. Versavam sobre literatura francesa, portuguesa ou inglesa, arquitetura italiana, política europeia e brasileira, questões religiosas, conflitos e guerras, fofocas mundanas, hábitos da *belle époque*, escândalos amorosos, crimes passionais, viagens pitorescas e lugares da moda; enfim aquilo que era do seu interesse imediato e que julgava pudesse deliciar Machado. Na correspondência machadiana, há outros missivistas que viveram na Europa e teceram comentários interessantes; mas Azeredo, por sua natureza prolixa, era o que mais se dedicava a falar dela em aspectos variados. O mundo europeu chegava ao Cosme Velho através da sua pena. O que possivelmente fazia Machado rir nessas cartas era o traço picante de alguns assuntos, às vezes até levemente maledicente. Azeredo tinha alguma verve. Na presente carta, o tom do humor é aberto. É possível que tenha sido uma atitude deliberada. Sabedor por intermédio de Mário do estado de ânimo de seu mestre, escreveu-lhe esta carta francamente divertida, fazendo pilhéria inclusive sobre si mesmo. Acertou no tom. Cinco meses depois, em 1.º de agosto, Machado reunindo forças lhe acusará o recebimento. Começará dizendo que, por causa da saúde, não mais tem condições de responder a cartas grandes, e depois comentará:

"A sua grande carta é deliciosa de tudo o que me diz dos bárbaros e dos cacetes, e excelente e verdadeira nas reflexões que faz acerca do caso de D*om* Carlos. Li-a duas vezes quando a recebi, e agora reli-a ainda uma vez." (SE)

4 ∾ Magalhães de Azeredo alterou ligeiramente a expressão, que de fato seria *Quod non fecerunt barbari, fecerunt Barberini* e que significa "O que não fizeram os bárbaros, fizeram os Barberini". A expressão faz um uso humorístico da paranomásia *barbari*

/ Barberini, numa referência ao nome civil do papa Urbano VIII, Maffeo Vicenzo Barberini (1623-1644). A frase teria sido escrita pelo protonotário mantuano Carlo Castelli, mas a tradição oral a teria feito passar à boca da estátua falante *Pasquino*, abismada diante dos desmandos do pontífice. O papa Urbano VIII mandou retirar o bronze que revestia as traves do pórtico do Panteão para fazer canhões e construir as quatro colunas e o dossel do altar-mor de São Pedro. A sua atitude teria provocado forte oposição, cujos ecos são encontrados em cronistas do tempo, como em Giacinto Gigli, que fala da consternação geral diante da destruição da "única antiguidade que ficara intacta depois das investidas dos bárbaros". Byron retomou a ideia em seu verso *Quod non fecerunt barbari Scotus fecit*, "o que os bárbaros não fizeram, fez um escocês", referindo-se ao diplomata lord Elgin, que retirou da Acrópole obras que hoje se encontram no British Museum, em Londres. (SE)

5 ⌘ Trata-se do são-joanense João Martins Carvalho Mourão (1872-1951), colega de Azeredo dos tempos da Faculdade de Direito do Largo de São Francisco, São Paulo. Em 1893, quando Azeredo, em nome da sua segurança, exilou-se em São João del-Rei, por ter criticado abertamente o governo Floriano Peixoto, Carvalho Mourão foi seu amigo certo e constante na cidade mineira. Ali, os dois conviveram longamente, fundando os alicerces de uma amizade que durou a vida inteira. Numa confissão a respeito dessa amizade, Azeredo afirma que Mourão foi quem o fez descobrir o poeta italiano Leopardi (1798-1837). Profissionalmente Carvalho Mourão dedicou-se sempre ao direito, inicialmente na sua terra natal, depois no Rio de Janeiro, onde teve primeiramente como mestre o eminente jurisconsulto Carlos de Carvalho e por companheiro de escritório Rodrigo Octavio*, cujos méritos tornaram-se internacionalmente reconhecidos. Em maio de 1931, Mourão foi nomeado ministro do Supremo. Assinale-se, por fim, que *Homens e Livros* (H. Garnier, 1902) foi dedicado a ele. (SE)

6 ⌘ Sobre o ramo do carvalho de Tasso, ver a Apresentação de Sergio Paulo Rouanet, no presente volume. (SE)

7 ⌘ Sobre Guglielmo Ferrero*, ver cartas [959], [968], [976], [981], [985], [986] e [990]. (SE)

8 ⌘ A médica Gina Ferrero (1872-1944) era filha do célebre antropólogo e criminólogo positivista Cesare Lombroso (1835-1909), que foi professor de Ferrero na Universidade de Turim. (SE)

9 ⌘ Este é o mesmo juízo de Capistrano de Abreu*, apesar da grande afeição que o ligava a Mário*. (SE)

10 ⌘ Bebida extraída do cajuí, nome popular de uma planta que dá fruto comestível e medicinal semelhante ao caju. Há algumas alusões em cartas anteriores a respeito do cajuí que Azeredo e Machado tomavam juntos no centro velho, nas poucas vezes em que Azeredo esteve no Rio de Janeiro. (SPR)

11 ∾ Não se conseguiram informações sobre o que seria essa *salinha escura do Santos Dumont*. (SE)

12 ∾ Em 1907, Azeredo estivera no Rio de Janeiro, logo após a morte de seu sogro, Bernardo Caymari, aliás, essa foi a última vez que Machado e Azeredo se viram. (SE)

13 ∾ Trata-se da Exposição Nacional Comemorativa do Centenário da Abertura dos Portos Brasileiros ao Livre Comércio. A região entre a Praia da Saudade (atual avenida Pasteur) e a Praia Vermelha transformou-se num parque de cerca de 182.000m^2, onde os pavilhões nacionais e internacionais foram construídos. Esta foi a primeira exposição brasileira a céu aberto. Seria inaugurada em 11 de agosto de 1908, com a presença de D. Carlos I, rei de Portugal, mas o seu assassinato, em 1.º de fevereiro de 1908, teria ofuscado parte do brilho que os organizadores julgaram que a sua presença traria. A exposição foi até o dia 15 de novembro de 1908. Sobre o assassinato de D. Carlos I e do príncipe herdeiro Luís Felipe, ver nota 3, carta [1029]. (SE)

14 ∾ Fáeton ou faetonte é uma carruagem leve, sem cobertura, de quatro rodas. (SE)

15 ∾ Trata-se de João Ferreira Franco Pinto Castelo Branco (1855-1929), do Partido Regenerador Liberal, uma dissidência do Partido Regenerador português. Entre 1901-1908, João Franco, como era conhecido, foi muito influente. No período final da monarquia constitucional portuguesa, depois que se tornou presidente do Conselho, o seu projeto político foi chamado de *franquismo*. (SE)

16 ∾ Até a morte, e além dela. (SPR)

17 ∾ Dom Pedro V (1837-1861) morreu jovem, aos 24 anos, de febre tifoide. (SE)

18 ∾ O *Memorial de Aires* será lançado em julho de 1908. Ver carta [1074], de 16/07/1908. (SE)

[1038]

De: MAGALHÃES DE AZEREDO
Fonte: Cartão-Postal Original, Arquivo ABL.

Roma, 31 de março de 1908.[1]

Meu querido Mestre e Amigo,

a[2] carta já está começada mas ainda não a pude concluir hoje[3]; é muito extensa e desejo mandar-lha completa. Talvez vá amanhã e ainda alcance em Lisboa este correio. Quantas dificuldades e quanto tempo para poder escrever uma carta! mas é uma *brochura*, e assim... Abraça-o saudosamente o seu muito dedicado.

Azeredo

Via Modane-Lisbona
(Brasile)
Ex*celentíssi*mo *Senho*r Machado de Assis
Ministério da Indústria e da Viação
Rio de Janeiro

---

1 ∞ Cartão-postal inédito com vista da Fontana Paulina, Roma. (SE)

2 ∞ Assim no original. (SE)

3 ∞ Provavelmente Azeredo está se referindo à carta de 28 de março, [1037]. Não há nenhuma outra entre 28 e 31 de março, a menos que esteja perdida. A carta [1037] tinha sido começada quase dois meses antes, interrompida e retomada em 28 de março e, em 31, ainda não estava concluída. Certamente só foi posta no correio em abril. Na correspondência, há diversos exemplos como este. A próxima carta será de 17 de junho, [1059]. (SE)

[1039]

De: JOSÉ VERÍSSIMO
Fonte: Manuscrito Original, Arquivo ABL.

[Rio de Janeiro,] 6 de abril de 1908.

Meu caro Mestre e Bom Amigo

Não me foi possível esperá-lo hoje no desagradável Garnier para lhe dizer de viva voz o muito que mais uma vez me penhorou, com a sua benéfica intervenção (não cirúrgica...) em favor do meu filho Carlos.

Não me conteste, que me não convence que não tenha sido ela que principalmente determinou o ministro a atender ao meu pedido.

Portanto, muito e muito obrigado. O mundo não é talvez tão ruim como nós pensamos, pois ainda há amigos como você.

Até amanhã

Seu

de todo o coração

José Veríssimo

[1040]

De: JOSÉ VERÍSSIMO
Fonte: Cartão de Visita Original, Arquivo ABL.

[Rio de Janeiro,] 10 de abril de 1908.

Ao bom amigo e ilustre confrade Machado de Assis

JOSÉ VERÍSSIMO

agradece a fineza dos seus cumprimentos[1].

---

1 ∾ Veríssimo completara 51 anos em 08/04/1908. (IM)

[1041]

De: PEDRO FREDERICO LEÃO DE SOUSA
Fonte: Manuscrito Original, Arquivo ABL.

Fortaleza de Santa Cruz, à barra do Rio de Janeiro, 11 de abril de 1908.

Ilustríssimo Senhor Joaquim Maria Machado de Assis

Achando em organização a Biblioteca da Fortaleza, peço o vosso valioso concurso [.] Ciente de que não vos furtareis a prestar mais este serviço em prol da instrução, agradeço penhorado.

Saudações
Pedro Frederico Leão de Sousa[1]
Cap*itão*-ajudante

R*ua* General Câmara[2], 13

---

[1] ∽ Pedro Frederico Leão de Sousa nasceu em 28 de junho de 1867 e faleceu em 28 de junho de 1953, aos 86 anos, na sua residência da rua Custódio Serrão, 24, Lagoa, Rio de Janeiro. Viúvo de Alaíde de Sá Brito de Sousa (f. 1952), o militar alcançou o posto de general de divisão. (SE)

[2] ∽ Popularmente conhecida como rua do Sabão. Ver nota 2, carta [1008]. (SE)

[1042]

De: MÁRIO DE ALENCAR
Fonte: Manuscrito Original, Arquivo ABL.

Tijuca, 17 de abril de 1908.

Meu querido Amigo.

Desci quarta-feira e queria ir vê-lo. Presumindo não o encontrar de manhã na Secretaria[1], fui primeiro à Câmara com a intenção de procurá-lo às duas horas. À tarde porém comecei a sentir aquele estado indefinível dos nervos, e inquieto, com o medo do medo, faltou-me o ânimo de chegar à Secretaria, onde eu receava ter o mesmo mal-estar[2] da outra vez. Saí em direção ao Garnier, e lá ficaria esperando-o até às 3,20. No Garnier estaria perto do Werneck[3], caso me viesse o mal. A indisposição que eu já tinha aumentou com a notícia que li de relance à porta da *Gazeta*. Antes de ler os nomes de Saboia e Dufour, li o título e a narração do crime e suicídio[4]. Não lhe posso dizer o abalo que tive; no momento pensei que se eu tivesse assistido ao fato não resistiria decerto, de tal modo me estremeceu o coração com a simples notícia[5].

Nem parei no Garnier. Fui quase a correr para a rua Gonçalves Dias, onde esperava encontrar meu sogro e minha sogra[6], que deviam vir para a Tijuca, ou o meu cunhado[7] que é meu companheiro de viagem. Dali vim para o ponto dos bondes e afinal sozinho, porque nenhum deles veio, fiz a viagem para cá numa ansiedade constante que só aqui abrandou. Veja a que estado físico e moral me reduziram os nervos; sob a ação mórbida deles fico egoísta e covarde. Deixei de ir vê-lo, e entretanto o coração me pedia que fosse, e eu tinha desde a tarde anterior o espírito ocupado da sua lembrança. Vira-o abatido e desalentado, e desejava poder levantar-lhe um pouco a alma. Ouvindo-o e sentindo-lhe a tristeza nas palavras, nos gestos e na fisionomia, eu não soube talvez dizer-lhe nada que prestasse, e trouxe a impressão penosa de não ter achado para a minha amizade que é grande a expressão e a maneira capaz de lhe dar um pequeno consolo e distraí-lo do seu desalento. Acredite que o trago no pensamento a cada instante, e sinto a sua tristeza como minha, e talvez por isso é que não a sei aliviar. Espero ir vê-lo Segunda-feira, e até lá receba um apertado abraço do seu do coração

Mário de Alencar

Desculpe escrever-lhe nesta meia folha. É tarde da noite e não tenho agora outro papel.

---

1 ∽ Aos 49 anos, o 1.º oficial da diretoria-geral de Viação e Obras Públicas, Francisco Maria Pedreira Ferreira, havia falecido na quinta-feira anterior, 9 de abril, dentro da repartição, na saída do expediente. Pela importância social do morto e singularidade do evento, a sua morte foi amplamente noticiada. A missa de sétimo dia, em 15 de abril, no altar de Nossa Senhora da Vitória, na igreja de São Francisco de Paula, no meio da manhã, foi muito concorrida. Machado não foi cedo à repartição, porque compareceu à missa. Além da convivência no trabalho, provavelmente desde meados de 1880, havia entre Machado e Francisco relações sociais importantes. Francisco era sobrinho de Luís Pedreira do Couto Ferraz*, o barão do Bom Retiro (1818-1886). A sua mãe Maria Romana Pedreira Ferreira (1824-1893), casada com Francisco Inácio Ferreira (f. 1891), era irmã do barão. O morto, por sua vez, casara-se com uma prima, Guilhermina Bulhões Pedreira, filha de outro irmão do barão, o desembargador do

Supremo Tribunal Federal João Pedreira do Couto Ferraz (1826-1913), pai também de Elisa Pedreira Abreu Magalhães (1857-1919), mais tarde conhecida como Irmã Zélia. Francisco e Guilhermina tiveram dois filhos: Joaquim e Afonso. Ver a correspondência com o barão no tomo II, carta [117]. (SE)

2 ∽ Possivelmente uma crise epilética. (SE)

3 ∽ Farmácia Werneck na rua dos Ourives 73. O farmacêutico Vicente Werneck Pereira da Silva associou-se a João Belarmino Leoni e Eugênio Palma no negócio de drogas e produtos farmacêuticos em 1881, quando então fundaram a Werneck, Leoni & C. Ver nota 8, [1033]. (SE)

4 ∽ Na manhã de 15 de abril, da mesma quarta-feira em que Machado foi à missa de Francisco Maria Pedreira Ferreira, acontecia um crime que abalou a cidade. Na recém-inaugurada e elegante avenida Central, esquina com a rua Teófilo Otoni, o engenheiro francês Emille Dufour (1843-1908) sacou o seu revólver Smith & Wesson e deu dois tiros em Gustavo Eugênio de Saboia e Silva (1854-1908), de importante família de políticos e fazendeiros do Ceará e sócio da firma Júlio Saboia & C. Enquanto Saboia agonizava na calçada, Dufour desferiu um tiro contra si e morreu instantaneamente. O motivo, parece, foram negócios e trapaças. Gustavo Eugênio era casado com Elisa, filha do desembargador Trajano de Medeiros, cuja esposa falecera. Dufour reunindo todas as economias comprou a fazenda Esperança, em Resende, que pertencera à falecida. No espólio, a fazenda teria sido então passada à firma Júlio Saboia & C. Para efetuar a transação, Dufour e Gustavo fizeram um acordo em letras hipotecárias, com vencimento determinado, sob pena da retomada do bem. O novo proprietário, contudo, parece, desconhecia que a fazenda tinha grandes dívidas e obrigações, e ficou sem condições de honrar os compromissos. Por diversas vezes, tentou negociar os prazos e os pagamentos da hipoteca, mas em todas elas Gustavo Eugênio foi irredutível e avisou que ia entrar com uma ação de penhora. Aos 65 anos, desesperado, pois não tinha para onde ir com a família, nem tinha mais dinheiro, Dufour perpetrou o assassinato e o suicídio. Assinale-se, por fim, que Mário era amigo de Gustavo Eugênio. (SE)

5 ∽ Os corpos permaneceram na avenida por longo tempo. Por ironia do destino, Dufour, o atirador, morreu primeiro. Apesar dos dois tiros à queima-roupa, Gustavo Eugênio ficou na calçada agonizando. (SE)

6 ∽ Sobre a sogra de Mário, ver nota 1, carta [983]. (SE)

7 ∽ Mário tinha três cunhados pelo lado de sua mulher Helena: Leo Júnior (1877--1949), Luís Vicente (1879-1927) e Alcino. (SE)

[1043]

> Para: RODRIGO OCTAVIO
> *Fonte:* Cartão de Visita Original. Arquivo Particular.

[Rio de Janeiro,] 18 de abril de 1908.

?[1]

Machado de Assis

18, Cosme Velho

---

1 ❧ O cartão tem apenas um ponto de interrogação, nitidamente feito por Machado acima do seu nome impresso. Neste dia, um sábado, houve sessão no Silogeu, da qual participaram apenas Machado, Rodrigo Octavio, Jaceguai* e Silva Ramos*. Segundo a ata, o Primeiro-Secretário Rodrigo leu o expediente e Jaceguai justificou a proposta de "algumas indicações"; o Presidente Machado diz que elas serão "oportunamente discutidas", assim prosseguindo: "/.../ quanto à que trata da reunião e publicação das obras inéditas ou não publicadas em volumes dos patronos das cadeiras da Academia, é já um dos fins desta declarados em seus estatutos", e acolhe o desejo de Jaceguai de coligir a obra de Francisco Otaviano*, "podendo mais tarde a Academia providenciar a sua publicação em volume." O enigmático ponto de interrogação machadiano pode ter a ver com essa demora da publicação da obra dos patronos, dever que, aliás, não consta dos pétreos estatutos de janeiro de 1897, mas é velha obrigação regimental. (IM)

[1044]

> Para: BARÃO DO RIO BRANCO
> *Fonte:* Telegrama Original. Arquivo Histórico do Itamaraty.

[Rio de Janeiro, 20 de abril de 1908.][1]

Barão do Rio Branco [,] Palácio Itamaraty

Ao varão eminente e bom amigo cumprimenta o velho

Machado de Assis

18 Cosme Velho
*Ao meu [ilustre] e bom amigo Machado de Assis afetuosamente agradece Rio Branco o amável telegrama a 20.*²

---

1 ∽ Data do carimbo da Estação Central. Era o 63.º aniversário de Rio Branco. Documento inédito. (IM)

2 ∽ Minuta de resposta com emendas e primeira linha danificada. À margem "C/V" (cartão de visita). Até agora, o cartão de Rio Branco não foi localizado. (IM)

[1045]

Para: MÁRIO DE ALENCAR
Fonte: COUTINHO, Eduardo; OLIVEIRA, Teresa Cristina Meireles de. *Empréstimo de Ouro.* Rio de Janeiro: Ouro Sobre Azul, 2009. Fac-símile do original.

[Rio de Janeiro,] 20 de abril de 1908.

Meu querido Amigo,

Não há que desculpar o papel em que me escreve; a carta era já demais. Agradeço-lhe os seus cuidados e explicações, e guardo-os entre as outras lembranças suas.

Hoje fui à Câmara (eram 11 e meia) e não o encontrei; escrevo-lhe esta aqui na Secretaria e irei levá-la ao Correio quando sair, contando que chegue à Tijuca amanhã cedo. Recebi a sua no Cosme Velho, ontem, domingo¹.

É preciso sacudir esses nervos despóticos, que fazem da gente o que querem. Bem sei que somente conselhos não valem para tais casos, mormente no que lhe sucedeu quarta-feira pelo acréscimo da tragédia da Avenida²; mas a prova de que o seu estado é já melhor está na impressão que me dá e tem dado a outros amigos (Capistrano³, por exemplo); achamo-lo mais senhor de si. Com esforço e tempo ficará totalmente restabelecido. Convém saber que o desastre da Avenida abalou a toda gente. Relendo as linhas anteriores devo explicar que o seu melhor estado e a impressão que dá aos amigos referem-se aos últimos tempos.

Eu cá vou andando com os meus tédios. Agora sinto-me um pouco melhor, a despeito de algo que me aconteceu hoje mesmo[4]. O que faço é não me mostrar a todos tal qual ando; muitos me acharão alegre, e ainda bem. Agora, com as suas palavras de amizade e simpatia verdadeira, recebo outra consolação e animação[5]. Esta frase da sua carta: "Sinto a sua tristeza como a minha, e talvez por isso é que a não sei aliviar", é só exata na primeira parte; na segunda, não.

Adeus, meu querido amigo. Vou ler e informar papéis da Secretaria. Cá o espero quarta-feira[6]. Peço-lhe que apresente os meus respeitos à sua Esposa e à sua Mãe, e vivos carinhos aos filhos. Recomende-me também ao velho Prometeu[7], a quem dirá que o espero inteiro e humano, ainda que em outra língua; todas são cabais para o suplício. Em duas palavras, busque o remédio na Arte[8]. Retribuo-lhe o abraço, e assino-me

Velho amigo do peito

Machado de Assis

---

1   Machado está se referindo à carta de 17 de abril, [1042]. (SE)

2   Em [1042], Mário se mostrava bastante abalado com a notícia do crime na avenida Central. Sobre o assassinato seguido de suicídio, ver nota 4, carta [1042]. (SE)

3   Capistrano de Abreu* costumava frequentar a Chácara Cochrane. Sobre a amizade de Capistrano e Mário, ver nota 5, carta [945] e nota 4, carta [947]. (SE)

4   É possível que tenha sido uma crise de ausência ou mesmo uma crise convulsiva. (SE)

5   Há aspectos a considerar nestas duas frases. Na primeira, está a confissão de que no trato social Machado dissimulava, mas com Mário, não. Na segunda, emerge um dos significados que a relação com Mário tem para Machado nestes momentos finais: as palavras de amizade e simpatia **verdadeiras**, das quais recebe o consolo necessário diante da adversidade, mesmo sendo apenas a expressão virtual de um desejo, o estimulam a ter ânimo de suportar e prosseguir. Como lhe disse Mário, por exemplo, na carta [916], de 02/12/1906: "Apesar da ansiedade que eu sentia e me absorvia quase

toda a atenção, fiquei com cuidado sobre a sua saúde **e o acompanhei mentalmente até à sua casa.**" (SE)

6 ∽ A quarta-feira seguinte será em 22 de abril. (SE)

7 ∽ A respeito da leitura que Machado andou fazendo do *Prometeu Acorrentado*, ver nota 7, carta [935]; e nota 2, carta [1026]. (SE)

8 ∽ Sobre a *Musa Consolatrix*, ver nota 2 carta [1034]. (SE)

[1046]

Para: JOSÉ VERÍSSIMO
Fonte: Revista da Academia Brasileira de Letras, XXXIV, n.º 106, 1930.

Cosme Velho, 21 de abril de 1908.

Meu caro *José* Veríssimo,

Não me parece que de tantas cartas que escrevi a amigos e a estranhos se possa apurar nada interessante, salvo as recordações pessoais que conservarem para alguns. Uma vez, porém, que é satisfazer o seu desejo, estou pronto a cumpri-lo, deixando-lhe a autorização de recolher e a liberdade de reduzir as letras que lhe pareçam merecer divulgação póstuma[1].

Nesse trabalho desconfie da sua piedade de amigo de tantos anos, que pode ser guiado, — e mal guiado, — daquela afeição que nos uniu sem arrependimento nem arrefecimento. O tempo decorrido e a leitura que fizer da correspondência lhe mostrar[ão] que é melhor deixá-la esquecida e calada. E para mim bastará a simpatia que o seu desejo exprime.

Receba ainda agora um abraço apertado do velho admirador e amigo[2].

Machado de Assis

---

1 ∽ Registra a ata de 03/10/1908, primeira e comovida sessão após a morte de Machado, que Euclides da Cunha* presidiu, como Primeiro-Secretário interino, na ausência de Medeiros e Albuquerque*, Secretário-Geral também interino:

"O Sr. Rodrigo Octavio pede a palavra para comunicar à Academia que o Sr. Machado de Assis em declaração verbal da antevéspera de sua morte legou à Academia os seus livros, papéis e recordações literárias. Tendo sido esta declaração feita em presença de testemunhas, achou conveniente reduzi-la a escrito, que fez assinar pelas mesmas, porém como é de regra, procede-se em juízo na ocasião oportuna. O Presidente nomeia para tratar desse objeto uma comissão composta pelos Srs. Rodrigo Octavio, Sousa Bandeira e Inglês de Sousa."

Essa proposta foi alterada na sessão de 31/10/1908, como consigna a respectiva ata:

"Pede a palavra o Sr. Rodrigo Octavio e dá conta do que tem ocorrido com o testamento do Sr. Machado de Assis. A Academia está habilitada em juízo para haver o legado da biblioteca, que lhe foi deixada por declaração verbal de última hora, pois já se acha registrada como sociedade civil, formalidade esta que não fora cumprida por motivos conhecidos por todos os presentes. É de parecer todavia que a Academia não deve pleitear o legado, mas aguardar que o testamenteiro ultime o processo de inventário para ele entrar em acordo sobre a posse do mesmo, sendo preferível a aquisição da biblioteca à reclamação judiciária, que além de dispendiosa e morosa tornará pública uma questão que convém não passe da intimidade dos interessados. / São deste parecer os Srs. José Veríssimo, Sousa Bandeira, Mário de Alencar, Alberto de Oliveira e Euclides da Cunha, e por indicação do Sr. Rodrigo Octavio depois de aprovado o seu alvitre, o Sr. Euclides da Cunha designa os Srs. José Veríssimo e Mário de Alencar para em nome da Academia tratarem com o testamenteiro o modo de se tratar da posse do legado."

José Veríssimo* e Mário de Alencar*, notórios amigos de Machado de Assis, assumiram a tarefa e, conforme se lê na ata da sessão de 30/11/1908, o legado chegou ao Silogeu:

"O Sr. José Veríssimo pediu a palavra para comunicar o desempenho da comissão que a ele e ao Sr. Mário de Alencar foi incumbida para entender-se com a família do Major Bonifácio da Costa, legatária de Machado de Assis. Diz que receberam, e já fizeram transportar para a Academia papéis manuscritos, originais, e de correspondências, retratos com dedicatórias, pequenos quadros oferecidos por amigos de Machado de Assis, a secretária e a cadeira que lhe serviram desde de 1874 e várias obras com dedicatória."

O restante da biblioteca ficou com a herdeira Laura, filha do testamenteiro Bonifácio Gomes da Costa*, vindo depois para a Academia. Parte das cartas incluídas nesta *Correspondência*, sobretudo as missivas em rascunho de Machado, seria incorporada ao Arquivo ABL em 1997. (IM)

2 ◦◦ Esta carta é a "pedra angular" da *Correspondência de Machado de Assis*, publicada pela Academia Brasileira de Letras a partir de 2008, bem como de todos os epistolários machadianos anteriores. Ver Apresentação ao tomo I, e as duas missivas de Veríssimo em [1048] e [1049], de 23 e 24/04/1908, que revelam a verdadeira dimensão do reconhecimento por ser escolhido como "testamenteiro literário" do mestre, cinco meses antes da sua morte. (IM)

[1047]

De: JOSÉ VERÍSSSIMO
Fonte: Manuscrito Original, Arquivo ABL.

Rio [de Janeiro], 22 abril [de 1908].

Meu Caro Machado.

Li com grande prazer o telegrama de hoje noticiando o artigo de Ferrero no *Figaro* sobre a nossa Academia e especialmente estimei a justa referência ao seu nome e obra[1].

Por isso o abraço com toda a simpatia.

Aí lhe mando a publicação oficial francesa com a discussão do crédito para o Zola[2].

A mim me pareceu que o Barrès [,] mais uma vez justificando-se a minha antipatia por esse arrivista literário[3], aliás de grande talento [,] e a sua caracterização literária, juntamente e comparativamente com a de Zola, feita por Jaurès[4], é admirável e exata: *une sorte d´étang mélancolique et trouble*[5] e o outro *un grand fleuve qui emporte avec lui tous les mélanges de la vie, toutes les audaces de la réalité*[6]. É admirável.

Todo seu

José Veríssimo.

---

1 ◦◦ O artigo de Guglielmo Ferrero*, "*Une Académie américaine*", – fruto da visita ao Brasil em 1907 articulada por Rio Branco* e assumida por Machado (ver as numerosas missivas dos três protagonistas trocadas nesse ano) –, foi publicado na primeira

página de *Le Figaro* em 21/04/1908. Josué Montello (1986) observa que o historiador italiano ressalta a figura de Machado, tanto na presidência da Academia como por sua alta envergadura literária. Observa ainda:

"O jogo diplomático do mestre, por esse lado também, dava o seu primeiro resultado. As boas impressões não se tinham desvanecido com o tempo. A Academia Brasileira, filha da Academia Francesa, no sentido de ter tomado a esta por modelo, conseguira afinal ser falada em Paris, ao contrário daquela Academia de Província, de que zombou a malícia de Voltaire, quando afirmou ser tão boa filha que dela até então não se dissera coisa alguma...".

Ferrero limitou-se aos comentários no periódico francês. Já sua esposa, Gina Lombroso Ferrero, publicou o livro *Nell'America Meridionale (Brasile-Uruguay-Argentina)*, também em 1908. Segundo Brito Broca (2004), "obra que, alinhavada às pressas, reportando impressões de curta permanência, não podia deixar de incidir em equívocos e juízos levianos." Explicita Broca:

"/.../ de Veríssimo diz ela ter ouvido a seguinte declaração: a democracia absoluta reinante no Brasil, onde não existe uma demarcação entre as classes, a ausência de etiqueta, seriam o fruto muito mais da falta de força individual do que de uma ideia social; essa falta de força é que impede o Brasil de formar uma sociedade escolhida, uma elite, pois ninguém possui os meios para rejeitar os que dela não fazem parte. Gina Lombroso limita-se a concordar com Veríssimo, acrescentando: a *mollezza* e a impontualidade do brasileiro não podem ser comparadas a de nenhum país por ela visitado."

E a filha do genial Lombroso por aí vai, com seus acréscimos pessoais, bastante desairosos, à declaração de Veríssimo. Aliás, seria esta inteiramente "verídica"? (IM)

2 ∾ Crédito de 35.000 francos, discutido na Câmara dos Deputados em 19/03/1908, para a transferência das cinzas do escritor Emile Zola (1840-1902) ao Panthéon. Após acirrada polêmica, as cinzas de Zola repousam no *caveau* XXIV daquele monumento parisiense. (IM)

3 ∾ No artigo "Os escritores franceses a outra luz", da segunda série de *Homens e Coisas Estrangeiras* (2003), Veríssimo sublinha a sua antipatia pelo escritor francês Maurice Barrès (1862-1923). (IM)

4 ∾ Jean Jaurès (1859-1914), político pacifista, odiado pelos nacionalistas e assassinado pelo estudante Raoul Villain em 31/07/1914. Jaurès foi convencido por "*J'accuse*", de Zola, da inocência de Dreyfus, e tornou-se um dos principais adeptos da revisão do processo que condenara o suposto traidor. (SPR)

5 ∾ "Uma espécie de tanque (ou pequeno lago) melancólico e turvo". (IM)

6 ∾ "Um grande rio que leva consigo todas as misturas da vida, todas as audácias da realidade." (IM)

[1048]

De: JOSÉ VERÍSSIMO
Fonte: Cartão de Visita Original, Arquivo ABL.

[Rio de Janeiro,] 23 de abril de 1908.

Meu caro Machado

Li e reli a sua ótima carta[1], que responderei depois, com mais vagar. Tudo excelente, mas o que não quero demorar é a expressão comovida do meu reconhecimento e da minha amizade por *você* me haver julgado digno de ser o seu testamenteiro literário.

José Veríssimo

---

1 ~ Ver em [1046]. (IM)

[1049]

De: JOSÉ VERÍSSIMO
Fonte: Manuscrito Original, Arquivo ABL.

Rio [de Janeiro], 24 de abril de 1908.

Meu Caro Machado

Por mais objetividade e desprendimento que eu quisesse pôr no assunto das nossas conversas que me valeram a sua carta de 21, autorizando-me a recolher a sua correspondência, e publicá-la após a sua morte, não pude esquivar-me, lendo-a, a uma sentida comoção.

A morte é uma coisa natural, necessária e até boa, mas em muitos milhares de anos ainda o homem se não acomodou com ela, e quando à sua detestável ideia juntamos a de um ente querido, não podemos livrar--nos de uma impressão de horror, e de revolta, qual eu a senti agora.

Eu não sei, nem *você* sabe, qual de nós dois morrerá primeiro. Querendo *você* admitir que seja *você* eu me não arrependo de lhe haver sugerido, num desses bons momentos de expansão da nossa amizade, a necessidade de providenciar sobre o seu espólio literário, dizendo-lhe com toda franqueza e sinceridade o muito que interessaria às nossas letras a publicação da sua correspondência, a julgar pela parte dela que a mim coubera receber[1]. Menos que a amizade moveu-me, creia, esse interesse. A mim, que conheço quanto literariamente, e ainda como documento psicológico e testemunho do seu tempo, valem as suas cartas, me pesava a ideia de que elas se viessem a perder para a nossa literatura e a nossa alma, às quais, de fato, pertencem.

Fico-lhe pois agradecidíssimo (como já lhe sou por tanta coisa) pela sua anuência àquela minha sugestão, e desvanecidíssimo por *você* me ter escolhido a mim para a realizar.

Esta prova da sua estima pessoal e literária me é de inefável doçura, e toca-me profundamente.

Tão profundamente, como é fundo e ardente o meu desejo de que, se a mim vier a caber a honrosa tarefa, não tenha tão cedo de cumprir esta gloriosa obrigação que me quer deixar.

Por bem dos seus amigos, por bem da ilustração da nossa terra, por bem das nossas letras, de que é o mestre mais insigne, junte, meu caro Mestre, às suas outras distinções, a de nos viver longos anos – e que sejam, como ainda são agora, sadios e bons.

É com este sentimento cordialíssimo que, penhoradíssimo, de todo o meu coração o abraço

José Veríssimo[2]

---

1 ◈ Voltamos a lamentar que nenhuma carta original de Machado a Veríssimo tenha sido localizada até a presente data. Trata-se de correspondência copiosa e admirável, impressa na *Revista da Academia Brasileira de Letras* a partir de maio de 1930 e reproduzida por Nery (1932) e demais publicações dedicadas à correspondência machadiana. Em nosso trabalho, ao longo de cinco tomos, orgulhamo-nos de ter transcrito as cartas de Veríssimo a partir dos próprios originais, que Machado guardou cuidadosamente e que por ironia do destino foram levados para a Academia, em novembro de 1908, pelo próprio Veríssimo, acompanhado por Mário de Alencar*. Ver em [1046]. (IM)

2 ∞ O compromisso de Veríssimo – reunir para publicação póstuma as cartas de Machado – ainda merece investigação. Um testemunho está na carta de Nabuco* a Graça Aranha*, datada de 12/11/1908, e reproduzida por Carolina Nabuco em *Cartas a Amigos* (1949).

> "Recebi uma boa carta do Veríssimo. Vou escrever-lhe. Infelizmente não lhe poderei mandar as cartas do Machado. Meus papéis, a maior parte deles em Londres, precisariam ser postos em ordem, de modo a eu achar entre eles o que desejo, um mês *pelo menos* de trabalho aturado, se estivessem todos aqui, e resolvi deixar esse trabalho ao meu testamenteiro literário, se não tiver o 'intervalo' com que sempre sonho, 'entre a vida e a morte' ".

Tais cartas foram divulgadas por Graça Aranha (1923), reapresentadas em segunda edição e, em 2003, na terceira edição da mesma obra, com prefácio do acadêmico José Murilo de Carvalho. Cabe assinalar que uma publicação preparada por Veríssimo, significativa homenagem póstuma a Machado de Assis, teria sido entregue à Imprensa Oficial e destruída pelo incêndio ocorrido em setembro de 1911. (IM)

[1050]

Para: MÁRIO DE ALENCAR
Fonte: COUTINHO, Eduardo; OLIVEIRA, Teresa Cristina Meireles de. *Empréstimo de Ouro*. Rio de Janeiro: Ouro Sobre Azul, 2009. Fac-símile do original.

[Rio de Janeiro,] 25 de abril de 1908.

Meu querido Mário,

Umas (*sic*) das melhores relíquias da minha vida literária é aquele galho de carvalho de Tasso que J*oaquim* Nabuco me mandou há três anos por intermédio do Graça Aranha, e este me entregou em sessão da nossa Academia Brasileira[1]. O galho, a carta ao Graça e o documento que os acompanhou conservo-os na mesma caixa, em minha sala.

Perguntei-lhe há tempos se queria dar destino a essa relíquia, quando eu falecesse[2]; agora renovo a pergunta. Talvez a Academia consinta em recolher o galho como lembrança de três de seus membros e da sua própria bondade em se reunir para completar o obséquio de Nabuco e de Graça Aranha. Peço-lhe que se incumba de o saber oportunamente. Caso não deva ser ali guardado, estou que haverá em sua casa algum recanto correspondente ao que sei possuir em seu coração, e onde ele possa recordar-lhe a saudade de um velho amigo desaparecido.

Receba deste um apertado abraço, e até breve.

Machado de Assis

---

1 ∾ Sobre o ramo do carvalho de Tasso, ver a Apresentação de Sergio Paulo Rouanet, neste tomo. (SE)

2 ∾ Esta carta retrata a consciência de Machado quanto ao fim que se aproxima. Mário vai demorar a respondê-la, o que não lhe era habitual. Na sua carta seguinte, [1052], de 3 de maio, oito dias depois, descreverá a angústia em que mergulhou ao imaginar que aquiescer ao pedido significaria aceitar a iminente perda de uma pessoa tão querida. Apesar disso, cederá. Além das providências quanto ao ramo do carvalho de Tasso, Machado de Assis dará destinação aos seus papéis e à sua correspondência, depositará o seu testamento definitivo no banco, cobrará da livraria Garnier a chegada do *Memorial de Aires* e iniciará os esforços para trazer a sobrinha Sara* de volta a São Cristóvão. É importante assinalar que, depois desta carta, enquanto vai resolvendo o futuro do seu espólio, a saúde de Machado passará por uma pesada crise. Por volta de 12 de julho, a notícia de que o livro estava prestes a ser lançado deu-lhe um último alento. No início de agosto a sua saúde voltará a declinar, agora irreversivelmente. (SE)

[1051]

Para: SARA BRAGA E COSTA
Fonte: Manuscrito Original. Arquivo Histórico, Museu da República.

Rio de Janeiro, 3 de maio de 1908.

Minha boa Sara,

Pode ser que esta carta se cruze com alguma sua que já venha em caminho, pois que prometeu escrever logo que chegasse a Corumbá[1], e espero.

Agradeço todas as recomendações que me mandaram pelo cartão que o Estêvão[2] me escreveu de Florianópolis, dando-me notícia da boa viagem que iam fazendo. Espero que o resto se tenha feito sem incômodos[3].

Eu vou andando como se pode na minha idade. Por mais que me digam que pareço forte, sinto-me enfraquecido. Daqui a mês e meio completo 69 anos, e não sou da têmpera dos que têm a velhice robusta; a minha própria mocidade não o foi.

Aqui nas Laranjeiras, todos vão bem. A Fanny é que tem estado doente dos rins; padece muito, embora com coragem. A gente Vasconcelos vai sem novidades; assim também a família Pinto da Costa[4].

Estive em sua casa de São Cristóvão, onde fui visitar o Oseias[5] e a senhora. Mais tarde soube por ele que o Tenente Estêvão perdera o pai. Escrevo ao Tenente sobre isto[6].

Na carta ao Tenente falo do casamento da Laura[7], que suponho será aqui. Em tal caso não é provável que se demorem muito em Corumbá. Virão ainda este ano ou no princípio do ano próximo? Escreva-me sobre este ponto alguma coisa. A Laura ainda cresce[8]? Mande-me notícias dela e dos irmãos[9], do Bonifácio e suas, logo que receber esta; lembre-se que a distância é grande, e creia-me

Velho tio amigo

Machado de Assis

---

1 ⁕ A sobrinha de Carolina*, Sara, casada com o major Bonifácio Gomes da Costa*, mudara-se para o Mato Grosso, onde o major serviria no 2.º Batalhão de Artilharia, sediado em Corumbá. (IM)

2 ⁕ Tenente Estêvão Leitão de Carvalho, futuro genro de Sara. (IM)

3 ⁕ A viagem em navio do Lloyd, via Montevidéu, Buenos Aires e Assunção, foi longuíssima, apresentando-se o major em 23/03/1908. (IM)

4 ⁕ Referência aos vizinhos e muito amigos de Machado de Assis, D. Fanny de Araújo*, o barão Smith de Vasconcelos e família, bem como as "senhoritas" Pinto da Costa, inúmeras vezes citadas por Lúcia Miguel Pereira (1988). (IM)

5 ◦ Oseias, cunhado do tenente Estêvão. (IM)

6 ◦ Carta ainda não localizada. (IM)

7 ◦ Laura, a sobrinha-neta e herdeira universal de Machado, tinha 13 anos e, aos 11, conhecera o tenente Estêvão. Este completou 26 anos, já em Corumbá. Casaram-se em 19/11/1909. (IM)

8 ◦ Meiga preocupação com a tenra idade da noivinha. (IM)

9 ◦ Henrique, Sílvio e Helena, a menor com 5 anos. (IM)

[1052]

De: MÁRIO DE ALENCAR
Fonte: Manuscrito Original, Arquivo ABL.

Rio [de Janeiro], 3 de maio de 1908.

Meu querido amigo S*enho*r Machado de Assis.

Reli a sua carta e ressenti a impressão que tive ouvindo-o[1]. Com outro temperamento de alma, eu não acharia nela senão motivo para orgulhar-me, como prova que é da sua bondosa afeição e confiança; e atribuindo o triste pensamento que a inspirou a uma passageira doença do seu espírito, eu não teria de que entristecer-me, e o *até breve* com que a conclui cessaria, se acaso viesse, a previsão do fim de uma vida querida. Mas o S*enho*r sabe como eu trago este coração enfermo de pressentimentos dolorosos, que me perturbam a alegria das afeições de que vivo e para que vivo. Lendo a sua carta não vi o que havia para mim e só me lembrei do que podia faltar-me; num momento afigurou-se-me tudo e houve em mim a impressão de um vazio irreparável. Passou com a reflexão que me fez imaginar outras previsões e esquecer a pior delas.

Guardo a sua carta como uma relíquia, que vale a outra e de que eu espero não terei que usar, mas só conservar. Se vier porém o que eu não desejo, farei o que a sua bondade me incumbe e a Academia receberá por meu intermédio o legado honroso daquele a quem ela deve todo o seu prestígio e terá na lembrança e guarda da oferta o estímulo para perseverar e a garantia de que não pode extinguir-se[2].

Ainda uma vez obrigado pela sua confiança e pela sua amizade.

Seu do coração

Mário de Alencar

---

1 ༄ Mário se refere tanto à conversa que tiveram pessoalmente quanto à carta [1050], de 25 de abril, documento que considera uma relíquia a ser guardada e, na qual, Machado lhe pediu que se tornasse o fiel guardião do ramo do carvalho de Tasso, até que fosse entregue à ABL. Ao lhe fazer tal pedido por escrito, Machado está tomando providências para além de sua morte. Para alguém como Mário, que perdeu o pai aos 5 anos, que sofre pesadamente de ansiedade e tem um temperamento com fortes traços depressivos, fazer o que tinha de ser feito – aceitar a incumbência de cuidar de um espólio sentimental – foi uma tarefa hercúlea, mas ao mesmo tempo uma grande prova de afeição. (SE)

2 ༄ É notável a percepção de Mário acerca do significado do ramo do carvalho: "o legado honroso daquele a quem ela [a Academia] deve todo o seu prestígio e terá na lembrança e guarda da oferta o estímulo para perseverar e a garantia de que não pode extinguir-se." (SE)

[1053]

Para: JOAQUIM NABUCO
Fonte: Fundação Joaquim Nabuco. Fac-símile do manuscrito original.

Rio de Janeiro, 8 de maio de 1908.

Meu querido Nabuco,

Ainda estou comovido do abraço que em sua carta me mandou, e saudoso das mesmas saudades, mas não sei se animado das mesmas animações; esta parte é naturalmente incompleta, graças à idade [e] à solidão. Em todo caso, as suas palavras fizeram-me bem[1].

Escrevo ao Mário de Alencar pedindo-lhe que venha à minha casa, quando eu morrer, e leve aquele galho de carvalho de Tasso que Você me mandou e o Graça me entregou em sessão da Academia. A caixa em que está com o documento que o autentica e a sua carta ao Graça peço ao Mário que os transmita à Academia, a fim de que esta os conserve, como lembrança de nós três: você, o Graça e eu².

A Academia concluiu as férias e vai recomeçar os seus trabalhos. Vamos organizar um vocabulário e começar a publicação da *Revista*. Nesta daremos os escritos originais que pudermos, alguns inéditos e o *Boletim*.

O *Jornal do Comércio* publicou telegrama de Paris, em que dá notícia de um artigo que o Ferrero escreveu no *Figaro*, falando da nossa Academia em termos grandemente simpáticos e benévolos. Naturalmente Você já lá o terá a esta hora; aqui o esperamos com ansiedade natural³.

Aqui fico esperando o seu drama sobre a conquista da Alsácia-Lorena, com a emenda que lhe fez; venha ainda que sem o seu nome. Não faltará modo de o conhecer, nem ocasião de o publicar um dia, em outra edição. Se Você está satisfeito com o novo desfecho é que ele cabe realmente melhor; em Você o crítico completa o artista⁴. A Academia porá a obra na biblioteca, cujo início e conservação confiou ao Mário. Você há de lembrar-se que é ideia antiga do Salvador de Mendonça deixá-la por herdeira da sua biblioteca particular, bastante rica, ao que parece⁵.

Eu, meu querido, vou andando como posso, já um pouco fraco, e com temor de perder os olhos se me der a longos trabalhos. Já não trabalho de noite. Ainda assim posso fazer-lhe uma confidência: escrevi o ano passado um livro que deve estar impresso agora em França. Duas ou três pessoas sabem disso aqui, e, por uma delas, o Magalhães de Azeredo (em Roma)⁶. Diz-me o editor (Garnier) que virá este mês, mas já em março me anunciava a mesma coisa e falhou. Creio que será o meu último livro; descansarei depois⁷.

O Graça está em Petrópolis; continua a trabalhar no Tribunal. Parece-me que virá passar algumas semanas ou dois meses no Rio, naturalmente pela Exposição⁵. A Exposição caminha; ainda não fui às obras, ouço que ficarão magníficas. Perdeu-se Dom Carlos, que vinha dar um realce grande às festas. Quem quer que venha agora não será a mesma coisa[9].

Todos os nossos amigos vão bem. De mim já sabe e adivinha. Se você cá vier cedo ainda nos abraçaremos uma vez, como tantas outras, há tantos anos. Vá agora mais esta.

Amigo do Coração
Machado de Assis

Post Scriptum. Muito obrigado pelo trecho de Mrs. Wright[10] a meu respeito; há nele profunda simpatia.

M. de A.

---

1 ∾ Ver em [1031]. (IM)

2 ∾ Ver cartas [839]e [844]. (IM)

3 ∾ Em 22/04/1908, José Veríssimo* comentara o artigo de Guglielmo Ferrero*; ver [1047]. Já em nota à presente carta, Graça Aranha* (1923) se refere ao mesmo artigo, "Une Académie américaine" (Uma Academia americana), publicado em Le Figaro (11/04/1908), reproduzindo o seguinte trecho:

> "À frente da instituição, foi feito presidente o Senhor Machado de Assis, um grande romancista admirado universalmente como decano da literatura brasileira. Eu não diria que todos os escritores obtivessem tal êxito. O valor de todas as obras é bem diferente. Existem algumas muito belas, que honrariam qualquer literatura da Europa, como os romances do Senhor Machado de Assis, dos quais o Brasil tem a honra de se orgulhar. O Senhor Nabuco é, ao mesmo tempo, diplomata, orador e escritor."

Na última frase, tão sumária, Aranha demonstra mais uma vez o empenho em realçar a figura do chefe e grande amigo Joaquim Nabuco. A íntegra do artigo – impresso original de 1907 – encontra-se no Arquivo ABL. É um texto bastante breve que inicialmente caracteriza a instituição (modelo francês, 40 membros, posse com elogio do antecessor etc.), mas tem um caráter muito mais expressivo do que o transcrito por Aranha. Por exemplo:

> "A Academia não se compõe exclusivamente por escritores profissionais (littérateurs de profession). Ela conta, entre seus membros, políticos e mesmo pessoas

que pertencem a grandes famílias, reconhecidos por sua cultura e por seu gosto pelas coisas intelectuais. / Os homens de letras mais importantes do Brasil a constituem."

Entra então o trecho de Aranha acima citado. Mas, curioso, é o que vem logo depois: "Entre os seus membros registra-se o Sr. Graça Aranha, autor de *Canaã*, o mais célebre entre os escritores da nova geração; /.../". Seguem-se nomes de acadêmicos destacados literariamente, como Veríssimo*, Bilac*, Azeredo* e outros; de acadêmicos importantes politicamente, como Rio Branco* e Rui Barbosa* ou, militarmente, o almirante Jaceguai*, e a advocacia, representada então por Sousa Bandeira*. Somente no final do parágrafo, obviamente nutrido por informações de Graça Aranha, que se tornara íntimo e cicerone de Ferrero na temporada brasileira, este menciona Joaquim Nabuco: "diplomata, orador e escritor, que é agora embaixador do Brasil em Washington /.../". Nessa altura, Aranha destaca a figura do seu grande amigo, cujas *Pensées Détachées et Souvenirs* estão escritos "em tão bom francês", que foi coroada pela Academia francesa. O artigo prossegue de maneira curiosa: Ferrero afirma que, para os europeus, a Academia descrita pode parecer "caricata"; mas desenvolve então longas considerações de caráter sociológico (muitas delas referentes aos Estados Unidos e à sua relação cultural com a Europa), para enfim fazer jus aos 50 contos despendidos pelos cofres públicos brasileiros, por iniciativa de Rio Branco, mediante repasses até chegarem às mãos do Presidente de Academia, responsável por todos os pagamentos. Ferrero apenas concluirá no artigo do *Figaro*, afirmando que o Brasil, na América meridional, "resolve o problema da cultura nacional." (IM)

4 ∾ Referências a *L'Option*, antigo drama em versos de Nabuco, finalmente publicado em 1910, dois anos depois da morte de Machado. Ver nota 3 na carta [1031]. (IM)

5 ∾ A biblioteca de Salvador de Mendonça* se encontra na Fundação Biblioteca Nacional. (IM)

6 ∾ Sobre as pessoas que conheciam o segredo da iminente publicação do *Memorial de Aires*, ver cartas [1016], [1017], [1030], [1032], [1033], [1034] e [1035]. (IM)

7 ∾ Machado enviará o *Memorial* a Nabuco com a carta [1094], de 01/08/1908. (IM)

8 ∾ A Exposição Nacional Comemorativa do Primeiro Centenário da Abertura dos Portos do Brasil destinava-se a celebrar o "Decreto de Abertura dos Portos às Nações Amigas", firmado pelo príncipe Dom João ao se transferir com a corte para a colônia portuguesa. O centenário deste ato, que mudaria decisivamente a história brasileira, foi motivo para a promoção, pelo governo federal, de uma grandiosa exposição realizada no bairro carioca da Urca, de 11 de agosto a 15 de novembro de 1908. O propósito seria apresentar às diversas autoridades nacionais e estrangeiras que a visitariam um inventário da economia nacional; mas a isso se sobrepunha uma demonstração dos resultados da

reurbanização da capital, obra do prefeito Pereira Passos, e do saneamento promovido por Osvaldo Cruz. Houve ainda um pavilhão de Portugal. (IM)

9 ∞ Sobre o assassinato do rei D. Carlos, ver nota 4 em [1031]. (IM)

10 ∞ Marie Robinson Wright (1866-1914), jornalista e historiadora, filha de ricos fazendeiros norte-americanos. Viúva aos 22 anos, dedicou-se ao jornalismo, que a trouxe para a América do Sul e particularmente ao Brasil, tema de seus trabalhos. Foi a segunda mulher a tomar posse no Instituto Histórico e Geográfico de São Paulo (20/07/1901). Na página dessa instituição, na internet, é possível conhecer amplamente a trajetória de Mrs. Wright. Graça Aranha (1923) reproduz em nota o seguinte comentário da norte-americana (*in* "New Brazil", novembro de 1907):

> *The greatest novelist and indeed, the most distinguished figure in Brazilian literature today, is Machado de Assis, the President of the Brazilian Academy of Letters. / His novels are among the most popular in the Portuguese language, the portrayal of national life and characters which he presents with charming frankness and humour, revealing rare intuition and true artistic appreciation. His style is harmonious and in certain features of his art is something which reminds one of the North-American novelist William Dean Howells, though the two writers are of entirely different temperament.*

TRADUÇÃO (SPR): "O maior novelista e a figura mais distinta da literatura brasileira de hoje é Machado de Assis, Presidente da Academia Brasileira de Letras. / Seus romances estão entre os mais populares na língua portuguesa, a descrição da vida e de personalidades nacionais, que ele apresenta com extraordinária franqueza e humor, revelam rara intuição, e um verdadeiro julgamento artístico. Seu estilo é harmonioso e em certos aspectos de sua arte há algo que lembra o romancista norte-americano William Dean Howells, embora os dois escritores tenham um temperamento inteiramente diferente".

De maneira bem lacônica, Nabuco registrara nos *Diários* (2008), entre várias correspondências expedidas a 20/11/1906: "Telegrafei ao Rio Branco sobre Mrs. Robinson Wright." (IM)

[1054]

Para: SARA BRAGA E COSTA
Fonte: Manuscrito Original. Arquivo Histórico, Museu da República.

Rio de Janeiro, 17 de maio de 1908.

Minha boa Sara,

Antes desta resposta receberá lá uma carta que lhe escrevi há dias. Não sei se a carta lhe chegará deveras, porque o endereço que me mandou agora é diferente do que lhe pus. O Oseias, cunhado do Tenente Estêvão, disse-me que um cartão-postal de seu filho Henrique indicara: "rua Lamare III." Para lá mandei a minha carta; se não chegou, mande-a buscar ao correio; foi registrada[1].

Felicito-os a todos pela viagem boa que fizeram. Naturalmente teve altos e baixos (trata-se de mar), mas enfim chegaram bem. O ar alemão que achou em Florianópolis é o que me dão outras pessoas dessa e de outras partes do Sul. Invejo-lhes o frio de Montevidéu e as frutas do Rio Grande; invejo-lhes também o rio e o frio, os índios, os arcos e as flechas, e os próprios jacarés, ou os dois únicos que viram. O pior de tudo é Corumbá, como me descreve; realmente as casas, as coisas e o preço das coisas parecem cá de longe intoleráveis; imagino o que serão de perto.

E tudo isso por que tempo? O Bonifácio, e não sei se também o Oseias, me falou em alguns anos, mas eu creio que não passará de um. Conquanto o Bonifácio goste da cidade, como me diz, não creio que lhe dure muito tempo esse gosto. O árido e o feio cansam. Demais, é preciso contar com o casamento, que por ora pode ser adiado indefinidamente, mas à medida que o tempo for passando e a noiva crescendo, se fará apressado e acabará por trazer a todos, noiva e noivo, sogro e sogra, e todos os cunhados por esse rio abaixo até a nossa Avenida Central[2].

Eu vou andando menos mal ou menos bem, conforme o tempo que é desigual, e ainda agora escrevo debaixo de grande calor, apesar do fresco de alguns dias atrás.

Vim há pouco de um enterro do mais novo[3] da Francisca, viúva do Heitor[4]; tinha pouco mais de seis meses, estava gordo e forte, e muito engraçado; parece que sucumbiu a um catarro sufocante. Imagine a tristeza da mãe; depois de ver morrer o marido há três meses; o filho morreu sem que estivesse doente. Ela mesma me disse ontem: "Não sei de que morreu meu filho!"

Dei suas recomendações à família Pinto da Costa, que lhas retribuem. A Fanny[5] continua doente, mas não a vejo há dois dias, e parece estar melhor; talvez lá vá hoje à noite[6].

Agradeço as lembranças que me mandam, e mando-as para todos. Escreva-me logo que receber esta carta para dizer se a outra lhe foi entregue, e o que pretendem fazer relativamente à volta, se lá ficam um ano ou mais. Para alguma coisa que deva dizer-lhe daqui preciso saber se as minhas cartas chegam. Lembranças particularmente à Laura, e peça ao Tenente Estêvão que também eu desejo que a faça feliz[7]; finalmente às crianças todas e para o Bonifácio e para Você um apertado abraço do

Velho tio e am*i*go

Machado de Assis

Post Scriptum

O Visconde de Salgado, Cônsul de Portugal aqui, veio pedir-me certidão de óbito de seu pai para satisfazer um pedido de lá; basta indicar-me a data e o lugar em que ele faleceu e mais o nome todo dele: o Cônsul se incumbirá de a requerer à autoridade competente[8].

M. de A.

---

1 ◈ Possivelmente [1051], que esclarece vários tópicos desta carta, onde a leveza bem-humorada atenua a grande ansiedade do tio enfraquecido e solitário. Para ele, a presença de Sara — desterrada naquela distante Corumbá por conta de medidas punitivas ao marido, major Bonifácio Gomes da Costa*, que determinaram tal remoção — seria o melhor alívio para os males a seguir insinuados. (IM)

2 ◈ Entre as várias expectativas, Machado reitera a que diz respeito ao casamento da sobrinha-neta de Carolina* e sua afilhada, já escolhida como herdeira, Laura, jovem noiva do tenente Estêvão Leitão de Carvalho. Ver nota 7 em [1051]. (IM)

3 ∾ No manuscrito original a palavra "velhinho" foi rasurada. (IM)

4 ∾ Heitor de Basto Cordeiro* (ver nota 4 em [1028]). Francisca* era filha do barão Smith de Vasconcelos e escreveu depoimentos pessoais sobre Machado e Carolina, publicados em 1965 e 1967. (IM)

5 ∾ Fanny de Araújo*. (IM)

6 ∾ Dentre as muitas riquezas desta carta, vê-se a importância afetiva dos vizinhos e amigos, preenchendo a rotina do viúvo solitário, cuja vista prejudicada não permitia mais escrever ou ler à fraca luz de gás nas horas da noite. (IM)

7 ∾ Ver a já citada nota 7 em [1051]. (IM)

8 ∾ Na primeira página, abaixo da data, há uma anotação a lápis, feita por terceiros: "8 de junho de 1901 – 11.ª Pretoria nessa época funcionava no edifício da rua S. Cristóvão N.º 69. Artur Aureliano Ferreira Braga." (IM)

[1055]

De: MÁRIO DE ALENCAR
Fonte: Revista da Academia Brasileira de Letras, XXXVII, n.º 117, 1931.

Rio [de Janeiro], 3 de junho de 1908.

Meu querido Amigo.

Peço que me mande notícias suas[1]. Não vou agora vê-lo porque estou nervoso, sem ânimo de chegar até aí[2]. Ontem quando fui, já sentia um pouco de ansiedade, que aumentou com o que lhe ouvi sobre a sua moléstia. A contrariedade de o ver doente e abatido abalou-me muito. Reagi quanto pude, mas não consegui dominar os nervos, senão o tempo que o acompanhei até o consultório do *Doutor* Couto[3]. O resto da tarde passei agitado. Falou com o *Doutor* Couto? E como passou a noite? Não desanime. Tudo foi naturalmente causado por uma perturbação do estômago. Com o regime novo, não voltará. Tem em si mesmo experiência de que o mal abrandou com o tratamento: não há pois senão confiar nele.

Adeus. Seu do coração

Mário de Alencar

1 ∾ Machado está muito doente neste momento; aliás, dois dias depois – em 5 de junho –, no *Jornal do Comércio*, uma notícia sobre o seu estado de saúde deixará Lúcio de Mendonça* e Graça Aranha* preocupados, e ambos lhe escreverão. Ver cartas [1056] e [1057], as duas de 5 de junho. (SE)

2 ∾ É provável que a sua suscetibilidade tenha se exacerbado depois das cartas de 25 de abril e 3 de junho, em que os dois firmaram o acordo a respeito da guarda do ramo do carvalho de Tasso. Além disso, Machado não estava nada bem. Ao visitá-lo no dia anterior, Mário ficou ainda mais abalado com o relato dos padecimentos. Talvez tenha tido necessidade de se distanciar um pouco. Nestes momentos finais, algumas vezes, parece, Mário teve dificuldades em se aproximar fisicamente de Machado. (SE)

3 ∾ O consultório do Dr. Miguel Couto* ficava no centro do Rio, na rua dos Ourives. Ver carta nota 5. [1029]. (SE)

[1056]

De: GRAÇA ARANHA
Fonte: Manuscrito Original, Arquivo ABL.

Petrópolis, 5 de junho de 1908.

Meu querido Machado de Assis,

 Li hoje no *Jornal* a notícia de que Você está doente[1]. Foi para mim uma surpresa. Nenhum eco, antes deste, havia chegado a esta alta solidão. E por isso mesmo eu concluo que não se trata de coisa grave. Minha mulher e eu fazemos os mais ardentes votos pelo seu pronto restabelecimento. Pensamos descer para o Rio na próxima segunda-feira. Vou imediatamente vê-lo. Em todo o caso, se os seus médicos (este plural!) julgam que a sua vinda a Petrópolis será de qualquer forma útil à sua convalescença, diga com franqueza, porque então o esperamos aqui de braços abertos e adiaremos a nossa descida[2].

 O que é principal é a sua saúde e, só sabendo-a perfeita, poderemos celebrar o seu novo livro[3], grande consolo para nosso espírito, nesta época de barbaria estética.

Seu muito do coração

Graça Aranha

1 ∾ O *Jornal do Comércio* publicara nas "Várias":
"O Sr. Machado de Assis, que tem estado enfermo, foi visitado ontem pelo Sr. Lindolfo Xavier, em nome do Sr. Dr. Miguel Calmon, Ministro da Indústria e Viação, e pelo Dr. Augusto Meneses, Secretário do Sr. Ministro."
A doença de Machado se agravava e ele finalmente entrara de licença no serviço público em 01/06/1908. A nota, acima reproduzida, provocou repercussão. (IM)

2 ∾ Sobre este convite, observe-se que em 03/09/1908 Joaquim Nabuco* (1949) escreveria a Graça Aranha a respeito de Machado: "Sinto vê-lo tão deprimido pelo isolamento, como ele me conta. Aconselhei-lhe que fosse morar perto do sr. para rejuvenescer." (IM)

3 ∾ *Memorial de Aires.* (IM)

[1057]

De: LÚCIO DE MENDONÇA
Fonte: Cartão de Visita Original, Arquivo ABL.

[Rio de Janeiro,] 5 de junho de 1908.[1]

Ao ilustre Mestre e amigo Machado de Assis,

LÚCIO DE MENDONÇA visita

desejando-lhe o rápido e completo restabelecimento[2].

1 ∾ Lúcio de Mendonça já estava muito enfermo e com a vista declinando; o cartão foi escrito por outrem. (IM)

2 ∾ Ver nota 1 em [1056]. (IM)

[1058]

> De: JOAQUIM NABUCO
> *Fonte:* Manuscrito Original, Arquivo ABL.

Washington, 8 de junho de 1908.

Meu querido Machado,

Acabo de receber sua boa carta, cheia do seu coração, trazendo-me a notícia de um próximo livro, que Você supõe que será o seu último, mas que eu receberei como o antepenúltimo.

A homenagem que o Ferrero lhe prestou é digna dele e da Itália[1]. Você, graças à nova geração dos Veríssimos e Graças, que explicaram a admiração inconsciente que Você inspirou à geração anterior, ou à nossa, goza hoje de uma reputação que forçará a posteridade a lê-lo e estudá-lo para compreender a fascinação exercida por Você sobre o seu tempo. É belo tal crepúsculo para um homem de letras, porque os homens de letras têm mais a preocupação da duração da sua obra do que mesmo do seu nome. Mas a noite ainda está muito longe. Pelo que vi no Rio em 1906 eu não apostaria em mim contra Você no páreo de qual de nós dois verá ainda mais coisas neste mundo. Você tirou o prêmio grande da vida. Ela não pode dar mais. Não tenha um momento de ingratidão, isto é, de tristeza.

Mando-lhe duas coleções dos discursos que andei ultimamente proferindo, uma para a nossa Academia. Você verá com prazer que me tornei um propagandista aqui dos *Lusíadas*[2]. Faço isto também em honra da nossa língua, que é tomada como um dialeto do Espanhol, o que dá à América Espanhola, com as suas dezoito Nações, certo prestígio sobre nós. Encontrei na Universidade de Yale um *scholar* da literatura portuguesa, o Professor Lang, que publicou o Cancioneiro do Rei Dom Dinis, com muitas notas, e o Cancioneiro Galego Castelhano, também; um sábio[3]. Vou receber este ano o grau de Doutor em Letras por Yale, e a Universidade de Chicago convidou-me para pronunciar o discurso oficial no encerramento do ano letivo, ou no dia da colação dos graus, o que é uma grande honra[4]. V*ocê* vê que estou fazendo render aqui as poucas forças que me restam. Também comprometi-me a pronunciar para o ano o discurso oficial em um dos grandes dias da Universidade de Wisconsin, e já me anunciam o convite de outra Universidade. Estou muito contente pelo Brasil com todas essas honras, que são principalmente feitas ao país.

Mas que saudade! Que falta da nossa gente, que toda me esqueceu, exceto V*ocê*, tão absorvente é o Rio Branco. Parece-me impossível que eu não tenha a fortuna de voltar para aí proximamente. Creia-me *sequioso*. Não tenho outra expressão.

  Um abraço apertado do Velho Amigo

  Joaquim Nabuco.

Não é tempo de V*ocê* pensar no Rodrigues para a Academia?[5] Depois desse monumental Catálogo? Converse com o Rio Branco e Graça, Veríssimo e todos os seus.

  J.N.

---

1 ∾ Ver em [1053]. (IM)

2 ∾ Nabuco proferiu três conferências em inglês: "The place of Camões in literature", "Camões, the lyric Poet" e "*The Lusíadas* as the epic of love", que depois foram traduzidas para o português por Artur Bomilcar da Cunha (1911). (IM)

3 ∾ Henry Roseman Lang (1853-1934), linguista, hispanista e lusitanista de origem suíça, radicado nos Estados Unidos. Formado pela Universidade de Yale, foi professor de filologia românica. (IM)

4 ∾ Ver as cartas [1098], de 01/08/1908, e [1126], de 03/09/1908. (IM)

5 ∾ José Carlos Rodrigues*, conceituado diretor do *Jornal do Comércio*, colecionara uma estupenda brasiliana, publicando o *Catálogo* em 1908. Essa coleção foi comprada por Júlio Benedito Ottoni (ver carta [490], tomo III) e é uma das mais preciosas do acervo da Fundação Biblioteca Nacional. (IM)

[1059]

> De: MAGALHÃES DE AZEREDO
> *Fonte:* Cartão-Postal Original, Arquivo ABL.

Roma, 17 de junho de 1908.[1]

Querido Mestre e Amigo, estou outra vez sem notícias suas, há muito tempo[2]. Espero terá recebido uma longuíssima carta que lhe mandei[3]. Breve lhe hei de escrever outra. Saiu já o seu novo livro anunciado[4]? O nosso Mário lhe terá dado notícias minhas recentes. Escreva-me.

Abraça-o saudosamente

Azeredo

Via Modane-Lisbona
*Ex*celentíss*i*mo *Senh*or Machado de Assis
Ministério da Indústria e da Viação
Rio de Janeiro
(Brasile)

---

1 ∽ Cartão-postal inédito com vista da Fontana dell'Acqua Felice, em Roma. (SE)

2 ∽ Fazia nove meses que Machado não escrevia ao diplomata, a última vez havia sido em 7 de setembro de 1907, por ocasião do aniversário de Azeredo. Agora, mesmo com este cartão-postal, Machado manterá o silêncio. Em 22 de julho, Azeredo insistirá por notícias. Dez dias depois, Machado reúne ânimo e responde, será a carta derradeira, [1095], que seguirá datada de 1.º de agosto de 1908. Azeredo ainda expedirá duas outras, uma de 5 e outra de 25 de agosto, que, parece, ficaram sem resposta. (SE)

3 ∽ Trata-se da carta [1037], de 28 de março de 1908. (SE)

4 ∽ Sobre o lançamento do *Memorial de Aires*, ver nota 1, carta [1074], de 16/07/1908. (SE)

[1060]

De: BELMIRO BRAGA
Fonte: Manuscrito Original, Arquivo ABL.

Juiz de Fora, 21 de junho de 1908.

Ao eminente Machado de Assis [,] envia

Belmiro Braga[1]

um grande e sincero abraço de parabéns pelo dia de hoje, fazendo votos a Deus para que esta data se prolongue por largos e infinitos anos sempre felizes[2].

Ao eminente brasileiro
Machado de Assis
Secretaria da Viação
Rio de Janeiro

---

1 ∞ Nome do signatário manuscrito. (IM)

2 ∞ Esta é, obviamente, a derradeira mensagem de cumprimentos pelo aniversário de Machado que seu fiel e incondicional admirador envia. A primeira foi escrita em 21/06/1895, quando, aos 23 anos, "o mais obscuro filho dos penhascos de Minas" ousava dirigir ao mestre "desornadas linhas". Ver [323], tomo III. Está a última entre as sete cartas guardadas por Machado, que jamais esteve pessoalmente com o jovem poeta mineiro. Belmiro (1936) referiu-se a uma visita ao Rio de Janeiro, durante a qual, por extrema timidez, não ousou se apresentar ao 'eminente brasileiro'. (IM)

[1061]

De: BELISARIO PORRAS
Fonte: Manuscrito Original, Arquivo ABL.

Rio de Janeiro, le 22 juin 1908.

Eminent et cher Monsieur de Assis:

C'est avec le plus grand plaisir que je viens de recevoir les trois volumes *Essaú e Jacob*, *Mémorias de Braz Cubas* et *Don Casmurro* (*sic*), que vous m'avez envoyés si gracieusement avec votre autographe.

Charmé déjà de la lecture de *Varias Historias* vous venez enrichir ma bibliothèque et me proportionner de nouvelles joies. Ces volumes et votre gentillesse en me les envoyant seront des meilleurs souvenirs du Braisil (*sic*) que j'emporterai dans mon pays. Veuillez, mon cher et très distingué Monsieur de Assis agréer l'assurance de ma haute estime et de mon admiration bien sincère.

Bien à vous et tout dévoué

Belisario Porras

Ministro de Panamá[1]

Hotel des Etrangers
Monsieur Machado de Assis
P./

---

1 ◦ Transcrição do original, sem intervenções ou correções. Embora a missão no Rio de Janeiro não figure nas biografias de Belisário Porras consultadas, foi possível localizar, no *Diário Oficial* de 07/05/1908, a entrega de credenciais do ministro panamenho ao presidente da República. É possível supor aqui uma das clássicas determinações do chanceler Rio Branco* quanto à remessa dos livros por Machado, embora o remetente – literato, além de político que se tornaria três vezes presidente do Panamá – declare-se leitor de *Várias Histórias*. (IM)

TRADUÇÃO DA CARTA:
Eminente e caro Senhor de Assis. / É com o maior prazer que acabo de receber os três volumes *Esaú e Jacó*, *Memórias de Brás Cubas* e *Dom Casmurro*, que o senhor gentilmente me enviou com seu autógrafo. / Já encantado com a leitura de *Várias Histórias*, o senhor enriquece a minha biblioteca e me proporciona novas alegrias. Esses volumes e sua gentileza ao enviá-los serão a melhor lembrança do Brasil que levarei ao meu país. Queira, meu caro e distinto Senhor de Assis aceitar a certeza da minha alta estima e da minha admiração muito sincera. / Seu e sempre devotado / Belisário Porras / Ministro do Panamá. (IM)

[1062]

Para: JOAQUIM NABUCO
Fonte: Fundação Joaquim Nabuco. Fac-símile do manuscrito original

Rio de Janeiro, 28 de junho de 1908.

Meu querido Nabuco,

Deixe-me cumprimentá-lo pelas suas conferências que aí fez e pelo discurso proferido na cerimônia da União das Américas; saíram todos no *Jornal do Comércio*. Você não deixa esquecer este país onde quer que esteja, como não esquece os amigos velhos, e agradeço por mim que recebi o exemplar do *Washington Post* com o discurso. A conferência acerca do papel de Camões na literatura veio mostrar ainda uma vez o estudo que tem feito desde a primeira mocidade relativamente ao poeta e ao poema[1]. Traz com apreciações novas e finas, o mesmo largo alcance de crítica e o claro e eloquente estilo do costume. O m*es*mo digo da conferência sobre a nacionalidade do Brasil. Realmente os homens que Você aponta da América Latina têm jus à comunhão do espírito da grande nação em que o nosso governo tão acertadamente o colocou para representar a nossa. Enfim, dou-lhe os meus parabéns pelo seu doutoramento na Universidade de Yale.

A Academia Brasileira vai caminhando; fazemos sessões aos sábados, e agora tratamos de organizar uma publicação periódica em que resuma e guarde os nossos trabalhos[2].

Daqui a pouco a casa Garnier publicará um livro meu, e é o último. A idade não me dá tempo nem força de começar outro; lá lhe mandarei um exemplar[3]. Completei no dia 21 sessenta e nove anos; entro na ordem dos septuagenários. Admira-me como pude viver até hoje, mormente depois do grande golpe que recebi e no meio da solidão em que fiquei, por mais que amigos busquem temperá-la de carinhos.

Há dias o Vítor[4] falou-me de um retrato seu, recente. Eu cá tenho o que Você me mandou de Londres, há três anos, que é soberbo; pende da parede por cima da caixa que encerra o ramo de carvalho de Tasso. Já dispus as coisas em maneira que a caixa e o ramo, com as duas cartas que os acompanham, passem a ser depositados na Academia, quando eu morrer; confiei isto ao Mário de Alencar[5].

Adeus, meu querido Nabuco, receba as minhas saudades com as minhas admirações e apresente os meus respeitos a toda a sua família. Não esqueça este

Velho ad*mirad*or e ami*g*o

Machado de Assis

---

1 ◦ Ver carta [119], tomo II. (IM)

2 ◦ A *Revista da Academia Brasileira de Letras* começaria a ser publicada em 1910. (IM)

3 ◦ Promessa cumprida: com a carta [1094], de 01/08/1908, Machado enviaria ao amigo o *Memorial de Aires*. (IM)

4 ◦ Vítor, irmão de Joaquim Nabuco. (IM)

5 ◦ Ver carta [1053]. O ramo encontra-se atualmente exposto na Biblioteca Acadêmica Lúcio de Mendonça. (IM)

[1063]

De: NUNO [LOPO SMITH DE VASCONCELOS]
Fonte: Manuscrito Original, Arquivo ABL.

Nova Friburgo, 28 de junho de 1908.

Senhor Machado

Que esta[1] lhe vá encontrar em boa saúde são os meus sinceros votos. Felizmente vou indo bem, e o meu braço já está bom para nova guerra.

Por não lhe ter escrito desde que cá cheguei, espero que não ficará zangado; apesar do *Senhor* ter-se interessado quando quebrei o braço.

Lembranças muitas a si; e a todos lá de casa.

Do seu amiguinho

Nuno[2]

---

1 ∾ Documento inédito. (SE)

2 ∾ Este remetente aparecia identificado como Nuno Álvares Pereira e Sousa*, amigo da juventude de Machado, entretanto Nuno Álvares havia falecido em 1.º de março de 1902, de síncope cardíaca. O presente missivista é Nuno Lopo Smith de Vasconcelos, nascido em 1893, portanto na época desta carta um adolescente de 15 anos. Nuno é o filho mais novo de Rodolfo Smith de Vasconcelos e Eugênia Virgínia Ferreira Felício, esta última filha dos condes de São Mamede. É irmão de Francisca*, viúva de Heitor Cordeiro*. Em 1907, por requerimento de seu pai, o barão Smith de Vasconcelos, ao delegado fiscal do governo junto ao Ginásio Anchieta, Nuno foi transferido do Ginásio São Bento e admitido no 1.º ano do colégio jesuíta de Nova Friburgo. Além de Nuno, os barões Smith de Vasconcelos tiveram ainda os seguintes filhos: Francisca Carolina, Guiomar Eugênia, Rodolfo Álvaro, José Rodrigo, Rodrigo Alfredo, Jaime Luís e Vasco Joaquim. A família de Nuno, vizinha no Cosme Velho, fazia parte da pequena roda de amigos íntimos do escritor. Era com Rodolfo que Machado jogava xadrez costumeiramente. Ver também Cordeiro (1965). (SE)

[1064]

De: OLAVO BILAC
Fonte: Manuscrito Original, Arquivo ABL.

Rio [de Janeiro], 2 de julho de 1908.

Meu caro Mestre e Amigo,

Tenho o prazer de apresentar-lhe o Senhor Enrico Corradini[1], notável escritor italiano, que traz para o presidente da Academia de Letras uma carta do presidente da Società Leonardo da Vinci[2], e deseja pôr-se em contato com a Companhia. Peço ao meu ilustre Mestre que o acolha com a simpatia que todo o Brasil deve mostrar a tão distinto hóspede.

Saudações fraternais e respeitosas
do irmão mais moço, discípulo e admirador,

Olavo Bilac

1 ∞ O professor, dramaturgo, jornalista e ensaísta Enrico Corradini (1865-1931) ficou no Brasil de agosto a novembro de 1908, período em que fez uma série de conferências no Rio de Janeiro e São Paulo sobre literatura, belas-artes e história, seguindo então aos países do Prata, com o mesmo fim. Ideologicamente vinculado ao nacionalismo italiano; nas conferências, Corradini tratou, sobretudo, da legenda garibaldina na poesia lírica italiana daquele momento (Carducci, D'Annunzio, Marradi, Pascarella). No Rio, elas se realizaram nos salões do Instituto Nacional de Música, do Pavilhão do Distrito Federal e na Beneficência Italiana, sempre com grande e seleta plateia. No Rio, Corradini ficou hospedado no Hotel Vista Alegre, em Santa Teresa. (SE)

2 ∞ A Società Leonardo Da Vinci, com sede em Florença, era presidida por Pio Rajna (1908-1912). (SE)

[1065]

De: MÁRIO DE ALENCAR
Fonte: Manuscrito Original, Arquivo ABL.

[Rio de Janeiro,] 4 de julho de 1908.

Meu querido Amigo.

Mande-me notícia de como passou desde ontem à tarde. Não fui vê-lo hoje de manhã, porque acordei muito tarde depois de uma noite inteira de vigília ao lado de Ivo[1], meu filho, que está doente, com febre. Hoje à tarde fui ao enterro do Con*selheiro* Araripe[2]. Quisera ir fazer-lhe uma visita, e só não vou por causa dos meus nervos, trabalhados pelos aspectos recentes e a inquietação da noite.

A resposta, se lhe custa escrever à luz do gás, basta que venha por boca[3]. Adeus. Até amanhã. Recomendações de todos e um abraço do seu

Mário de Alencar

---

1 ∞ Sobre os filhos de Mário e Helena de Alencar, ver nota 3, carta [921]. (SE)

2 ∞ Tristão de Alencar Araripe (1821-1908), ministro aposentado do Supremo Tribunal Federal, faleceu no dia 3 de julho, na sua casa da rua General Polidoro, 50, em

Botafogo. O seu sepultamento se deu no dia 4 de julho, às 16 horas, no cemitério de São Francisco Xavier. Tristão de Alencar Araripe era filho de Tristão Gonçalves, neto de Bárbara de Alencar, a heroína da Revolução Pernambucana, portanto primo de José de Alencar*, pai de Mário. (SE)

3 ∞ Este bilhete seguiu por meio de um portador, incumbido por Mário de lhe trazer a resposta. Machado ultimamente tivera uma forte recaída. Apesar de ter sido dispensado de escrever, Machado vai lhe mandar um cartão de visita agradecendo. Ver a seguir [1066], de mesma data. (SE)

[1066]

Para: MÁRIO DE ALENCAR
Fonte: Cartão de Visita Original. *Ilustração Brasileira*, ano 17, 50. Arquivo Nacional. Fac-símile do original.

[Rio de Janeiro,] 4 de julho de 1908.

MACHADO DE ASSIS

Meu querido amigo, muito e muito[1] obrigado. Não posso escrever mais, pelos olhos e pelo abatimento em que estou. Veja a letra.

18 Cosme Velho

---

1 ∞ Num escritor como Machado, cuja economia de meios estilísticos era marcante, o intensificador *muito* intencionalmente reduplicado demonstra a importância que atribuía ao carinho consolador de Mário. Por outro lado, sofrendo ocasionalmente de epilepsia e sistematicamente de grave ansiedade, Mário teve os seus males agravados em razão dos recentes eventos. Ver carta anterior, [1065]. (SE)

[1067]

De: GABINETE DO MINISTRO DA
INDÚSTRIA
Fonte: Manuscrito Original, Arquivo ABL.

GABINETE DO MINISTRO DA INDÚSTRIA

Rio [de Janeiro], 4 de julho de 1908.

Excelentíssimo amigo Senhor Machado de Assis

O Doutor Augusto Meneses[1], Secretário do *Senhor* Ministro[2], mandou-me comunicar-lhe que *Sua Excelência* deseja se efetue uma reunião dos *Senhores* Diretores-Gerais, a fim de acordarem sobre os nomes dos funcionários da Secretaria que devem ser propostos para promoção, um a 1.º oficial e outro a 2.º.

Os *Doutores* Parreiras Horta e Soares Filho[3] já estão de acordo que a reunião se realize na 2.ª feira[4], à 1.ʰᵒʳᵃ da tarde; mas a hora definitiva e o local estão ainda dependentes do *Senhor*.

Sem mais, e fazendo-lhe minhas amistosas saudações, subscrevo-me com estima e consideração

Atento criado e amigo muito obrigado

O'Dwyer[5]

---

1 ∾ Trata-se do engenheiro Augusto de Bittencourt de Meneses (f. 1930). Em 1908, Machado de Assis era o chefe da Diretoria-Geral de Contabilidade. Após o seu falecimento, Artur Azevedo* foi nomeado para substituí-lo, mas faleceu 13 dias depois de assumir. Augusto de Meneses, então foi indicado ao cargo. Anos mais tarde (1926), já como Diretor-Geral do Ministério da Viação, o engenheiro Meneses representou o Brasil na Conferência Mundial de Energia, em Berna, na Suíça. (SE)

2 ∾ Sobre o ministro Miguel du Pin e Almeida, ver carta nota 11, carta [927]. (SE)

3 ∾ O primeiro é o engenheiro José Freire Parreiras Horta (1847-1910), diretor da Diretoria-Geral de Viação e Obras Públicas. O segundo é o Dr. José Francisco Soares Filho, diretor da Diretoria-Geral da Indústria, no cargo desde 1902. O alagoano Soares Filho (1863-1952) era formado em direito por São Paulo (1886). No ano

seguinte, já no Rio de Janeiro, ingressou no funcionalismo público, como oficial de gabinete do ministro da Agricultura Lourenço Cavalcanti de Albuquerque (1842-1918), do último gabinete do Império, o de Afonso Celso Assis de Figueiredo (1836-1912), visconde de Ouro Preto. Na República, quando Campos Sales assumiu a presidência (1898-1902), Soares Filho foi seu oficial de gabinete. Em dezembro de 1902, foi indicado para chefiar a Diretoria-Geral da Secretaria da Indústria, do Ministério da Indústria, Viação e Obras Públicas. Aposentou-se em 1913. Sobre Parreiras Horta, ver nota 5, carta [941]. (SE)

4 ∞ A reunião seria no dia 6 de julho; no entanto, segundo Magalhães Jr. (2008), Machado teria se licenciado da Secretaria do Ministério em 1.º de junho de 1908 e, em razão do agravamento do seu estado, não teria voltado mais. A sua suposição baseia-se num trecho da carta [1094], de 1.º de agosto a Joaquim Nabuco*, em que Machado diz: "Há dois meses estou repousando dos trabalhos da Secretaria, com licença do Ministro, e não sei quando voltarei a eles." (SE)

5 ∞ Assinatura de difícil decifração. Muito provavelmente trata-se de João O'Dwyer, um dos quatro auxiliares de gabinete do ministro Miguel Calmon du Pin e Almeida, no ano de 1908. Os outros três eram Antônio José Alves Júnior, Alfredo Carlos Soares da Câmara e Lindolfo Otávio Xavier. João O'Dwyer era engenheiro de formação, tendo entrado por concurso na Repartição dos Correios e Telégrafos, mas foi requisitado pelo ministro Severino Vieira (1898-1900) para o seu gabinete. Fez carreira burocrática, servindo a diversos ministros. Em 1930, quando faleceu, era chefe de seção do Ministério da Viação. (SE)

[1068]

De: MÁRIO DE ALENCAR
Fonte: Manuscrito Original, Arquivo ABL.

Rio [de Janeiro], 5 de julho de 1908.

Meu querido Amigo.

Tencionava ir visitá-lo hoje. Mas ou a noite mal dormida, ou o mau estômago, ou simplesmente os nervos por si mesmos doentes, estou sem coragem de sair, apesar de todo o meu desejo de ir vê-lo[1]. Desculpe-me estas covardias, de que eu tenho vergonha, mas não posso vencer. Diga-me como passou. Mando-lhe um vidro de *Maravilha Curativa*[2] para juntar à água quente dos banhos. A água quente parece ser eficaz, segundo ouvi ontem a um sofredor do mal que usa dela com resultado. O resultado será mais pronto com a *Maravilha*. A quantidade deve ser uma colher de sopa para cada litro de água, ou três colheres para cada banho[3]. Não deixe de experimentá-la; ela não prejudica o outro tratamento. Adeus.

       Seu sincero amigo
       Mário de Alencar.

Recomendações de todos.

---

1 ∾ O mal-estar de Mário prossegue. Na próxima carta, [1070], de 8 de julho, tornará a se referir ao enorme mal-estar que viveu no dia da presente carta. Aliás, parece que desde o episódio em que Machado lhe pediu para que fosse o guardião do ramo do carvalho de Tasso, que as crises de Mário recrudesceram. Sobre o pedido de Machado, ver as cartas [1050] e [1051]. (SE)

2 ∾ *Maravilha Curativa do Dr. Humphreys* (1816-1900) é preparada a partir das folhas e casca de *Virginica Hamamelis*, também conhecido como pistache. O seu criador, Frederick Humphrey (n. 1816), estabeleceu a empresa Doctor Humphreys Medicina Homeopática em Auburn, NY, por volta de 1844 e, em 1854, a firma tornou-se Humphreys Medicina Homeopática Co. A homeopatia é o sistema médico que pretende curar a doença, com doses de medicamentos que produzam sintomas semelhantes aos da doença, baseado na teoria de que os sintomas revelam o esforço da natureza em combater o mal. Originou-se em 1796, do pensamento do médico alemão Samuel Hahnemann. Humphreys' Medicine era um negócio de família com uma linha de remédios homeopáticos, que foi acrescida de uma outra linha de medicamentos homeopáticos veterinários. O negócio floresceu. Em 1940, a marca tornou-se Humphreys' Medicine Co. Em 1960, mudou para Humphreys' Pharmacal Inc. O negócio continua nos dias de hoje. (SE)

3 ∾ Mário e Machado trocavam informações sobre medicamentos. Há algumas cartas no volume IV, nas quais Mário "receitava" alguma medicação, quase sempre homeopática, e Machado, em geral, seguia a "prescrição". No presente volume, ver cartas [1088], de 29/07/1908, e [1089], de 30/07/1908. (SE)

[1069]

De: MAROQUINHA JACOBINA RABELO
Fonte: Manuscrito Original, Arquivo ABL.

Cosme Velho, 5 de julho de 1908.

Il*ustríssi*mo S*en*h*o*r Machado de Assis

meu ilustre Amigo

Se ontem censurei-me por ter ousado pedir o seu precioso retrato, reconhecendo a minha insignificância, hoje que o possuo, louvo-me e vanglorio-me *da audácia do meu feito*...

Não tenho expressões equivalentes ao meu júbilo e ao meu orgulho para agradecer a sua generosidade e irei pessoalmente, num cordial e afetuoso aperto de mão, testemunhar-lhe a simpatia e a admiração que lhe tributo, aliás desde criança, quando o meu Pai[1] ensinou-me a respeitar e venerar o seu nome.

Com afetuosos recados de meu marido[2], receba os agradecimentos de quem se orgulha em se assegurar sua amiguinha admiradora

Maroquinha Jacobina Rabelo

---

1 ∾ Antônio de Araújo Ferreira Jacobina. Ver nota 2 em [847]. (IM)

2 ∾ O engenheiro César Rabelo, amigo e também morador do Cosme Velho. (IM)

[1070]

De: MÁRIO DE ALENCAR
Fonte: Transcrições, Arquivo ABL.

Rio [de Janeiro], 8 de julho de 1908.

Meu querido Amigo.

Uma missa[1] e uma viagem à Chácara da Tijuca tomaram todo o meu dia e não me deixaram ir vê-lo. Se for possível peço que me diga, em uma palavra que seja, como passou desde ontem. Ontem, ao sair de casa, encontrei próximo dela o doutor Miguel Couto[2], o qual me disse que ia visitá-lo. Alegrou-me essa visita, e conto que lhe tenha feito bem ao espírito e ao mal físico.

O meu desejo era passar aí os dias fazendo-lhe companhia. Não o realizo somente porque não disponho de mim, governado como sou destes nervos doentes e agora piores depois da impressão da 5.ª feira passada[3]. Estes últimos dias tenho sofrido a angústia do medo, na rua e no bonde.

Adeus. Creia na minha amizade verdadeira.

Seu

Mário de Alencar

---

1 ∞ É possível que se trate da missa de sétimo dia de D. Domingos da Transfiguração Machado, abade geral da Congregação Beneditina Brasileira, e abade do Mosteiro de São Sebastião, falecido na Bahia em 1.º de julho. A missa de réquiem celebrada na igreja de Nossa Senhora do Montserrat, no Mosteiro de São Bento, no Rio de Janeiro, foi um acontecimento social muito relevante, reunindo grande parte da comunidade católica carioca. Mário, que, em carta de 6 de fevereiro de 1908, [1029], confessa ausência de fé religiosa, deve ter comparecido por questão de sociabilidade. (SE)

2 ∞ Sobre a assistência médica dada pelo Dr. Miguel Couto* a Machado de Assis, ver nota 5, [1029]. (SE)

3 ∞ Não foi possível esclarecer cabalmente o que o impressionara tanto na quinta-feira, 2 de julho. É possível que se trate do estado de saúde de Machado, que o tenha encontrado muito abatido ou mesmo assistido a alguma crise. Ver cartas [1065] e [1066], ambas de 4 de julho. (SE)

[1071]

> Para: MÁRIO DE ALENCAR
> *Fonte*: Cartão de Visita. *Ilustração Brasileira*, ano 17, 50.
> Arquivo Nacional. Fac-símile do original.

Rio de Janeiro, 8 de julho de 1908.

MACHADO DE ASSIS

Meu querido am*ig*o, sinto que não pudesse vir e o motivo[1]. Ainda estou caído[2]. O Miguel Couto não veio cá. Agradeço muito os seus cuidados e as visitas; até amanhã, se puder. Adeus.

18 Cosme Velho

---

1 ∾ Mário irá finalmente visitá-lo no dia 11 de julho, conforme diz na carta [1072], de 12 de julho: "Diga-me como se sente hoje e como passou ontem, depois que saí." Machado sentia-se deveras confortado pelo apoio que lhe dava. Além de Mário, Magalhães Jr. (2008) diz que Armando Araújo*, amigo do círculo do Cosme Velho, também foi incansável no apoio ao enfermo. (SE)

2 ∾ Possivelmente alguns dias antes Machado teve uma crise epiléptica forte, ou experimentou um recrudescimento da doença orogastrointestinal, ou então as duas situações aconteceram sucessiva ou mesmo simultaneamente. (SE)

[1072]

> De: MÁRIO DE ALENCAR
> *Fonte*: Manuscrito Original, Arquivo ABL.

Rio [de Janeiro], 12 de julho de 1908.

Meu querido Amigo.

Acordei hoje com um reumatismo que não me deixa andar. Contava melhorar no correr do dia e esperava poder ir vê-lo; mas agora, 2 ½ da tarde, estou pior; com dificuldade movo a perna direita. Sinto não dispor de mim para fazer-lhe companhia algumas horas hoje. Aí estarão porém outros amigos, Aranha, Bandeira, Veríssimo; a todos ouvi que iriam hoje visitá-lo[1].

Diga-me como se sente hoje e como passou ontem, depois que saí.

Babi e os meus todos fazem-lhe uma afetuosa visita.

Adeus. Um abraço do seu

Mário de Alencar

---

1 ∞ Sobre a visita dos acadêmicos, ver cartas [1073], de 12/07/1908, e [1076], de 18/07/1908. (SE)

[1073]

Para: MÁRIO DE ALENCAR
Fonte: COUTINHO, Eduardo; OLIVEIRA, Teresa Cristina Meireles de. *Empréstimo de Ouro.* Rio de Janeiro: Ouro Sobre Azul, 2009. Fac-símile do original.

[Rio de Janeiro,] 12 de julho de 1908.

Meu querido amigo,

Hoje acordei um pouco melhor[1], e vou aguentando o dia. O médico[2], estando aqui agora, reduziu isto a termos técnicos. Oxalá venha assim a noite, e amanhã não desminta o dia de hoje. Muito obrigado pelos seus cuidados e comunicações[3]. À boa consorte e a todos agradeço também as afetuosas visitas que me mandam.

Ainda não vieram os bons amigos Aranha, Bandeira e Veríssimo[4], mas ainda pode ser; obrigado.

Adeus, meu querido Mário; não digo mais por não poder cansar a cabeça e a vista.

Até breve.

Todo seu
Machado de Assis

1 ∾ Além da epilepsia (o seu mal constante) e da doença crônica nos olhos, Machado vinha apresentando um quadro gastrointestinal persistente e tinha um doloroso epitelioma na língua. (SE)

2 ∾ Machado estava sendo assistido pelo Dr. Miguel Couto*, que havia lhe prescrito uma nova medicação. A crise pela qual passou parece ter sido longa, mas aparentemente declinava. A visita de Mário, em 11 de julho, lhe dera algum ânimo. Agora a possibilidade da visita de Sousa Bandeira*, Graça Aranha* e José Veríssimo* o favoreceu ainda mais. Além disso, circulava a notícia de que finalmente a edição do *Memorial de Aires*, impressa na Garnier-Paris, estava na iminência de ser distribuída no Brasil. Machado ansiava por sua chegada, temia não resistir por muito tempo mais e não ter essa última alegria. Ver carta [1074], de 16/07/1908. (SE)

3 ∾ De novo Machado agradece pela gentileza de Mário se manter frequente em sua vida. Apesar de toda tibieza, Mário soube dar o apoio de que Machado precisou. Certamente os pontos comuns eram o tipo físico frágil de ambos, a vida interior intensa, o temperamento reservado, a epilepsia e o vínculo emocional com José de Alencar*, cujo sofrimento físico, aliás, também foi imenso. Ver também nota 5, carta [1045]. (SE)

4 ∾ Nem Graça Aranha, nem Sousa Bandeira, nem José Veríssimo puderam ir ao Cosme Velho naquela tarde. A chuva intensa daquele dia tornou difícil a ida até lá. Ver carta [1076], de 18/07/1908. (SE)

[1074]

De: MÁRIO DE ALENCAR
Fonte: Manuscrito Original, Arquivo ABL.

Rio [de Janeiro], 16 de julho de 1908.

Meu querido Amigo.

Como passou? Presumo que não saiu por causa do mau tempo. Estive no Garnier, e pedi notícias do *Memorial*. Tinha esperança de encontrá-lo e projetava ir com um exemplar levar-lhe a boa-nova[1]. Jacinto[2] me disse que a demora é só da alfândega.

A chuva surpreendeu-me; voltei para casa com os sapatos molhados e por isso às pressas.

Adeus. Visitas afetuosas de todos e um abraço do

seu

Mário de Alencar

---

1 ∾ O *Memorial de Aires* foi lançado no Rio de Janeiro em 17 de julho de 1908, a ser verdade o que diz a *Gazeta de Notícias* do dia 18 de julho:

"Machado de Assis, o mestre, não gosta muito de reclamo. Estamos a dizer que gosta pouco. Não é isso. Machado de Assis não gosta nada do reclamo. Antes odeia-o. Quando leva um livro seu à livraria Garnier, leva-o em segredo. Os empregados da casa ficam proibidos expressamente de falar nele a quem quer que seja. O livro chega. O silêncio continua. E só porque não há outro remédio é que é posto à venda – para ser logo o acontecimento literário do ano. // **Ontem foi posto à venda o novo volume de Machado de Assis,** foi posto à venda, à tarde, com toda prudência. Hoje aparecerá na montra [vitrine]. **Intitula-se *Memorial de Aires*.** // É um livro delicioso? Não houve tempo ainda de lê-lo. Mas para que os leitores se orientem aqui está: // 'Quem me leu *Esaú e Jacó* talvez reconheça estas palavras do prefácio: 'Nos lazeres do ofício escrevia o *Memorial*, que, apesar das páginas mortas ou escuras, apenas daria (e talvez dê) para matar o tempo na barca de Petrópolis. Referia-me ao Conselheiro Aires. Tratando-se agora de imprimir o *Memorial*, achou-se que a parte relativa a uns dois anos (1888-1889), se for decotada de algumas circunstâncias, anedotas, descrições e reflexões, – pode dar uma narração seguida, que talvez interesse, apesar da forma de diário que tem. Não houve pachorra de a redigir à maneira daquela outra, – nem pachorra, nem habilidade. Vai como estava, mas devastada e estreita, conservando só o que liga o mesmo assunto. O resto aparecerá um dia, se aparecer algum dia.'" – Ver também nota 1, carta [1016].

Mário não pôde fazer a surpresa de levar-lhe o exemplar; mas provavelmente a remessa dos volumes estava sendo liberada pela aduana naquele dia, pois o livro foi oferecido ao público no dia seguinte nas vitrines da Garnier. Ver também cartas [1075], de 16/07/1908; [1076], de 18/07/1908; [1077], de 19/07/1908; e [1078], de 20/07/1908. (SE)

2 ∾ Sobre Jacinto, ver nota 8, carta [1026]. (SE)

[1075]

Para: MÁRIO DE ALENCAR
Fonte: ASSIS, Joaquim Maria Machado de. *Obra Completa.* Rio de Janeiro: W. M. Jackson, 1937.

Rio de Janeiro, 16 de julho [de 1908].[1]

Meu querido amigo.

Antes da chuva já eu tinha resolvido não sair. Obrigado pelas notícias. A demora da Alfândega é a mesma causa que o Lansac[2] me dá há muitos dias; melhor é não insistir no caso. Aqui estou em silêncio, e a sua carta valeu por gente[3]; desculpe o apressado da resposta.

Amanhã penso que não sairei ainda que haja bom tempo. Muito obrigado a todos os seus, a quem peço que apresente os meus respeitosos cumprimentos. E para si um abraço do

Velho am*i*go

Machado de Assis.

---

1 ◦ O ano de 1908 foi inferido pelo contexto. (SE)

2 ◦ Julien Lansac*, gerente da livraria Garnier, no Rio de Janeiro. (SE)

3 ◦ Mário procurava vê-lo amiúde; quando não podia ou não conseguia, mandava-lhe bilhetes expondo sinceramente a impossibilidade, o que dava a Machado o consolo de uma explicação verdadeira. Apesar de por vezes fraquejar na missão que se impôs, Mário se manteve firme em seu afeto e apoio. A chegada dos seus bilhetes interrompia a solidão do escritor, recolhido no padecimento físico e na consciência da finitude. Machado tinha a certeza íntima do laço que os unia, pela identificação afetiva que existia entre eles. Ver nota 5, carta [1045]. (SE)

[1076]

De: JOSÉ VERÍSSIMO
Fonte: Manuscrito Original, Arquivo ABL.

Rio [de Janeiro], 18 de julho de 1908.

Meu caro Machado

Acabo de ler (são onze horas da manhã) o seu *Memorial de Aires*, que ontem trouxe do Garnier[1]. Como talvez lhe dissesse o Mário[2], eu tencionava ir hoje, já que não me foi possível ir ontem mesmo, dar-lhe o meu abraço de cumprimentos pela aparição do seu novo livro. Mas um resfriado que me atacou muito à minha miserável garganta não me deixa ter essa satisfação. Aceite, porém, nesta aquele abraço, que é, de todo o coração, de admiração e de amor.

Que fino e belo livro *você* escreveu! Consinta-me a vaidade de crer que o entendi e compreendi! O velho Aires (é ele mesmo que se quer considerar assim) decididamente é um bom e generoso coração apenas com o defeito de o querer esconder. Você já nos tinha acostumado às suas deliciosas figuras de mulher, mas, creia-me, excedeu-se em *Dona Carmo*. Ah! Como é verdade que a grande arte não dispensa a colaboração do coração...[3]

Desejo-lhe melhoras, ou melhor restabelecimento e vida e saúde para nos dar o resto do *Memorial* desse velho encantador que é o meu amado Aires.

Seu

José Veríssimo

---

1 ∾ Ver carta [1074]. (IM)

2 ∾ Mário de Alencar*. (IM)

3 ∾ Esta é a primeira apreciação do *Memorial*, já publicado. Ainda em dezembro de 1907, como leitor privilegiado das provas, Mário de Alencar expressara a sua emoção na bela carta [1016]. Também será de Mário uma notável crítica publicada no *Jornal do Comércio* em 24/07/1908. (IM)

[1077]

Para: JOSÉ VERÍSSIMO
Fonte: Revista da Academia Brasileira de Letras, XXXIV, n.º 106, 1930.

[Rio de Janeiro,] Domingo, 19 [de julho de 1908].

Meu caro Veríssimo.

Acabo de receber a sua carta com o seu abraço pelo livro, e venho agradecer-lha cordialmente. Sabendo que foi sempre sincero comigo, senti-me pago do esforço empregado; muito obrigado, meu amigo. O livro é derradeiro; já não estou em idade de folias literárias nem outras. O meu receio é que fizesse a alguém perguntar por que não parara no anterior, mas se tal não é a impressão que ele deixa, melhor. Creio que o compreendi bem, segundo o que me diz em um ponto da carta.

Eu vou melhorando, ainda que muito fraco. Saí hoje de manhã, e sairei outra vez se não chover. O Mário tinha-me falado da sua vinda[I], mas efetivamente era arriscado com tal tempo. Amanhã conto ir à cidade, se o tempo consentir. Adeus, meu bom amigo, recomende-me a todos os seus, e receba em troca um abraço apertado do velho amigo

Machado de Assis

I ∽ Mário de Alencar*; ver carta [1072]. (IM)

[1078]

Para: MÁRIO DE ALENCAR
Fonte: Transcrições, Arquivo ABL.

Rio de Janeiro, 20 de julho de 1908.

Meu querido amigo,

Agradeço tudo[I], as visitas de ontem e de hoje. Depois lhe direi por que não fui hoje à cidade; conto ir amanhã, e irei vê-lo. Realmente, passei bem os dois dias[2].

Muito obrigado também pelo que me diz do livro. Aguardo o seu artigo amanhã[3]; não escrevo mais por causa dos olhos, mas sempre há vista para acrescentar que os seus carinhos me vão animando neste final de vida[4].

Adeus, até amanhã. Lembranças e agradecimentos a todos.

Todo seu

Machado de Assis

---

1 ∾ Pelo teor das seis cartas trocadas entre 3 de junho e 8 de julho, depreende-se que Machado passou por um período severo de crise, a ponto de numa delas Mário lhe pedir que não escrevesse, apenas mandasse dizer pelo portador se estava melhor. Dos seis documentos, dois cartões são de Machado: [1066] e [1071]. No primeiro, diz não ter condições de escrever mais por causa dos olhos e do abatimento. No último, [1071], de 8 de julho, diz que ainda está "caído". No dia 12 de julho, [1072], Mário lhe escreve. No mesmo dia, Machado responde que finalmente havia acordado melhor, [1073]. Coincidentemente o *Memorial de Aires* já estava chegando ao Brasil. Em 16 de julho [1074], Mário lhe diz que a demora se devia à liberação na aduana. No mesmo dia, [1075], Machado responde que essa é a desculpa que Lansac* vem lhe dando há dias. No dia seguinte, 17 de julho, o livro foi lançado. Machado terá, a partir de 12 de julho, um breve período de melhora, de dez a quinze dias. Sobre a crise vivida entre junho e julho, ver cartas [1055], de 3 de junho; [1065], de 4 de julho; [1066], de 4 de julho; [1068], de 5 de julho; [1070], de 8 de julho e [1071], de 8 de julho. (SE)

2 ∾ Apesar de dizer que não vai sair, Machado sentiu-se tão mais disposto que se arriscou a ir à rua. O lançamento e a repercussão do *Memorial de Aires* certamente deram-lhe novo alento. Neste dia, Mário foi ao Cosme Velho e não o encontrou em casa. Por isso Machado lhe escreve este bilhete, ressaltando, no entanto, que não fora à cidade, pois tinha outros assuntos a cuidar. Na próxima carta de Mário, [1079], do dia 21 de julho, este dirá:

"Ontem [20 de julho] fui visitá-lo e aí lhe deixei um abraço. O pesar de não o achar em casa foi bem compensado pelo prazer de o saber melhor. As suas criadas disseram-me que o *Senhor* estava passando bem." (SE)

3 ∾ O artigo de Mário de Alencar sobre o *Memorial de Aires* sairá no *Jornal do Comércio*, no dia 24 de julho. Mário deve ter deixado uma cópia na casa de Machado. Ver carta [1084], de 24/07/1908. (SE)

4 ∾ De novo e menos contidamente, Machado fala da importância do laço emocional entre eles, sobretudo por ter clara consciência de estar no fim da vida. Ver nota 3, carta [1075]. (SE)

[1079]

De: MÁRIO DE ALENCAR
Fonte: Manuscrito Original, Arquivo ABL.

Rio [de Janeiro], 21 de julho de 1908.

Meu querido Amigo.

Contava hoje ter o prazer de vê-lo na cidade[1]. Suponho que não saiu pelo receio da chuva. Ontem fui visitá-lo e aí lhe deixei um abraço. O pesar de não o achar em casa foi bem compensado pelo prazer de o saber melhor. As suas criadas[2] disseram-me que o *Senhor* estava passando bem.

Ontem, segundo promessa feita pelo Secretário da redação, devia sair no *Jornal do Comércio* o meu artiguinho a respeito do *Memorial de Aires*. Creio que não foi possível pelo excesso de matéria, e ainda hoje assim aconteceu. Sairá amanhã talvez[3]. Depois de ter levado ao *Jornal* o artigo, reli ainda o *Memorial* e vi que não dissera tudo. A minha convicção é que o livro é bom demais para o meio, ainda meio bárbaro, incapaz de sentir a simplicidade divina.

Ainda não lhe perguntei como passou. Diga-mo e receba as visitas afetuosas de todos os meus e um abraço do

seu

Mário de Alencar

---

1 ∾ No dia 20 de julho, quando não encontrou Machado no Cosme Velho, Mário deduziu que o escritor, sentindo-se melhor, decidira ir à Secretaria. No entanto, Machado, no bilhete do mesmo dia, lhe diz que não fora nem iria ao centro, saíra por outras razões, que depois particularmente explicaria. Não se pôde ainda apurar informações a respeito dessa misteriosa saída. (SE)

2 ∾ As criadas, que viviam na casa do Cosme Velho, se chamavam Jovita Maria de Araújo e Carolina Pereira da Silva. Atordoado pela doença, Machado não lhes pagou os meses de agosto e setembro, os dois últimos de sua vida. No entanto, quando o testamento foi aberto, o inventariante, Major Bonifácio*, pagou-lhes os salários quitando a dívida. (SE)

3 ∾ O artigo de Mário foi publicado no *Jornal do Comércio* em 24 de julho. Já o livro *Memorial de Aires* havia sido lançado pela Garnier em 17 de julho. Ver carta [1084]. (SE)

[1080]

Para: GERENTE DO LONDON &
BRAZILIAN BANK LIMITED
Fonte: Manuscrito Original. Arquivo Histórico,
Museu da República.

Rio de Janeiro, 21 de julho de 1908.

Ilustríssimo Senhor Gerente[1] do *London and Brazilian Bank, Limited*[2]

Remeto à Vossa Senhoria o meu incluso testamento[3] aprovado e cerrado nesta cidade do Rio de Janeiro em 31 de Maio de 1906, pelo tabelião Evaristo Vale de Barros[4], a fim de ser depositado nesse banco e ficar aí à minha disposição ou do Major Bonifácio Gomes da Costa[5] do 2.º batalhão de artilharia Militar atualmente na cidade de Corumbá, Mato Grosso.

   Sou, com elevada estima e consideração,

    De Vossa Senhoria

    amigo venerador e obrigado

     J.^m M. Machado de Assis

---

1 ～ Até então, o gerente da filial carioca do *London & Brazilian Bank Ltd* em 1908 não havia sido identificado. Trata-se de Frederick Fairbanks Broad (1855-1926), que se iniciou na instituição como contador, função que exerceu de 1893 a 1900, quando passou a subgerente e, em 1901, a gerente. Mr. Broad era casado com Beatrice Alice Broad, com quem teve dois filhos: Gilbert e Lilian. No Rio de Janeiro, o *London & Brazilian Bank Ltd* situava-se na esquina da rua da Candelária com a rua da Alfândega, no centro da cidade. (SE)

2 ～ Este banco pertencia majoritariamente ao *London Bank Ltd*, cuja sede na Inglaterra era gerenciada por John Gordon. A depender do país onde atuava, o *London Bank Ltd* ganhava um segundo adjetivo pátrio. No Brasil, ele atuava como *London & Brazilian Bank Ltd* em diversas praças: Pará, Pernambuco, Rio de Janeiro, Santos, Campinas, São Paulo, Rio Grande, Pelotas e Porto Alegre. Havia também caixas filiais em Lisboa, Porto, Montevidéu, Buenos Aires e Rosário de Santa Fé. Em Nova York, a sua filial tinha *status* de agência. Além disso, o banco mantinha representantes no Ceará, em Desterro, São Luís (Maranhão), Paranaguá e Vitória (Espírito Santo), bem como em Paris, Milão, Hamburgo e Vitória (Austrália). (SE)

3 ∾ Machado fez o seu testamento duas vezes: a primeira foi em 30 de julho de 1898; a segunda e definitiva, em 30 de maio de 1906. Cada uma dessas datas expressa as vicissitudes por que passou o seu pensamento até a decisão final de instituir a sobrinha-neta de Carolina*, Laura Braga Costa, sua única herdeira. Inicialmente, Machado guardou o testamento em casa, mas depois prudentemente decidiu-se por depositá-lo nos cofres do *London and Brazilian Bank Ltd*, onde também tinha conta-corrente. Há uma cópia feita por Machado do recibo passado pelo banco, nos seguintes termos:

"Recebemos do Ilustríssimo Senhor Doutor Joaquim Maria Machado de Assis um documento lacrado que diz ser o seu testamento para este Banco guardá-lo em depósito, à disposição dele ou do Senhor Major Bonifácio Gomes da Costa do 2.º batalhão de artilharia, atualmente na cidade de Corumbá, Mato Grosso. / Rio de Janeiro, 21 de julho de 1908. / *London and Brazilian Bank Limited* / (assinatura ilegível do subgerente)". (SE)

4 ∾ Evaristo Vale de Barros era o tabelião titular do 3.º Cartório, hoje 12.º Ofício de Notas, atualmente na rua do Rosário, 134; no tempo de Machado, no número 58. (SE)

5 ∾ O major Bonifácio* era pai de Laura Braga Costa, a herdeira. (SE)

[1081]

De: MAGALHÃES DE AZEREDO
Fonte: Manuscrito Original, Arquivo ABL.

Roma, 22 de julho de 1908.

66, via Sicilia

Meu querido Mestre e Amigo,

Há quantos meses não recebo carta sua! e tenho-lhe escrito, diversas vezes. Não há muito li, num telegrama enviado ao *Diário de Pernambuco*, que estivera doente. Escrevi logo, logo, ao nosso Mário pedindo notícias suas[1]. Espero que não tenha sido coisa de importância e que a sua saúde esteja de não (*sic*) tão boa como antes. Eu estive alguns dias com uma tonsilite e muita febre[2]; ainda me sinto prostrado; o meu organismo é débil como sempre foi, mas felizmente são e sem lesões; muito sujeito a indisposições repentinas e agudas, tem sempre todavia a força de as repelir prontamente. Escreva-me; dê-me notícias suas. Abraço-o cordialmente prometendo escrever-lhe mais e melhor, em breve.

Seu sempre dedicado

Azeredo

Via Modane-Lisbona
(Brasile)
Ex*celentíssi*mo *Senho*r Machado de Assis
Ministério da Indústria e da Viação
Praça 15 de novembro (*sic*)
Rio de Janeiro

---

1 ↭ Mário de Alencar* e Magalhães de Azeredo trocaram copiosa correspondência até o ano de 1925, quando do falecimento do primeiro. (SE)

2 ↭ Sobre a saúde declinante de Machado, ver nota 1, carta [1073]. (SE)

[1082]

De: SALVADOR DE MENDONÇA
Fonte: Manuscrito Original, Arquivo ABL.

[Rio de Janeiro,] 22 de julho de 1908.

Ao velho e bom Amigo Machado de Assis abraça e agradece[1]

SALVADOR DE MENDONÇA

13, Rua Marquês de *São* Vicente

---

1 ↭ Machado mais uma vez deve ter se lembrado do aniversário de Salvador de Mendonça, tal como vinha fazendo nos últimos anos. É possível também que tenha enviado um exemplar do recém-lançado *Memorial de Aires* ao velho amigo, já nesta época retirado em sua chácara da Gávea. Aliás, em carta de 1.º de setembro, [1125], na qual tecerá um longo comentário a respeito do livro, Salvador lhe dirá:

"Ao ouvir a leitura do teu formoso *Memorial de Aires*, que me trouxe por cima do título as tuas expressões de boa e velha amizade, /... /". (SE)

[1083]

De: BATISTA CEPELOS
Fonte: Manuscrito Original, Arquivo ABL.

São Paulo, 23 de julho de 1908[1].

Prezado mestre Machado de Assis[2]

Este livro[3] em que esgotei todas as minhas forças, se fosse publicado assim, passaria despercebido no Brasil, onde, além da crítica ser madrasta, a seara dos maus versos é tão abundante, que é de bom aviso a gente receber sempre com prevenção este gênero literário. E eu tenho medo de ficar soterrado, sem uma palavra de consolo, sob a aluvião de banalidades metrificadas, que surgem de todos os lados, com uma fecundidade assustadora.

Por isso, recorro à V*ossa* E*xcelênci*a, mestre da nossa literatura, pedindo-lhe um juízo crítico, com que abrirei o presente volume, caso V*ossa* E*xc*elência me considere digno dessa honra.

Julgo imprudente insistir ou fazer outra qualquer consideração, certo de que tudo depende do fino gosto e do alto critério de V*ossa* E*xc*elência.

Pedindo desculpa pela ousadia, desde já se confessa grato o

Seu admirador muito

sincero

Batista Cepelos

---

1 ∾ No ano seguinte, em maio, Manuel Batista Cepelos (1872-1915) vai se transferir ao Rio de Janeiro, três anos depois de ver-se indiretamente envolvido num caso rumoroso de amor e morte. Batista Cepelos era de Cotia, à época ainda boca do sertão. Protegido de Francisco de Assis Peixoto Gomide (1849-1906), então presidente do senado paulista, Cepelos era colega de turma de Bruno, um dos filhos do senador. Frequentando diariamente a casa dos Gomide, apaixonou-se por Sofia (1884-1906) e foi correspondido. Apesar da resistência da família, ficaram noivos. Por alguma razão não muito bem esclarecida, Francisco Gomide opôs-se tenazmente e tentou demover a filha, com o argumento de que além de ser um casamento fora da sua classe social, Cepelos era boêmio e poeta, e tinha um caráter duvidoso. Sofia persistiu. No dia 20

de janeiro de 1906, às vésperas do casamento, foi assassinada pelo pai com um tiro na testa, na casa da família, na rua Benjamim Constant, 25 A, no centro histórico da capital. Em seguida, Peixoto Gomide se matou. A tragédia teve enorme repercussão. Além da circunstância de um importante senador matar a filha e suicidar-se, havia um motivo murmurado, ventilado à boca pequena – o fato de que o noivo Cepelos talvez fosse filho bastardo de Peixoto Gomide. Em 1915, Batista Cepelos, recentemente nomeado promotor em Cantagalo, no Rio de Janeiro, apareceu morto nos fundos da casa 117 da rua Pedro Américo, na Glória, casa vizinha à pedreira que sobe a Santa Teresa. As autoridades policiais foram até o número 40 da rua Cruzeiro, e concluíram que foi de lá que o poeta havia caído, sido empurrado ou se jogado. Registre-se por fim que Batista Cepelos candidatou-se três vezes à vaga na Academia. (SE)

2 ∾ É possível que Cepelos tenha sido incentivado a escrever a Machado por Olavo Bilac* ou Araripe Júnior*, ambos admiradores ardorosos do poeta paulista. (SE)

3 ∾ Em 1906, Batista Cepelos havia lançado *Os Bandeirantes*, com prefácio de Olavo Bilac. Em fevereiro de 1908, relançou o livro, numa edição revista e reelaborada. No segundo semestre de 1908, publicou *Vaidades*, também de poesias. É este último que enviou a Machado. Ver carta [1090], de 30/07/1908. (SE)

[1084]

De: AFRÂNIO PEIXOTO
Fonte: Manuscrito Original, Arquivo ABL.

[Rio de Janeiro,] 24 de julho de 1908.
Laranjeiras 127

Admirado e querido senhor Machado de Assis

Li o Mário de Alencar¹, depois do Conselheiro Aires, e é ao senhor que me dá a vontade de conversar, para dizer-lhe que li algumas vezes meu pensamento, expresso no *Jornal do Comércio* de hoje, sobre o seu livro. Uma ideia ou uma frase que nos agradam, de outrem, são nossas. Um escritor é tanto maior quanto mais dele é dos outros, assim. Eu tenho minhas, muitas de suas páginas. E hoje, a propósito das árvores grandes que têm flores simples e dos deuses imortais que têm ideias abreviadas, comparadas à simplicidade e à perfeição de suas palavras e de seus pensamentos, o Mário exprimiu, com emoção nobre e justiça devida, um juízo meu e creio que de muitos, sobre Machado de Assis[2].

Creia-me, sinceramente, seu admirado (sic) amigo, distante, mas verdadeiro

Afrânio Peixoto

---

1 ∾ Crítica de Mário de Alencar*, no *Jornal do Comércio* do mesmo dia, 24/07/1908. (IM)

2 ∾ Assim escrevera Mário em sua crítica:

"Acabando a leitura do *Memorial de Aires*, levou-me esquisita associação de ideias a pensar em como são as árvores grandes e as maiores as que dão em geral flores simples, em contraste com os arbustos que as dão tamanhas e complexas. E ainda nestas o homem perturba pelo artifício da singeleza das formas, e mistura as cores e confunde as espécies. / Pensei também no que diriam os deuses se acaso retornassem à terra. Dos grandes dramas humanos? Deuses são deuses, para os quais não há dramas nem aspectos extraordinários, porque à visão deles tudo é transparente e vulgar, coisas mínimas e máximas, tudo é o mesmo à distância da perspectiva divina. Depois de visitarem a terra e conversarem os homens, os deuses nos falariam de casos curiosos de psicologia humana, ou escreveriam nos troncos seculares das árvores algumas palavras de sabedoria ou graça, que consolassem a vida. /.../ As árvores grandes são grandes e vivem séculos; e os deuses são deuses, nem morrem as palavras que dizem."

Assinale-se que o trecho citado provém de Ubiratan Machado (2003) e termina com a data de 18 de julho de 1908. Ver carta [1078]. (IM)

[1085]

Para: AFRÂNIO PEIXOTO
Fonte: ASSIS, Joaquim Maria Machado de. *Obra Completa*. Rio de Janeiro: W. M. Jackson, 1937.

[Rio de Janeiro,] 24 de julho [de 1908].

Meu caro e generoso S*en*hor D*ou*tor Afrânio Peixoto.

A generosidade de Mário de Alencar veio agora aumentada pela sua, uma vez que as palavras dele lhe foram bem aceitas, como declara na carta que acabo de receber. Eu é que não tenho aumento de força para poder agradecer a tudo o que as almas simpáticas sentem de mim. Deixe-me dizer-lhe: ao fim de uma vida de trabalho e certo amor da arte que sempre me animou, vale muito sentir que encontro eco em espíritos ponderados e cultos. Vale por paga do esforço, e paga rara[1]. Receba com estas linhas o meu agradecimento de

adm*ira*dor e respeitador

Machado de Assis

---

1 ∾ Nestas palavras, tão reveladoras, rebrilha a expressão "amor à arte que sempre me animou", um compromisso machadiano cumprido durante toda a sua vida: sem alarde, mas repleto de certeza, como a própria discrição constantemente pautou. Vale lembrar que Afrânio Peixoto era um jovem admirador, cuja dedicação à Academia, anos mais tarde, foi de grande proveito para a Casa de Machado de Assis. (IM)

[1086]

De: JOSÉ VERÍSSIMO
Fonte: Manuscrito Original, Arquivo ABL.

Eng*enh*o Novo, perto da residência de D*om* Casmurro, 29 de julho de 1908.

Meu Caro Machado

Indo eu hoje de manhã entregar ao portador de um amigo o meu exemplar do *Memorial de Aires* ocorreu-me levar-lho depois para que *você* pusesse nele a sua assinatura, e com essa lembrança, não quero esconder-lhe, passou-me vago e fugaz o íntimo reproche de que *você* podia me ter dado um exemplar assim.

Mal o formulara a parte ruim de meu espírito, eis chega o carteiro e me entrega esse desejado volume.

E *você* nega o ocultismo ou o que é, seu grande incrédulo![1]

Beijo-lhe as mãos pelo precioso mimo e lhe desejo de coração saúde e todos os bens a que *você*, por tudo, tem tanto direito.

Seu

José Veríssimo

---

1 ∾ Sempre presentes o humor e a afinidade intelectual que perpassaram a longa correspondência Machado-Veríssimo. (IM)

[1087]

De: LÚCIO DE MENDONÇA
Fonte: Manuscrito Original, Arquivo ABL.

Rio [de Janeiro], 29 de julho de 1908.

Querido Mestre e Amigo,

Obrigadíssimo por se haver lembrado de mim, sobrevivente a mim mesmo. Chega-me neste momento o "Memorial de Aires", que vou mandar ler. Será o primeiro livro seu que eu leia por olhos de outrem; quero, porém, que o agradecimento ainda seja de próprio punho[1].

Se não tem medo de almas do outro mundo, deixe que lhe beije as mãos criadoras o

discípulo e amigo devotadíssimo,

Lúcio de Mendonça.

1 ∾ Esta é a última carta autógrafa do fundador da Academia ao velho Presidente. Lúcio de Mendonça estava muito enfermo e quase cego, mas escreveu com extraordinária clareza. O precioso documento foi oferecido à ABL por seu filho, Carlos Süssekind de Mendonça, em sessão pública de 31 de julho de 1943. (IM)

[1088]

De: MÁRIO DE ALENCAR
Fonte: Manuscrito Original, Arquivo ABL.

[Rio de Janeiro,] 29 de julho [de 1908.][1]

Meu querido Amigo,

Não o vi hoje, fiquei inquieto quanto ao motivo que o teria impedido de sair. O seu estado ontem pareceu-me antes de melhora que regressivo. Tomou a *Nux Vomica*[2]? Não passou melhor do incômodo que o irritava?

Hoje à tarde conversamos a respeito de sua obra recente e antiga. Éramos quatro, João Ribeiro, Nestor Victor[3], Albano[4] e eu, e tive a grande alegria a ouvir a todos louvor ardente e na altura do seu merecimento. A sua ausência foi assim compensada com a sua lembrança e a justa apreciação que ouvi feita à sua obra de escritor.

Outra coisa que julgo lhe será também agradável é a impressão que deu o Memorial a Babi, minha mulher. Disse-me ontem que o acabou de lê-lo (*sic*) *encantada e com saudade do livro*.

Adeus. Até amanhã. Como resposta a isto basta uma palavra sua; não fatigue os seus olhos.

Seu muito amigo
Mário

---

1 ∾ O ano foi estabelecido a partir das cartas datadas do período, nas quais os principais assuntos tratados são a saúde delicada de Machado de Assis e a edição do *Memorial de Aires*. (SE)

2 ∾ Sobre o uso da *Nux Vomica* (*strychnos nux vomica*), ver nota 1, carta [1089], de 30/07/1908. (SE)

3 ∾ Trata-se do poeta paranaense Nestor Victor dos Santos (1868-1932), que se tornou nos anos subsequentes figura importante no jornalismo e nas letras brasileiras. (SE)

4 ∾ Provavelmente o poeta cearense José Albano (1882-1923). Homem de formação religiosa sólida, adquirida inicialmente no Seminário Episcopal do Ceará (1892--1893), depois na Europa, onde estudou entre 1893-1895 em duas instituições jesuítas, no Stonyhurst College (Blackburn, Inglaterra), e no Stella Matutina (Feldkirch, Áustria). Entre 1897 e 1898, frequentou o colégio dos Irmãos da Doutrina Cristã (Dreux, França). De volta a Fortaleza, trabalhou no comércio de seu pai e depois no Liceu do Ceará. Em 1902, mudou-se para Rio de Janeiro, onde estudou direito por dois anos, retornando ao Ceará. Em 1905, a convite do barão do Rio Branco*, voltou à capital federal para trabalhar no Ministério das Relações Exteriores. Em fins de 1908, foi removido para o consulado-geral de Londres, onde permanece até 1912. Na Europa, publicou intensamente. (SE)

[1089]

Para: MÁRIO DE ALENCAR
Fonte: ASSIS, Joaquim Maria Machado de. *Obra Completa*. Rio de Janeiro: W. M. Jackson, 1937.

[Rio de Janeiro, 29 de julho de 1908.]

4.ª feira

Meu querido Amigo.

O incômodo que me afligia continua a afligir-me. Tomei a *Nux Vomica*[1] ontem e hoje à tarde; amanhã lhe direi o resto. Estou tranquilo, mas este estado é que não pode continuar. Amanhã conto sair e irei vê-lo.

Muito obrigado pelas notícias que me deu, e não digo mais para não cansar os olhos. Amanhã. Agradeça por mim a *Dona* Helena. Hoje durante o dia reli a *Mão e a Luva*[2]. Adeus, meu amigo, obrigado; recomende--me a todos.

Seu do *Coração*

Machado de Assis

1 ᛜ *Nux Vomica* (*strychnos nux vomica*), ou popularmente *fava de santo inácio*, é uma planta medicinal da família das *Loganiaceae*. Trata-se de uma fonte potente dos alcaloides estricnina e brucina, muito venenosos, extraídos das sementes dos frutos desta árvore, e que a homeopatia utiliza largamente. Registre-se que os dois doentes, Machado e Mário, tinham na doença um ponto de identidade. Quanto às recomendações homeopáticas de Mário a Machado, é bom lembrar que o avô do primeiro – Thomas Cochrane (1805-1873) – foi um dos introdutores da homeopatia no Brasil e um médico de renome em sua especialidade. (SE)

2 ᛜ *A Mão e a Luva*, segundo romance de Machado de Assis, publicado pela editora de B.L. Garnier em 1874. (SE)

[1090]

Para: BATISTA CEPELOS
Fonte: *Revista do Livro*. Instituto Nacional do Livro, III, 1958. Fac-símile do original.

[Rio de Janeiro,] 30 de julho de 1908.

Meu distinto S*enho*r Cepelos

A pessoa[1] que me trouxe o seu livro das "Vaidades"[2] lhe terá dito que o meu estado de saúde não permite fazer deste a leitura precisa a um cabal juízo. Para um moço que começa assim em tão verdes anos[3] uma leitura rápida não basta; fi-la, entretanto, o bastante para ver que há notas de vigor e rasgos de colorido, surtos altos ao par de descuidos a que o autor de si mesmo acabará fugindo. Este juízo é sem autoridade e expresso com a timidez dos velhos.

Creia-me, com elevada consideração,

Adm*i*rado*r* e ob*ri*ga*do*

Machado de Assis

---

1 ᛜ Possivelmente ou Olavo Bilac* ou Araripe Júnior*, ambos admiradores do poeta paulista, que, em algum momento depois de 1906, vai se transferir ao Rio de Janeiro. (SE)

2 ◦∾ Sobre o livro, ver nota 3, carta [1083], de 23/07/1908. (SE)

3 ◦∾ Batista Cepelos ia fazer 36 anos em dezembro. (SE)

[1091]

De: MÁRIO DE ALENCAR
Fonte: Transcrições, Arquivo ABL.

Rio [de Janeiro], 30 de julho de 1908.

Meu querido Amigo.

Não quero deixar para amanhã o prazer de dar-lhe boas-novas. Vai junto um artigo de Alcindo Guanabara[1] sobre o *Memorial*. Soube dele no *Jornal* pelo Félix Pacheco[2] a quem fui levar notícias da sessão de hoje. Ao Félix ouvi também que havia lido com entusiasmo o seu livro, e estava resolvido a ler toda a sua obra para escrever sobre ela. Comunicou-me a impressão excelente de João Luso[3], que é um dos redatores do *Jornal*. Vê, meu amigo? A sua glória é incontestada e incontestável: só não o admiram os que não o leram.

Até amanhã. Desejo que melhore da garganta. Remédio bom é um gargarejo de água com uma colher de água oxigenada.

Seu

Mário de Alencar

---

1 ◦∾ Em 29 de julho, no jornal *Imprensa*, na coluna "O Dia", sob o pseudônimo de Pangloss, o acadêmico Alcindo Guanabara (1865-1918), fundador da Cadeira 19 da ABL, escreveu um alentado artigo sobre o recém-lançado *Memorial de Aires*. (SE)

2 ◦∾ Em 1912, Félix Pacheco será o sucessor de Araripe Júnior* (1848-1911) na Academia Brasileira de Letras. Félix Pacheco fez carreira no jornalismo, tornando-se também diretor do *Jornal do Comércio*. (SE)

3 ◦∾ João Luso era o pseudônimo de Armando Erse de Figueiredo (1874-1950), articulista do *Jornal do Comércio*, que depois, em 1932, foi eleito membro correspondente da ABL. (SE)

[1092]

> Para: MAROQUINHA JACOBINA RABELO
> *Fonte: Istoé* n.° 1949, 09/06/1999.

[Rio de Janeiro,] julho de 1908.

/.../ Acho-me doente e fraco /.../

[Machado de Assis]¹

---

1 ∾ A matéria assinada por Celina Cortes — "Raros e íntimos" — comenta um importante leilão que ofereceu, entre outros documentos, um bilhete de Machado de Assis para D. Maroquinha. A jornalista apenas transcreve o fragmento acima, indicando o mês de julho de 1908. É bem provável que se trate de um cartão de visita (ainda não localizado), anterior ou posterior ao agradecimento da destinatária em [1069]. Deve-se a presente indicação ao pesquisador paraense Felipe Pereira Rissato. (IM)

[1093]

> Para: SARA BRAGA E COSTA
> *Fonte:* Manuscrito Original. Arquivo Histórico, Museu da República.

Rio de Janeiro, julho de 1908.¹

Minha boa Sara,

Recebi as suas cartas de 28 de Maio e 17 de Junho², e fiquei sabendo dos inconvenientes encontrados aí, felizmente com saúde, o que é muito. Os saltos de temperatura realmente são de afligir³, e não sei se eu os poderia aguentar, tão grandes e tão próximos.

Escrevo-lhe depois de três semanas de doente recolhido, e ainda não convalescido; basta dizer que estou a caldos e ovos. Foi um desarranjo intestinal que me prostrou: o mal foi precedido de incômodo nervoso⁴ no princípio do mês passado; estou de licença até o fim deste.

Agradeço-lhe (e já o fiz por telegrama) as felicitações que me mandaram a 21 de junho[5]. Sabem que completei 69 anos? Entrei nos setenta.

Agora venhamos a um ponto mais importante que a minha saúde, que é saúde de velho. Desde muito lavrei testamento em favor de sua filha Laura, correspondendo nisto à afeição particular da Carolina[6]. O testamento estava comigo, mas ultimamente pareceu-me de melhor alvitre, pois que vivo só, depositá-lo no London and Brazilian Bank, e assim o fiz em carta que escrevi ao gerente do dito banco[7], e a que ele respondeu em data de [20] do cor*rente*[8]. A resposta fica comigo[9], mas o texto da minha carta e da dele constam das cópias que Você achará inclusas. Segundo verá[10], o testamento fica depositado[11] à minha ordem ou do Bonifácio. A parte principal do que deixo a Laura está depositada no mesmo banco: são 12 apólices da dívida pública do valor de 1:000$000 cada uma. Lá tenho também algumas quantias pequenas em conta corrente. Possuo mais uma caderneta da Caixa Econômica n.° 14.304, com a soma total de 4:876$328, até dezembro[12].

A caderneta da Caixa, a conta cor*rente* do banco, e a correspondência deste estão em uma caixinha de charão no meu guarda-casacas[13]. O mais são móveis, livros e objetos de uso[14]. Pelo que me disse na carta de junho o Bonifácio está pouco satisfeito e naturalmente desejoso de vir. Quando poderei esperá-los?[15] A reorganização fez-se, mas não pude saber em que data entra em execução[16].

Mande recomendações minhas ao Estêvão, e diga à Laura que tenha paciência, e espere. Há tempo de começar a ser feliz.

Eu, minha boa Sara, nestas três semanas de enfermidade fui visitado por todos estes...[17]

---

1 ∞ Rascunho em papel pautado, com entrelinha, recurso que permite emendas, como se observa em vários manuscritos de Machado. Pelo que se infere da correspondência com o *London and Brazilian Bank*, citada abaixo (ver também carta [1080], ao Gerente), este rascunho deve ter sido feito entre 22 e 31 de julho. Luís Viana Filho (1965) apresentou-a pela primeira vez, incompleto, e Magalhães Jr. (2008) voltou a fazê-lo, suprindo algumas lacunas. O acesso ao documento original permitiu **restaurar**

o texto na íntegra. Trechos da redação primeira, substituídos por outros, em geral mais cautelosos, figuram, entre aspas, em notas. Considere-se, aqui, a oportunidade de observar os cuidados do autor, mesmo numa correspondência íntima e lúcida, talvez a mais expressiva do seu estado de espírito perante a perspectiva da morte. A sobrinha querida de Carolina*, perdida nas lonjuras de Corumbá, representava a família que lhe faltou durante a doença final. Observe-se ainda que em [1118], de 26/08/1908, para Mário de Alencar*, há referências a uma carta escrita a Sara no mesmo dia, bem como a um telegrama ao major Bonifácio*, sobre seu retorno ao Rio de Janeiro. Tal correspondência ainda não foi localizada. (IM)

2 ∞ As cartas de Sara não se acham entre os papéis de Machado conhecidos até agora. Isso representa uma significativa lacuna no estabelecimento da *Correspondência*. (IM)

3 ∞ "são enormes". (IM)

4 ∞ "grande [cansaço?] desde o". (IM)

5 ∞ Não localizado. (IM)

6 ∞ Dez anos antes, em 30/07/1898, Machado fez seu primeiro testamento, no qual se declara "casado com Carolina Augusta de Novais Machado de Assis, filha legítima de Antônio Luís de Novais e de Custódia Emília Xavier de Novais, natural da cidade do Porto, reino de Portugal." E prossegue:

"Declaro que sou possuidor de sete apólices do empréstimo de 1895, no valor de um conto de réis cada uma, e uma da dívida pública do mesmo valor, de cinco ações da Sociedade anônima 'Gazeta de Notícias', do valor de duzentos mil-réis e três réis cada uma, e de uma quantia de três contos e setenta e nove mil seiscentos e sessenta e três réis, que tenho depositada na Caixa Econômica, em caderneta n. 14.304, (2.ª série) e que todos esses títulos e quantias, bem como da propriedade das minhas obras publicadas e por publicar, dos meus móveis e livros, deixo por minha única e universal herdeira a minha dita mulher."

Após outras determinações, relativas ao montepio, que reverteria para Carolina, nomeia seus testamenteiros "em primeiro lugar a dita mulher", em segundo "meu amigo Visconde de Taíde" e em terceiro "meu compadre Capitão Bonifácio Gomes da Costa". Eis que Carolina falece em 20/10/1904. A seguir, surgem problemas quanto à herança do cunhado Miguel de Novais*, que um mês depois morreria em Portugal, tendo favorecido em testamento a própria Carolina. Machado, viúvo, renuncia à parte que lhe tocaria; ver [803] e [808], tomo IV. Assim, em 12/10/1905, faz o rascunho do seu segundo testamento, documento que se encontra no Arquivo Histórico do Museu da República; sua transcrição figura no *Catálogo* (1939). No Arquivo ABL, tem-se a cópia manuscrita e autenticada do testamento definitivo; tal cópia, feita logo após a morte do escritor, apresenta mínimas discrepâncias em relação ao rascunho original. Eis a íntegra:

"Cópia / Eu, Joaquim Maria Machado de Assis morador à rua Cosme Velho n.º 18, querendo fazer o meu testamento, efetivamente o faço, para que se cumpra e guarde como expressão da minha derradeira vontade, nos termos seguintes – / Sou natural da cidade do Rio de Janeiro, tendo aqui nascido a 21 de Junho de 1839, filho legítimo de Francisco José de Assis e de Maria Leopoldina Machado de Assis, ora falecidos – / Fui casado desde 12 de novembro de 1869 com Carolina Augusta de Novais Machado de Assis, filha legítima de Antônio Luís de Novais e de Custódia Emília Xavier de Novais, natural da cidade do Porto, reino de Portugal, a qual faleceu em 20 de Outubro de 1904, e está sepultada no cemitério de S. João Batista – / Declaro que, por ocasião da morte de minha mulher, fiz partilha amigável com minha cunhada Adelaide Xavier de Novais, e sobrinhos Sara Braga da Costa, Arnaldo Artur Ferreira Braga, e Ariosto Arcádio de Novais Braga. Inutilizei o testamento que havia feito em 30 de Julho de 1898, aprovado pelo tabelião Pedro Evangelista de Castro, o qual instituía minha única e universal herdeira a dita minha mulher. / Declaro que sou possuidor de doze (12) apólices gerais da dívida pública, no valor de um conto de réis, cada uma e do[s] juros de 5% ao ano, de números 197635, 197636, 197637, 197638, 197639, 197640, 197641, 197642, 197643, 197644, 197645, 197646, as quais se acham depositadas no London and Brazilian Bank, Limited. / Possuo também algum dinheiro depositado em conta corrente no dito Banco, e várias quantias recolhidas à Caixa Econômica em caderneta n.º 14304 (2.ª Série) [.] / Das doze apólices citadas, dos dinheiros recolhidos à Caixa Econômica, e dos depositados em conta corrente no London and Brazilian Bank, Limited [,] dos meus móveis, livros e demais objetos a mim pertencentes nomeio herdeira única a menina Laura, filha de minha sobrinha e comadre Sara Braga da Costa, e de seu esposo e meu compadre Major Bonifácio Gomes da Costa. / A propriedade das minhas obras literárias pertencem ao meu editor H. Garnier, rua do Ouvidor n.º 71, Rio de Janeiro, e rua dos Saints-Pères n.º 6, Paris. / Desejo ser enterrado na mesma sepultura de minha mulher, cemitério de S. João Batista n.º 1359, jazigo perpétuo – / Salvo o caso de necessidades judiciais não desejo que este meu testamento seja divulgado nas folhas públicas. / Nomeio meus testamenteiro[s], em primeiro lugar o dito meu compadre Major Bonifácio Gomes da Costa, em segundo lugar o meu amigo Dr. Heitor de Basto Cordeiro e em terceiro lugar o meu amigo Julien Lansac, gerente da casa Garnier. / E assim termino este meu testamento, que vai escrito de meu próprio punho, e é por mim assinado. Rio de Janeiro 31 de Maio de 1906. // – Joaquim Maria Machado de Assis // Está conforme / Rio 7-10-908 / Fernando (...) / Rio 7 outu*bro* de 1908."

A cópia traz carimbo do tabelião Cruz da rua do Rosário e tem suas quatro folhas rubricadas. Observe-se que Heitor de Basto Cordeiro*, segundo testamenteiro, falecera sete meses antes de Machado. (IM)

7 ○○ "datada de 18 do corrente e a que ele respondeu". Ver carta [1080]. (IM)

8 ○○ A "carta" do gerente seria o recibo, claramente datado de 21/07/1908, nos seguintes termos:

"Recebemos do Ilustríssimo Senhor Doutor Joaquim Maria Machado de Assis um documento lavrado que diz ser o testamento para este Banco guardá-lo em depósito, à disposição dele ou do Senhor Major Bonifácio Gomes da Costa do 2.º batalhão de artilharia, atualmente na cidade de Corumbá, Mato Grosso. / Rio de Janeiro, 21 de julho 1908 / J. S [...] / (carimbo) LONDON & BRAZILIAN BANK, LIMITED / SUBGERENTE". (IM)

Deste documento, existe cópia manuscrita por Machado no Arquivo ABL. (IM)

9 ○○ "Não a mando aqui para evitar extravio possível ou desencontro mas entretanto". (IM)

10 ○○ "convencionamos". (IM)

11 ○○ "no banco e [ilegível]". (IM)

12 ○○ "do ano passado. O resto são trastes, velhos livros e roupas velhas. / Pelo que me disse na carta de junho parece que o Bonifácio está já desejoso". (IM)

13 ○○ "À vista lhe deixei outras pequenas coisas, que à distância pode[m] parecer miúda[s], demais, e [n]o papel aborrecidas". (IM)

14 ○○ O original do "arrolamento de bens" – está na ABL. Essa singela relação de pertences, avaliada em dois contos setecentos e dezoito mil-réis, inclui "mobília de sala de jantar de *vieux chêne*, constante de mesa elástica com 5 tábuas, 12 cadeiras, 2 *étagères* /.../", mobiliário da sala de jantar mandado fazer por Machado, bem no gosto eclético e um tanto duvidoso da época em que se instalou no Cosme Velho. Ele próprio, em crônica de 11/08/1895, testemunhou: "as nossas grandes marcenarias estão cheias de móveis ricos, vários de gosto /.../"; essa crônica é modelar em matéria de absurdos decorativos e falta de critério na produção do principal: estantes para livros... O principal do legado à herdeira Laura hoje se encontra exposto no Espaço Machado de Assis da ABL e no Petit Trianon. Em 1979, D. Laura Leitão de Carvalho transferiu o mobiliário e várias outras peças, entre as quais se destacam o jogo de xadrês e o leito do casal Machado, para o governo brasileiro, na gestão de Eduardo Portella como ministro da Educação. Os bens por fim chegaram à ABL em 1997, em regime de comodato, na gestão da Presidente Nélida Piñon (ver detalhes em *Rua Cosme Velho, 18*, comunicação técnica publicada pelo Centro de Memória da ABL, 1998). (IM)

15 ○○ "Tanto melhor." (IM)

16 ○○ Ver [1113], de 22/08/1908, e [1115], de 29/08/1908. (IM)

17 ○○ O rascunho da presente carta termina sem os nomes dos visitantes que, cheios de solicitude, acompanhavam o enfermo. (IM)

[1094]

Para: JOAQUIM NABUCO
Fonte: Fundação Joaquim Nabuco. Fac-símile do manuscrito original.

Rio de Janeiro, 1.º de agosto de 1908.

Meu querido Nabuco,

Lá vai o meu "Memorial de Aires". Você me dirá o que lhe parece. Insisto em dizer que é o último livro; além de fraco e enfermo, vou adiantado em anos, entrei na casa dos setenta, meu querido amigo. Há dois meses estou repousando dos trabalhos da Secretaria, com licença do Ministro, e não sei quando voltarei a eles. Junte a isto a solidão em que vivo. Depois que minha mulher faleceu soube por algumas amigas dela de uma confidência que ela lhes fazia; dizia-lhes que preferia ver-me morrer primeiro por saber a falta que me faria. A realidade foi talvez maior do que ela cuidava; a falta é enorme. Tudo isso me abafa e entristece. Acabei. Uma vez que o livro não desagradou basta como ponto final[1].

Recebi os seus discursos, e felicito-os por todos. O *Jornal do Comércio* publicou os três. Dei os da Academia à Academia. Já lá temos um princípio de biblioteca, a cargo especial do Mário de Alencar, e eles ficam nela arquivados. Obrigado por todos e particularmente pelo que trata do lugar de Camões na literatura. É bom, é indispensável reclamar para a nossa língua o lugar que lhe cabe, e para isso os serviços políticos e internacionais que se prestarem não serão menos importantes que os puramente literários[2]. Realmente é triste ver-nos considerados, como Você nota, em posição subalterna à língua espanhola; Você será assim mais uma vez o embaixador do nosso espírito. Um abraço pelas distinções que aí tem recebido e que são para o nosso Brasil inteiro.

Não é verdade que a nossa gente esquecesse Você; falamos muita vez a seu respeito e recordamos dias passados. Se não lhe escrevem mais é porque a vida agora é absorvente, com as mudanças da cidade e afluência de estranhos. Tudo se prepara para a Exposição, que abre a 11[3].

A Academia vai andando; fazemos sessão aos sábados, nem sempre e com poucos. A sua ideia relativamente ao José Carlos Rodrigues é boa[4]. Falei dela ao Graça e ao Veríssimo, que concordam; mas o Graça pensa que é melhor consultar primeiro o José Carlos; parece-lhe que ele pode não querer; se quiser, parece fácil. Não há vaga, mas quem sabe se não a darei eu?[5]

Releve-me estas ideias fúnebres; são próprias do estado e da idade. Peço-lhe que apresente os meus respeitos a Madame Nabuco e a todos, e receba para si as saudades do velho amigo de sempre

Machado de Assis[6]

---

1 ∾ A tristeza confessada torna esta carta uma das mais pungentes, na correspondência final de Machado. Ver também a carta [1062]. Nabuco ainda responderia em 03/09/1908, carta [1126]. São notícias e palavras de gratidão e alento, mas não se sabe se o velho enfermo chegou a lê-las, considerando-se a lentidão do correio por via marítima. (IM)

2 ∾ Conferências sobre Camões e os *Lusíadas*. Ver em [1058]. (IM)

3 ∾ Sobre a Exposição Nacional Comemorativa do Centenário da Abertura dos Portos do Brasil, ver nota 8 em [1053]. (IM)

4 ∾ Ver final da carta [1058]. (IM)

5 ∾ Interrogação lúcida, extremamente dolorosa. (IM)

6 ∾ Última carta de Machado a Nabuco. A correspondência entre os dois amigos estendeu-se por 43 anos, extinguindo-se em 3 de setembro de 1908. (SPR)

[1095]

Para: MAGALHÃES DE AZEREDO
Fonte: Manuscrito Original, Arquivo ABL.

Rio de Janeiro, 1.º de agosto de 1908[1].

Meu querido amigo,

Não respondo a toda a carta grande[2]; já não posso. A demora, — porque houve demora, — proveio justamente de querer dar resposta completa e ir adiando. Depois adoeci. Chegou mesmo a correr que tinha morrido[3], e o nosso Mário me mostrou a carta que Você lhe mandou pedindo notícias minhas. Ainda vivo, meu amigo, mas pode imaginar de que maneira, ou antes, não pode; estas coisas não se imaginam; é preciso senti-las diretamente, e tal não é o seu caso.

Este paquete leva-lhe o meu "Memorial de Aires". Leia-me, e diga se não é lamparina de madrugada. O Mário, que escreveu um artigo no "Jornal do Comércio", diz que não é. Creio nele e na afeição que me tem; mas quero também a sua opinião. Como já lhe disse este livro é o último; já não tenho forças para me sentar à mesa e começar outro. Veja a letra; a minha letra, que nunca foi bonita, está pior, mais irregular e frouxa.

A sua grande carta é deliciosa de tudo o que me diz dos bárbaros e dos cacetes, e excelente e verdadeira nas reflexões que faz acerca do caso de Dom Carlos[4]. Li-a duas vezes quando a recebi, e agora reli-a ainda uma vez. Aqui fico esperando o livro de que me fala[5]; agora é não afrouxar. O *post-scriptum* fala-me da carta que recebera do Mário[6]; ele é ainda o mesmo seu amigo, e meu também. É um dos que me tem valido nestes dias de *solidão* e de velhice.

Quando estive doente, e ainda agora o estou, posto que menos, — ele foi dos que me acompanharam com carinhos de amigo certo. Aqui me vinha ver a este recanto do Cosme Velho, onde passei tantos anos felizes e onde recebi o grande golpe.

O Mário tem um trabalho de poesia em mãos, o caso de Prometeu[7]. Como sabe, é tímido; quero dizer que tem grande respeito à arte, e receia sempre não lhe dar toda a perfeição. Já isso mesmo é musa; trabalha devagar e põe consciência clara no que faz. A mim parece-me que a obra responda à intenção, e ele tem a paciência necessária para a não precipitar. O assunto é dos que, através do espírito moderno, convidam à ênfase, mas o nosso amigo é tudo menos enfático. A simplicidade grega é a sua musa constante; ele o diz e sente.

Li com muito prazer o que me diz do Ferrero[8] e das suas impressões de cá. As que ele deixou foram boas. Naturalmente estimo que ele me esteja lendo com interesse. Todos ficamos apreciando muito o que ele vale e a sua autoridade. Agora anuncia-se o Ferri[9], que está em Buenos Aires, mas não é provável que eu figure nestas outras festas, se as houver. Já não dou para noitadas nem banquetes.

Aqui estamos em vésperas da exposição[10], que abre a 11. Ainda não vi as construções; ouço dizer coisas maravilhosas. Quando me lembro que as outras exposições nossas eram confinadas em um edifício público, — Casa da Moeda ou Escola Politécnica, — distribuídas por meia dúzia de salas e corredores, e as comparo a esta que se estende por todo um bairro vejo que efetivamente saímos da crisálida. Há já muita gente do interior aqui e do exterior também.

O nosso Rio mudou muito, até de costumes. Aquele cajuí que nós tomávamos numa casa da rua do Ouvidor agora provavelmente toma-se na rua (Avenida) [em] plena calçada, entre as pessoas que passam de um lado para outro. Há mais senhoras a passeio; há um Corso em Botafogo, às quartas-feiras.

Adeus, meu querido amigo. Ainda bem que a sua amizade dura há tantos anos, e eu posso ir da vida sabendo que deixo a sua entre outras saudades verdadeiras. Não repare na nota fúnebre que corre por esta carta; é música do crepúsculo e da solidão. Vá ler o *Memorial* e escreva-me. Recomende-me a todos os seus, e creia-me sempre o mesmo velho amigo[11]

Machado de Assis

Post Scriptum — Recebi também o seu cartão-postal perguntando se recebera a carta e prometendo outra. Espero que as duas se cruzem no mar.

M. de A.

---

1 ✎ Relativamente menos indisposto desde a semana que antecedeu o lançamento de *Memorial de Aires*, Machado criou ânimo de responder. Não escrevia ao diplomata desde 7 de setembro de 1907, [993], quando o cumprimentou pelo aniversário, ocorrido

naquela data. Neste dia de 1.º de agosto, Machado escreverá também a Mário de Alencar*, Joaquim Nabuco* e Oliveira Lima*. (SE)

2 ◐ Machado está se referindo à deliciosa carta [1037], de 28 de março de 1908, em que Azeredo, diferentemente do que lhe era habitual, fez humor, certamente para divertir Machado, já que sabia de seu estado por intermédio de Mário de Alencar*, com quem trocava frequentes cartas. Registre-se, por fim, que, depois da carta de 28 de março, Azeredo lhe escrevera dois cartões-postais: de 31 de março e de 17 de julho, e um bilhete em 22 de julho. Machado, no *post-scriptum* da presente carta, fará menção a um deles. (SE)

3 ◐ Não se encontraram registros escritos sobre a presumida morte de Machado, que segundo ele próprio diz a Azeredo, chegou a circular na cidade. (SE)

4 ◐ Na carta [1037], Azeredo faz uma longa digressão sobre D. Carlos I e a situação política que este enfrentou em Portugal. Sobre o assassinato do rei, ver nota 3, [1029]. (SE)

5 ◐ Azeredo tinha em mente publicar dois volumes de ensaios que se chamariam *Estudos Italianos*. (SE)

6 ◐ Há informações da existência de uma copiosa correspondência entre Mário e Azeredo. Valeria a pena conhecer esses documentos, sobretudo os deste período, porque possivelmente haveria algumas informações importantes a respeito de Machado. (SE)

7 ◐ Sobre o tema do *Prometeu Acorrentado*, ver notas 6 e 7, [935]; nota 3, [1025]; nota 2, [1026]; e cartas [1027] e [1029]. (SE)

8 ◐ Sobre Guglielmo Ferrero*, ver cartas [959]; [968]; [976]; [981]; [985]; [986]; e [990]. Ver também a Apresentação de Sergio Paulo Rouanet, neste tomo. (SE)

9 ◐ Sobre Conrado Ferri, ver nota 1, carta [1064]. (SE)

10 ◐ Sobre a Exposição de 1908, ver nota 13, carta [1037]. (SE)

11 ◐ Este último parágrafo é uma despedida tocante. Da correspondência entre os dois atualmente conhecida, esta é considerada a última carta para Magalhães de Azeredo. Com ela, Machado põe fim a um relacionamento epistolar que durou por cerca de vinte anos, com pequenas interrupções determinadas pelas circunstâncias. Azeredo ainda lhe enviará dois cartões-postais, um de 5 de agosto, [1001], e outro de 25 de agosto, [1117], mas é pouco provável que Machado tenha respondido. (SE)

[1096]

> Para: MÁRIO DE ALENCAR
> *Fonte:* Transcrições, Arquivo ABL.

Rio [de Janeiro], 1.º de agosto de 1908.

Meu querido amigo,

Muito obrigado pelas boas-novas[1]. Vou ler o artigo do Alcindo e escrevo esta para não demorar a resposta. Folgo de saber o que o Félix e o João Luso lhe disseram, e ainda bem que o livro agrada. Como é definitivamente o meu último, não quisera o declínio. O seu cuidado, porém, mandando uma boa palavra a esta solidão é um realce mais e fala ao coração.

A garganta está no mesmo ou um pouco mais dolorida[2]. Vou aplicar o bochecho que me diz. Não escrevo mais por causa dos olhos.

Até segunda-feira. Recomende-me a todos e creia-me

Velho amigo

Machado de Assis

---

1 ∾ Sobre a repercussão do livro *Memorial de Aires*, ver carta [1090]. (SE)

2 ∾ Sobre a doença de Machado, ver nota 1, carta [1073]. (SE)

[1097]

> Para: OLIVEIRA LIMA
> *Fonte:* ASSIS, Joaquim Maria Machado de. *Obra Completa*. Rio de Janeiro: W. M. Jackson, 1937.

Rio [de Janeiro], 1.º de agosto de 1908.

Meu eminente amigo [,]

Esta tem por fim dizer-lhe que ainda não morri, — tanto que lhe remeto um livro novo. Chamei-lhe *Memorial de Aires*. Mas este livro novo é deveras o último [.] Agora já não tenho forças nem disposição para me sentar e começar outro; estou velho e acabado.

Mande-me notícias suas, meu amigo, e apresente os meus respeitosos cumprimentos a D*ona* Flora, de quem minha mulher guardava tão boas recordações. Eu continuo a ser o mesmo seu admirador e amigo velho[1]

Machado de Assis

---

1 ∞ A resposta de Oliveira Lima viria de Karlsbad, carta [1120], datada de 28/08/1908. (IM)

[1098]

De: JOAQUIM NABUCO
Fonte: Manuscrito Original, Arquivo ABL.

Hamilton, Mass*achusetts*, 1.º de agosto de 1908.

Meu querido Machado,

Sua carta deu-me imenso prazer por ter lido pouco antes que V*ocê* andava doente[1]. O estilo é o melhor certificado de força vital. Essas curtas doenças são a poeira da estrada triunfal dos 70, para os quais V*ocê* caminha, como o Quintino, com a frescura de 1864, quando primeiro os conheci[2]. Que dois destinos!

Muito lhe agradeço suas boas palavras sobre as minhas Conferências de Yale. A 28 de agosto devo estar em Chicago, como já lhe disse[3]. Aqui levo uma vida de peregrino, de Universidade em Universidade. Mas que saudades da nossa Academia e da Revista, de que ela nasceu! É uma grande privação viver longe dos amigos, em terra estranha, como estrangeiro. Sobretudo, acabar assim. Mas espero voltar ainda antes da noite. E então os meus 60 futuros procurarão acompanhar os seus futuros 70 até ao fim das respectivas casas[4]. Oxalá!

Adeus, meu caro Machado. Não deixarei este lugar, tão perto de Boston, sem ir desta vez fazer por V*ocê* e por mim uma visita à casa de Longfellow e lá escrever o seu nome com o meu[5].

Muitas e muitas saudades.

Do seu af*etuos*o am*ig*o e ad*mirad*or

J. Nabuco

---

1 ∾ Ver carta [1062]. Curiosamente, no mesmo dia 1.º de agosto, Machado escreveu a Nabuco, ver [1094], sem ocultar a própria tristeza e até anunciar que a próxima vaga na Academia poderia ser aberta por sua morte. E foi. (IM)

2 ∾ Nabuco teria conhecido Machado e Quintino Bocaiúva* aos 15 anos de idade. (IM)

3 ∾ Nabuco partiu para Hamilton em 25/06/1908. Interrompeu a temporada de veraneio para ir a Chicago, convidado pela Universidade, conforme contará na carta [1126], de 03/09/1908, retornando a Washington em 07/10/1908. (IM)

4 ∾ Faria Joaquim Nabuco 60 anos em 19 de agosto, e menciona isto nos *Diários* (2008) no dia em que escreveu a presente carta. Refere-se, então, à confusão de ideias que o perturba, ao estado de sonolência e às vertigens, queixa-se da vista e da falta de audição, finalizando: "Não vá a última década desfazer a risonha impressão que tenho da vida até hoje pela frescura da inteligência que Deus me guardou como na mocidade." (IM)

5 ∾ Machado foi grande admirador do poeta norte-americano Henry Wordsworth Longfellow (1807-1882). No sarau de 14/12/1865, realizado na Arcádia Fluminense, recitou "O Velho Relógio da Escada", do autor de *Evangelina*, poema famosíssimo no Brasil, onde teve várias traduções. Em carta a Quintino Bocaiúva, [63], tomo I, dirigida ao amigo que estava nos Estados Unidos, declara: "Espero o Longfellow, se puderes arranjá-lo." Nabuco, na presente carta recorda a admiração de Machado e promete lançar seu nome, com a própria assinatura na visita à Vassall-Craigie-Appleton-Longfellow House, construída em 1759, residência onde o poeta morreu. É conveniente notar que Nabuco nada registra nos *Diários* (2008) a respeito da prometida visita. (IM)

[1099]

De: RODRIGO OCTAVIO
Fonte: Manuscrito Original, Arquivo ABL.

Rio [de Janeiro], 1.º de agosto de 1908.

Excelentíssimo Senhor Machado de Assis

Muito digno Presidente da Academia Brasileira.

Venho pedir à Vossa Excelência se digne conceder-me licença, por seis meses, do cargo de 1.º Secretário da Academia. Tenho no presente momento tantos afazeres que me é impossível absolutamente prestar à Academia a atenção que ela requer do seu 1.º Secretário.

Peço a licença por 6 meses porque devendo partir para [a] Europa dentro desse prazo não penso que antes de minha partida me possa desembaraçar de minhas ocupações[1].

Aproveito o ensejo para apresentar à Vossa Excelência os meus protestos de mais subida estima e consideração.

Rodrigo Octavio

---

1   O pedido de licença foi comunicado na última sessão presidida por Machado de Assis, no mesmo dia 01/08/1908. Mário de Alencar* seria o substituto, mas, como Segundo-Secretário, alegou não poder acumular os dois cargos. Alegação compreensível, face às condições emocionais explícitas na sua correspondência com o Mestre. Cabe aqui lembrar a concisão de Machado nos bilhetes e cartões a Rodrigo Octavio: era o Presidente que dava instruções ao operoso secretário, cumpridor de todas as ordens e anfitrião da Academia no escritório da rua da Quitanda, de 1901 a 1905. Lembre-se, ainda, que esse devotado companheiro, assíduo durante longos anos, esteve constantemente presente nos últimos dias de Machado de Assis e assistiu ao falecimento de Mestre na madrugada de 29 de setembro de 1908. A Rodrigo Octavio se deve a comunicação em sessão acadêmica, logo após a morte de Machado, sobre o destino de seus livros, papéis e recordações literárias. Ver nota 1 em [1046]. (IM)

[1100]

De: SOUSA BANDEIRA
Fonte: Manuscrito Original, Arquivo ABL.

Rio [de Janeiro], 2 de agosto de 1908.

Meu caro Amigo.

Mil perdões lhe peço pelo tão tarde que chego a lhe falar do "Memorial de Aires". Somente hoje, no recolhimento deste formoso domingo, pude encontrar o silêncio necessário para ler, e reler, aos poucos e devagarinho, o seu belo e honesto livro.

Benditas as ocupações que, há mais dias, me tiraram o ensejo de fazer a leitura rapidamente, e com menos atenção do que deveria, entre uma minuta de agravo, e uma visita banal! Assim pude, com todo o lazer, me penetrar de toda a deliciosa melancolia do livro, para gozá-lo, como merece, e louvá-lo, como não precisa, sendo o louvor de quem é, e para quem é.

Aquele carinhoso afeto que prende os velhos, saudosos de si mesmos, aos moços em pleno egoísmo da felicidade, dão uma tal impressão de tristeza alegre, que fazem pensar na famosa *lágrima que ri* do nosso João Paulo de cuja sepultura lhe mandei uma folha colhida daquele poético cemitério de Bayreuth[1].

E porque não o vejo há muitos dias, e não sei ainda quando o verei, aqui fica toda a expressão do meu sentimento, com um afetuoso abraço do

Sousa Bandeira

---

1 ∾ Sobre Johann Paul Friedrich Richter (1763-1825), ou Jean Paul, como era conhecido, a expressão "a lágrima que ri" e a folha colhida por Sousa Bandeira em Bayreuth, que foi enviada a Machado, ver a carta [909 A], de 05/09/1906. (IM)

[1101]

De: MAGALHÃES DE AZEREDO
Fonte: Cartão-Postal Original, Arquivo ABL.

Palácio Vannutelli, 5 de agosto de 1908[1].

Estamos aqui passando alguns dias em casa de uma família amiga. Eu andei adoentado, e este ar excelente e uma vida de repouso e passeio me têm feito muito bem. Há quanto tempo não tenho notícias suas!

Escreva-me.

Um abraço do seu muito dedicado

Azeredo

Via Modane-Lisbona
(Brasile)
Ex*celentíssi*mo *Senho*r Machado de Assis
Ministério da Indústria e da Viação
Praça 15 de Novembro
Rio de Janeiro

---

1 ∾ Cartão-postal inédito do Santuário de Nossa Senhora do Bom Conselho de Genazzano. O cartão é composto de três imagens: A – um panorama de Genazzano; B – do Palazzo Colonna; C – do Altar com a imagem da N. S. do Bom Conselho. (SE)

[1102]

De: MÁRIO DE ALENCAR
Fonte: Transcrições, Arquivo ABL.

Rio [de Janeiro], 6 de agosto [de 1908].

Meu querido Amigo,

Também eu não fui hoje à cidade[1]. Um dos meus filhos está doente[2] e eu próprio não estou bem. Uma e outra coisa não me deixa ir pessoalmente visitá-lo. Como passou de ontem? Espero que a *Calcarea carbonica*, se a tomou como eu lhe disse, tenha feito o bem que costuma. Apesar de não ser médico, julgo conveniente que o S*enho*r não recomece o tribrometo[3] enquanto perdurar o estado mau dos intestinos.

Quisera mandar-lhe para o espírito abatido algumas palavras medicinais. Mas que pode dizer-lhe outro espírito doente e em sombra? Saia de si mesmo para o sonho[4]; abra um dos seus livros ou qualquer dos antigos. Achará logo aí o que lhe faça esquecer o transitório e doloroso.

> Não há, não há contigo,
> Nem dor aguda, nem sombrios ermos...
> ....
> Que vales tu, desilusão dos homens?
> ....
> Musa consoladora,
> ....
> Ah! no teu seio amigo
> Acolhe-me, — e haverá minh'alma aflita,
> Em vez de algumas ilusões que teve,
> A paz, o último bem, último e puro!

A Musa, que o ouviu tantas vezes, há de ser desacreditada agora? Ouça-a e converse-a, meu amigo, e verá que ela é boa sempre. Adeus. Diga-me como está e receba este abraço do seu

> Mário de Alencar

---

1 ༄ Machado não saiu de casa neste dia, pois teve uma recaída. Dois dias antes, em 4 de agosto havia se arriscado a ir à rua. Compareceu à missa de sétimo dia de Ana Isabel de Sousa Fontes, filha de D. Manuela Redon de Sousa Frazão (1831-1912), esta última viúva do visconde de Sousa Fontes, José Ribeiro de Sousa Fontes (1921--1893), um dos médicos do imperador D. Pedro II. A falecida era irmã de Isabel de Sousa Fontes (f. 1948), mulher de Rodrigo Felício (f. 1925), filho dos condes de São Mamede, velhos amigos de Machado e Carolina*. A missa aconteceu no altar de Nossa Senhora da Conceição, na Igreja de São Francisco de Paula, no centro do Rio. No estado de saúde em que se encontrava, não teria ido apenas por cordialidade social. Provavelmente, sentiu-se compelido a comparecer por laços de estreita amizade. (SE)

2 ∾ Haroldo Cochrane de Alencar. Sobre ele, ver nota 2, carta [1105], de 08/08/1908. Sobre os seis filhos de Mário e Helena, ver nota 3, carta [921]. (SE)

3 ∾ Tribromureto de A. Gigon era uma medicação importada, produzida pela farmácia do médico André Gigon, na rua Coq-Héron, 7, Île-de-France, Paris. O remédio, que devia ser diluído em água, continha em proporções iguais três sais de bromo em pó: os bromuretos de potássio, de sódio e de amônio, quimicamente puros. A medicação atendia a um largo espectro de moléstias: epilepsia, histeria, eclampsia, convulsões infantis, insônia, enxaquecas e até mesmo alguns casos de diabetes. Na medicina dos séculos XIX e XX, tanto o bromureto de potássio quanto o de sódio e o de amônio foram utilizados separadamente como sedativo e antiepiléptico até por volta de 1912, quando entrou no mercado o fenobarbitol. O bromureto de amônio, o menos utilizado dos três, hoje em dia dependendo do caso, ainda é prescrito. Na época, o mais popular deles era o bromureto de potássio, que teve as suas propriedades terapêuticas descritas pela primeira vez por Charles Locock (1799-1875). A partir de 1860, passou a ser a prescrição mais comum no controle das crises. É considerado o primeiro medicamento de ação eficaz contra a epilepsia, apesar de apresentar pesados efeitos colaterais. Hoje, em língua portuguesa do Brasil, prefere-se a palavra *brometo* a *bromureto*. Sobre a sua ação, ver nota 1, carta [1103], de 06/08/1908. (SE)

4 ∾ Esta carta é muito significativa. Machado sentia-se profundamente desalentado. Depois de uma trégua que se estendeu de 12 de julho até por volta de 29 de julho, o seu estado de saúde voltara a declinar. Mário tenta nesta carta animá-lo, trazendo-lhe a sua fantasia mais estimada, o refúgio na arte – a *Musa Consolatrix*. Passa em seguida a citar um trecho do poema que, com este nome, abre as *Crisálidas* (1864), primeiro livro no gênero de Machado; mas infelizmente de agora em diante a doença não lhe dará mais trégua. Ver nota 2, [1034]. (SE)

[1103]

Para: MÁRIO DE ALENCAR
Fonte: COUTINHO, Eduardo; OLIVEIRA, Teresa Cristina Meireles de. *Empréstimo de Ouro*. Rio de Janeiro: Ouro Sobre Azul, 2009. Fac-símile do original.

[Rio de Janeiro,] 6 de agosto de [1908].

Meu querido amigo

Agradeço-lhe a visita e restituo-lhe o abraço que me mandou. Passei pouco melhor, mas enfim melhor. Antes da carta tinha já resolvido aqui em casa, ontem, não tomar o tribomureto[1] (*sic*). Sinto que também não esteja bom, e tenha um dos seus filhos doente; é o que sucede a quem os possui, para compensar a felicidade de os ter. Desculpe o desalinho da carta. Estou passando a noite a jogar paciências; o dia passei-o a reler a "Oração sobre a Acrópole"[2] e um livro de Schopenhauer. Muito obrigado. Não sei se irei amanhã à cidade; se for, até amanhã. Adeus.

Do seu

Machado de Assis

---

1 ◦∾ A partir de 1860-1865, a terapêutica anticonvulsivante recomendava o uso de sais de bromo: brometo de potássio ou brometo de sódio. A partir de 1864, o brometo de potássio tornou-se o mais prescrito pelos médicos brasileiros para controlar a epilepsia. Nas farmácias cariocas, havia pelo menos duas marcas de xaropes de brometo. O seu uso na terapia anticonvulsivante se estendeu por décadas. Muitas vezes, para que fosse eficaz, devia ser administrado em altas doses, o que colocava o paciente muito perto da toxicidade. Em altas concentrações, tanto o brometo de potássio quanto o de sódio irritam fortemente a membrana da mucosa gástrica, levando a náuseas e vômitos; podem causar severa irritação nos olhos e na pele, bem como mau hálito e aftas. Não há informações seguras de como Machado controlava as suas crises no passado. Teria anteriormente feito uso do brometo de potássio? O fato é que, em fevereiro de 1908, o Dr. Miguel Couto* lhe prescreveu o remédio importado tribromureto de A. Gigon; aliás, devido à demora em fazê-lo chegar ao Rio, cogitou-se em mandar prepará-lo numa farmácia carioca. A respeito, ver nota 7, carta [1033], de 23/02/1908. Sobre o tribromureto de A. Gigon, ver nota 4, carta [1105], de 08/08/1908. (SE)

2 ◦∾ *Oração Sobre a Acrópole* é uma obra de Ernest Renan (1823-1892), redigida por ocasião de uma viagem do autor à Grécia, em 1865. O texto, uma obra-prima literária, faz parte de um livro de reminiscências, intitulado *Recordações de Infância e Juventude*, e resume em poucas páginas a posição filosófica e religiosa de Renan, um dos apóstolos do cientificismo e do ceticismo do século XIX. Renan considera que não há futuro para a humanidade senão pela ciência, mas lamenta que a ascensão das religiões semíticas, como a cristã, frias e ascéticas, tenha levado ao desaparecimento da religião antiga, fundada no culto pagão do corpo, do amor e da beleza. (SPR)

[1104]

De: OLÍMPIO PORTUGAL
Fonte: Manuscrito Original, Arquivo ABL.

Araras, 7 de agosto de 1908.

Ex*celentíssi*mo S*e*nh*o*r Machado de Assis

Tendo me falhado o ensejo de lhe apresentar pessoalmente a minha gratidão e as minhas despedidas, da última vez que o procurei na Livraria[1], – é de Araras[2] que me aventuro à glória destas linhas, alevantando até ao Mestre imortal o culto obscuro da mais antiga e da mais viva admiração.

Do tumulto e das fascinações do novo Rio, tão deslumbrantes e tentadoras aos olhos e ao pensamento, estou restabelecido à pacatez habitudinária da clínica roceira, "alternando as curas com as leituras, e demonstrando os teoremas com cataplasmas"[3], como aquele atilado e incompreendido alienista de Itaguaí.

Pode ser que a vertigem luminosa da cidade, esmagando lembranças e "dissipando emoções de outros tempos", viesse a alterar, por fim, o senso dos equilíbrios na minha perspectiva paisana; mas confesso que fugi com pena à teoria final e definitiva de Simão Bacamarte, a sabedoria do seu §§ 3.º...[4]

Em todo o caso aqui estou; e como para tudo há compensações, sucedendo a um só astro do dia todas as constelações em fogo, – eu ficaria remido de todas as penas e saudades se, à ventura de lhe ter apertado as mãos, o Mestre nos concedesse a honra de sua visita.

É possível que o aspecto das coisas aqui, pouco sedutoras talvez pela monotonia de uma natureza tão fecunda, desvende-lhe, mesmo assim, novos horizontes de observação; mas o certo é que o clima tonificará a saúde, que é um benefício sem igual e a maior glória das nossas terras.

Lograremos essa ventura sem par?[5]

O Coelho Neto dar-lhe-á notícias do sítio e da viagem[6]; e eu, de aviso, irei esperá-lo em *São* Paulo, para acompanhá-lo à nossa casa, que nunca se iluminará de maior fulgor.

Minha mulher, que comunga nos meus desejos e esperanças, apresenta-lhe comigo os seus cumprimentos, enquanto que eu, confiando e esperando, sou, dos seus mais sinceros, o mais obscuro admirador:

Olímpio Portugal

---

1 ∾ Certamente, a Garnier. Ainda nada se sabe sobre o eventual encontro anterior. (IM)

2 ∾ Município de São Paulo, onde o Dr. Portugal se encontrava como médico em comissão para o tratamento da ancilostomose – vulgarmente *amarelão* –, mal do "Jeca Tatu", personagem caipira celebrizado por Monteiro Lobato. (IM)

3 ∾ Machado de Assis, em "O Alienista", capítulo primeiro. (IM)

4 ∾ A teoria final e definitiva da loucura não está no parágrafo 3 do "Alienista", e sim mais adiante, quando Simão Bacamarte descobre que o desequilíbrio das faculdades é que era normal, e que eram patológicos os casos em que o indivíduo fugisse à norma, possuindo ou acreditando possuir virtudes morais que denotassem um perfeito equilíbrio – sagacidade, tenacidade, veracidade, tolerância. Ora como só o médico julgava-se possuidor de todas essas perfeições, só ele era louco, e por isso internou-se a si mesmo, dedicando os anos que lhe restavam de vida ao estudo e cura de si próprio. (SPR)

5 ∾ O convite é uma demonstração de apreço, mas também atesta a ilusão, um tanto "bacamartiana", de curar o escritor no final de sua vida. (IM)

6 ∾ A menção a Coelho Neto* é uma pista para elucidar a ligação do Dr. Olímpio com Machado. (IM)

[1105]

De: MÁRIO DE ALENCAR
Fonte: Transcrições, Arquivo ABL.

Rio [de Janeiro], 8 de agosto de [1908].

Meu querido amigo.

Saí para vir visitá-lo e cheguei a ir até perto do Hotel dos Estrangeiros[1]. Voltei porque não me sentia bem. Este meu mal vai comigo até o fim, e eu não sei resistir-lhe. Agora, é certo, há uma razão para que eu traga os nervos excitados mais do que costumam: é a moléstia do meu filho[2]. Tem febre desde o dia 27 de julho e eu tenho medo de pensar que ele esteja sofrendo dos pulmões. Tenho medo de pensar, mas não penso em outra coisa. Vejo-o tão magro, e com tosse, e a febre que não o deixa: e em que hei de pensar, eu que vivo destes filhos!

Como vai o *Senhor*? Anteontem tive notícias suas pelo Veríssimo, que o achou melhor. A sua ausência ontem deu-me cuidado e pensei em ir vê-lo ou escrever-lhe. Mas, desculpe-me, a preocupação de Haroldo, meu filho, foi mais forte e quando quis escrever-lhe era já tarde, 9 da noite. Tinha a compensação na esperança de vê-lo hoje. E não o vejo, apesar de o querer.

Tem tomado a *Calcarea carbonica*[3]? Não deixe de a tomar e verá o bem que lhe faz. Não tome o tribromureto[4], enquanto sentir o mal dos intestinos, é um pedido de amigo, que tem interesse grande pela sua saúde. A *Calcarea carbonica* atua sobre os intestinos, dá-lhe força e portanto resistência contra o outro mal[5]. Do *Sulphur*[6] tomará uma pastilha por dia, entre o almoço e jantar; a *Calcarea* de manhã e à noite.

Tinha muito que falar-lhe, entre outras coisas sobre a Academia. Fica para amanhã.

Adeus.

Receba um abraço do seu

Mário de Alencar

Se já tiver acabado de ler, peço que me mande o volume do *Egoist*[7] de Meredith.

M.

---

1 ∾ O Hotel dos Estrangeiros situava-se no largo do Catete, 1, atual praça José de Alencar. (SE)

2 ∾ Haroldo Cochrane de Alencar (1900-1930) vencerá essa doença infantil, mas ainda assim morrerá jovem, assassinado num episódio nebuloso dentro de sua *garçonnière* na rua da Candelária. A sua morte violenta em circunstâncias nunca bem esclarecidas, numa trama que misturava indícios de homossexualismo e orgias, causou *frisson* na cidade. Já o filho mais novo de Mário, Jorge, este sim sofrerá de moléstia dos pulmões e morrerá em 1927, aos 22 anos, em Palmira, atual cidade de Santos Dumont, em Minas Geras. (SE)

3 ⁂ *Calcarea carbonica*, remédio homeopático. (SE)

4 ⁂ O tribromureto de A. Gigon era uma inovação farmacológica, que misturava os brometos de potássio, sódio e amônio. O brometo de potássio, o mais popular dos três, apesar de eficaz, tinha pesados efeitos colaterais, razão pela qual o seu uso para seres humanos foi sendo restringido. No Brasil, atualmente, é utilizado como droga antiepiléptica de uso veterinário (cães e gatos), sob rigoroso controle clínico. É possível que alguns dos sintomas que Machado experimentava estivessem exacerbados pelo uso do tribromureto ou da mistura de seus componentes manipulados artesanalmente, como também cogitou Miguel Couto*. De toda sorte, em 1904, o remédio já era anunciado no Brasil, sendo comercializado diretamente pela Farmácia Gigon. Por essa razão demorava a chegar. Machado fez uso dele ou de sua mistura provavelmente a partir de março de 1908. Quanto ao uso de brometo de potássio, embora fosse a terapêutica indicada pelos médicos brasileiros desde 1864, não se sabe se Machado chegou a usá-lo anteriormente a 1908. (SE)

5 ⁂ O "outro mal" é a epilepsia. (SPR)

6 ⁂ *Sulphur* ou enxofre, medicação homeopática. (SE)

7 ⁂ Sobre *The Egoist*, ver nota 2, carta [1107], de 09/08/1908. (SE)

[1106]

De: NUNO [LOPO SMITH DE VASCONCELOS]
Fonte: Manuscrito Original, Arquivo ABL.

Friburgo, 8 de agosto de 1908.

Senhor Machado

Mui grande foi a satisfação que tive ao receber hoje a sua carta de 3 do corrente[1]. Dois foram os sentimentos que tive, primeiro o de alegria por ter notícias suas, e segundo o de tristeza, pois não sabia que o Senhor estivesse doente. Espero que esta já o encontre perfeitamente bom.

Eu, graças a Deus [,] vou indo sempre bom, em estudos e em saúde. Comungarei amanhã, pedindo a Deus o seu pronto restabelecimento

Deste seu amigo dedicado

Nuno

1 ∾ Documento ainda não localizado. Nuno Smith de Vasconcelos tornou-se o maior colecionador brasileiro de *ex-libris*. Por essa condição de colecionador e amante dos livros, é possível que tenha preservado essa cartinha de Machado de 3 de agosto de 1908. (SE)

[1107]

| Para: MÁRIO DE ALENCAR
| *Fonte:* COUTINHO, Eduardo; OLIVEIRA, Teresa Cristina Meireles de. *Empréstimo de Ouro*. Rio de Janeiro: Ouro Sobre Azul, 2009. Fac-símile do original.

[Rio de Janeiro,] 9 de agosto de 1908.

Meu querido amigo,

Agradeço-lhe muito a sua visita. Esta moléstia é lenta e custa a sair das costas; passei a noite mal e o dia pouco melhor; vou ver a noite que passo. Tomei os seus remédios (a *calcarea* — principalmente) e outros, além dos bochechos. Desde ontem à tarde a minha alimentação é puro leite. Não sei se amanhã posso ir à cidade; espero ir depois.

Não posso escrever muito mais. Sinto o incômodo de seu filho[1]; não pense em pulmões; a idade é própria de crises. Peço-lhe que apresente as minhas recomendações a todos os seus, e receba para si as minhas saudades.

Do velho amigo

Machado de Assis

Post Scriptum
O *Egoist* conto acabá-lo amanhã[2].
M. de A.

1 ∾ Sobre Haroldo, um dos filhos de Mário, ver nota 2, carta [1105]. (SE)

2 ∾ O livro que Mário lhe emprestou – *The Egoist* – era à época um romance de muito sucesso, escrito pelo inglês George Meredith (1828-1909). Narra a história de um homem solitário, Sir Willoughby Patterne, um aristocrata tão vaidoso e narcisista, que decidiu somente casar com uma mulher que de fato o merecesse. De todas as namoradas que teve, nenhuma lhe serviu, nenhuma esteve à sua altura. Acabou sozinho com seu egoísmo e o seu amor-próprio. (SE)

[1108]

De: MÁRIO DE ALENCAR
Fonte: Transcrições, Arquivo ABL.

Rio de Janeiro, 10 de agosto de 1908.

Meu querido Amigo,

Ainda hoje não pude ir vê-lo, de manhã por causa de uma missa, a que não devia faltar, e à tarde por causa de uma consulta que fui fazer sobre o meu Haroldo[1]. Tratava-se do exame microscópico de escarro, mais demorado do que eu supunha, e só acabou às 6 horas.

Como passou o dia hoje? Basta que me responda uma palavra, para não fatigar os seus olhos. Mamãe em duas cartas que recebi ontem e hoje, pede-me notícias suas.

Babi e os meus todos visitam-no e eu abraço com saudade.

Seu

Mário de Alencar

1 ∾ Sobre Haroldo, ver nota 2, carta [1105]. (SE)

[1109]

De: ALMÁQUIO DINIS
Fonte: Manuscrito Original, Arquivo ABL.

Bahia, 11 de agosto de 1908.

Ao "eminente pontífice da literatura brasileira", ao excelentíssimo senhor

Machado de Assis
o
Almáquio Dinis

envia o artigo[1] que acaba de escrever e publicar – no *Diário da Bahia* – sobre os seus dois mimosos e interessantes romances – *A mão e a luva* (2.ª edição) – e – *Memorial de Aires* – (recebidos ambos por gentil oferecimento da Livraria Garnier), e pede o obséquio de indicar a sua morada para a remessa de seus livros.

Rua do Mocambinho, 19
Bahia – Brasil.

---

1 ∾ Junto à carta, possivelmente inédita, acha-se retalho da seção "Resenha Literária", com a seguinte dedicatória manuscrita: "Ao glorioso presidente da Academia de Letras, ao dr. Machado de Assis / envia / o Almáquio / Bahia, 1908". Na parte inferior, "Do Diário da Bahia num. 180 ano 53, de 11 de agosto de 1908". (IM)

[1110]

De: DOMÍCIO DA GAMA
Fonte: Manuscrito Original, Arquivo ABL.

Buenos Aires, 11 de agosto de 1908.
Grande Hotel
Calle Florida 25

Meu caro e bom amigo,

Recebi ontem a sua carta triste e o seu livro ainda mais triste[1]. E entretanto, na minha solidão de quarto de hotel e depois de um dia de vida solitária entre multidões anônimas e salões ainda mais desertos de afeição por mim, não imagina a companhia que me faz a sua prosa tão segura nas suas dúvidas[2]. Com alguns traços de dessemelhança que as vidas diferentes imprimiram às nossas almas, nós temos muito de parecido, *seu* Machado. Temos sobretudo a honestidade modesta do pensamento, que outros chamam de ceticismo (e em cada um de nós há tanta crença e tanto amor!) que atenua as violências escusadas ou precárias da expressão. Se eu pudesse seguir-lhe a obra literária desde os seus princípios, mostraria nela a alma brasileira refinada e grande, maior, mais compreensiva, mais inteligente que este infinito formigueiro de instintos e ambições pessoais e reduzidas em que vive um ministro diplomático. E seria uma lição para uns, um motivo de desvanecimento para outros, um tônico para os fracos e desconfiados de si e dos destinos nacionais.

Veja V*ocê* como a gente involuntariamente toca em nacionalismo ao escrever uma carta íntima. É que neste meio decidida e francamente hostil (o povo é nosso inimigo declarado; e na sociedade, quando me indicam alguém que devo frequentar, dizem: "esse é amigo do Brasil", como traço saliente da fisionomia moral) o nosso patriotismo sempre desperto e atento, dominando os outros sentimentos, obriga-nos a uma ginástica de defesa absorvente.

Não vá pensar que me sinto infeliz no meu novo posto, não. Tomo um grande interesse em tudo o que se passa, à parte o desconforto dos primeiros dias, quando a gente ainda não tem casa nem seguranças materiais, divirto-me com a própria "dificuldade da situação internacional", de que me falam gravemente os homens graves e obtusos. Não li senão as primeiras 53 páginas do "Memorial de Aires", porém imagino que haverá nele indulgência para com a gente que arregala os olhos e abaixa a voz para falar de fantasmas: há nisso imaginação, reduzida, mas há imaginação. O mal está em haver imaginações malcriadas.

Meu caro Machado, se eu pudesse fazer um relatório conversado, ilustrado com anedotas, anexava-o ao conto "João Chinchila", que é um

Aires mais queixoso e menos ativo que o seu³. E quem sabe se V*ocê* não se divertiria com ele?

Hoje apenas posso mandar-lhe as minhas saudades, com a segurança de que seu livro não é o último. Você é, mal comparando, como a aranha, que dá teia enquanto vive. E não estamos aqui nós todos precisando da sua teia preciosa?

Um abraço (até nov*embro*) do seu amigo certo

Domício

---

1 ⁓ Carta, ainda não localizada, enviando o *Memorial de Aires*. Ver referências ao envio do exemplar na carta de Magalhães de Azeredo*, [1117], de 25/08/1908. (IM)

2 ⁓ Domício da Gama, diplomata de total confiança de Rio Branco*, assumira o posto de ministro plenipotenciário em Buenos Aires no dia 2 de agosto. Missão espinhosa, devido à elevada tensão das relações entre o Brasil e a Argentina, sobretudo a partir de junho de 1908. (IM)

3 ⁓ Conto de Domício da Gama, incluído em *Histórias Curtas* (1901), que tem como protagonista um discreto diplomata. (IM)

[1111]

De: MÁRIO DE ALENCAR
Fonte: Manuscrito Original, Arquivo ABL.

[Rio de Janeiro,] 13 de agosto [de 1908].

Meu querido Amigo,

Desculpe-me não ir vê-lo. Não me falta o desejo, e grande; falta-me o governo dos nervos. Quanto eu quisera dispor de mim para poder fazer-lhe companhia¹ o mais tempo que pudesse!

Veríssimo deu-me notícias suas, de ontem; e pelo Jacinto soube que o *Senho*r havia saído hoje². É sinal de que passou melhor, tanto mais quanto o dia não convidava a sair³. Como se sente agora?

Basta responder numa palavra.

E até amanhã. Seu do coração

Mário de Alencar

---

1 ❦ A crise de ansiedade de Mário é constante e progressiva. Ao mesmo tempo em que deseja ajudar Machado em seu transe decisivo e final, tem enorme dificuldade em assistir o acelerado processo de decadência do escritor. Algumas vezes, vale-se das intercorrências do cotidiano para adiar os encontros ou justificar a ausência, mas sempre com sensibilidade para não se esconder comodamente atrás das circunstâncias. Outras vezes, fala sem rodeios da sua angústia, como é o caso na presente carta. Machado, grande leitor de almas em crise como sempre foi, compreende bem o que se passa e valoriza a sua atitude cheia de sacrifício pessoal. (SE)

2 ❦ Machado foi ao centro do Rio; deve ter passado na livraria Garnier, pois Jacinto é o secretário da empresa. Sobre ele, ver nota 8, carta [1026]. (SE)

3 ❦ Provavelmente o tempo estava frio e chuvoso. (SE)

[1112]

De: MÁRIO DE ALENCAR
Fonte: Transcrições, Arquivo ABL.

Rio de Janeiro, 17 de agosto de 1908.

Meu querido Amigo,

Aí vão outros biscoitos que os meninos lhe mandam[1]. Pode comê-los sem receio; são inocentes e nutritivos.

Não pude ir vê-lo hoje. Passei o dia inquieto com os nervos muito excitados[2]. E o *Senh*or como se sente? Babi visita-o com afetuoso interesse.

Adeus. Receba um apertado abraço do

Seu Mário de Alencar

1 ∾ Segundo Magalhães Jr. (2008), Mário, com dificuldades de estar fisicamente próximo de Machado, compensava a ausência com pequenos gestos de delicadeza. Sabedor de que Machado vinha enfrentando dificuldade para mastigar, enviou dias antes alguns biscoitos que facilmente se dissolviam na boca. Agora renovou a oferta, acompanhada deste bilhete. (SE)

2 ∾ Sobre o mal-estar de Mário com o declínio de Machado, ver nota 1, carta [1111]. (SE)

[1113]

De: MÁRIO DE ALENCAR
Fonte: Manuscrito Original, Arquivo ABL.

Rio [de Janeiro], 22 de agosto de 1908.

Meu querido Amigo.

Ontem não saí de casa, porque passei o dia desde manhã com dor de cabeça. Hoje ainda a sinto, mas não tão forte. Fui à cidade e tive notícias suas, pelo Estevão, do Garnier, e depois pelo Veríssimo, que me disse ter ido acompanhá-lo até o bonde[1]. Anteontem fui ao Garnier à tarde à procura do Veríssimo, para transmitir-lhe o seu recado. Não o achei e lá soube que ele não havia aparecido. A nossa combinação era, caso eu encontrasse Veríssimo e soubesse alguma coisa, escrever-lhe comunicando-a. Por isso mesmo não lhe escrevi.

Falei a Afrânio[2] para pedir ao Carlos Peixoto[3] que obtenha a remoção urgente do Major[4], Afrânio prometeu fazer tudo, e eu creio nele. Sei que ele me estima e o estima deveras. Além dessa razão, é bom e gosta de fazer o bem.

Fui à Academia. Éramos poucos e não houve sessão[5]. Bandeira, Araripe, Euclides, Rodrigo e eu. Falei-lhes na proposta de consultar-se a cada acadêmico se quer ser da Academia, para eliminarem-se os que se dizem contrariados por pertencerem a ela[6]. Todos concordaram nisso e acham que é preciso fazer com que a Academia *viva*, unida e respeitada.

Adeus. Se não for incômodo, diga-me numa palavra como se sente agora.

Seu

Mário de Alencar

---

1 ◦∼ Apesar de muito combalido, faltando trinta e sete dias para o seu falecimento, Machado saiu de casa. Aliás, é surpreendente como conseguiu manter-se ativo mesmo em circunstâncias tão adversas. (SE)

2 ◦∼ Vivendo no Rio de Janeiro desde 1902, o médico baiano Afrânio Peixoto*, além do alto conhecimento de medicina, era um homem de fina educação, cultor das letras e de temperamento afável. Rapidamente tornou-se figura de renome e respeitabilidade. Em 1908, aos 31 anos, era o diretor do recém-criado Serviço de Medicina Legal, professor desta cadeira na Faculdade Nacional de Direito e 1.º secretário da Academia Nacional de Medicina. Segundo informa Alberto Venancio Filho (2007), Afrânio e Carlos Peixoto, então presidente da Câmara, eram grandes amigos. Certamente Mário sabendo desse forte vínculo pediu ao médico, em nome de Machado, que interferisse no caso do major Bonifácio*. Acrescente-se a tudo isso o fato de Afrânio estimar sinceramente Machado, que, anos antes, o recebera na Garnier, quando o jovem médico, vindo da Bahia, quis conhecer o mestre. Tornaram-se conhecidos próximos desde então. (SE)

3 ◦∼ Carlos Peixoto de Melo Filho nasceu em 1.º de junho de 1872, na cidade de Ubá, Minas Gerais, filho de Agostinha Brandão Peixoto e Carlos Peixoto de Melo. Engenheiro e político militante nas fileiras do Partido Conservador, em 1889, Carlos Peixoto (pai) foi eleito senador do Império, mas não exerceu o mandato em razão da mudança de regime. Carlos Peixoto de Melo Filho formou-se na Faculdade de Direito de São Paulo; mudou-se para Visconde do Rio Branco, na Zona da Mata, onde entrou na política, sendo eleito deputado na assembleia mineira. A sua passagem pela Câmara de Belo Horizonte, seja como membro da Comissão do Orçamento, seja como líder da maioria, lhe valeu a indicação para a Câmara Federal, na vaga do deputado Vaz de Melo (1842-1904). Em 1904, entrou no parlamento da República. Tornou-se líder do governo após os episódios de 14 de novembro, relacionados à Revolta da Vacina. Em seguida assumiu a relatoria da receita na Comissão de Finanças da Câmara e, depois, tornou-se presidente da Câmara dos Deputados. Carlos Peixoto foi um expoente da política nacional entre os anos 1904-1917. Morreu em 30 de agosto de 1917, em decorrência de doença pulmonar, na chácara da Estrada da Banca Velha, na Freguesia. Havia se mudando de Santa Teresa para Jacarepaguá, em busca de um clima mais saudável, a conselho de seus médicos. Sobre a Revolta da Vacina, consultar José Murilo de Carvalho (1987). (SE)

4 ◦◦ Machado tentava trazer de volta ao Rio o marido de sua sobrinha Sara*, major Bonifácio Gomes da Costa, que estava servindo em Corumbá, Mato Grosso. Sobre esse esforço derradeiro, ver cartas [1093] e [1115]. (SE)

5 ◦◦ A Academia Brasileira de Letras passava por um momento muito delicado. Com a doença e o desenlace próximo de Machado de Assis, o ânimo dos confrades naturalmente arrefeceu. Era difícil o encontro sem a presença dele, todos estavam num estado de *quase* luto. A última vez que Machado teve disposição de comparecer a uma sessão da ABL foi em 1.º de agosto. (SE)

6 ◦◦ É bom lembrar o que Graça Aranha*, na carta [378], tomo III, disse a respeito de sua entrada na Academia: "cedo às honrosas instâncias suas e do nosso amado Joaquim Nabuco; sou um 'forçado' da Academia." (SE)

[1114]

Para: MÁRIO DE ALENCAR
Fonte: COUTINHO, Eduardo; OLIVEIRA, Teresa Cristina Meireles de. *Empréstimo de Ouro.* Rio de Janeiro: Ouro Sobre Azul, 2009. Fac-símile do original.

[Rio de Janeiro,] 22 de agosto [de 1908].

Meu querido am*i*go,

Muito obrigado pelos seus cuidados. Passei o dia fraco, por ter voltado o incômodo intestinal[1]; recomecei agora a medicação contra este. Sobre a Academia falaremos depois detidamente. Obrigado ao Afrânio. Muitos cumprimentos a todos os seus, e muitas saudades do

Velho am*i*go

Machado de Assis

---

1 ◦◦ Segundo Magalhães Jr. (2008), desde fins de junho, Machado vinha sofrendo de incontinência intestinal intermitente, o que o deixava num estado de fraqueza deplorável. (SE)

[1115]

De: MÁRIO DE ALENCAR
Fonte: Transcrições, Arquivo ABL.

Rio [de Janeiro], 24 de agosto de 1908.

Meu querido Amigo.

Estou, como há um ano, incapaz de andar só de bonde[1]. Hoje de manhã quis ir vê-lo; agora à tarde, mesma coisa, e depois do jantar esforcei-me em vão para animar-me. Falta-me coragem de sentir o medo. Resigno-me a só visitá-lo por carta e pedir-lhe que me diga como passou.

O Carlos Peixoto escreveu ao Marechal Câmara, ministro da Guerra, solicitando a remoção do major Bonifácio. Li a carta; foi em termos de quem faz empenho de ser atendido. Não esqueceu que a ordem fosse por telegrama. Estou certo que o Ministro atenderá o seu pedido[2].

Adeus. Até amanhã.

Um abraço do seu

Mário de Alencar.

---

1 ∾ A ansiedade de Mário fazia um ano estava acompanhada de um sintoma de pânico: não andava mais sozinho de bonde, precisava de companhia para se sentir seguro. Aliás, ele diz nesta carta porque não consegue ir visitar Machado: "falta-me coragem para sentir o medo". (SE)

2 ∾ Em nome de Machado de Assis, Mário tentava reverter a transferência, já ocorrida para o Mato Grosso, do então major Bonifácio Gomes da Costa*, marido de Sara Braga e Costa* e pai de sua afilhada e herdeira Laura. Mário, trabalhando na Câmara dos Deputados, articulou a manobra junto ao presidente desta, Carlos Peixoto, por intermédio de Afrânio Peixoto*. Carlos conseguiu que o ministro interino da Guerra, João Pedro Xavier Câmara (1843-1922), reconsiderasse a punição. O major havia se envolvido, em março de 1907, num grave episódio de indisciplina com o comandante do 4.º Distrito Militar (atual 1.ª Região Militar), general Luís Mendes de Morais (1850-1914). O pedido de Machado foi atendido; no entanto o retorno dos Costa foi demorado. A família só chegou ao porto do Rio em 17 de outubro de 1908, dezenove dias depois da morte de Machado. Sobre Carlos Peixoto, ver nota 3, carta [1113]. (SE)

[1116]

> Para: MÁRIO DE ALENCAR
> *Fonte:* Transcrições, Arquivo ABL.

Rio [de Janeiro], 24 de agosto de 1908.

Meu querido amigo.

Obrigado pela sua carta. Não tenho passado bem hoje e limito a minha resposta a estas duas linhas.

Agradeço a carta do Carlos Peixoto e todo o zelo que me tem mostrado.

Até amanhã, se eu for à cidade.

Todo seu

Machado de Assis

[1117]

> De: MAGALHÃES DE AZEREDO
> *Fonte:* Manuscrito Original, Arquivo ABL.

Frascati, Hotel Bellevue, 25 de agosto de 1908.

Meu querido Mestre e Amigo,

Ia escrever-lhe hoje para dizer-lhe a minha alegria por sabê-lo já restabelecido[1], quando me chegou um exemplar do *Memorial de Aires*[2], que eu estava e estou ansioso por ler. Digo "um exemplar" simplesmente, porque não é "o meu exemplar". É o do Domício. Coisas do Garnier, já sei[3]. Paciência por agora: sem renunciar ao que me era destinado (não deixe de mandar-mo seja como for), não vou esperar por ele de braços cruzados, tendo diante dos olhos, afinal, o livro, que é o mesmo em todos os exemplares.

Aonde irão parar as imunidades diplomáticas do Ministro Domício[4]? Pior para elas! Já fica avisado deste atentado que premedito e vou perpetrar imediatamente. E muito breve terá maiores notícias.

Cumprimentos nossos, e um abraço de terna amizade do seu

Azeredo

Via Modane-Lisbona
(Brasile)
Ex*celentíssi*mo Sen*ho*r Machado de Assis
Livraria Garnier
71, rua do Ouvidor
Rio de Janeiro

---

1 ∾ Entre 12 de julho e 22 de julho, animado pelo lançamento e a repercussão do *Memorial de Aires*, Machado apresentou uma relativa melhora no seu estado geral. Entre 22 e 29, os sintomas de sua doença insidiosa recomeçaram. Exatamente em 1.º de agosto, com os sintomas recrudescendo, Machado ainda teve ânimo para escrever longamente a alguns amigos, entre eles, Azeredo (ver [1095]). Quando a presente carta chegou ao Rio de Janeiro, a saúde de Machado já estava inexoravelmente declinante. Muito provavelmente não a respondeu. (SE)

2 ∾ Na carta [1095], de 1.º de agosto de 1908, Machado anunciara a remessa de um exemplar autografado do *Memorial de Aires*, que não havia chegado às mãos de Azeredo porque a livraria Garnier trocara os destinatários. Como era do seu estilo, o diplomata não deixou de queixar-se a seu mestre e amigo. (SE)

3 ∾ Frase que os escritores, ligados à editora Garnier, usavam entre si e com os amigos para justificar algum esquecimento ou preterição. (SE)

4 ∾ A livraria Garnier tinha enviado o exemplar autografado de Azeredo para o Domício da Gama*. Ao que tudo indica, Azeredo faz neste trecho uma brincadeira. Diz que vai agredir fisicamente Domício, apesar das imunidades diplomáticas do ministro, a fim de recuperar o que lhe pertencia. Há uma interpretação alternativa. Já que o seu livro autografado não chegara, Azeredo não iria respeitar as imunidades diplomáticas de Domício da Gama e leria o romance no exemplar do ministro, que viera às suas mãos por engano. (SPR)

[1118]

> Para: MÁRIO DE ALENCAR
> *Fonte*: COUTINHO, Eduardo; OLIVEIRA, Teresa Cristina Meireles de. *Empréstimo de Ouro*. Rio de Janeiro: Ouro Sobre Azul, 2009. Fac-símile do original.

[Rio de Janeiro,] 26 de agosto [de 1908].

Meu querido am*i*go,

Escrevi hoje a Sara[1] dizendo-lhe o que havia, e aí recebo a sua carta[2] que me dá notícia completa quando eu menos a esperava. Realmente foi mais rápida. Ainda uma vez a sua boa amizade se mostrou comigo, e daqui lhe agradeço. Vou telegrafar amanhã ao Major. Eu não fui hoje à cidade por ter passado mal o dia de ontem e recear que o dia de hoje fosse a continuação do de ontem; felizmente atenuou-se o mal. Não sei se poderei ir amanhã até à Câmara. Até lá, amanhã ou depois.

Seu do coração

Machado de Assis

---

1 ⁌ Possivelmente carta não localizada de Machado a Sara* com data de 26 de agosto. (SE)

2 ⁌ A carta de Mário a Machado dando-lhe a boa notícia da volta ao Rio do major Bonifácio Costa* é um documento não localizado. Pelo teor da presente carta, depreende-se que a intermediação de Afrânio Peixoto*, solicitada por Mário, junto ao presidente da Câmara dos Deputados Carlos Peixoto, surtiu o efeito desejado. Bonifácio Gomes da Costa teve a sua remoção determinada para o Rio de Janeiro, por ordem do ministro da Guerra interino, infelizmente não a tempo de encontrar Machado de Assis com vida. Ver nota 2, carta [1115]. (SE)

[1119]

> De: MÁRIO DE ALENCAR
> *Fonte*: Manuscrito Original, Arquivo ABL.

Rio [de Janeiro], 28 de agosto de 1908.

Meu querido Amigo,

Como passou a noite e o dia de hoje? Com a umidade que houve, achei natural que não saísse, e não pensei em incômodo novo ou agravação do estado anterior.

Não fui ao Garnier. Ontem quando lá estive encontrei Veríssimo e comuniquei-lhe a notícia sobre o Major[1]. Ele nada sabia e ficou muito contente do prazer que ela devia dar-lhe. Todo o nosso cuidado é vê-lo cercado dos carinhos de suas sobrinhas. Tenho esperança de que elas venham no 1.º vapor a partir de lá, e aqui cheguem antes do meado [de] Setembro.

Adeus. Até amanhã.

Seu

Mário de Alencar

---

1 ～ O major Bonifácio* e família chegaram pelo vapor *Júpiter* no dia 17 de outubro. Machado já havia morrido. (SE)

[1120]

> De: OLIVEIRA LIMA
> *Fonte*: Manuscrito Original, Arquivo ABL.

Karlsbad, 28 de agosto de 1908.

Meu prezado amigo:

Tenho estado gozando os encantos da sua prosa sempre admirável e o frescor do seu espírito sempre juvenil, graças à gentil remessa, *que* me fez, do "Memorial" do meu colega Aires, e consolando-me com a esperança de que seja uma promessa de jogador, da sua afirmação na carta, que igualmente agradeço, de I.º do corrente[1], de que este livro é deveras o último.

Não quero crer que assim seja. Penso que as suas forças físicas e a sua disposição mental ainda dão para outros, mas em todo o caso devemos todos agradecer-lhe o presente que nos fez este ano. Pelo Veríssimo terá recebido o livrinho das "Coisas Diplomáticas" que lhe mandei[2]. O D. João VI já deveria estar impresso e correndo mundo, se as provas não viessem daí tão demoradas. De saúde vamos indo regularmente, podemos dizer ambos bem. Como tem sabido, estive 15 dias ausente [,] no Congresso de Geografia[3], e vou agora, terminada esta cura d'águas, ao Congresso dos Americanistas de Viena. É preciso que a diplomacia se modernize e entre na faina da "propaganda". O Conselheiro Aires do futuro há de ser diferente do seu, que é tão verdadeiro na sua frivolidade ocupada. Não será tão fino, mas não será menos simpático. Como esses tempos de 1888-1889, que são ou antes foram os meus 20 anos (digamos 22 para sermos exatos), parecem distantes e outros – e como o seu livro indiretamente nos traz o perfume deles!

Minha mulher agradece e retribui seus cumprimentos. Um abraço muito afetuoso do amigo de [sempre][4] e muito obrigado

M. de Oliveira Lima

---

1 ∾ Ver em [1097]. (IM).

2 ∾ Coleção de artigos e conferências, reunidos no livro publicado em Lisboa em 1908. (IM)

3 ∾ Referência ao Congresso Internacional de Geografia, realizado em Genebra, de 27/07 a 06/08/1908. Nessa ocasião, Lima apresentou o relatório *Le Brésil, ses limites, ses voies de pénétration*. (IM)

4 ∾ Letra de difícil compreensão. A inclusão de cartas de Oliveira Lima, ao longo desta *Correspondência*, muito deve à acurada pesquisa da Prof. Dra. Teresa Malatian, que nos sinalizou a existência de documentos originais por ela localizados no Arquivo

ABL. Assim, foi possível chegar aos manuscritos do historiador, cuja letra é um verdadeiro desafio para quem procura transcrever as suas missivas fielmente. Aqui se renova o melhor agradecimento pela expressiva colaboração. E, sendo esta a derradeira carta da sempre afável troca epistolar com Machado de Assis, também é oportuno reiterar o reconhecimento à Prof. Maria Ângela Leal, Diretora Adjunta da Oliveira Lima Library, e a Alvaro da Costa Franco pelo acesso às reproduções fac-similares das cartas machadianas dirigidas ao confrade pernambucano. (IM)

[1121]

De: MÁRIO DE ALENCAR
Fonte: Transcrições, Arquivo ABL.

[Rio de Janeiro, 29 de agosto de 1908.][1]

Meu querido Amigo.

Não saí hoje por causa de uma espinha inflamada que tenho no pescoço e não me deixa pôr colarinho. Tinha projetado ir vê-lo de manhã, antes de ir para a cidade. Como passou ontem? E sobre a viagem do major, que informações lhe deram no Lloyd?

Anteontem, depois da consulta do médico, fui ao Garnier onde encontrei Veríssimo, a quem dei notícias suas. Sabendo que o *Senho*r estava na cidade[2], ele demorou-se na esperança de vê-lo.

Ia mandar-lhe este bilhete depois do almoço, mas presumi que tivesse saído e não quis mandá-lo em vão.

Agora à noite disse-me o meu sogro que o viu ontem na cidade em companhia do Veríssimo. Achou-o bem, com aspecto de mais forte.

Adeus.

Um abraço afetuoso do seu
Mário de Alencar

---

1 ∾ Última carta de Mário de Alencar a Machado de Assis. A presente datação foi proposta por Josué Montello (1997). (SE)

2 ∾ Ver nota 2, carta [1122], também de 29 de agosto. (SE)

[1122]

Para: MÁRIO DE ALENCAR
Fonte: Transcrições, Arquivo ABL.

Rio [de Janeiro], 29 de agosto de 1908[1].

Meu querido amigo.

Cheguei ontem bem[2] e hoje não saí por causa da umidade, como bem viu. Ao receber a sua carta, porém, estou afrontado do estômago; é do jantar; cuidando de me alimentar, parece que excedi um pouco a medida.

Muito obrigado pelo que me conta da conversa que teve com o Veríssimo e pelas boas palavras que acrescenta acerca da vinda daquela gente que está tão longe, e dos cuidados que me dará. Virão eles? Minha sobrinha Sara tem aqui um irmão[3], a quem vou mandar chamar amanhã para lhe falar da autorização do Ministro e da restrição[4] posta.

Meu querido amigo, hoje à tarde, reli uma página da biografia do Flaubert; achei a mesma solidão e tristeza e até o mesmo mal[5], como sabe, o outro...

Adeus, recomende-me a todos os seus, e com um abraço do

Velho amigo

Machado de Assis

---

1 ∾ Esta é a última carta de Machado de Assis a Mário de Alencar de que se tem notícia. (SE)

2 ∾ A um mês de sua morte, extremamente doente, Machado ainda teve forças para ir ao centro do Rio, em 27 e 28 de agosto, em busca de notícias sobre a possível chegada do major Bonifácio Gomes da Costa* e família, que viriam do Mato Grosso. Ver carta [1121]. (SE)

3 ∾ Sara Braga e Costa* tinha os seguintes irmãos: Ariosto e Arnaldo Braga*, este último morando havia anos em Portugal. Os três eram filhos de Artur Braga (f. 1901) e Emília Cândida de Novais Braga (f. 1903), irmã de Carolina*. Ariosto Braga, a quem Machado deve ter chamado para falar da volta do major Bonifácio e da restrição

associada ao seu retorno, era um respeitado comerciante na praça do Rio de Janeiro. Casara-se com Adélia de Senna, filha do militar abolicionista e republicano Emiliano Rosa de Senna, sogro do acadêmico José do Patrocínio (1853-1905). Viúva do tenente Manuel Minervino de Vasconcelos (f. 1893), Adélia casou-se com Ariosto depois de 1900. O casal morava na travessa de São José, 14. Ariosto faleceu em 1920. (SE)

4 ∞ O major Bonifácio havia sido punido com a transferência para Mato Grosso por se ter envolvido num episódio de grave indisciplina militar. O ministro interino da Guerra, João Pedro Xavier Câmara (1843-1922), reconsiderou a transferência, mas condicionou a volta do major aos seguintes termos: as despesas não deveriam correr por conta do ministério. Machado iria falar a Ariosto, talvez no sentido de lhe pedir ajuda. (SE)

5 ∞ O escritor Gustave Flaubert (1821-1880) lutou cotidianamente contra a epilepsia. A doença se manifestou nele por volta dos 22 anos, inicialmente com crises parciais simples (sintomas visuais de curta duração), e depois com crises complexas. Paralelamente desenvolveu pesados sintomas emocionais, como pânico, pensamentos recorrentes, alucinações, fuga de ideias e esquecimentos. Em determinado momento da vida, por volta de 1866, Flaubert isolou-se socialmente, indo residir em Croisset. Para romper as barreiras que a doença lhe impunha, como a dificuldade com a memória verbal, Flaubert passou a trabalhar até 14 horas por dia, como forma de manter-se em contato com o mundo das palavras. (SE)

[1123]

De: JOSÉ VERÍSSIMO
Fonte: Manuscrito Original, Arquivo ABL.

[Rio de Janeiro,] 30 de agosto de 1908.

Meu Caro Machado

Não me tem sido de todo possível ir saber notícias suas. Ontem, na Academia, as tive pelo Mário[1] e soube então que saíra para o médico. De todo o meu coração desejo que esteja melhorando e que o tempo, melhorando também [,] lhe permita sair e favoreça as suas melhoras.

Eu iria vê-lo hoje, se não fora o meu desejo de não perder ainda desta vez a satisfação de assistir ao *Não consultes médico*[2], que se representa na

Exposição. Ao cabo é tudo estar com você, e você sabe com que profunda simpatia eu ouvirei a sua formosa peça, tendo presente no coração e na mente o autor.

Fique bom por amor de todos que o admiram, como o

Seu

José Veríssimo[3]

---

1 ∞ Mário de Alencar*. (IM)

2 ∞ Comédia em um ato. A primeira encenação teria ocorrido em 1896 (Machado, 2008). É uma peça leve e deliciosa. O espetáculo apresentado no auge da Exposição de 1908 foi um indiscutível preito ao autor, já muito enfermo. (IM)

3 ∞ Esta carta é a última que José Veríssimo escreveu a Machado. A relação epistolar entre ambos estendeu-se por 25 anos, iniciando-se em 04/03/1883, quando o jovem paraense enviou uma carta a Machado, [219], tomo II, e terminando em 01/09/1908, quando Machado respondeu a essa carta. (SPR)

[1124]

Para: JOSÉ VERÍSSIMO
Fonte: Revista da Academia Brasileira de Letras, XXXIV, n.º 106, 1930.

[Rio de Janeiro,] 1.º de setembro de 1908.

Meu caro Veríssimo.

Ontem, ao jantar, recebi a sua carta de anteontem, feita das boas palavras a que Você tanto me acostumou[1]. Ontem passei o dia relativamente melhor, apesar de muito enfraquecido e muito desanimado; o Mário lhe dirá sobre isto alguma coisa. Agora (oito da manhã) ainda não estou pior. Vamos ver se este intestino, que é apenas um mal acessório mas aflitivo, se dispõe a me deixar tranquilo por uma vez.

Agradeço os votos que fez pelo meu restabelecimento. O que me vale no meio destes achaques e abatimentos é a simpatia que encontro em alguns que me dão provas certas, e aqui tenho mais esta sua.

Não sei que efeito terá produzido *Não Consultes Médico*. Aquilo foi uma comédia de sala, feita a pedido, para satisfazer particulares amadores e destinada a uma só representação que teve. O Artur Azevedo, tendo a ideia de fazer reviver agora algumas peças de há trinta e mais anos, incluiu aquela entre as outras; obra de simpatia. Eu, se pudesse, teria ido ver ontem *As Asas de um Anjo*[2], que me daria uma renovação de mocidade; tinha eu dezenove anos!

Adeus, meu caro Veríssimo; venha quando quiser, — ou escreva, porque me faz bem conhecer pela sobrecarta a sua letra rasgada e firme[3]. A minha são estes rabiscos de velho. Abraça-o de coração o seu

Velho adm*ira*dor

Machado de Assis[4]

---

1 ∾ Ver carta [1123]. (IM)

2 ∾ Comédia de José de Alencar*, representada em 1858. (IM)

3 ∾ A letra "rasgada e firme", que conhecemos das inúmeras cartas conservadas por Machado, tem um traçado graúdo e difícil, o que torna a sua decifração um exercício tão prazeroso quanto exaustivo. (IM)

4 ∾ Última carta de Machado a Veríssimo. (SPR)

[1125]

De: SALVADOR DE MENDONÇA
Fonte: Manuscrito Original, Arquivo ABL.

Gávea, 1.º de setembro de 1908.

Meu querido Machado de Assis[1]

Contaram-me de uma velha de minha boa terra Itaboraí que, exímia na feitura de rendas e bordados, ao entrar na dezena que o teu Aires só designou com o primeiro algarismo, — dezena em que nós ambos, tu e eu, não só entramos, mas de que tratamos de sair airosamente, com mais ou menos verso de Shelley[2] — e ao reconhecer que já lhe iam faltar os olhos, resolveu deixar de si melhor cópia em alguma obra de primor que desse aos vindouros testemunho de seu mérito.

Escolheu o linho mais alvo e pôs-se a desfiá-lo e a torcê-lo no fio mais delicado que jamais torceu a raça humana. Era tão fino que melhor o via o tato que sentia a vista. Afinal cheia dele uma boceta de sândalo, preparou a velha a almofada, pondo-lhe tela nova e depois de pregar-lhe o debuxo, encerrou-se, e de sua presença na casa só se sabia pelo cantar dos bilros que, sob os seus dedos, soltavam suspiros e gemidos, como se alguém os estivera obrigando algum esforço sobrenatural.

O tempo que a velha gastou nessa obra, horas, meses ou anos, ninguém o soube; nem sequer foi desde logo conhecido o porquê se encerra. Só alguns anos, no enxoval de uma netinha, que lhe casara aos quinze anos, já (...)[3] apareceu a maravilha. Era um lencinho de linho de forma redonda, no qual se combinavam a mais fina renda de almofada e o mais excelente lavor de agulha. O lencinho tinha um palmo (...)[4], mas era tão fino, tão fino que a dona o fechara todo na palminha da mão e não lhe excedia dos dedos um só fio. A tradição diz que cabia dentro de um dedal.

A composição tinha originalidade posto não encerrasse coisa alguma que fosse nova. O fundo ou a textura do lenço compunha-se de uma espiral formada de arabescos delicados, que cresciam e se desenvolviam do centro para as bordas.

Sobre este fundo estavam lavradas a agulha figuras belíssimas e de rara perfeição artística. Bem no centro da espiral uma lebre metia-se pela terra adentro. Após ela, seguia-se uma longa matilha de lebréus e atrás da matilha uma longa fila de caçadores, donas e cavaleiros montados em ginetes com cabeças e pescoços tão distendidos que dir-se-ia voarem para a frente, enquanto as plumas dos chapéus voavam para trás. Nos quatro quadrantes do círculo em que a espiral se alargava havia outras figuras e maiores: no primeiro quadrante um casal de cavaleiros, jovens, seguia em fogosos ginetes, ele com uma besta ao ombro, ela com açor no punho e ambos a olharem para cima, como quem andava à caça de aves do céu. No segundo quadrante o mesmo casal, em ginetes ricamente ajaezados, ele com longa barba e cetro e ela com uma coroa de rainha, iam seu caminho com os olhos para a frente. No terceiro quadrante o cavalheiro[5] era um só, e o mesmo das barbas grandes, já sem o cetro, vestido de burel e olhando ambos, ele e o ginete, para o chão. No último quadrante, a figura da Morte, metida no burel do cavalheiro[6], empunhava uma trompa de caça, cuja volta era formada pelo arabesco que servia de borda ao lenço todo, como se chamara, por lhe pertencerem todos, a caça e os caçadores.

O debuxo do lenço fora evidentemente copiado de alguma velha gravura Renana, composta por algum discípulo de Dürer a que os dedos inspirados da velha haviam ressuscitado numa obra-prima de arte.

A admiração foi tamanha como foi a inveja. O lenço andou de mão em mão. Foi parar à corte do Rei velho[7], e atribui a tradição, com igual número de vozes, dois destinos diversos ao lencinho da velha artista: dizem uns que o trabalho primoroso foi posto sobre o rosto de uma princesa que foi sepultada no Brasil: dizem outros que foi simplesmente levado para uma corte europeia. Não será coisa estranha que ainda surja entre as riquezas desse gênero que possui o *South Kensington*, idas de Portugal, ou em alguma coleção de arte de Viena da Áustria.

Obras dessas não morrem.

Ao ouvir a leitura do teu formoso "Memorial de Aires"[8], que me trouxe por cima do título as tuas expressões de boa e velha amizade, o que ao meio do livro e depois de concluída a leitura começou a desenhar-se-me na memória foi o lencinho de renda da velha itaboraiense. Sim, fizeste também a tua obra-prima. Sobre a textura fina do *Memorial* desenhaste figuras do mais puro lavor.

A obra, porém, é tão simples, tão fácil, tão natural que haverá por aí muita gente que a julgue obra ao alcance de qualquer pena. Esta facilidade aparente de feitura é realmente o selo da verdadeira obra de arte.

A velhice desdenhosa, a inexperiência presumida, algum crítico madraço ou escrevinhador fura-bolos são bem capazes de supor que o seu tentâmem pode ser repetido ao bel-prazer de qualquer deles. Pois experimentem e hão de ver como "simplesmente simples" torna-se simplesmente impossível para quem em língua portuguesa quiser hoje fazer obra respondente à tua.

Duas grandes dificuldades venceste, como quem se apraz em suscitá-las para, ao combatê-las em caminho, dar prova de extrema destreza, certo sempre da vitória. A forma de teu estilo, teus períodos curtos tiveram de se encurtar ainda mais pelas exigências de quem escrevia um memorial ou diário, e daí sucedeu que algumas páginas saíram verdadeiras miniaturas. Outras são aquarelas pintadas todas de um jato de expressões felizes. A segunda dificuldade vencida consiste em que, tendo de coar todas as suas personagens através da meia ironia e meia descrença de Aires, nenhuma delas se ressente dessas qualidades ou defeitos. Saíram todas humanas, como a gente as encontra no Flamengo ou na barca de Petrópolis, ou as acotovela na Avenida.

(Fidélia)

Da Praia da Saudade ao Retiro Saudoso[9], da Gávea[10] à Tijuca[11], há muitos casais Aguiar, muita Fidélia e muito Tristão[12] e mais de uma (*sic*) diplomata encostado, mas quem os ponha por obra, e obra imorredoura, digo-te até agora, só conheço certo morador do Cosme Velho. *Dom Casmurro* há de ser sempre a tua obra melhor, a mais forte; mas a tua obra mais acabada, a que em mais alto grau há de revelar os tons delicados de tua pena há de ser este "Memorial de Aires". Alguém já me disse que o livro não tinha enredo, e eu lhe respondi que o mister dos velhos não é fazer enredos, mas desenredá-los. É essa maneira fluente com que corre a história o que mais nela me agrada, por melhor me revelar a mão de mestre que a afeiçoou.

A beira da estrada, uma teia de aranha, recamada de pérolas de orvalho, irizadas com a luz da manhã, é por certo uma coisa bela, mas quase vulgar para olhos que não a sabem ver. Quem, porém, se imaginará capaz de duplicar tal beleza? Para isso quer-se primeiro a aranha, que possui o monopólio da matéria-prima, privilégio de família com que a natureza a dotou, sem exigir que arquivasse a fórmula da composição e a dosagem dos ingredientes. Depois requer-se o orvalho, lágrimas que a noite recolhe de todos os sofrimentos ignorados. Afinal é ainda indispensável a colaboração do sol, esse grande centro da vida, que a cada palpitação expede ondas de luz e de calor que são a alma das coisas criadas.

Quem procura na tua obra os sulcos fundos de uma água-forte de Rembrandt com os seus prodígios de claro-escuro, terá errado o caminho. Saia da floresta umbrosa para a várzea amena e aí, à luz branda e difusa de uma bela tarde de outono, leia em repouso o "Memorial de Aires" como quem contempla uma das gravuras à linha firme, nítida, mas leve com que Botticelli iluminou a primeira edição da "Divina Comédia".

Isto verá quem tiver olhos para ver e para admirar. Para aquele, porém, que por meio século e mais ano tem acompanhado de perto a tua obra literária e, — por que não dizê-lo? — os teus estados de alma, desde a noite da vigília das armas, na véspera de seres armado cavaleiro até a noite da vigília do coração, quando sentiste que to arrancavam do peito; para esse, o "Memorial de Aires" encerra ainda mais. Desde o começo sente-lhe o perfume da tristeza. Folheando-o, mais adiante vê desprenderem-se de suas páginas as borboletas azuis da saudade. No final, sob o adejar de grandes asas brancas, ouve um chamado vindo de muito longe, a que respondes do fundo da cantiga do rei trovador[13], e, discreto como Aires, para não perturbar o mudo colóquio de dois corações amantíssimos, retira-se sem rumor de passos, porque quem te chama é a tua Musa companheira, a mãe consoladora, a Esperança.

Sempre teu do coração,

Salvador de Mendonça

1 ∾ Provavelmente a carta foi escrita por uma das filhas ou pela esposa, D. Maria de Mendonça, pois Salvador já estava impossibilitado devido aos graves problemas de visão. (SE)

2 ∾ Percy Byshe Shelley (1792-1822), poeta de língua inglesa de inspiração romântica, cuja referência no *Memorial de Aires* é preciosa. Aires, apesar de profundamente fascinado pela viúva Fidélia, no dia em que decide barrar o sentimento que ela lhe inspira, alude ao poeta. Em seu diário, a 25 de janeiro, anota um verso do *"Unrest and Gloom"* (p. 1824): *"I can give not what men call love"* (Não posso dar isto que os homens chamam de amor). Registre-se, por fim, que a sua obra-prima, *Prometeu Desacorrentado* (1819), trata de um tema muito caro a Machado, tema, aliás, recorrente nos seus anos finais, como se pode observar neste volume. (SE)

3 ∾ Trecho de difícil leitura; provavelmente trata-se da palavra "tísica". (SE)

4 ∾ Trecho deteriorado; provavelmente a expressão "de diâmetro". (SE)

5 ∾ Assim mesmo no original. (SE)

6 ∾ Assim mesmo no original. (SE)

7 ∾ Em *Memórias de um Sargento de Milícias*, de Manuel Antônio de Almeida (1831--1861), que faz a crônica do Rio de Janeiro dos fins da primeira metade do século XIX, ainda com hábitos fortemente coloniais, quando falava de um tempo bem distante ao da narrativa, dizia *no tempo do Rei Velho*, referindo-se ao período em que D. João VI viveu no Brasil, entre 1808 e 1821. (SE)

8 ∾ Em julho, por ocasião do aniversário de Salvador, Machado havia lhe enviado o livro *Memorial de Aires*. Ver carta [1082]. (SE)

9 ∾ A praia da Saudade ficava onde hoje em dia é o Iate Clube do Rio de Janeiro. A praia do Retiro Saudoso ficava entre São Cristóvão e a Ponta do Caju. (SE)

10 ∾ A Gávea ia do largo das Três Vendas (atual praça Santos Dumont) até as montanhas dos Dois Irmãos, que hoje fazem parte do bairro de São Conrado. (SE)

11 ∾ Muitas vezes nessa época, a referência dos missivistas à Tijuca significava o Alto da Tijuca, que hoje corresponde ao Alto da Boa Vista. (SE)

12 ∾ Tristão, personagem do *Memorial de Aires*, enamorado de Fidélia, a bela e jovem viúva, filha do barão de Santa Pia. (SE)

13 ∾ Dom Dinis I (1261-1325), sexto rei de Portugal, da dinastia de Borgonha, e autor de 137 canções que formam as *Cantigas do Rei Dom Dinis*. (SE)

[1126]

De: JOAQUIM NABUCO
Fonte: Transcrições, Arquivo ABL.

Hamilton, Mass*achussets*, 3 de setembro de 1908.

Meu caro Machado,

Estou de volta de Chicago, aonde fui pronunciar o discurso de que lhe dei notícia prévia[1].

É uma pequena viagem redonda de umas sessenta horas! Para dizer algumas palavras.

O pior é que tenho outras viagens do mesmo tamanho esperando-me.

De volta vim achar o seu livro e a sua carta[2]. Está muito desconsolada. Eu não o poderia mesmo aí consolar do isolamento.

V*ocê* fechou-se nos seus hábitos como a tartaruga na concha, mas ao contrário dela não carrega consigo a sua casa. Se não fosse assim eu lhe aconselhava que se mudasse para perto do Graça[3]. Receio que V*ocê*, só, esteja vendo gente triste e cultivando a amizade dos velhos, em vez de tomar um banho de mocidade prolongado e constante.

Quanto ao seu livro li-o letra por letra com verdadeira delícia por ser mais um retrato de V*ocê* mesmo, dos seus gostos, da sua maneira de tomar a vida e de considerar tudo. É um livro que dá saudade de V*ocê*, mas também que a mata. E que frescura de espírito! É o caso de recomendar-lhe de novo a companhia dos moços, mas íntima, em casa. V*ocê* parece sentir isso com o Tristão[4] e com o Mário de Alencar. Mas o benefício de infiltrar mocidade não seria para V*ocê* só, seria também para eles. V*ocê* é a mocidade perpétua cercada de todas essas afetações da velhice.

Não se lembre dos setenta e terá quarenta. Somente não me acostumo à ortografia.[5] Creio que lhe terá custado reconhecer-se na nova[6].

A mim parece que estou lendo os antigos jornais do Borges da Fonseca. Ao menos dessa revolução ele se saiu bem afinal[7]. São espíritos revolucionários que revolucionam a ortografia.

Um apertado abraço do
Velho amigo
Joaquim Nabuco[8]

Em breve passo a reler o *Memorial*[9].

---

1 ∾ Discurso oficial na Universidade de Chicago. Ver em [1058] e nos *Diários* (2008). (IM)

2 ∾ O *Memorial de Aires*, enviado com a derradeira carta de Machado a Nabuco, [1094]. (IM)

3 ∾ Desde o retorno ao Brasil, Graça Aranha* e sua família passaram a residir em Petrópolis. Sobre a perspectiva de tirar Machado do sagrado refúgio no Cosme Velho, ver [1056]. (IM)

4 ∾ Possível referência ao escritor e admirador Tristão da Cunha (José Maria Leitão da Cunha Filho*), que tinha então 30 anos. (IM)

5 ∾ A transcrição datilografada é certamente cópia da carta original; nela encontramos "affectações", "ortographia" etc. (IM)

6 ∾ A primeira incursão da Academia no campo da reforma ortográfica, exercendo atribuições estatutárias, causou intensos confrontos entre os defensores da "simplificação" (Medeiros e Albuquerque*) e os do critério "etimológico" (Salvador de Mendonça*). Opinaram, bastante, os respectivos confrades. As Atas da Academia de 1907 dão ampla informação. Após debates e emendas, foi aprovado o texto final em 17/08/1907, tendo o governo permitido o seu uso nos exames preparatórios. A carta [957], dirigida por Machado a Nabuco em 14/05/1907, traz comentários sobre o andamento da reforma. (IM)

7 ∾ Antônio Borges da Fonseca (1808-1872), combativo jornalista republicano nascido na Paraíba, atuou como um dos chefes da insurreição Praieira (Pernambuco, 1848-1849), movimento que, segundo Nabuco, no admirável capítulo "A luta da Praia" de *Um Estadista do Império* (1897) manifestou-se como "a força de um turbilhão popular". (IM)

8 ∾ Última carta de Nabuco a Machado. (SPR)

9 ∾ Em 29 de setembro de 1908, registraria Nabuco (2008):

"Recebo esta tarde telegrama do Rio Branco. Faleceu hoje Machado de Assis. Ontem, eu havia escrito ao Graça [Aranha] sobre ele. Telegrafo ao Rio Branco: 'Brasil perdeu nele sua maior glória literária; nós, amigo querido'."

Final de uma grande amizade. (IM)

[1127]

Para: SALVADOR DE MENDONÇA
Fonte: ASSIS, Joaquim Maria Machado de. *Obra Completa*. Rio de Janeiro: Nova Aguilar, 2008.

Rio de Janeiro, 7 de setembro de 1908.

Meu querido Salvador de Mendonça.

A tua boa carta trouxe ao meu espírito afrouxado não menos pela enfermidade que pelos anos aquele cordial de juventude que nada supre neste mundo. É o meu Salvador de outrora e de sempre: é aquele generoso espírito a quem nunca faltou simpatia para todo esforço sincero. Tal te vejo há meio século, meu amigo tal te vi nos dias da nossa primeira mocidade. Íamos entrar nos vinte anos, verdes, quentes e ambiciosos. Já então nos prendia a ambos a afeição que nunca mais perdemos.

Aqui está o Salvador de então e de sempre. A tua grande simpatia achou a velha da tradição itaboraiense para dizer mais vivamente o que sentiste do meu último livro. Fizeste-o pela maneira magnífica a que nos acostumaste em tantos anos de trabalho e de perfeição. Agradeço-te, meu querido. A morte levou muitos daqueles que eram conosco; possivelmente a vida terá levado também alguns outros, é seu costume dela, mas chegado ao fim da carreira é doce que nos anime a mesma voz antiga que nem a morte nem a vida fizeram calar.

Abraça-te cordialmente

O teu velho amigo

Machado de Assis[1].

---

1 ❧ Até o presente momento esta é considerada a última carta escrita por Machado de Assis. (SE)

[1128]

De: CONGRESSO NACIONAL DE
ASSISTÊNCIA PÚBLICA – OLAVO
BILAC
Fonte: Impresso Original, Arquivo ABL.

Comissão Organizadora
n. 56

Rio de Janeiro, 17 de setembro de 1908.

Ex*celentíssi*mo Senhor

Em nome da Comissão Organizadora[1] do Congresso Nacional de Assistência Pública e Privada, peço à Vossa Excelência se digne autorizar que na sede da Academia Brasileira funcionem, em dias e horas previamente combinados, de 24 a 30[2] do corrente, duas das seções do referido Congresso que foi convocado pelo Se*nho*r Prefeito do Distrito Federal.

Tenho a honra de apresentar à Vossa Ex*celênci*a os protestos da minha mais alta consideração.

Olavo Bilac
Secretário-Geral do Congresso

Ex*celentíssi*mo Se*nho*r *Joaquim Maria* Machado de Assis,
M*uito Dig*no Presidente da Academia Brasileira.

---

1 ∾ A Comissão Organizadora era composta por Rocha Faria, Olavo Bilac, Ataulfo de Paiva, Fernandes Figueira, Medeiros e Albuquerque*. O congresso realizou-se nas dependências da Exposição Nacional de 1908, no Pavilhão do Distrito Federal, sendo o presidente de honra do congresso o prefeito do Rio de Janeiro, general Francisco Marcelino Sousa Aguiar (1855-1935), nomeado pelo presidente Afonso Pena (1906--1909). (SE)

2 ∾ Este período corresponde ao da agonia e morte de Machado de Assis. (SE)

[1129]

De: LÚCIO DE MENDONÇA
Fonte: *Revista da Academia Brasileira de Letras*, XXXI, n.° 96, 1929.

[Rio de Janeiro, setembro de 1908.]¹

Egrégio Mestre e Amigo,

Dona Iracema Guimarães Villela, digna filha do nosso saudoso Luís Guimarães Júnior, e esposa do distinto engenheiro Doutor Gastão de Azevedo Villela, quer ser-lhe apresentada e que seja eu quem a acompanhe à presença do Mestre, para submeter-lhe um romance de sua lavra. Tenho nisso imenso prazer e honra com a certeza de proporcionar-lhe verdadeiro encanto².

Seu discípulo e amigo

Lúcio de Mendonça³

---

1 ∾ Carta sem data, levada a Machado de Assis pouco antes de sua morte. (IM)

2 ∾ Conserva-se o depoimento emocionante de Iracema Guimarães Vilela, que também escrevia sob o pseudônimo de Abel Juruá. Vale recordar a amizade e o carinho de Machado pelo pai de Iracema, Luís Guimarães Júnior*, desde a adolescência até as vésperas da morte de Luís, cujas cartas (não temos nenhuma de Machado para ele!) são de uma afetividade sem par. Por isso, como se verá abaixo, o escritor recebeu Iracema num dos seus últimos dias. Ela assim relatou em *O Globo*, de 04/11/1929:

> "/.../ E uma tarde, pouco antes de sua morte, apresentada por Lúcio de Mendonça, entrei na casa das Laranjeiras, sem me ter feito anunciar. Uma senhora idosa observou-me que o escritor, estando doente, não receberia ninguém. / — Nesse caso, voltarei outra vez, — respondi desanimada. Eu trazia uma carta de apresentação do dr. Lúcio de Mendonça. / — Oh! Então tenha a bondade de esperar respondeu — afastando-se. Mas, alguns minutos depois, voltou, pedindo-me para entrar. / Na casa havia o mais profundo, o mais lúgubre silêncio. Eu, e uma amiga que me acompanhava fomos penetrando devagar, como se atravessássemos uma câmara mortuária. Guiadas sempre pela mesma senhora, encaminhamo-nos para um quarto sombrio, onde, perto de uma janela entreaberta, uma forma humana jazia silenciosa e só. Era Machado de Assis, estendido numa larga poltrona almofadada,

com as pálpebras cerradas, os magros braços enrolados numa espessa manta de lã, fazendo-me pensar em Heine na agonia, ou Napoleão finando-se em Santa Helena. Cumprimentou-nos, indicando-nos duas cadeiras a seu lado, num gesto delicado e lento. E começou a falar. A sua voz era tão fraca, tão triste, tão distante que se assemelhava a um sussurro sobrenatural /.../". (IM)

3 ∾ A *Correspondência* coligida por Fernando Nery, que abre a *Obra Completa* (1937), inclui depois da presente carta um bilhete sem data de Lúcio a Mário de Alencar*, possivelmente enviado entre 27 e 29 de setembro de 1908:

"Meu caro Mário de Alencar, / Extingue-se o nosso grande e querido Machado de Assis, e eu não posso levar-lhe o derradeiro abraço. Faça-me por sua bondade, o grande favor de visitá-lo em meu nome, asseverando-lhe que em espírito aí estou a seu lado, como disse ontem em um cartão que ele provavelmente não receberá. / Seu amigo obrigadíssimo / Lúcio de Mendonça."

Informa Nery que "a missiva está escrita e assinada por mão de outrem: Lúcio já nem podia sequer assinar o nome." O "cartão da véspera" ainda não foi localizado. Mas deve-se ao fundador Lúcio de Mendonça a apresentação de Iracema Guimarães Vilela, que nos legou o último "retrato" de Machado de Assis. (IM)

Caderno suplementar

[...]

De: A. MARTINS
Fonte: Manuscrito Original, Arquivo ABL.

[Niterói, sem data.]

Excelentíssimo Senhor Machado de Assis

Há dias dirigi à Vossa Senhoria um cartão em que dizia que alguns companheiros e eu tínhamos tido uma discussão a respeito de uns versos, e que, depois de algum debate, havíamos tomado a liberdade de nomear Vossa Senhoria para árbitro da questão.[1]

Repito hoje as perguntas, que talvez não tenham chegado a suas mãos da primeira vez:

Uma poesia composta de 7 quadras que obedecem todas à mesma metrificação, pode rimar de um modo nas seis primeiras e diversamente só na última?

Exemplo – nas primeiras o 1.º verso rima com o 4.º e o segundo com o 3.º; na última – e só nessa – o 1.º rima com o 3.º e o 2.º com o 4.º. Pode ser isso?

É um erro ou fraqueza?

Imensamente agradecido ficarei se quiser ter a bondade de responder com a maior brevidade possível, dirigindo para rua Vera Cruz, 21c Icaraí – Niterói.

Com alta e respeitosa estima subscrevo-me

De Vossa Senhoria

criado admirador

A. Martins[2]

Post Scriptum: Peço reserva até o fim da questão.

---

1 ∾ Cartão não localizado. (IM)

2 ∾ Não foi possível achar informações sobre o correspondente, nem respostas de Machado de Assis às insistentes perguntas. (IM)

[...]

> De: A. MARTINS
> *Fonte*: Manuscrito Original, Arquivo ABL.

[Niterói, sem data.]

I*lustríssi*mo E*xcelentíssi*mo S*en*hor Machado de Assis

Seria impertinência de minha parte escrever ainda, se não estivesse convencido que V*ossa Senhori*a não recebeu uma cartinha que tomei a liberdade de enviar há dias[1].

E por ter essa convicção ouso escrever de novo, repetindo mais ou menos as mesmas palavras:

Alguns companheiros e eu, depois de uma discussão sobre uns versos, resolvemos tomar a liberdade de convidá-lo para ser um dos árbitros da questão, esperando que V*ossa Senhori*a — cuja bondade e gentileza são tradicionais — se digne instruir um grupo de moços.

Eis a questão: uma poesia composta de 7 quadras, obedecendo todas à mesma metrificação, pode rimar de um modo nas 6 primeiras e diversamente só na última?

Exemplo: nas 6 primeiras o 1.º verso rima com o 4.º e o 2.º com o 3.º; na última — e só nessa — o 1.º verso rima com o 3.º e o 2.º com o 4.º. Pode ser isso? É inteiramente correto? Ou é erro? Fraqueza?

Confiando em sua gentileza, apresentamos respeitosos cumprimentos e aguardamos resposta que V*ossa Senhori*a terá a bondade de dirigir ao

seu cr*i*ado at*en*to e grande ad*mir*ador

A. Martins

Rua Vera Cruz 21c — Niterói — Estado do Rio

---

1 Ver a primeira missiva de A. Martins. (IM)

[...]

> De: AFRÂNIO PEIXOTO
> *Fonte*: Manuscrito Original, Arquivo ABL.

[Paris, sem data.]¹

Admiração e afeto do

Afrânio Peixoto

Monsieur Machado de Assis
Livraria Garnier
Rio de Janeiro
(Brésil)

---

1 ∾ Postal com a imagem da Vitória de Samotrace e a legenda «Musée du Louvre – Sculpture Antique / *La Victoire de Samothrace*». Selo removido e carimbo prejudicado. Afrânio Peixoto esteve na Europa em 1905. (IM)

[...]

> Para: ALBA DE ARAÚJO
> *Fonte*: Revista da Sociedade dos Amigos de Machado de Assis, n.º 3, set. 1959. Fac-símile do manuscrito original.

[Rio de Janeiro,] Quinta-feira.

D*ona* Alba¹,

Só agora posso pegar na pena e escrever-lhe para agradecer o obséquio que me fez dando-me de presente ao velho amigo Machado. No primeiro dia não pude conhecer bem este cavalheiro; ele buscava-me com palavrinhas doces e estalinhos, mas eu fugia-lhe com medo e metia-me pelos cantos ou embaixo dos aparadores. No segundo dia já me aproximava, mas ainda cauteloso. Agora corro para ele sem receio, trepo-lhe aos joelhos e às costas, ele coça-me, diz-me graças e, se não mia como eu, é porque lhe custa, mas espero que chegue até lá. Só não consente que me trepe à mesa, quando almoça ou janta, mas conserva-me nos joelhos e eu puxo-lhe os cordões do pijama.

A minha vida é alegre. Bebo leite, caldo de feijão e de sopa, como arroz, e já provei alguns pedaços de carne. A carne é boa; não creio, porém, que valha a de camundongo, mas camundongo é que não há aqui, por mais que os procure. Creio que desconfiaram que há mouro na costa, e fugiram.

Quando virá ver-me? Eu não me canso de ouvir ao Machado que a senhora é muito bonita, muito meiga, o encanto de seus pais.

E seus pais, como vão? Já terão descido de Petrópolis? Dê-lhes lembranças minhas, e não esqueça este jovem

Gatinho preto:[2]

---

1 ∾ Filha de Fanny* e Armando de Araújo*, vizinhos e muito amigos do casal Machado de Assis, a menina oferecera um gatinho a Machado depois da morte de Carolina*, ocorrida em 20/10/1904. Levando-se em conta a absoluta tristeza do viúvo nas cartas escritas logo após a perda da companheira, é possível que a encantadora missiva, redigida em papel simples, e não tarjado de luto como nas demais correspondências do período, tenha sido escrita no final de 1905 ou no início de 1906. (IM)

2 ∾ Assim termina o fac-símile. (IM)

[...]

De: ANTÔNIA MACHADO
Fonte: VIANA FILHO, Luís. *A Vida de Machado de Assis*. Rio de Janeiro: Martins, 1965.

[Sem local.] 5 de novembro de [1905][1].

/.../ Recebi também as fotografias e impressionou-me tristemente. Que diferença achei na nossa Carolina! Como a fisionomia dela acusa sofrimento! O último retrato dela era de 1901, três anos de diferença, e como ela estava mudada. /.../

[Antônia Machado]

1 ◦ Luís Viana Filho (1965), referindo-se à fase final da doença de Carolina* (1904), observa: "Dessa ocasião é um retrato por ele [Machado] enviado a uma amiga de infância da mulher, Antônia Machado, que respondeu sem esconder a surpresa dolorosa." Segue-se o fragmento acima reproduzido, com a informação em nota: "Carta de 5.11.1905. Inédita. Idem." Supõe-se que a proveniência seja do arquivo do dr. Sílvio Braga e Costa, mencionado em nota anterior. Desconhece-se o paradeiro do original, e cabe registrar que a data é francamente questionável. Em 05/11/1905 já se havia passado mais de um ano do falecimento de Carolina. Ou seja, o leitor deve admitir que Antônia Machado teria escrito ainda em 1904, especialmente ao se referir ao último retrato da amiga, tirado em 1901, com o claro comentário: "três anos apenas de diferença, e como ela estava mudada." (IM)

[82 A]

Para: ANTÔNIO FELICIANO DE CASTILHO
Fonte: Manuscrito Original. Coleção Castilho. Arquivo Nacional da Torre do Tombo.

Rio de Janeiro, 23 de abril de 1869[1].

Ilustre mestre e grande poeta.

Guardo, como preciosíssimo título, a carta com que Vossa Excelência me honrou a propósito da minha "Ode de Anacreonte."[2] Merecer as boas-vindas na casa do poeta que melhor conhece a antiguidade, se acaso podia ser uma ambição, estava longe de ser uma esperança. Vossa Excelência que já me havia animado quando ousei vestir aqueles nossos amáveis deuses com as roupas de um século que os não adora nem ama, torna a animar-me agora que a minha audácia foi além, querendo penetrar na vida íntima de um tempo que só mestres como Vossa Excelência conhecem. Mas é próprio dos mestres, cujas mãos estão afeitas a colher palmas, dá-las prodigamente, aos que por direito próprio as não podem colher.

A antiguidade não tem segredos para Vossa Excelência[3]; esse profundo e revolto mar não encerra pérolas que Vossa Excelência não possa ir buscar e expor à luz do século, e as musas portuguesas sabem quanto Vossa Excelência tem feito para as tornar garridas e opulentas. Ora, foi justamente uma pérola anacreôntica que eu procurei engastar, inda que o metal não era bom nem o artista perfeito. Vê Vossa Excelência que a minha obrinha pertence-lhe em parte; a inspiração, se é boa, veio de Vossa Excelência; e se entre tantas páginas, uma há digna do poeta de Teos, é justamente aquela que ouvi extrair da "Lírica de Anacreonte."[4]

Penhora-me infinitamente a solicitude de Vossa Excelência propondo-se, no caso de serem recitados os meus versos na Trindade[5], ensaiar os atores, e perfilhando em boa casa fidalga frutos de humilde estirpe. Eu não sei como agradeça à Vossa Excelência tanta generosidade; qualquer espírito de ordem superior honrar-se-ia com ela; a mim confunde-me, tão obscuro sou, tão indigno me julgo de tamanha glória.

Continuarei a trabalhar sempre com o afinco e o amor que as musas requerem; palavras como as de Vossa Excelência estimulam os brios e compensam alguns dissabores que os há sempre nesta *via dolorosa* das letras. Com os olhos no autor da "Lírica", o verdadeiro Anacreonte redivivo, buscarei aplicar aos meus singelos trabalhos a severa lição do mestre. Não tenho outro modo de agradecer a generosidade do seu coração.

De Vossa Excelência

Amigo, admirador e discípulo

Machado de Assis

---

1 ❧ Gostaria de registrar os nossos agradecimentos a Ana Cristina Comandulli da Cunha e à Professora Gilda Conceição Santos. A primeira, por intermédio de sua orientadora, cedeu-nos o manuscrito digitalizado, que faz parte do *corpus* da sua tese *Presença de Antônio Feliciano de Castilho nas letras oitocentistas portuguesas: sociabilidades e difusão da escrita feminina*, defendida recentemente na Universidade Federal Fluminense. (SPR)

2 ❧ Referência à pequena comédia machadiana – *Uma Ode de Anacreonte* – escrita em versos alexandrinos e publicada no livro *Falenas* (1870). Na cena V, Mirto vai sair quando vê sobre a mesa um rolo de papiro. São versos de Anacreonte, diz Cléon. Ela então abre o papiro e lê a seguinte ode:

Fez-se Níobe em pedra e Filomena em pássaro,
    Assim
Folgaria eu também me transformasse Júpiter
    A mim
Quisera ser o espelho em que o teu rosto mágico
    Sorri;
A túnica feliz que sempre se está próxima
    De ti;
O banho de cristal que esse teu corpo cândido
    Contém;
O aroma de teu uso e d'onde eflúvios mágicos
    Provêm;
Depois esse listão que de teu seio túrgido
    Faz dois;
Depois do teu pescoço o rosicler de pérolas;
    Depois...
Depois ao ver-te assim, única e tão sem êmulas
    Qual és,
Até quisera ser teu calçado, e pisassem-me
    Teus pés.

Na edição de 1870, Machado não fez menção a Antônio Feliciano de Castilho, mas, em 1901, ao editar as *Poesias Completas*, diz numa das notas explicativas ao final do livro, certamente recordando-se do que escrevera nesta carta de 1869:

> "É do Sr. Antônio Feliciano de Castilho a tradução desta odezinha, que deu lugar à composição do meu quadro. Foi imediatamente à leitura da 'Lírica de Anacreonte' que eu tive a ideia de pôr em ação a ode do poeta de Teos, tão portuguesamente saída das mãos do Sr. Castilho que mais parece original que tradução. A concha não vale a pérola; mas o delicado da pérola disfarçará o grosseiro da concha." (SE)

3 ∞ Antônio Feliciano de Castilho era um estudioso da cultura clássica desde muito jovem, dominando com rara habilidade o latim e o grego. (SE)

4 ∞ *A Lírica de Anacreonte* foi publicada em 1866, em Paris. (SE)

5 ∞ O Teatro da Trindade foi construído em 1866 e inaugurado em 1867. Situada na rua Nova da Trindade, no Chiado, em Lisboa, a sala de espetáculos ainda existe. (SE)

[I A]

Para: ANTÔNIO MOUTINHO
DE SOUSA
Fonte: MASSA, Jean-Michel. *"Un ami portugais de Machado de Assis: Antônio Moutinho de Sousa. Notes pour une histoire des lettres luso-brésiliennes avec un poème inédit de Machado de Assis et une préface oubliée du même auteur"*. In: *Miscelânea de estudos em honra do Prof. Vitorino Nemésio*. Lisboa: Publicações da Faculdade de Letras da Universidade de Lisboa, 1971.

Juízo Crítico[1]

[Rio de Janeiro, janeiro de 1861.]

Moutinho.

Pediste-me que transladasse para o papel as impressões recebidas com o teu drama[2]. Vou comunicar-tas tais quais as tenho presentes no espírito.

Previno-te desde já que isso não é, não pode ser nunca uma crítica. Sem modéstia, a crítica é uma função que recomenda predicados e habilidades que, com ingenuidade confesso, não existem em mim.

As considerações que te vou comunicar são as que a todos é dado fazer sem incorrer nas graves responsabilidades de que está investida a crítica.

Eu podia à semelhança de alguns que estão nas minhas circunstâncias, arriscar-me a tomar a toga de censor e julgar da tua obra com o entono do oráculo já feito.

À semelhança desses eu podia ainda, sem possuir uma toesa de terra, retalhar à vontade no teu mundo e tratar dele como se tratasse de morgadio próprio.

Parece que a bazófia não é ainda privilégio exclusivo de ninguém.

Não será esse entretanto o tom das considerações que te vou fazer.

Escrevo a um amigo, no canto de uma folha de papel, com a singeleza de uma conversa íntima, manifestando a impressão recebida sem outro comentário.

Essas palavras que aí vão escritas, à guisa de preâmbulo, têm um fim. Indicar-te o ponto de vista em que te deves colocar a respeito desta singela carta.

Tomaste por assunto do teu drama o sacrifício perseverante e clandestino da mulher, pela felicidade e reabilitação de seu marido que se perde na carreira do vício e da devassidão. Não podias melhor enobrecer a tua protagonista. O papel que lhe dás constitui um protesto a favor dessa parte do gênero humano que tanto consegue e de tanto dispõe, empregando os próprios esforços na escala que a sociedade e a natureza lhe marcam.

Basta esta ideia geral, aliás já tratada, para tornar a tua peça uma composição simpática.

Partindo dela, conduzes o drama, através de peripécias diversas, com felicidade, até a frase final donde tiras o título da composição.

A intriga com que motivaste o drama, parece-me bem cabida. Mais ainda, completa o tipo da mulher virtuosa que quiseste dar-nos em Eulália. Bastava já que ela vendesse suas joias, a ocultas do esposo, para acudir às necessidades domésticas, ao passo que ele se empenhava no vício do jogo. Julgaste pouco; ao lado dessas colocastes outras tribulações, resistindo às quais, Eulália se engrandece e renobilita.

Puseste pois a tua protagonista entre os desregramentos do esposo e o amor sensual de um Barão sem outras considerações que a satisfação de suas aspirações brutais. Corrigir um e resistir ao outro, eis o grande papel de Eulália de Magalhães.

Efetivamente o desenvolvimento deste plano devia conduzir através do enredo, à consequência moral vertida no pensamento que serve de base à composição.

Eis o que de largo se pode apreciar encarando a tua concepção.

Na execução dela as figuras concebidas estão um pouco incorretas e frouxas, e os acontecimentos não parecem às vezes justificados.

Por exemplo, a carta de Eulália no terceiro ato, carta importante que dá a Augusto a revelação de uma perfídia que não existe, não está justificada com as palavras de Eulália na cena décima quarta. Se ela tinha o dinheiro a carta era escusa visto que saldadas as dívidas, cessava a necessidade do paliativo empregado sempre por ela.

Eu corrigiria também a cena em que se declara que o Barão de Sapal é pai de Eulália. O Barão apesar da sensualidade e do cinismo mesmo de que mais de uma vez dá tristíssima cópia, devia elevar-se ali pelo arrependimento e pela vergonha. Vendo uma filha na mulher que perseguia com os desejos de sensualidade, cumpria que o Barão ficasse ao menos por um momento, homem de bem. As palavras que profere e a cordialidade que parece reinar até o fim da cena entre todos, não são por certo uma consequência dos acontecimentos que fazem o Drama.

Colocaste ao lado de Eulália, como que para remi-la da funesta afeição que inspirou a seu pai, o amor ideal de Avelino Leão. A intenção foi boa e a execução feliz. Que há de mais sublime que o amor sem esperança, puro e desinteressado, alimentado na sombra e no segredo, vivendo das ilusões, estremecendo pela menor nuvem que passa e sombreia a fronte adorada da mulher que se ama?...

Essas afeições contemplativas são menos raras do que se pensa. Não é pueril crer nelas. Cá fora, no mundo real, causa riso e custa-se a tomar ao sério o homem que vê na folha que treme, na fonte que chora, no lírio que reverdece às solidões do vale, a imagem de uma mulher que se traz na mente e no coração e diante da qual o impossível levantou eternas barreiras... Ainda bem que tu, poeta, tu, homem de coração e de espírito, tens alma para essas compreensões e não recuaste em criar Avelino Leão. Para Avelino Leão, Eulália, como ele mesmo diz, não é menos pura que suas irmãs, nem sua própria mãe mais santa que ela!

Um reparo porém. Nem a pureza do amor de Avelino, nem a indiferença da sociedade, vão ao ponto de justificarem da parte daquele a declaração que faz na cena sétima ao próprio marido. Nenhum homem nas condições de Augusto ouviria com placidez as palavras de Avelino e muito menos lhe estenderia a mão em testemunho da fé que lhe põe nas palavras. Augusto tem recebido do Barão uma carta em que aquele lhe diz ser Avelino amante de Eulália. A simples peroração de Avelino não pode convencer Augusto de que o Barão mentia. A declaração de um amor puro não podia ser um embuste? E por que acreditar mais em Avelino do que no Barão?...

Despertada a fibra do ciúme, não era dado a Augusto que saía das loucuras do jogo e que estava estragado pelo vício, ter dessas confianças em palavras, quando a suspeita lhe havia entrado no espírito. Depois é preciso também não admitir uma cega confiança em Avelino a ponto de o fazer revelar o segredo de seu coração ao próprio de quem ele deveria ocultá-lo. É verdade que a franqueza e a confiança são próprias dos caracteres leais como o de Avelino, mas tratava-se de um ponto de honra ofendido, e as palavras sinceras do amante platônico não convinham decerto na ocasião.

Mas fora isto, fora algumas palavras arrebatadas de Avelino a Eulália no primeiro ato, o papel é em geral bem sustentado, e a figura de Avelino Leão contribui como um raio suave de luz para o grupo dos outros personagens.

Augusto é um papel desenvolvido com verossimilhança. Tem porém às vezes teorias filosóficas demais, para um jogador de profissão.

Há no teu drama cenas que, ou eu me engano, ou posso asseverar-te que hão de produzir grande efeito na execução do tablado. Escritas com cores vivas de sentimento e paixão, sendo representadas por aqueles artistas que as tuas personagens estão indicando, hão de elas arrancar do fervor do público a sanção do valioso merecimento que eu, o menos próprio de julgar, aqui lhe (*sic*) confesso.

Venceste com felicidade a dificuldade de remover as tuas quatro personagens de Portugal para o Rio de Janeiro; dificuldade que, aliás, ficaria superada fazendo todos os atos nesta última localidade.

Em geral, a tua peça tem movimento, principalmente as cenas do jogo no segundo ato, e todas as do terceiro.

Para fugir a arcar com as grandes dificuldades dramáticas, simplificaste teu enredo. Está bem assim. Eu não conheço nenhuma outra peça tua³; mas creio que nesta é que puseste maior cuidado e exame. Se assim é andaste assisado em estreitar o círculo de tua ação.

Confio em que tua peça há de merecer do público os aplausos com que ele coroa os trabalhos que se lhe apresentam asselados de verdadeiro merecimento. Deves sabê-lo, tu que és artista e que estás acostumado a tocar o coração das plateias.

Quando li a tua peça imaginei-me sentado em uma cadeira do Ginásio. As observações que aí vão escritas são as que se fazem depois de cair o pano, nos corredores e no saguão.

Um mérito levo eu nelas e do qual ninguém me esbulhará: é que eu falei franco e sincero sem precedência de cálculo ou embuste.

No resto, serão sempre, ao contrário do amor de Avelino Leão puramente fumo sem fogo.

Rio; Janeiro de 1861

J. M. Machado de Assis

---

1 ∾ A presente carta-prefácio foi descoberta pelo eminente estudioso francês Jean-Michel Massa (1930-2012) e acha-se em SOUSA, Antônio Moutinho de. *Teatro III.* Drama original em e atos. Bahia: Tip. De Antônio Olavo da França Guerra, 1861. O artigo de Massa, publicado em francês, reproduz, em português, o poema "Ao Casal Moutinho" (1860) de Machado de Assis e o seu "Juízo Crítico" sobre a peça *Fumo sem Fogo*, apresentada no Teatro São João da Bahia em 1861. Essa interessante apreciação sai da pena de um Machado de apenas 21 anos, que já se dedicara à crítica teatral no periódico *A Estação* e logo se tornaria censor do Conservatório Dramático; aliás, nessa função, Machado deu parecer sobre outro trabalho de Moutinho – *Finalmente* – em 1862. O ensaio de Massa é muito rico em observações e notas, podendo ser lido integralmente na tradução da Professora Lúcia Granja que se encontra no *site* da Fundação Casa de Rui Barbosa – a http://machadodeassis.net/revista/número10/rev_num10_artigo02.pdf. Uma contextualização da amizade que uniu Machado a Moutinho de Sousa acha-se na biografia deste último ao final do presente tomo. Acrescente-se, ainda, que o texto aqui apresentado é fiel ao original de Machado de Assis divulgado por Massa, segundo Sousa (1861), mantendo-se, inclusive, a pontuação. (IM)

2 ∾ *Fumo sem Fogo*. Ver nota 1. (IM).

3 ∾ Massa menciona as peças de juventude *Pelaio ou a Vingança de uma Afronta* e *Amor e Honra*. (IM)

[...]

De: CORRESPONDENTE NÃO IDENTIFICADO
Fonte: Cartão-Postal Original, Arquivo ABL.

[Paris, junho.]¹

Imprimés
Monsieur
Machado de Assis
Cosme Velho 18
Rio de Janeiro
(Brésil)

---

1 ∽ Trata-se de um postal conservado por Machado de Assis. Além da falta de mensagem ou assinatura (não foi ainda possível identificar a caligrafia do remetente no endereçamento), há apenas uma fotografia da Place des Vosges – Paris – com a legenda: *"Maison où naquit Victor Hugo"*. O selo foi removido, e entre carimbos remanescentes só se pode ler "Jun", o mês de recebimento no Rio de Janeiro. (IM)

[...]

Para: DESTINATÁRIO NÃO IDENTIFICADO
Fonte: Cartão-Postal Original. Arquivo Histórico, Museu da República.

[Rio de Janeiro, sem data.]¹

A arte guarda fiel da natureza².

Machado de Assis

---

1 ∽ Cartão-postal inédito. (SE)

2 ∽ O cartão-postal está muito escurecido, impedindo a leitura desembaraçada e o reconhecimento de detalhes da paisagem. Trata-se de uma vista panorâmica do Corcovado, feita do alto, de um ângulo em que se vê o morro entre folhagens e, abaixo, possivelmente, a Lagoa Rodrigo de Freitas. Se se confirmar essa hipótese, a fotografia terá sido feita do alto do morro dos Cabritos. (SE)

[...]

> Para: FRANCISCA DE BASTO CORDEIRO
> Fonte: Cartão-Postal. *Ilustração Brasileira*, ano VII, 50. Fac-símile do original.

[Rio de Janeiro, sem data.]

    Não há pensamento novo
    Que aqui lhe diga
    Melhor que o seu nome caro,
    Gentil amiga

        Machado de Assis[1]

---

1 ~ Cartão-postal inédito. (SE)

[...]

> De: GRAÇA ARANHA
> Fonte: Manuscrito Original, Arquivo ABL.

[Petrópolis,] Terça-feira.[1]

Meu querido Machado de Assis,

    Acabo de receber o seu cartão. Os meus pressentimentos não me enganaram. Desço para combinarmos alguma coisa. Duvido que possa haver uma intervenção *direta* de nosso homem[2].
    Até amanhã.

        seu sempre

        Graça Aranha

---

1 ~ No sábado, 29 de dezembro de 1906, Machado escreveu a carta [922] para Domício da Gama* pedindo sua intercessão para uma possível nomeação de Vasco Smith de Vasconcelos. Diz ele: "Não desejo incomodar indiretamente o nosso Rio Branco

a esse respeito, nem sei se lhe poderia falar hoje. Escrevo também ao Graça Aranha." Tendo este respondido numa terça-feira ao cartão – não localizado – e dado o teor do bilhete, é possível que o mesmo seja de 1.º de janeiro de 1907. (IM)

2 ༄ Certamente uma alusão a Rio Branco*. (IM)

[...]

De: JOSÉ MARIA LEITÃO DA CUNHA FILHO – TRISTÃO DA CUNHA
Fonte: Manuscrito Original, Arquivo ABL.

[Rio de Janeiro,] 22 de janeiro.[1]

Meu caro Mestre,

Aí vai o Miguel Ângelo que o Azeredo[2] e eu achamos feito um pouco à sua imagem. Não o será muito. Talvez haja mesmo só o ar de família dos grandes homens. Achamos também o Buonaroti mais feio. Mas ele decerto se achou bonito, tanto que se pintou a si mesmo. De resto não importa que um irmão mais velho seja feio. Até mostra que a família não perde em graças com os séculos.

Seu amigo

Tristão da Cunha

---

1 ༄ Papel timbrado "O Advogado / Dr. Leitão da Cunha / 1, Rua d'Alfândega". (IM)

2 ༄ A carta [388] de Magalhães de Azeredo*, em 11/04/1897, narra as suas impressões sobre a obra de Miguel Ângelo, vista em Florença. (IM)

[...]
> De: JOSÉ VERÍSSIMO
> *Fonte:* Cartão de Visita Original, Arquivo ABL.

[Rio de Janeiro, sem data.]

Saúdo cordialmente o meu mestre e peço ao amigo facilite introdução do portador junto ao Ministro, para quem ele leva uma carta minha.

JOSÉ VERÍSSIMO

[269 A]

> Para: MANUEL ERNESTO DE CAMPOS PORTO
> *Fonte:* Fundação Biblioteca Nacional. *O País.* Setor de Periódicos. Microfilme do original.

Rio [de Janeiro], 3 de março de 1888[1].

Ao Il*ustríssi*mo Senhor *Manuel Ernesto* de Campos Porto[2].

Este seu livro da *Legislação Servil,* sendo um manual necessário a quantos tiverem que tratar questões de liberdade ou de propriedade escrava, é mais que tudo uma história de todos os atos e esforços praticados legislativamente entre nós[3], acerca dessa grave matéria, desde a independência e fundação do império.

Compilações anteriores, aliás copiosas e importantes, como as dos *Senhor*es conselheiro Mafra[4] e *Dou*tor L. F. da Veiga[5], não vão tão longe. Creio que a sua será apreciada e julgada com o duplo caráter de livro consultivo e repositório histórico. Efetivamente, não se poderá escrever deste assunto, em sua parte legislativa, sem ter presente o seu livro, onde mui pouca coisa terá escapado — se alguma escapou — o que não me ocorre nem creio. É vantagem capital desta casta de livros: nos edifícios que se levantarem amanhã poderá a mão do artífice rendilhar coruchéus e frontarias, mas a cal e a pedra aqui estão.

Ninguém deixará de admirar a sua compreensão da importância do assunto, a tenacidade, a lucidez e paciência com que coligiu o esparso por tantos volumes.

Eu desde já aperto-lhe as mãos.

Machado de Assis

---

1 ∾ Carta prefácio publicada em 10 de março de 1888, dois meses e três dias antes da abolição da escravidão. O livro – *Legislação Servil* – é uma compilação de tudo quanto fora produzido no campo das leis relativamente à extinção do chamado *elemento servil* desde a fundação do Império, e que estendia seus estudos também à legislação dos Estados Unidos, Portugal e Espanha. (SE)

2 ∾ O 1.º oficial do Senado, Manuel Ernesto de Campos Porto, foi um dedicado batalhador da causa da liberdade. Lutou em muitas frentes pela emancipação do elemento escravo, pertencendo a diversas associações com esse propósito. Foi secretário da Sociedade Brasileira Contra a Escravidão, liderada por José do Patrocínio e Joaquim Nabuco*, onde, por sua iniciativa, publicava assiduamente folhetos de propaganda com textos deste último. Foi 1.º secretário do Centro Abolicionista Ferreira de Meneses, fundado por José do Patrocínio, logo após a morte do grande jornalista. Foi membro da Sociedade de Propaganda Libertadora da Freguesia de Santa Rita e foi por muitos anos presidente do Clube Abolicionista do Riachuelo, bairro onde morava na rua Cerqueira Lima, 8. Escrevia regularmente na *Gazeta da Tarde* e no *Cruzeiro*, sobre assuntos relativos ao tema da escravidão. Escreveu *História da República* e foi redator do *Diário do Congresso*. Era irmão do prestigiado jornalista da *Gazeta de Notícias*, Joaquim Augusto de Campos Porto. (SE)

3 ∾ *Os atos e esforços praticados legislativamente entre nós*, – certamente incluíam a ação do Ministério da Agricultura, Comércio e Obras Públicas, onde nesta época Machado era o chefe de seção da Secretaria de Agricultura, repartição na qual corriam os processos concernentes ao chamado elemento servil. É bom lembrar que foi o ministro Rodrigo Silva, chefe de Machado, quem assinou administrativamente a Lei Áurea, logo abaixo da princesa Isabel. Segundo a imprensa da época, o ministério teve importância capital na longa conquista da liberdade. Diz *O País*, em 18 de maio de 1888:

"A secretaria de agricultura não poderia ser esquecida sem amarga injustiça pelo muito que fez a prol da causa da abolição. Cumprindo o seu dever sem ostentação nem ruído, ela pesou naturalmente pelo seu conselho nos conselhos do governo em todas as fases da vagarosa elaboração do extraordinário acontecimento que o mundo inteiro aplaude agora. No silêncio do gabinete, José Júlio, Amarílio de Vasconcelos,

Machado de Assis, Pinto Cerqueira, Paula Barros e ainda outros, dedicavam-se durante anos a velar com solicitude na defesa dos direitos do escravo, a tirar das leis de liberdade todos os seus corolários, a organizar e a tornar efetiva a emancipação gradual pela ação do Estado, a marcar por laboriosas estatísticas o andamento do problema, a estabelecer hermenêutica sã como reguladora dos casos controversos, a saturar a atmosfera, enfim, de princípios fecundos na aplicação prática, firmando corpo de doutrina e a realidade sustentando verdadeira propaganda eficacíssima para a aspiração da liberdade.

Por isto mesmo a manifestação de ontem é para ser considerada como das mais valiosas, convencidas e repassadas de justiça. A laboriosa repartição foi por muito tempo testemunha, conselheira e auxiliar na prontidão e do profundo amor da liberdade com que o ministro Rodrigo Silva tendo na maior valia as questões referentes ao estado servil, acudia a cada uma com solução adequada, resolvendo sempre a favor da liberdade todas as vezes que lho permitia o espírito das leis, iniciando providências, zelando a guarda dos direitos do escravo e do liberto, e por todos os modos patenteando o mais desvelado interesse pela importante esfera do serviço.

A ilustre corporação não festejou somente o ministro que a ocasião propícia chamou a cooperar para a grande solução, mas ao mesmo tempo o estadista que mandou cancelar matrículas irregulares em número não pequeno, suprimir do registro de cativeiro os escravos alforriados, intimar senhores para tornar efetiva a averbação das alforrias e que, por muitos outros atos, manifestou claro intento e resolução assentada de favorecer a liberdade com todos os favores do direito."

Por fim é bom lembrar que Magalhães Jr. (2008), vol. II, no capítulo "Chefe de Seção Efetivo", descreve a atuação de Machado, como representante do ministério, no episódio das matrículas de escravos, em que exarou parecer que fundou jurisprudência em todo o Brasil, baseando-se ele no espírito da lei de 28 de setembro de 1871, que dizia que, em caso de dúvida, sempre a favor da liberdade. (SE)

4 ∾ Manuel da Silva Mafra (1831-1907). (SE)

5 ∾ Luís Francisco da Veiga (1834-1899). (SE)

[280 A]

Para: MANUEL FRANCISCO CORREIA
Fonte: Manuscrito Original, Coleção Manoel Portinari Leão.

[Rio de Janeiro,] 8 de dezembro de 1890.

Ilustríssimo Excelentíssimo Senhor Conselheiro[1]

O Senhor Ministro já mandou providenciar no sentido da carta de Vossa Excelência de 4 do corrente. O trem sairá no dia 25, visto que Vossa Excelência o aceitou, às 8 horas da manhã.

Sou, com estimação e consideração

atento Venerador e obrigado

Machado de Assis[2]

---

1 ∾ Bilhete inédito, de natureza burocrática, sem indicação do nome do destinatário. O desafio de saber quem era o "Senhor Conselheiro" e por que este receberia uma passagem do então ministro da Agricultura, general Francisco Glicério Cerqueira Leite (1846-1916), levou-nos a consultar periódicos da época, em busca de alguma viagem de trem oficial no dia 25 de dezembro de 1890, única pista da breve e formal missiva. Eis que o jornal carioca O *País* oferece completa elucidação. Trata-se da matéria "Asilo Agrícola" estampada em primeira página da edição de 26/12/1890. Com riqueza de detalhes, merece ser reproduzida na íntegra, pois dá um perfeito quadro da assistência à "infância desamparada" iniciada pela princesa Isabel no ocaso da monarquia e oficialmente assumida no início da fase republicana.

ASILO AGRÍCOLA

Neste importante estabelecimento, situado na estação do Desengano, realizou-se ontem a solene distribuição de prêmios aos educandos. / Pouco depois das oito horas da manhã partiu da estação da estrada de ferro Central do Brasil um trem especial transportando os Srs. generais Glicério, ministro da agricultura; barão Homem de Melo, intendente municipal; **conselheiro Manoel Francisco Correia**, Dr. Paula Freitas; **presidente** e secretário do asilo[;] a primeira benfeitora do mesmo asilo, muitas outras senhoras e cavalheiros representantes da imprensa desta capital. / Às 11 horas o trem parou na estação da Barra e no hotel daí foi servido lauto almoço, sendo por essa ocasião brindado o ministro da Agricultura pelo conselheiro Correia, agradecendo aquele em significativo discurso sobre a festa que assistia. / Depois do meio-dia partiu da Barra o trem, chegando à 1 hora da tarde ao portão do asilo, onde aguardava os visitantes o digno diretor do estabelecimento Sr. Dr. Raimundo Monteiro da Silva. / No palco fronteiro ao edifício achava-se a banda de música dos educandos, que levantaram vivas à chegada do ministro e dos convidados, tocando uma bela marcha. / Imediatamente na sala de honra do edifício foi aberta a sessão solene pelo **conselheiro Correia**, que deu a presidência ao Sr. Francisco Glicério, executando-se o seguinte programa: / Ouvertura (sic) – "Cruz e Honra" – Bléger, pela banda do asilo. Discurso do Sr. **Manoel Francisco Correia**, presidente da Associação Protetora da Infância Desamparada. Variações de requinta pelo asilado João Batista da Silva. Discurso do Sr. Américo Dantas Werneck, professor do asilo. Huguenotes – fantasia – pela banda. Distribuição de prêmios. / O Sr. ministro da Agricultura entregou os prêmios, e as medalhas de mérito foram pregadas no peito dos educandos pela primeira benfeitora. / Seguiu-se a seguinte parte do programa, constando do seguinte: / Variações de barítono pelo asilado Querubim Pedro Luís. Alocução do asilado Luís Martins Bastos e recitação da poesia *O Amazonas* pelo asilado – Polka *Jovial*, composição do Sr. M. Moreira Lopes, professor da banda, oferecida ao Sr. Dr. Diretor do asilo. Encerramento – Hino Nacional. / Antes de terminada a festa, o Sr. comendador João Alves Afonso entregou ao Sr. **conselheiro Correia** um envelope com a quantia de 150$, destinada ao patrimônio do asilo, sendo 100$ doados pelo mesmo senhor e 50$ pelo comendador João José da Silva Lima. / Oraram: o Sr. ministro da agricultura, que em eloquente discurso declarou que bateu-se sempre por uma ideia e não contra indivíduos; aconselhou aos educandos que nunca se esquecessem daqueles que foram os principais fundadores do asilo, o conde e a condessa d'Eu, a quem deviam a educação que recebiam, o Sr. **conselheiro Correia** agradeceu ao Sr. ministro a honra que acabava de dar assitindo à festa. / Depois de levantada a sessão foi oferecida pelo diretor às pessoas presentes uma delicada mesa de doces, trocando-se então amistosos brindes. / O prestante cidadão que dirige o asilo e todos os professores que o ajudam na sua árdua missão são credores de nossas homenagens justas e sinceras pela boa ordem do estabelecimento, o adiantamento dos alunos, principalmente os da banda de música, que em pouco tempo serão artistas de merecimento. / Às 4 horas da tarde regressaram os excursionistas, chegando às 8 horas da noite à estação central. / Na estação das Palmeiras o trem demorou-se um tempo, visitando então o Sr. ministro da agricultura ao seu colega da guerra, que ali está convalescendo.

Cabem breves observações: os asilados eram crianças órfãs vindas da Santa Casa de Misericórdia do Rio de Janeiro, que recebiam criterioso preparo para as atividades agrícolas, de vital importância econômica no Brasil oitocentista, educação complementada pela prática musical posta em relevo pelo redator; o ministro da Guerra visitado por seu colega da Agricultura era o futuro presidente Floriano Peixoto; por fim, a solenidade ocorreu no dia de Natal de 1890, não havendo qualquer menção a essa festa cristã: "Mudaria o Natal ou mudei eu?" indagaria a pena "frouxa e manca" de Machado de Assis no famoso soneto publicado seis anos depois... . (IM)

2 ∞ O manuscrito original foi apresentado na "Exposição comemorativa de 100 anos de morte de Machado de Assis", realizada pela Academia Brasileira de Letras em 2008 e encontra-se o fac-símile no respectivo catálogo. (IM)

[956 A]

Para: MEDEIROS E ALBUQUERQUE
Fonte: Manuscrito Original, Arquivo ABL.

[Rio de Janeiro, 1.º de maio de 1907.][1]

Caro am*igo* e colega D*outo*r Medeiros e Albuquerque,

Se logo à tarde, ao sair daqui, passar ainda pela rua do Ouvidor, lá me achará no Garnier. Caso ainda nos encontremos, falaremos da matéria para sessão de amanhã[2].

Machado de Assis

1 de Maio.

Em tempo:

Deixo aqui uma carta do Doutor Noernio da Silveira[3] acompanhando as obras do Teixeira de Miguel (*sic*)[4]. Responderemos à carta depois[5].

M. A.[6]

---

1 ∞ Missiva inédita. Aliás, o único traço de correspondência entre Machado de Assis e Medeiros e Albuquerque até agora. Machado escreveu somente "1 de Maio", abaixo da assinatura. Mas, como menciona a "sessão de amanhã", consultando as Atas, verifica-se que houve apenas uma sessão presidida por Machado em 2 de maio e esta ocorreu em 1907. (IM)

2 ∾ A matéria seria a reforma ortográfica proposta por Medeiros e Albuquerque. Informa a ata anterior, de 25 de abril, que ficara resolvido que o projeto de Medeiros fosse publicado em avulso para ser distribuído pelos acadêmicos, "devendo ser discutido por ordem cada um dos seus itens e depois do estudo de todos eles, votada a matéria em sessão que seria previamente anunciada, de modo que pudessem comunicar o seu parecer os acadêmicos ausentes." O tema provocaria debates acirrados, tendo em vista a imediata reação de Salvador de Mendonça* e de outros confrades, gerando a polêmica entre os "foneticistas" (liderados por Medeiros) e os seguidores de Salvador que defendiam o critério etimológico. Cabe dar espaço para o teor da ata da sessão de 2 de maio:

"/.../ Começou-se a discutir o projeto do Sr. Medeiros e Albuquerque sobre reforma da ortografia. Pedindo a palavra, o Sr. Salvador de Mendonça propôs que antes de ser iniciado o estudo do item a do projeto, fosse discutido em geral o assunto, que esse seu parecer era de grande importância e não podia ser resolvido pela Academia senão depois de muita ponderação. Achava que as bases da reforma não deviam ser aceitas, porque tendiam a alterar as formas da língua, sem respeito à etimologia, da qual ele se declarava intransigente defensor, e sobre essa matéria discorreu longamente, fazendo o histórico da formação da língua portuguesa. Falaram em defesa do projeto do Sr. Medeiros e Albuquerque, Sousa Bandeira e João Ribeiro. /.../"

Note-se que, com assiduidade inédita, a Academia realizou mais 13 sessões (praticamente semanais) até 12 de setembro, quando passou a tratar de outros temas. Houve numerosas manifestações na imprensa, destacando-se a "Karta" de Carlos de Laet [962]; o assunto também é comentado na carta [973] de Machado a Nabuco*. (IM)

3 ∾ Noernio da Silveira, advogado e tabelião carioca. (IM)

4 ∾ Nos últimos anos de vida, sobretudo depois da morte de Carolina*, observam-se pequenos equívocos nos autógrafos de Machado – lapsos como este, ao designar como "Teixeira de Miguel" o velho amigo Teixeira de Melo*, fundador da Cadeira 6 e recém-falecido aos 73 anos e 10 de abril. Tal perda, sem dúvida, abalara o outrora Machadinho, autor de uma bela carta aberta dirigida a Teixeira de Melo em 1864 (ver [30], tomo I). O manuscrito infelizmente foi recortado da página original – papel pautado – e traz, a lápis e entre parênteses, um ponto de exclamação depois de "Miguel". Vestígios dessa anotação permitem entrever que por onde passou uma tesoura remota resta o traçado superior dos dois LL, indício de "Mello", apoiando a nossa hipótese. (IM)

5 ∾ Resposta ainda não localizada. (IM)

6 ∾ Esta carta acha-se no Caderno Suplementar porque só foi localizada após o estabelecimento do *corpus* deste volume. (IM)

[...]

> Para: RAMIZ GALVÃO
> *Fonte*: Cartão de Visita Original, Fundação Biblioteca Nacional.

[Rio de Janeiro,] 1.º de fevereiro.[1]

MACHADO DE ASSIS

veio restituir a "Secchia Rapita"[2] e agradecer ao Ilustríssimo Senhor Doutor Galvão[3] a sua fineza [.]

---

1 ∾ Documento inédito. (SE)

2 ∾ *La Secchia Rapita* (*O Balde Roubado*) é um poema herói-cômico em oitavas, escrito por Alessandro Tassoni (1565-1635). A primeira versão é de 1614-1615, mas só foi publicado em 1622, em Paris. A versão final foi impressa em Veneza em 1630. (SE)

3 ∾ Ramiz Galvão (1846-1938) foi diretor da Biblioteca Nacional entre 1870-1882. Por outro lado, o exemplar existente na Fundação Biblioteca Nacional apresenta a ficha bibliográfica datada de 1900 — *La secchia rapita, con una prefazione di Giosuè Carducci*, pelo Instituto Editoriale Italiano, de Milão. É possível que Ramiz Galvão tenha emprestado a Machado o volume de sua propriedade, nesta mesma edição, aliás, comentada por Carducci (1835-1907). (SE)

[...]

> Para: SARA BRAGA E COSTA
> *Fonte*: Cartão de Visita Original. Arquivo Histórico, Museu da República.

[Rio de Janeiro,] 17 de fevereiro.[1]

Minha boa Sara, aí vão esses 29 volumes, muitos deles velhos, mas ainda legíveis.

MACHADO DE ASSIS

18, Cosme Velho

1 ✤ Luís Viana Filho (1965) refere-se ao documento como "cartão de visita tarjado", supondo a remessa de livros como ocorrida pouco menos de três meses após a morte de Carolina*, vale dizer, fevereiro de 1905. Cabe observar que o documento original não tem a marca de luto, deixando dúvidas quanto ao ano do envio à sobrinha Sara. (IM)

[...]

De: SILVA RAMOS
Fonte: Cartão de Visita Original, Arquivo ABL.

[Rio de Janeiro, sem data.]

Ao amigo Machado de Assis

JOSÉ JÚLIO DA SILVA RAMOS[1]

Veio pessoalmente comunicar que o Pedro Rabelo[2] aceitou a incumbência de representar a Academia de Letras e que portanto pode mandar o convite para a *Gazeta de Notícias*.

---

1 ✤ Na diretoria da Academia Brasileira de Letras, Silva Ramos desempenhou a função de 2.º secretário. (SE)

2 ✤ Pedro Rabelo faleceu em 27 de dezembro de 1905, em decorrência de tuberculose, segundo o *Jornal do Comércio*: "uma longa enfermidade de crises dolorosíssimas." (SE)

~ *Correspondentes no período 1905-1908*

Cartas de MACHADO DE ASSIS: [815], [817], [822], [823], [825], [830], [831], [832], [839], [843], [844], [846], [851], [852], [854], [855], [861], [862], [871], [874], [880], [893], [896], [897], [899], [905], [907], [908], [912], [913], [917], [919], [921], [922], [924], [927], [931], [934], [940], [941], [944], [945], [948], [950], [953], [957], [958], [959], [964], [967], [969], [973], [975], [977], [979], [981], [991], [992], [993 A], [998], [1001], [1005], [1012], [1015], [1017], [1020], [1021], [1024], [1026], [1028], [1030], [1033], [1036], [1043], [1044], [1045], [1046], [1050], [1051], [1053], [1054], [1062] [1066], [1071], [1073], [1075], [1077], [1078], [1080], [1085], [1089], [1090], [1092], [1093], [1094], [1095], [1096], [1097], [1103], [1107], [1114], [1116], [1118], [1122], [1124], [1127].

CADERNO SUPLEMENTAR. (para) Alba de Araújo / Antônio Feliciano de Castilho [82 A] / Antônio Moutinho de Sousa [I A] / Destinatário Não Identificado / Francisca de Basto Cordeiro / Manuel de Campos Porto [269 A] / Manuel Francisco Correia [280 A] / Medeiros e Albuquerque [956 A] / Ramiz Galvão / Sara Braga e Costa.

ALBUQUERQUE, José Joaquim de Campos da Costa MEDEIROS E. (1867-1934). Jornalista, professor, político, contista, poeta, orador, romancista, teatrólogo, ensaísta e memorialista pernambucano. Era filho do Dr. José Joaquim de Campos de Medeiros e Albuquerque*. Cursou o Colégio Pedro II e, em viagem com o pai para a Europa em 1880, matriculou-se na Escola Acadêmica de Lisboa, onde permaneceu até 1884. De volta ao Rio de Janeiro, fez um curso de História Natural com Emílio Goeldi e foi aluno particular de Sílvio Romero*. Trabalhou inicialmente como professor primário adjunto, entrando em contato com os escritores e poetas da época. Fez sua estreia literária em 1889 com os livros de poesia *Pecados* e *Canções da Decadência*, nos quais revelou conhecimento da estética simbolista, como testemunha a sua "Proclamação decadente". Aderiu ao republicanismo; proclamada a República, foi nomeado secretário do Ministério do Interior e, em 1892, vice-diretor do Ginásio Nacional. Foi professor da Escola de Belas-Artes (desde 1890), vogal e presidente do Conservatório Dramático (1890-1892) e professor das escolas de 2.º grau (1890-1897). Além das funções públicas, dedicou-se ao jornalismo, dirigindo *O Fígaro*, e à política, elegendo-se deputado federal por Pernambuco em 1894. Em 1897, foi nomeado diretor-geral da Instrução Pública do Distrito Federal, mas, por fazer oposição a Prudente de Morais, precisou pedir asilo à embaixada do Chile. Demitido do cargo, defendeu seus direitos nos tribunais e obteve a reintegração. De volta à Câmara, opôs-se a Hermes da Fonseca e foi viver em Paris. Retornando ao Brasil, defendeu a entrada do país na I.ª Guerra Mundial e sua campanha contribuiu para o rompimento de relações do Brasil com a Alemanha. A partir de 1899, devido ao fato de Joaquim Nabuco* ter deixado o país para assumir missões diplomáticas, ocupou interinamente a Secretaria-Geral da ABL, efetivando-se a partir da morte do primeiro secretário-geral, no período 1910-1917. Em 1907, propôs a primeira reforma ortográfica promovida pela instituição. Esteve ao lado do governo Washington Luís, refugiando-se na embaixada peruana após a vitória na revolução de 1930. Desse ano até sua morte, colaborou na *Gazeta* de

São Paulo e em outros jornais do Rio de Janeiro. Na Academia, fez parte da Comissão do Dicionário, foi redator da *Revista* e empenhou-se nos debates então travados em torno da simplificação da ortografia. Autor prolífico, além da obra poética (seis livros), produziu cerca de três dezenas de títulos em prosa (contos, romances, teatro, ensaios e conferências, memórias e viagens, pensamentos e polêmicas, discursos etc.), dentre os quais se destaca *Quando Eu Era Vivo...* memórias 1867 a 1934 (edição póstuma em 1942). Medeiros e Albuquerque também é lembrado pela autoria da letra do Hino da República e lhe é atribuída a primeira proposta de criação de uma academia de letras, que não chegou a vingar. Assíduo nas atividades acadêmicas, não teve qualquer intimidade com Machado de Assis; publicou críticas sobre suas derradeiras obras, mas não ocultava certo desapreço pela personalidade do escritor. Fundador da Cadeira 22. [956 A].

ALENCAR, AUGUSTO COCHRANE DE. (1865-1927). Filho mais velho de José de Alencar* (1829-1877) e Georgiana Nogueira da Gama Cochrane (1847-1913), e irmão de Mário de Alencar*. Muito jovem Augusto tornou-se diplomata, percorrendo diversos postos como adido e secretário de legação. Distinguiu-se durante o governo Floriano Peixoto, pelos serviços prestados em Montevidéu, como encarregado de negócios. Há referências a Augusto de Alencar nas cartas da década de 1890, tomo III, feitas por Magalhães de Azeredo*, quando este também muito jovem entrou no serviço diplomático e foi servir no Uruguai. Augusto foi ministro em capitais mundo afora. Ocupou o cargo de subsecretário de estado das Relações Exteriores, enquanto Domício da Gama* (1862-1925) foi ministro da pasta, na gestão de Delfim Moreira (1868--1920), substituto de Rodrigues Alves (1848-1919) que, vitimado pela gripe espanhola, não chegou a tomar posse de seu segundo mandato (1918-1922). Delfim ficou no poder de 15 de novembro de 1918 a 28 de julho de 1919, até as novas eleições. Depois de deixar a função de subsecretário, Alencar, ainda em 1919, tornou-se o embaixador brasileiro em Washington, substituindo Domício da Gama, removido para Londres. Em 2 de fevereiro de 1927, dois anos após a morte de Domício, Alencar, que se tornara o guardião do arquivo pessoal do antigo ministro, passou-o a Afonso Celso (1860-1938), membro da ABL. O diplomata entrou em disponibilidade em 1924. Foi casado com Adèle Michel. [971] e [1081].

ALENCAR, MÁRIO Cochrane DE. (1872-1925). Advogado, poeta, jornalista e romancista, Mário é o filho mais novo de José de Alencar*, e irmão de Augusto*, ambos correspondentes de Machado de Assis. A relação entre Machado e Mário principiou a estreitar-se a partir de 1891. Em 1895, Mário convidou-o para a cerimônia do seu casamento com Helena Cochrane de Afonseca, a prima Babi, cujo apelido era comum a uma de suas irmãs. A partir de 1898, Mário passou a frequentar a redação da *Revista Brasileira*. O temperamento reservado e a doença comum — epilepsia — colaboraram para aproximá-los. Amparavam-se mutuamente em suas fraquezas, trocando palavras de incentivo e até mesmo receitas de remédios, a fim de mitigar as aflições (carta [402], tomo III). Quase diariamente iam juntos à livraria Garnier ou encontravam-se lá, para passar o final de tarde com a roda de amigos que se reunia costumeiramente ali. Depois partiam no bonde do largo da Carioca em direção ao Catete, ponto a partir do qual se separavam, seguindo Mário em direção à rua Marquês de Olinda, 74, e Machado, à rua Cosme Velho, 18. Após a morte de Carolina*, em 20 de outubro de 1904, a amizade estreitou-se ainda mais, tornando-se ele o confidente mais próximo de Machado. No volume IV, há cartas que dão conta do papel relevante de Mário na conquista da sede do cais da Lapa. No presente volume, há cartas em que se observa o seu empenho em fazer contatos políticos na Câmara dos Deputados (onde era bibliotecário), com o objetivo de anular a punição do major Bonifácio Costa*, marido de Sara*, sobrinha do escritor, a fim de que a família Costa voltasse ao Rio de Janeiro antes da morte de Machado. A suspensão foi conseguida, mas a família não chegou a tempo. Na

Academia Brasileira de Letras, Mário é o segundo ocupante da Cadeira 21, cujo patrono é Joaquim Serra*. Foi eleito, por empenho pessoal de Machado, para a vaga de José do Patrocínio em 31 de outubro de 1905, sendo recebido por Coelho Neto* em 14 de agosto de 1906. A reação da imprensa à sua eleição projetou-o numa crise profunda. [841], [859], [881], [913], [916], [917], [921], [926], [927], [928], [935], [939], [940], [941], [942], [944], [945], [946], [947], [948], [950], [953], [956], [967], [983], [985 A], [991 A], [993 A], [998], [1005], [1016], [1017], [1021], [1025], [1026], [1027], [1028], [1029], [1030], [1032], [1033], [1034], [1036], [1042], [1045], [1050], [1052], [1055], [1065], [1066], [1068], [1070], [1071], [1072], [1073], [1074], [1075], [1078], [1079], [1088], [1089], [1091], [1096], [1102], [1103], [1105], [1107], [1108], [1111], [1112], [1113], [1114], [1115], [1116], [1118], [1119], [1121] e [1122]. Ver tb. tomos III e IV.

ANDRADE, GILBERTO FREIRE. Não se encontraram até o presente momento dados relevantes a respeito deste missivista. [924].

ARANHA, José Pereira da GRAÇA. (1868-1931). Escritor, advogado e diplomata maranhense, exerceu a magistratura no interior do Espírito Santo, fato que lhe iria fornecer matéria para um de seus mais notáveis trabalhos – o romance *Canaã*, publicado com grande sucesso editorial em 1902. A convite de Joaquim Nabuco* em 1889, secretariou a missão que cuidaria da questão da antiga Guiana inglesa, acompanhando o chefe na França e fixando-se em Londres, quando Nabuco, além de cuidar do litígio entre o Brasil e a Grã-Bretanha, assumiu a representação diplomática brasileira naquele país. Depois da estreia com *Canaã*, publicou, em 1911, o drama *Malazarte* e *A Estética da Vida* (1920). Encerrou a carreira diplomática como ministro em Paris. De volta ao Brasil, lançou *A Viagem Maravilhosa* (1929) e *O Meu Próprio Romance* (1931), sua obra derradeira. Na Semana da Arte Moderna, realizada no Teatro Municipal de São Paulo, Graça Aranha proferiu, em 13 de fevereiro de 1922, a conferência intitulada

A Emoção Estética na Arte Moderna. Foi considerado um dos chefes do movimento renovador de nossa literatura, fato que se acentuaria com a conferência *O Espírito Moderno*, lida na Academia Brasileira de Letras, em 19 de junho de 1924, na qual o orador declarou: "A fundação da Academia foi um equívoco e foi um erro". O romancista Coelho Neto* deu-lhe pronta resposta: "O brasileirismo de Graça Aranha é um brasileirismo europeu, copiado do que o conferente viu em sua carreira diplomática." Em 18 de outubro de 1924, Graça Aranha comunicou o seu desligamento da Academia por ter sido recusado o projeto de renovação que elaborara: "A Academia Brasileira morreu para mim, como também não existe para o pensamento e para a vida atual do Brasil. Se fui incoerente aí entrando e permanecendo, separo-me da Academia pela coerência." O acadêmico Afonso Celso tentou, em 19 de dezembro do referido ano, promover o retorno de Graça Aranha à instituição, mas Graça Aranha foi taxativo: sua separação da Academia fora definitiva. Machado de Assis admirava Graça Aranha, e, com Nabuco e Lúcio de Mendonça*, convidou-o para fazer parte do grupo dos fundadores da ABL, sem que ele houvesse ainda publicado nenhum livro. Aranha a princípio recusou o convite, por ser contrário à ideia da Academia, mas acabou voltando atrás, a instâncias de Machado. O temperamento irreverente de Graça Aranha às vezes irritava Machado de Assis, como ocorreu em 1899, quando Graça, tendo lido em Paris as provas de *Dom Casmurro*, brincou com o mestre, dizendo ter encontrado num hotel uma grega de olhos oblíquos e dissimulados, cujo amante tinha morrido afogado. Machado puniu Graça com um longo silêncio, mas a reconciliação se deu no final de 1900. Apesar de pequenos conflitos motivados por candidaturas acadêmicas, a amizade de ambos não sofreu novas turbulências. Machado se entusiasmou genuinamente com *Canaã*. Foi Graça Aranha quem entregou a Machado o ramo do carvalho de Tasso, que Joaquim Nabuco fizera vir de Roma. E após a morte do amigo, organizou e prefaciou sua correspondência com Nabuco (1923). Foi o fundador da Cadeira 38 da Academia Brasileira de Letras. [882], [952], [965], [982],

[1004], [1007], [1011], [1035], [1056] e Caderno Suplementar. Ver tb. tomos III e IV.

ARAÚJO, ALBA DE. Filha de Armando* e Fanny de Araújo*, muito amigos do casal Machado de Assis. Após o falecimento de Carolina*, a menina Alba ofereceu ao solitário viúvo um gatinho, presente que ele agradeceu através da deliciosa carta com impressões do bichano e assinada pelo "Gatinho Preto". A missiva, sem data, não sendo escrita em papel tarjado, talvez remeta o episódio a um período menos dramático do que aquele imediatamente posterior à viuvez. Em artigo que a apresenta na *Revista da Sociedade dos Amigos de Machado de Assis* (1959), Noronha Santos se refere à destinatária: Machado não se cansava de achá-la "muito bonita, muito meiga e muito graciosa". Embora loura e de olhos azuis, a garota era chamada de "Mulatinha", e seu amigo declarava, ao vê-la, "Ó flor mimosa...". Segundo a mesma fonte, Alba morreu em plena mocidade. Caderno Suplementar.

ARAÚJO, FANNY DE. Amiga íntima de Carolina*, deu-lhe grande assistência durante a penosa enfermidade e continuou afetuosamente dedicada ao viúvo Machado de Assis. Foi o esposo de Fanny, Armando Ribeiro de Araújo*, quem tomou as providências para o enterro de Carolina (1904) e também um dos que carregaram o ataúde do escritor. [896] e [975].

AZEREDO, Carlos MAGALHÃES DE. (1872-1963). Bacharel em direito pela Faculdade de São Paulo (1893), ingressou na carreira diplomática em 1895; foi também jornalista, poeta, contista e ensaísta. Azeredo morou a maior parte de sua vida fora do Brasil, primeiro no Uruguai, depois em Roma. Por um tempo exilou-se em Paris, voltando a Roma, a cidade de sua predileção. Mesmo depois de aposentar-se da carreira, continuou a viver ali. Magalhães de Azeredo é um dos interlocutores privilegiados, a quem Machado de Assis votou grande afeição e profunda confiança e com o qual se correspondeu por 19 anos. As cartas do período anterior deram continuidade à vasta correspondência começada em 1889, quando Azeredo, aos dezesseis anos, era ainda estudante dos preparatórios à Faculdade de Direito de São Paulo. A correspondência entre os dois no presente tomo reúne 21 cartas, nas quais se leem os comentários políticos de Azeredo, e percebem-se os ecos de uma época de grandes mudanças urbanísticas na cidade do Rio de Janeiro, bem como as transformações do ambiente cultural no Brasil e na Europa. Fundador da Academia Brasileira de Letras, ocupante da Cadeira 9, cujo patrono é o escritor e diplomata Domingos Gonçalves de Magalhães. [831], [845], [852], [856], [860], [862], [911], [933], [970], [988], [992], [994], [1002], [1010], [1037], [1038], [1059], [1081], [1095], [1101] e [1117]. Ver tb. tomos III e IV.

BANDEIRA, João Carneiro de SOUSA. (1865-1917). Ensaísta, jurista e diplomata pernambucano. Seu pai, doutor Antônio Herculano, relacionava-se com os brasileiros de maior expressão intelectual e política da época, entre os quais Joaquim Nabuco*, amizade que Sousa Bandeira viria a cultivar. Bacharel pela Faculdade de Direito do Recife, foi então fortemente influenciado pelo ideário de Tobias Barreto. Transferindo-se para o Rio de Janeiro, dedicou-se à advocacia. Em 1891, assumiu a cadeira de direito administrativo como professor da Faculdade de Ciências Jurídicas. Frequentou o grupo literário da *Revista Brasileira*, dirigida por José Veríssimo* a partir de 1895. Sua atividade diplomática se deu em ocasiões especiais. Publicou *Estudos e Ensaios* (1904), *Peregrinações* (1910), *Páginas Literárias* (1917) e *Evocações Outros Escritos* (ed. póstuma, 1920). Eleito em 1905, foi o quarto ocupante da Cadeira 13 da Academia Brasileira de Letras. [891], [909 A], [1000], [1013] e [1100]. Ver tb. tomo IV.

BARÃO DE TODOS OS SANTOS. O que se apurou a respeito deste missivista encontra-se nas notas à carta [821].

BARAÚNA, ISABEL. O que se apurou a respeito desta missivista encontra-se nas notas à carta [850].

BARRETO. João PAULO Emílio Cristóvão dos Santos Coelho. (1881--1921). Carioca, nascido no centro antigo do Rio de Janeiro, Paulo Barreto estudou no Colégio São Bento e depois no Colégio Pedro II, então Ginásio Nacional. Em 1899, publicou em O Tribunal, de Alcindo Guanabara, o seu primeiro trabalho assinado: uma crítica ao espetáculo Casa de Bonecas, de Ibsen, em cartaz no Teatro Santana, atual Carlos Gomes. Entre 1900-1903, colaborou em diversos jornais cariocas. Em 1903 ainda, ingressou na Gazeta de Notícias, por indicação de Nilo Peçanha, jornal onde permaneceu até 1913. Paulo Barreto teve diversos pseudônimos, sendo o de João do Rio o mais conhecido. Foi na Gazeta de Notícias, em 26 de novembro de 1903, ao assinar o artigo "O Brasil Lê", que nasceu o pseudônimo posteriormente consagrado, que terminou por eclipsar a identidade literária anterior, Paulo Barreto, e todos os outros pseudônimos. Como João do Rio, publicou todos os seus livros e ganhou notoriedade. A sua atuação nos jornais cariocas, no início do século XX, marca o surgimento de um novo tipo de jornalismo no Brasil. No século XIX, a atividade era exercida por intelectuais que atuavam profissionalmente em outras áreas e que em horas vagas escreviam as suas matérias. Machado de Assis, por exemplo, exerceu o jornalismo nessa condição até perto do fim da vida. Paulo Barreto dedicou-se exclusivamente a escrever na imprensa e a fazer literatura. Foi eleito para a Academia Brasileira de Letras somente em 1910, na vaga de Guimarães Passos, Cadeira 26. Há duas cartas dele no presente volume. A primeira apresenta a sua candidatura à Cadeira 30, na vaga de Pedro Rabelo. A segunda, publicada na imprensa, esclarece a retirada da sua candidatura, para a Cadeira 6, na vaga de Teixeira de Melo*, em 1907. [884] e [999].

BARROS, MARIA (f. 1963). Filha de Zulmira Uchoa Cavalcanti e Miguel Fernandes de Barros, inspetor geral da Seção da Alfândega na época em que se situa a carta [873], e irmã do médico Jacinto de Barros (f. 1916). Um dos irmãos de Miguel era casado com Julieta Cordeiro, provavelmente Manuel Vítor Fernandes de Barros (f. 1902). Maria Barros teve dois casamentos. O primeiro com o médico Otávio Cordeiro da Rocha Werneck, filho dos barões de Werneck, José Quirino da Rocha Werneck e Maria José Dinis Cordeiro, irmã do conde Dinis Cordeiro*, tia de Julieta e Heitor de Basto Cordeiro*. Otávio Werneck era uma figura social popular. Além de bem-nascido e elegante, jogou como *fullback* do *Botafogo Football Club*, tendo inclusive participado do primeiro jogo internacional entre brasileiros e argentinos. Morto prematuramente em 11 de setembro de 1917, na cidade de Sapucaia, no estado do Rio de Janeiro, deixou Maria com um filho de um ano, Roberto Otávio Werneck. O segundo casamento de Maria se deu em 1924, com Luís Eugênio Pastorino (f. 1949), jornalista carioca que escreveu durante muito tempo em *O País*, mas que se transferiu a São Paulo e tornou-se diretor de publicidade do *Correio Paulistano*. Pastorino foi também um dos fundadores da Rádio Excelsior. Tiveram três filhos: Luís Américo, Carmen e Roberto. Ao tempo da morte de seu segundo marido, Maria Barros morava em Parada Moema, na avenida Iracema, 838. Também ela faleceu em São Paulo. [873].

BELMIRO. Possivelmente BELMIRO DE ALMEIDA (1858-1935). Pintor, desenhista, escultor e caricaturista mineiro, fez seus primeiros estudos de desenho e pintura no Liceu de Artes e Ofícios do Rio de Janeiro. Logo depois, ingressou na Imperial Academia de Belas-Artes, onde teve como professores Agostinho José da Mota, Zeferino da Costa e Sousa Lobo. Ocupou interinamente, de 1893 a 1896, a cadeira de desenho figurado na Escola Nacional de Belas-Artes, em substituição a Pedro Weingärtner. Dedicou-se à caricatura, colaborando nos principais periódicos cariocas da época e também à escultura, em que o seu trabalho mais conhecido é a figura do "Manequinho", instalada no bairro de Botafogo. Ao lado de Machado de Assis, Belmiro foi um dos fundadores do Grêmio de Letras e Artes, criado em fevereiro de 1887 e dissolvido oito meses depois. A carta de Machado a Rodrigo Octavio*, de 29 de março de 1887, (ver [266], tomo II) refere-se àquela instituição. [1019].

BERNARDELLI, HENRIQUE. (1858-1936). Pintor, desenhista, gravador e professor. Irmão do escultor Rodolfo Bernardelli* e do violinista e pintor Felix Bernardelli, nasceu em Valparaíso, Chile. Em 1867, transferiu-se para o Rio de Janeiro. Três anos depois, matriculou-se na Imperial Academia de Belas-Artes, juntamente com o irmão Rodolfo, vindo a ser aluno de Zeferino da Costa, Agostinho da Mota e Victor Meirelles. Lecionou na Escola Nacional de Belas-Artes e realizou importantes trabalhos decorativos, como a pintura de painéis para o interior do Theatro Municipal do Rio de Janeiro, para a Biblioteca Nacional e para o Museu Paulista. Merecem especial destaque os 22 medalhões em afresco que adornam a fachada do atual edifício do Museu Nacional de Belas-Artes (MNBA), expostos no salão de 1916. Em 1905, pintou o retrato de Machado de Assis, óleo que passaria a ser exposto com grande destaque na Academia Brasileira de Letras. O retrato foi realizado mediante subscrição organizada por Rodrigo Octavio*, seu amigo e, com esse artista, diretor da revista *Renascença*. Machado comenta essa homenagem nas cartas [846] e [851] a Joaquim Nabuco*. [936].

BERNARDELLI, RODOLFO. (1852-1931). Escultor e professor mexicano, nascido em Guadalajara. veio para o Brasil em 1866, em companhia da família, passando pelo Chile e pela Argentina e fixando-se no Rio Grande do Sul. A convite do imperador Dom Pedro II, seus pais mudaram-se para o Rio de Janeiro para serem preceptores das princesas Isabel e Leopoldina. De 1877 até 1885, permaneceu em Roma como bolsista da Imperial Academia de Belas-Artes do Rio de Janeiro. Na Itália, estudou com Giulio Monteverde (1837-1917). Executou nesse período diversos trabalhos, como o relevo "Fabíola" (1878) e a escultura "Santo Estêvão" (1879), aliados ao verismo da escultura europeia contemporânea. A extensa produção de Rodolfo inclui inúmeros bustos de personalidades públicas, obras tumulares e diversos monumentos comemorativos, realizados principalmente para a cidade do Rio de Janeiro, como os dedicados ao General Osório (1894), ao duque de Caxias (1899), a José de Alencar* (1897), e o grupo escultórico "Descobrimento do Brasil" (1900). O artista executou ainda as estátuas que ornamentam o prédio do Theatro Municipal (1905), o monumento a Carlos Gomes (1905), em Campinas, e a estátua de Dom Pedro I (1921), para o Museu Paulista – MP-USP. A vinculação de Machado de Assis com Rodolfo tem, como marco especial, o lançamento da pedra fundamental da estátua de José de Alencar: nessa solenidade, o escritor proferiu um dos seus raros discursos, belíssima evocação que ele próprio incluiu em *Páginas Recolhidas* (1899) e que teve como fruto a devotada amizade de Mário de Alencar*, filho do autor de *Iracema*. Coube a Rodolfo modelar a máscara mortuária de Machado e a placa afixada na residência do escritor um ano após seu falecimento. [872].

BILAC, OLAVO Brás Martins dos Guimarães. (1865-1918). Nascido do Rio de Janeiro, filho de um cirurgião-médico e combatente da Guerra do Paraguai (1865-1870), Bilac estudou até o 4.º ano de medicina, sem, no entanto, concluir o curso, seguindo desde cedo a sua vocação para o jornalismo e a literatura. Jornalista combativo, envolveu-se em muitos episódios no período inicial da República, o que lhe rendeu algumas prisões. Logo que voltou da Europa, em outubro de 1891, participou da frustrada tentativa de reconduzir Deodoro ao poder, após o golpe de estado de 3 de novembro. Bilac foi preso pela polícia florianista e enviado em 12 de abril de 1892, à de fortaleza de Laje, onde permaneceu até agosto. No período da Revolta da Armada, em 1893, de novo foi preso. José do Patrocínio, diretor de *A Cidade do Rio* e ferrenho opositor de Floriano, temeroso de nova deportação para o Amazonas, escondera-se na casa do sogro florianista. Luís Murat, então deputado federal, valendo-se de sua imunidade, assumiu o seu lugar, tendo Bilac como secretário oficial da folha. O estado de sítio, no entanto, já tinha sido decretado. Os dois, apesar de inseguros, publicaram o manifesto revolucionário de Custódio de Melo, em 24 de outubro de 1893. O jornal foi suspenso. Murat saiu do Rio; Bilac, preso e logo solto, refugiou-se em Minas. Findo o estado de sítio, na volta, mal desembarcou do trem de Juiz de Fora, o poeta foi preso para averiguações. O próprio Floriano, a pedido de amigos de Bilac, escreveu um bilhete ao chefe de polícia: *soltem o poeta*. Anos mais tarde, Bilac engajou-se em causas patrióticas, sendo a mais conhecida a obrigatoriedade do serviço militar. É o autor da letra do Hino à Bandeira. Fundador da Cadeira 15, cujo patrono é o poeta maranhense Gonçalves Dias. [870] e [1064]. Ver tb. tomos III e IV.

BRAGA, BELMIRO Belarmino de Barros. (1872-1937). Poeta e prosador mineiro, nascido na então Vargem Grande; ali aprendeu as primeiras letras e, aos 11 anos, partiu para estudar no Ateneu Mineiro, em Juiz de Fora. Porém logo retornou e pôs-se a trabalhar na venda paterna. Seus dotes de escritor surgiram cedo, mostrando-se em jornais locais e sobretudo em trovas premiadas. Teve ofícios modestos em outras cidades de Minas Gerais, tornou-se juiz de paz e fez bem-sucedida viagem à Europa. Em 1902, publicou *Montesinas* (poesia), volume cuidadosamente reeditado em 2011. Além da extensa obra poética, de contos e textos dramáticos, destaca-se o seu livro autobiográfico *Dias Idos e Vividos* (1936), no qual revela uma personalidade modesta, lírica e, ao mesmo tempo, capaz de compor, sem maldade, boas páginas satíricas. Nesse livro, o autor descreve sua precoce e perene devoção por Machado de Assis, que foi sensível às manifestações do jovem poeta mineiro. Belmiro Braga, um dos fundadores da Academia Mineira de Letras, mereceu a admiração de grandes escritores e uma devida homenagem, ao ter seu nome dado à antiga Vargem Grande, como município emancipado de Juiz de Fora em 1962. [892], [893], [966], [989], [991] e [1060]. Ver tb. tomos III e IV.

BUENO, LUCILO Antônio da Cunha. (1886-1938). Diplomata, prosador e poeta, nasceu no Rio de Janeiro e formou-se em direito. Aos 16 anos, publicou *Pallium*, poesia, que Manuel Bandeira destacou na sua *Antologia de Poetas Bissextos Contemporâneos* (1946). Posteriormente, escreveu *Terras Alheias* (1912) com impressões sobre suas viagens a Portugal, Espanha e Itália, *Vasco da Gama e a Epopeia das Índias* (1925), *Elogio da Vida do Coronel Benedito da Cunha Bueno* e *En el Solar de los Artistas* (conferências proferidas no Uruguai); *Ouro, Incenso e Mirra*, que teve publicação póstuma (1945), reúne outros trabalhos em prosa. Bueno foi embaixador em Montevidéu e Lima, cidade onde faleceu. [984].

CAMPOS, CAETANO CÉSAR DE. (1852-1920). Nascido no Maranhão, bacharel em ciências matemáticas, ciências naturais e engenharia pela Escola Central, depois Politécnica do Rio de Janeiro, César de Campos foi um engenheiro e urbanista muito conceituado em seu tempo. Trabalhou na construção da estrada de ferro do Paraná, da estrada de ferro da Bahia ao São Francisco e na construção da estrada de ferro da Leopoldina. Participou da comissão de melhoramentos do porto do Maranhão e fez parte da equipe que secundou Aarão Reis (1853-1936) no levantamento das terras e no planejamento urbanístico que resultou na construção de Belo Horizonte, a então nova capital mineira. A Comissão Construtora da Nova Capital do Estado de Minas era subordinada ao Ministério da Indústria, Viação e Obras Públicas, no qual Machado de Assis e Campos trabalhavam. [838].

CARVALHO, ELÍSIO DE. (1880-1925). Nascido na cidade de Penedo, Alagoas, iniciou seus estudos no Seminário Episcopal de Olinda, mas terminou-os Maceió, onde completou o curso de humanidades. Em 1898, mudou-se para o Rio de Janeiro, onde inicialmente trabalhou na Junta Comercial. Depois foi nomeado diretor do Gabinete de Identificação Policial. Abandonou a carreira burocrática para se dedicar às letras e ao jornalismo. Tornou-se um dos grandes nomes, figurando ao lado de Olavo Bilac*, Figueiredo Pimentel* e Luís Edmundo. Tornou-se também conferencista de prestígio. Dirigiu a importante revista *América Brasileira* (1922-1924). Dedicava-se especialmente aos temas históricos, sobretudo aos aspectos etnológicos da nacionalidade brasileira. Viúvo, casou-se em 1921 com Marie Anne de Porkony. Do primeiro casamento, tinha três filhos: Teodorico, Mário e Cleo. Elísio foi também presidente da Sociedade Anônima *Monitor Mercantil*, importante jornal da área de negócios. Morava na Praia do Flamengo, 390. Faleceu, aos 45 anos, em razão de seu precário estado de saúde, no Sanatório Schatzalp, em Davos-Platz, Suíça, no dia 2 de novembro de 1925. [867].

CASTILHO, ANTÔNIO FELICIANO DE. (1800-1875). Escritor, pedagogo e tradutor português. Cego aos 6 anos em decorrência do sarampo, desde a infância dedicou-se aos estudos das línguas e da cultura clássica. Formou-se em direito na Universidade de Coimbra em 1822. Depois de sua formação, retirou-se para a vila de Castanheira do Vouga, onde seu irmão Augusto era pároco, e deu início aos trabalhos de tradução dos clássicos. Em 1841, concluiu a versão bocagiana das *Metamorfoses* de Ovídio. Traduziu Píndaro e as *Geórgicas*, de Virgílio, e seguiu traduzindo vida afora os clássicos da cultura ocidental, entre eles, Molière e Cervantes. Traduziu Shakespeare, sem dominar o inglês, valendo-se de uma versão em francês. Também traduziu *Fausto* de Goethe; a primeira parte derivada de uma tradução francesa, e a segunda com o auxílio de uma tradução manuscrita esboçada por seu irmão José Feliciano de Castilho* em colaboração com o alemão Eduardo Laemmert, um dos donos do *Almanaque Laemmert*, do Rio de Janeiro. *A Lírica de Anacreonte* foi publicada em Paris, em 1866. É possível que o volume a que Machado faz referência na presente correspondência tenha lhe chegado às mãos por intermédio de José Feliciano de Castilho, irmão do poeta e tradutor português, e que havia emigrado para o Brasil em 1847, tornando-se conhecido e influente na roda literária do Rio de Janeiro. Machado e José se aproximaram por volta de 1865, na fundação da Arcádia Fluminense, por ocasião do centenário de Bocage, de quem Castilho José foi biógrafo. [82 A].

CASTRO, ALOÍSIO DE. (1881-1959). Médico, professor e poeta, era filho do acadêmico Francisco de Castro*, que lhe transmitiu o gosto pelas letras, as artes e a música, além de profundas lições de vida. Ingressou na Faculdade de Medicina do Rio de Janeiro, onde colou grau em 1903, tendo obtido o prêmio de viagem à Europa oferecido pela mesma Faculdade. Foi interno de Clínica Propedêutica da Faculdade de Medicina do Rio de Janeiro (1901-1903), assistente de Clínica Propedêutica da mesma faculdade (1904-1908), subcomissário de higiene e assistência pública do Rio de Janeiro (1906-1908), professor substituto e, a seguir, catedrático de Patologia Médica e de Clínica Médica (1915-1940), diretor-geral da Faculdade de Medicina (1915-1924) e do Departamento Nacional de Ensino (1927-1932), e médico da Santa Casa da Misericórdia. Era membro da Academia Nacional de Medicina, da qual foi presidente, da Sociedade de Neurologia, Psiquiatria e Medicina Legal do Rio de Janeiro, da Sociedade de Medicina e Cirurgia do Rio de Janeiro, membro honorário da Sociedade de Medicina e Cirurgia de São Paulo, do Instituto Brasileiro da História da Medicina e do Conservatório Brasileiro de Música, membro da Comissão de Cooperação Intelectual da Liga das Nações (1922-1930), diretor do Instituto Ítalo-Brasileiro de Alta Cultura, membro correspondente de inúmeras instituições médicas internacionais e membro efetivo da Academia Pontifícia das Ciências. Além de extensa obra científica, publicou *Alocuções Acadêmicas* (1911), *Novas Alocuções Acadêmicas* (1915), *Últimas Alocuções Acadêmicas* (1918), *Palavras de um Dia e de Outro*, 3 vols. (1922, 1929, 1933), *Rimário* (1926), *Orações* (1926), *A Expressão Sentimental na Música de Chopin* (1927), *Os Carmes* (1928), *Tendresse*, poesia em francês (1932), e *Discursos Acadêmicos* (1941). Também compôs peças musicais para piano e para canto. Eleito em 1917, tornou-se o terceiro ocupante da Cadeira 5 da Academia Brasileira de Letras, tendo presidido a instituição em 1930 e 1951. [904] e [910]. Ver tb. tomo IV.

CEPELOS, Manuel BATISTA. (1872-1915). O que se apurou a respeito deste missivista encontra-se nas notas às cartas [1083] e [1090].

CHERMONT, EPAMINONDAS LEITE. (1868-1955). Nascido em Belém, Pará, filho de Antônio de Lacerda Chermont e Catarina Pereira Leite. O pai de Epaminondas foi fazendeiro e importante chefe político no Pará, sendo agraciado por D. Pedro II com o título de barão de Arari e, depois, visconde de Arari. Epaminondas formou-se em direito pela Faculdade do Recife, em 1889. Ocupou diversos postos na diplomacia brasileira. Foi cônsul do Brasil em Baltimore, em 1891; em São Petersburgo em 1895 e em Londres em 1897-1898. Em 1915, foi ministro plenipotenciário em Tóquio e Pequim; em 1926, ministro em Estocolmo; em 1929, ministro em Haia; e, em 1931, embaixador em Bruxelas. Era irmão do deputado estadual Antônio Leite Chermont. [923].

COMISSÃO DIRETORA DO 3.º CONGRESSO CIENTÍFICO LATINO-AMERICANO. As informações sobre essa correspondência acham-se nas respectivas notas às cartas [834] e [843].

CONDE DINIS CORDEIRO. Ver CORDEIRO, Lopo Dinis.

CONGRESSO NACIONAL DE ASSISTÊNCIA PÚBLICA E PRIVADA. O que se apurou a respeito deste evento encontra-se nas notas à carta [1128].

CONSELHEIRO. Ver CORREIA, Manuel Francisco.

CORDEIRO, FRANCISCA Carolina Smith Vasconcelos DE BASTO. (1875-1969). Filha de Rodolfo Smith de Vasconcelos e Virgínia Eugênia Ferreira Felício, os barões Smith de Vasconcelos, Francisca era neta dos condes de São Mamede, amigos antigos de Machado e Carolina*, que, aliás, se casaram na capela do solar dos São Mamede, na rua Cosme Velho, 22, em 12 de novembro de 1869. A amizade de sua família com o casal Assis percorreu três gerações: a dos condes, a dos barões e a dos filhos destes. Francisca casou-se com Heitor de Basto Cordeiro*, filho do conde Dinis Cordeiro*, ambos com cartas no presente tomo. Francisca ficou viúva muito jovem, aos trinta e três anos. Escreveu dois livros sobre a sua convivência com o escritor: *Machado de Assis que eu vi* (São José, 1961) e *Machado de Assis na intimidade* (Pongetti, 1965). Francisca também foi a tradutora brasileira de *Gone With the Wind*, de Margaret Mitchell, pela Irmãos Pongetti, em 1945. Caderno Suplementar.

CORDEIRO, HEITOR DE BASTO. (1865-1908). Filho de Lopo Dinis Cordeiro* e Maria Nazaré de Araújo Basto, nasceu no Rio de Janeiro em 17 de fevereiro de 1865, bacharelando-se em ciências jurídicas e sociais pela Faculdade do Recife, em 1885. Ainda no Império, no ministério Cotegipe (1885-1888), recém-formado, Heitor exerceu o cargo de delegado auxiliar da corte e foi delegado da Inspetoria Geral de Instrução Pública na freguesia de São José. Casou-se em 6 de maio de 1893, na igreja da Imaculada Conceição, na Praia de Botafogo, com Francisca Carolina Smith de Vasconcelos*, filha primogênita de Eugênia Virgínia (1852-1929) e de Rodolfo Smith Vasconcelos (1846-1926), vizinhos e amigos íntimos de Machado. Eugênia Virgínia Ferreira Felício, nome de solteira da baronesa Smith de Vasconcelos, era filha de Joana Maria*, casada com Miguel de Novais*, irmão de Carolina de Novais Machado de Assis*. Joana Maria era dona do chalé de número 18 na rua Cosme Velho, em que Machado morou desde 1883. À exceção de Joana e Miguel, que se transferiram a Portugal, todos moravam no eixo Laranjeiras-Cosme Velho. Heitor faleceu às 11 horas do dia 1.º de fevereiro de 1908, em sua residência na rua das Laranjeiras, 78. A casa dos Basto Cordeiro, enquanto Heitor teve saúde, foi um ponto de reunião elegante muito concorrido na cidade. Monarquista atuante, era secretário da Sociedade de Reverência à Memória de D. Pedro II, fundada em 17 de março de 1906, e cuja diretoria era composta pelo visconde de Ouro Preto (presidente), Amarílio Olinda de Vasconcelos (1.º vice-presidente), Cândido Mendes de Almeida (2.º vice-presidente), Franklin Sampaio (tesoureiro) e o conde Carlos de Laet* (orador oficial). Heitor foi agraciado com diversos títulos: moço fidalgo com exercício na Casa Imperial, oficial da Imperial Ordem da Rosa (decreto de 22 de dezembro de 1888) e Cavaleiro da Real Ordem de Cristo de Portugal. Nos últimos anos de sua vida, exerceu a advocacia no escritório da rua da Quitanda, 74 A, que dividia com o pai, conde Dinis Cordeiro. Foi sepultado no cemitério de São João Batista vestido com o uniforme de moço fidalgo da Casa Imperial e o escapulário de oblato de São Bento. [919] e [937].

CORDEIRO, LOPO DINIS. (1834-1919). Nascido em 14 de abril na freguesia de Nossa Senhora de Mambucaba, Angra dos Reis, província do Rio de Janeiro, era filho do capitão Antônio Cordeiro da Silva Guerra, falecido em 1866, e de Henriqueta Albuquerque Dinis (1814-1886). Casou-se em 13 de maio de 1862 com Maria de Nazaré de Araújo Basto (f. 1932). Formou-se pelo Imperial Colégio de Pedro II (1851) e bacharelou-se em ciências jurídicas e sociais pela Faculdade de Direito de São Paulo (1856). Até o banimento da família imperial brasileira, Dinis Cordeiro advogou os interesses particulares do Conde d'Eu (1843-1922), de quem sempre recebeu por sua fidelidade à monarquia provas de apreço e afeição. Católico fervoroso, Dinis Cordeiro recebeu o hábito da Ordem Militar e Civil de Roma e, em agosto de 1892, recebeu também o título de conde por breve do papa Leão XIII. Homem de interesses variados, fazia parte da lista dos primeiros 45 sócios do Jockey Clube (n.º 15, em 1870). Como presidente do clube, em 1876, promoveu a compra do prado. Era considerado o decano dos advogados do fórum do Rio. Pai de Heitor de Basto Cordeiro* (1865-1908) e Julieta Cordeiro Fernandes de Barros (*circa* 1870-1955), citada na carta de Maria Barros* [873]. O conde morava na rua das Laranjeiras, 222. [901] e [905].

CORREIA, MANUEL FRANCISCO. (1831-1905). Político, advogado e escritor paranaense. Estudou humanidades no Colégio Pedro II e formou-se pela Faculdade de Direito de São Paulo. Foi senador do Império em cinco mandatos, de 1877 até 1889, ministro dos Negócios

Estrangeiros e recebeu o título de Conselheiro do Estado. Concebeu e coordenou inúmeras palestras conhecidas como Conferências Populares da Glória, iniciadas em 1873 em escolas desse bairro carioca, e que obtiveram grande repercussão social e cultural. Teve inúmeros trabalhos técnicos e literários publicados. Simplesmente designado com "Senhor Conselheiro" na comunicação enviada por Machado de Assis, na qualidade de servidor do Ministério da Agricultura, foi possível identificar seu nome e seu cargo de presidente do Asilo Agrícola em solenidade que ocorreu a 25/12/1891. [280 A].

CORRESPONDENTE NÃO IDENTIFICADO. Cartão-postal de festas, cidade de Cachoeira, Bahia, 1905-1906. Ver FRANCO de Castro, Joaquim Artur Pedreira. [868].

CORRESPONDENTE NÃO IDENTIFICADO. Cartão-postal enviado da cidade de Cachoeira, Bahia. Ver FRANCO de Castro, Joaquim Artur Pedreira. [890].

CORRESPONDENTE NÃO IDENTIFICADO. Cartão-postal enviado de Natal, Rio Grande do Norte. [925].

CORRESPONDENTE NÃO IDENTIFICADO. Cartão-postal enviado de Paris. Caderno Suplementar.

COSTA, BONIFÁCIO GOMES DA. (1866-1939). Natural da Bahia, ingressou no curso preparatório da Escola Militar em 1885 e fez longa carreira, que concluiu como marechal graduado reformado, após 40 anos de serviço. Em dezembro de 1891, casou-se com Sara Braga*, filha de Emília de Novais Braga, irmã de Carolina de Novais Machado de Assis*. Machado escolheu Bonifácio como testamenteiro no seu primeiro testamento em favor de Carolina (1898). Tendo esta falecido em outubro de 1904, um segundo testamento contemplaria a afilhada Laura, filha de Bonifácio e Sara, como herdeira universal do escritor. De Bonifácio da Costa, encontra-se no Arquivo Histórico do Exército minuciosa documentação. Esta, porém, pouco revela sobre um controverso episódio, ocorrido na fortaleza da Lage em 1907, que implicou a licença médica do militar por quatro meses. Em 30/01/1908, foi ele promovido a major e designado para o 2.º Batalhão de Artilharia na distante Corumbá (Mato Grosso). No seu último ano de vida, Machado de Assis muito sofreu com o "exílio" longínquo da "boa Sara" e ansiou pelo regresso da sobrinha e comadre. O major obteve autorização para retornar à capital federal em 23/09/1908, correndo por conta própria as despesas de transporte. Seis dias depois falecia Machado de Assis sem o consolo de rever a sobrinha e família. Somente em 17 de outubro de 1908, o major se apresentou às autoridades no Rio de Janeiro. [977]. Ver tb. tomo IV.

COSTA, SARA BRAGA GOMES E. Sobrinha de Carolina*, era filha de Artur Ferreira Braga e de Emília Xavier de Novais Braga. O pai foi cônsul de Portugal em Recife e na cidade gaúcha de Jaguarão; aposentado, fixou-se no Rio de Janeiro. Emília sempre foi muito unida ao casal Machado de Assis e faleceu um ano antes de sua irmã. Sara, "a boa Sara" das cartas machadianas, casou-se com o major Bonifácio Gomes da Costa* em 1891 e teve quatro filhos, sendo a primogênita, Laura, batizada por Machado e Carolina. Foi essa sobrinha-neta (em 1909 casada com o então tenente Estêvão Leitão de Carvalho) designada como herdeira pelo escritor. Graças à decisão de D. Laura, inúmeros bens de Machado e Carolina — sobretudo documentos que figuram na *Correspondência* — acham-se na Academia Brasileira de Letras. Sara deu grande assistência à tia Carolina durante sua longa enfermidade. Estava acompanhando o marido, em Corumbá, Mato Grosso, quando Machado de Assis adoeceu, e só conseguiu voltar ao Rio de Janeiro pouco depois da morte do querido tio postiço. Machado sempre a designou como Sara Braga Gomes *da* Costa, inclusive nos testamentos manuscritos. Na documentação conservada no Arquivo Histórico do Exército, registra-se

Braga *e* Costa. [1051], [1054], [1093] e Caderno Suplementar. Ver tb. tomo IV.

COUTO, LUÍS DO. (1884-1948). Nome literário de Luís Ramos de Oliveira Couto. Filho de João do Couto e Vicência Luísa do Couto Brandão Bastos, nasceu na cidade de Goiás, hoje Goiás Velho, estado de Goiás. Em 1904, entrou para a Academia de Direito de Goiás e publicou no Rio de Janeiro o livro de poemas *Violetas*, que também foi lançado no mesmo ano em Portugal. Luís do Couto foi nomeado subdelegado de polícia na cidade de Santana de 1906 a 1907, quando então se formou em direito. No mesmo ano foi nomeado juiz de direito na comarca de Palmeiras, com sede em São José do Duro, hoje Dianópolis, Tocantins. Mais tarde retornou a seu estado, no qual viveu o restante da sua vida. Figura proeminente da vida goiana, Luís do Couto participou ativamente da vida intelectual do seu meio. Escreveu em diversos jornais, era historiador, ensaísta, professor e grande incentivador das artes em sua cidade. A sua casa era ponto de encontro habitual da intelectualidade, sempre com eventos culturais e festas. Foi também procurador do estado. Luís do Couto era pai da artista plástica Goiandira do Couto (1915-2011) e tio de Cora Coralina (1889-1985). [875].

CRESTA, CAMILLO. (?-?) Empresário genovês, agente da Cia. de Navigazione Italo Brasiliana, sediada à rua São Bento, 48, cidade de São Paulo. Machado de Assis, instruído por Rio Branco*, escreveu-lhe uma carta na qual o fazia portador do convite ao historiador italiano Guglielmo Ferrero* [959], com o objetivo de pronunciar conferências no Rio de Janeiro em 1907. Tal carta não alcançou o convidado a tempo antes de seu embarque para a Buenos Aires – onde Ferrero falou ao público argentino – mas o desfecho do episódio foi altamente satisfatório para o chanceler brasileiro. Ferrero fez conferências no Rio (final de setembro, começo de outubro), tendo Machado, presidente da Academia, como anfitrião. Informa Magalhães Jr. (2008) que o empresário Cresta era cunhado do acadêmico Sousa Bandeira*, o primeiro a destacar na imprensa a importância de uma visita de Ferrero ao Brasil. [958].

CUNHA, EUCLIDES Rodrigues Pimenta DA. (1866-1909). Engenheiro, jornalista, poeta, ensaísta e professor, nasceu em Santa Rita do Rio Negro, então distrito de São Pedro de Cantagalo. Órfão de mãe aos três anos, Euclides foi criado em casa de parentes, primeiramente em Teresópolis, depois em São Fidélis, de onde saiu em 1872. Passou alguns anos na Bahia, até voltar à corte. Estudou em diversos colégios até terminar o curso de humanidades no Colégio Aquino, onde foi aluno de Benjamin Constant Botelho de Magalhães (1833-1891). Em março de 1884, prestou exame à Escola Politécnica, mas em 1886 transferiu-se à Escola Militar da Praia Vermelha, onde assentou praça e reencontrou Benjamin Constant. O ambiente político na corte fervilhava. A campanha abolicionista estava nas ruas, e o republicanismo circulava entre os militares. Nesse momento de sua vida literária, Euclides versejava, tendo participado de diversas sociedades literárias e clubes acadêmicos então em voga. Em 1888, protagonizou o famoso episódio de insubordinação, no qual lançou a sua espada de cadete aos pés do ministro da Guerra Tomás Coelho, em visita oficial à Escola. Submetido ao conselho de guerra por ato de grave indisciplina, foi desligado do exército. Mudou-se para São Paulo, onde, a convite de Júlio Mesquita, iniciou uma série de artigos. De volta ao Rio, assistiu à Proclamação da República. Pouco depois, foi reintegrado ao exército. Em 19 de novembro de 1889, foi promovido a alferes-aluno. Em 1890, concluiu o curso da Escola Superior de Guerra como primeiro-tenente. Foi trabalhar na Estrada de Ferro Central do Brasil em São Paulo e Caçapava. Na Revolta da Armada (1893), foi partidário da legalidade. Em 1896, deixou o exército, voltando à engenharia civil. Quando irrompeu a Revolta de Canudos (1896), o estado de São Paulo enviou ao teatro de operações o Batalhão Paulista. Euclides seguiu como correspondente de guerra do jornal *Estado de São Paulo* até o arraial de Canudos, no sertão baiano. Ali, assistiu aos últimos dias da luta do exército contra os seguidores de Antônio Conselheiro. Documentou-se de modo exaustivo e exato. Enviou então ao jornal as reportagens que iriam se transformar no seu grande livro, *Os Sertões*. Em 1898, fixou-se em São José do Rio Pardo, onde deu feição ao volume, incentivado por Francisco Escobar, seu grande amigo. O livro foi publicado em 1902, obtendo grande êxito, consagrado pela crítica como obra-prima. No ano seguinte, Euclides foi eleito para o Instituto Histórico e para a Academia Brasileira de Letras. [814], [818], [827], [828], [858] e [900]. Ver tb. tomo IV.

CUNHA, TRISTÃO DA. Ver CUNHA FILHO, José Maria Leitão da.

CUNHA FILHO, JOSÉ MARIA LEITÃO DA. (1878-1942). Poeta, ensaísta, contista, jornalista e advogado nascido no Rio de Janeiro, que adotou Tristão da Cunha como nome literário. Publicou *Torre de Marfim* (1901), poesia; *Coisas do Tempo* (1922), ensaios; *À Beira do Styx* (1927), crônicas; *Histórias do Bem e do Mal* (1936), contos. Dirigiu a seção brasileira da revista *Mercure de France* (Paris 1910-1920), foi colaborador da *Lanterna Verde* (1934-1937), do *Boletim Ariel*, de *O Mundo Literário*, e fundou o jornal *O Dia*. Traduziu *Hamlet*, de Shakespeare. A coletânea *Obras de Tristão da Cunha* (1979) inclui um valioso estudo sobre Machado de Assis. Caderno Suplementar. Ver tb. tomo IV.

DESTINATÁRIO NÃO IDENTIFICADO. O que se apurou a respeito deste correspondente encontra-se nas notas à carta do Caderno Suplementar.

DINIS Gonçalves, ALMÁQUIO (Almachio). (1880-1937). Advogado, jurista, professor, escritor e poeta baiano. Formado em direito, tornou-se lente da Faculdade Livre de Direito da Bahia. Transferindo-se para o Rio de Janeiro, aí se faz catedrático da Faculdade de Direito da Universidade do Rio de Janeiro, lecionando direito civil. Foi um dos fundadores da Faculdade Teixeira de Freitas, em Niterói. Candidatou-se à Cadeira 7 da Academia Brasileira de Letras, na vaga de Euclides da Cunha*. Derrotado pelo médico e escritor, também baiano, Afrânio Peixoto*, protestou, afirmando que a Academia fizera uma escolha "escandalosa", em face da sua bagagem literária comparada à do vencedor. Ainda tentou o ingresso nas vagas de Araripe Júnior*, Aluísio Azevedo* e Sílvio Romero*. Foi fundador da Academia de Letras da Bahia. Autor de extensa obra de natureza jurídica e literária, demonstrou grande admiração por Machado de Assis, expressando-a nos últimos tempos de vida do escritor em páginas de o *Diário da Bahia*, dedicadas ao "eminente pontífice da literatura brasileira". [1109].

EMBAIXADA DOS ESTADOS UNIDOS DA AMÉRICA DO NORTE. O que se apurou sobre a embaixada norte-americana no Brasil encontra-se nas notas à carta [903].

EXPOSITION MARITIME INTERNATIONALE. As informações sobre essa correspondência acham-se nas notas à carta [915].

FERRERO, GUGLIELMO. (1871-1942). Historiador, novelista e jornalista italiano, concluiu seus estudos jurídicos em Turim e licenciou-se em filosofia e letras na Universidade de Bolonha. Casou-se com a também escritora Gina Lombroso, filha do renomado cientista e criminalista Cesare Lombroso. Nos primeiros anos do século XX, conquistou o público parisiense, proferindo conferências sobre a história romana. Este êxito deu origem a um convite do periódico argentino *La Nación* para se apresentar ao público portenho em 1907. A perspectiva de uma viagem à América do Sul fez com que o chanceler Rio Branco* articulasse um exitoso convite para que Ferrero também viesse ao Rio de Janeiro, convite delegado à Academia Brasileira de Letras, cujo presidente, Machado de Assis, viu-se incumbido de assumir o protagonismo das diversas gestões. O historiador italiano obteve enorme sucesso perante o público brasileiro, embora depois se mantivesse parco em elogios ao país na imprensa internacional. Foi democrata e inimigo do fascismo, traçando na obra um paralelo entre as três formas de poder – a legitimidade, a ilegitimidade e a quase ilegitimidade. Publicou várias novelas ideológicas, entre as quais se destacam *Le Due Verità* (1926), *La Rivalta del Triglio* (1926) e *Sudore e Sangue* (1930). Morreu, exilado, na Suíça. [959], [968], [976], [981], [985], [986] e [990].

FRAGOSO, ARLINDO Coelho. (1865-1926). Cronista, jornalista, professor e engenheiro baiano. Foi um dos fundadores da Academia de Letras da Bahia (1910). Escreveu para vários jornais, publicou o livro de crônicas *O Espírito dos... Outros* (s/d) e obras didáticas em colaboração com outros autores. Mandou diversas missivas a Machado de Assis, sempre lhe manifestando grande apreço. [866]. Ver tb. tomo IV.

FRANCO de Castro, JOAQUIM Artur PEDREIRA. (?-1926). Engenheiro civil formado pela Escola Politécnica, na administração pública exerceu cargos concernentes à sua formação (diretor e engenheiro-fiscal de estradas de ferro na Bahia). Além disso, foi jornalista. Fundou a revista científica e literária *Treze de Maio*, na qual colaboraram Salvador de Mendonça*, Eunápio Deiró, Luís Delfino, Artur Azevedo*, Augusto de Lima*, Raimundo Correia* e Alberto de Oliveira*. Republicano histórico, muito jovem filiou-se à nova corrente e tornou-se um dos mais atuantes companheiros de Silva Jardim (1860-1891) em prol da mudança do regime político, defendendo a causa tanto na imprensa quanto nas praças públicas. Nas eleições de 1890, foi eleito à Constituinte Federal, mas abriu mão do diploma em favor do candidato de sua chapa. Fez parte da Constituinte Estadual da Bahia, mas como pertencia à minoria não se reelegeu na legislatura seguinte. Voltou então à profissão de engenheiro civil até que em 1903, pelas mãos do baiano Severino Vieira (1849--1917), que fora ministro da Viação e Obras Públicas durante o governo Campos Sales (1898-1902) e era dono do *Diário da Bahia*, elegeu-se deputado federal. Quando Severino Vieira caiu no ostracismo, Pedreira Franco retirou-se da política. Somente em 1916 aceitou o convite para ser o secretário da Agricultura, Indústria e Obras Públicas do governo de Antônio Muniz Sodré de Aragão (1916-1920). [868].

GABINETE DO MINISTRO DA INDÚSTRIA. Ver O'DWYER, João.

GALVÃO, Benjamin Franklin RAMIZ. (1846-1938). Nascido em Rio Pardo, no Rio Grande do Sul, e órfão de pai aos seis anos, mudou-se com a mãe para o Rio de Janeiro, onde estudou as primeiras letras. Em 1855, foi admitido no externato do Imperial Colégio de D. Pedro II, onde fez a instrução secundária, recebendo o grau de bacharel em letras em dezembro de 1861. Os sete anos que passou ali marcaram profundamente o seu espírito. Em 1863, entrou na Faculdade de Medicina do Rio de Janeiro, doutorando-se em 1868. Em 1869, tornou-se médico do exército nos hospitais militares da Armação e do Andaraí, para onde vinham muitos feridos da campanha do Paraguai. Exerceu também a medicina sanitária, visitando navios surtos no porto do Rio. Em 1871, casou-se com D. Leonor Maria (1849-1920), irmã do almirante rebelado, o monarquista Luís Felipe Saldanha da Gama (1846-1895). Com ela teve quatro filhos: Leonor (1873-1893), Maria Augusta (1875-1893), Benjamin (1878-1893) e Anita. Os três primeiros morreram de modo sucessivo por doença infectocontagiosa. Homem de múltiplos talentos, Ramiz foi nomeado diretor da Biblioteca Nacional em 14 de dezembro de 1870 e, ainda no mesmo ano, assumiu uma cátedra na Faculdade de Medicina. Exerceu as duas funções até 1882, quando as abandonou para se tornar preceptor de D. Pedro, D. Luís e D. Antônio, os filhos de D. Isabel, herdeira do trono brasileiro. Em 1888, recebeu o título de barão com grandeza. Foi preceptor dos príncipes por sete anos, até o banimento da família imperial, na mudança do regime político. Apesar de sua amizade com a família imperial, na República, Ramiz exerceu importantes cargos administrativos relacionados à instrução e ao ensino. Em 1890, ainda no governo provisório, foi indicado por Benjamin Constant (1833-1891) como inspetor-geral da Instrução Primária e Secundária Municipal do Rio de Janeiro. Em 1891, tornou-se vice-reitor do Conselho de Instrução Superior e, posteriormente, presidente do Conselho Superior de Ensino e o primeiro reitor da Universidade do Rio de Janeiro. No entanto, após a entrada do almirante Saldanha da Gama (1846-1895), seu cunhado, em setembro de 1893, no comando da Revolta da Armada, Ramiz foi afastado das funções de diretor da Instrução Pública por Floriano Peixoto (1839-1895), em dezembro de 1893. As credenciais de monarquista — casado com uma Saldanha da Gama e ex-preceptor dos príncipes imperiais — fizeram a animosidade de Floriano voltar-se contra ele. Refugiou-se em Ouro Preto, Minas Gerais, que não estava sob estado de sítio, assim como Magalhães de Azeredo* e Olavo Bilac* fizeram na mesma época. Só voltou ao Rio de Janeiro no governo Prudente de Morais (1894-1898). Ramiz foi também diretor do Instituto Histórico e Geográfico Brasileiro. O conhecimento entre Ramiz e Machado é antigo, certamente do período em que foi diretor da Biblioteca Nacional. Ramiz também foi secretário da *Gazeta de Notícias* na década de 1890 e ali conviveu bem de perto com Machado, pois este, entre 1892-1897, publicava naquele jornal as suas estimadas crônicas de *A Semana*. Caderno Suplementar.

GAMA, DOMÍCIO Afonso Forneiro DA. (1862-1925). Jornalista, diplomata, contista e cronista, nasceu na cidade fluminense de Maricá. Fez estudos preparatórios no Rio de Janeiro e ingressou na Escola Politécnica, mas não chegou a terminar o curso. Seguiu para o estrangeiro. Em 1889, ainda como jornalista, transferiu-se para Paris, travando conhecimento com Eduardo Prado e Eça de Queirós*. Na hospitaleira residência de Prado, conheceu o barão do Rio Branco*, que o levou a ingressar na carreira diplomática. Escolhido por Rio Branco para secretariá-lo na questão dos limites Brasil-Argentina (1893-1895) e Brasil-Guiana

Francesa (1895-1900), esteve junto a Joaquim Nabuco* na questão da então Guiana inglesa. Foi secretário de legação na Santa Sé, em 1900, e ministro em Lima, em 1906, onde desenvolveu notável atividade diplomática. Representou o Brasil no centenário da independência da Argentina e no do Chile. Sucedeu a Joaquim Nabuco na função de embaixador do Brasil em Washington, entre 1911 e 1918. Em sua qualidade de Ministro das Relações Exteriores, Domício pretendeu representar o Brasil na conferência de paz de Versalhes, mas esse propósito suscitou divergências na imprensa brasileira. Convidado para a mesma missão, Rui Barbosa* recusou, e o chefe da representação brasileira foi, afinal, Epitácio Pessoa*, eleito presidente da República em seguida à morte de Rodrigues Alves. Domício foi substituído na Chancelaria por Azevedo Marques, e nomeado embaixador em Londres, onde permaneceu entre 1920 e 1921. Foi posto em disponibilidade durante a presidência Bernardes. Era colaborador da *Gazeta de Notícias* ao tempo de Ferreira de Araújo* e, ainda no início da carreira, escreveu contos, crônicas e críticas literárias. Autor de *Contos à Meia-Tinta* (1891) e *Histórias Curtas* (1901). Amigo pessoal de Machado de Assis e fundador da Cadeira 33 da Academia, tomou posse em 1900, em sessão solene realizada no Gabinete Português de Leitura, sendo recebido por Lúcio de Mendonça*. Em 1919, presidiu a ABL. [922] e [1110]. Ver tb. tomos III e IV.

GERENTE DO LONDON & BRAZILIAN BANK LIMITED. O que se apurou a respeito deste correspondente encontra-se nas notas à carta [1080].

GONÇALVES E COMPANHIA. O que se apurou a respeito desta firma encontra-se nas notas à carta [1001].

GOUVEIA, HILÁRIO Soares DE. (1843-1923). Médico, nascido em Minas Gerais, de grande projeção nacional e internacional. Doutorou-se pela Faculdade de Medicina do Rio de Janeiro em 1866 e viajou para a

Europa, tendo permanecido um ano em Paris e quatro em Heidelberg (Alemanha), em cuja universidade revalidou seu diploma, realizou estudos especiais sobre as moléstias dos olhos, foi estagiário e depois chefe de clínica, convivendo com Friedrich Wilhelm Ernst Albrecht von Graefe, considerado o fundador da oftalmologia científica. Retornando ao Brasil em 1870, passou a se dedicar à clínica na área de oftalmologia e de otorrinolaringologia. Publicou desde então vários trabalhos e presidiu o 2.º Congresso Brasileiro de Medicina e Cirurgia (Rio de Janeiro, 1889), no qual proferiu um discurso com críticas à política sanitária e à política de formação de profissionais de medicina, conduzidas pelo governo imperial, destacando que pouco havia sido feito em relação à higiene pública. Em 1893, organizou, seguindo o modelo de assistência a feridos de guerra da Cruz Vermelha, uma comissão que prestou socorros médicos durante a Revolta da Armada (1893-1894) e a Revolução Federalista do Rio Grande do Sul (1893-1895). Devido à participação nestes episódios e à posição contrária ao presidente Floriano Peixoto, foi acusado de prestar auxílio aos rebeldes, sendo encarcerado na Casa de Correção e depois transferido para outro cárcere do qual conseguiu fugir para abrigar-se em casa de amigos ingleses e solicitar asilo ao governo francês. Obtendo deferimento, foi autorizado a embarcar na fragata "Arethuse"; posteriormente embarcou no paquete "Brésil", que seguia para a cidade de Buenos Aires, de onde rumou para a Europa, fazendo uma escala no Rio de Janeiro para buscar sua família. Chegou a Paris em 1.º de dezembro de 1893, e ali, por exigência da legislação francesa, prestou exame em algumas matérias do curso médico, como condição para poder clinicar. Cumprida a exigência, defendeu tese (1895), fez um curso no Instituto Pasteur e outro de otorrinolaringologia, área que também se tornaria sua especialidade. Sua biografia registra a participação em vários congressos médicos internacionais realizados na Europa. De volta ao Brasil, em 1899, obteve a recondução ao cargo de catedrático de clínica oftalmológica do qual fora antes demitido por Floriano Peixoto, ato anulado por decisão governamental, para dar lugar à alegação de abandono de cargo. Reinvestido e muito prestigiado, promoveu a criação da Liga Brasileira contra a Tuberculose. Discursou na abertura dos trabalhos no 3.º Congresso Internacional para a Luta contra a Tuberculose (Paris, 1905), destacando-se a participação brasileira naquele evento. Participou da Cruz Vermelha Brasileira, fundada em 5 de dezembro de 1908. Membro titular da Academia Nacional de Medicina (1899), assumiu a direção da mesma (1910-1911) e integrou várias associações científicas, tanto nacionais quanto estrangeiras, como a Société d'Ophtalmologie de Paris. Sua vida profissional continuou marcada por inúmeras iniciativas de repercussão pública na área da saúde. Na vida privada, cabe sublinhar que foi casado com Rita de Cássia Nabuco de Araújo – Iaiá –, irmã de Joaquim Nabuco*, mantendo sempre com este laços profundos de amizade e prestando-lhe assistência médica, especialmente durante a permanência de ambos na Europa, quando Nabuco sofreu de irreversível perda auditiva: o Doutor Hilário é constantemente citado nos diários e nas cartas do proeminente cunhado. Note-se que, em 1878, atendeu com desvelo a Machado de Assis (ver carta [165], tomo III), e 23 anos depois manifestaria seu pesar pela morte de Carolina*, em missiva de extrema sensibilidade. [816].

GRAÇA, HERÁCLITO de Alencastro Pereira da. (1836-1914). Nascido no Ceará, filho de José Pereira da Graça, o barão de Aracati, e Maria Adelaide Alencastro da Graça, estudou direito em Recife. Entre 1857--1877, residiu em São Luís, Maranhão, onde seu pai havia sido desembargador da Relação. Ali, exerceu a promotoria pública e abriu banca de advocacia. Como jornalista, fundou com Vieira da Silva e Gomes de Castro o jornal *A Situação*, porta-voz do Partido Conservador na província. Com Joaquim Serra* e Gentil Homem de Almeida Braga* fundou o prestigiado *Semanário Maranhense*, periódico que Machado lia com regularidade, conforme atestam as cartas do período de 1870-1889, e para o qual colaborou. Na política, foi eleito deputado provincial pelo Maranhão por duas legislaturas e, mais tarde, passou a atuar na Câmara dos Deputados. Foi também presidente da Paraíba e do Ceará. Em 1877, fixou-se na corte, onde abriu banca de advocacia trabalhando com José de Alencar*. Como deputado e orador parlamentar, teve atuação notável em favor da lei proposta pelo Visconde do Rio Branco, de 28 de setembro de 1871, a Lei do Ventre Livre. Na vida intelectual do Maranhão de seu tempo, conviveu com Gonçalves Dias, Sotero, Trajano Galvão, Gomes Sousa, Gentil Braga, Joaquim Serra e, no Rio de Janeiro, foi íntimo de Alencar e Taunay*. No jornal que fundou no Rio – *A Nação* – teve como colaborador Juca Paranhos, o depois poderoso ministro Rio Branco*, das Relações Exteriores. Heráclito fez parte, junto com o barão de Alencar (1832-1921) e José Avelino Gurgel do Amaral (1843-1901), do restrito grupo dos verdadeiramente íntimos de Rio Branco. Quando houve a mudança do regime político, Heráclito já se encontrava retirado da política, dedicando-se exclusivamente à advocacia, área em que tinha notório saber. Em 1903, o barão do Rio Branco, reconhecendo o seu conhecimento jurídico, que abrangia inclusive o direito português e sua história, nomeou-o advogado do Brasil diante dos Tribunais Arbitrais Brasileiro-Peruano e Brasileiro-Boliviano. Por seus serviços, tornou-se consultor jurídico do Ministério das Relações Exteriores. Faleceu quase cego aos 73 anos, a 14 de abril de 1914, em consequência da arteriosclerose, na casa de seu filho Álvaro da Graça, na rua Nazaré, 93, na Boca do Mato, Méier, depois de ter deixado a sua residência de Petrópolis dois dias antes. Foi casado por duas vezes e deixou quatro filhos. [974] e [997].

HILDA. Não se encontraram até o presente momento dados relevantes a respeito desta missivista. [826].

JACEGUAI, ARTUR. (1843-1914). O almirante Artur Silveira da Mota (barão de Jaceguai), mais conhecido como Artur Jaceguai, nasceu na capital paulista. Filho do conselheiro José Inácio Silveira da Mota, Artur transferiu-se ao Rio de Janeiro em 1857, quando o pai assumiu uma cadeira de senador do Império pela província de Goiás. Fez os preparatórios no afamado Colégio Vitória, matriculando-se na Escola Naval (1858), onde se distinguiu como primeiro aluno em diversas disciplinas. Em 1860, saiu guarda-marinha, contra a vontade de seu poderoso pai. Homem de porte atlético, de temperamento apaixonado, com o gosto pela aventura, ao mesmo tempo estudioso, dono de vasta cultura e de sólido conhecimento técnico, Artur Jaceguai encarnou como poucos o ideal de herói militar do século XIX. Nos primeiros anos da vida na Marinha, no decurso das várias missões, especializou-se em hidrografia e navegação. Em 20 de fevereiro de 1865, já como primeiro-tenente, seguiu para o conflito no rio da Prata, incorporando-se à esquadra que combateria Solano Lopez. Tornou-se ajudante de ordens do comandante-chefe das forças navais, almirante Tamandaré (1807-1897). Ao final da Guerra do Paraguai, aos 26 anos, Jaceguai já tinha se tornado capitão de mar e guerra. Artilheiro, interessou-se pelo estudo das técnicas de artilharia naval. Desenvolveu estudos aprofundados sobre os sistemas de armamentos e a sua adequação às forças navais brasileiras, defendendo em conferências públicas o sistema Armstrong em oposição ao Whitworth. Comandou a esquadra que fez o levantamento hidrográfico do rio da Prata. Foi adido naval em diversas cortes europeias, sempre incumbido de estudar a organização naval desses países. Esteve em missão diplomática especial na China em 1879. Ao voltar, reorganizou o antigo Arsenal de Marinha do Rio de Janeiro, tornando-o moderno para os padrões da época. Em 1882, tornou-se chefe de esquadra, posto assemelhado ao de vice-almirante, e recebeu o título de barão de Jaceguai. Em 1887, pediu reforma da ativa como vice-almirante, mas não se desligou da Marinha. Em 1896, tornou-se diretor da Biblioteca da Marinha. Em 1897, assumiu também o Museu e Arquivo, e passou a redator da *Revista Marítima Brasileira*. Em 1900, foi reintegrado no posto de vice-almirante da ativa, tornando-se diretor da Escola Naval. Em 1907, foi dirigir a Repartição da Carta Marítima, atualmente chamada de Diretoria de Hidrografia e Navegação. Artur Jaceguai fazia parte da *Panelinha*. A sua entrada na Academia Brasileira de Letras se deu por insistência de Joaquim Nabuco*, que defendia a ideia de que a instituição deveria abrigar em seus quadros um amplo espectro da vida mental brasileira, e não apenas a atividade literária *stricto sensu*. As três cartas de Jaceguai a Machado presentes neste volume são relativas ao discurso que proferiu em sua posse na ABL, ocorrida em 9 de novembro de 1907, nos salões do Silogeu Brasileiro. Segundo ocupante da Cadeira 6. [1003], [1006] e [1009].

JOÃO DO RIO. Ver BARRETO, João Paulo Emílio Cristóvão dos Santos Coelho.

LAET, CARLOS Maximiliano Pimenta DE. (1847-1927). Professor, jornalista e poeta nascido no Rio de Janeiro. Bacharel em letras pelo Colégio Pedro II, ingressou na Escola Politécnica, mas, formado em engenharia, desistiu da carreira, optando pelo magistério e pelo jornalismo, as duas vertentes profissionais que marcaram sua longa vida. Em 1873, fez concurso para a cadeira de português, geografia e aritmética do Pedro II, disciplinas que formavam o primeiro ano do curso. Somente em 1915, com a reforma do ensino, desapareceu essa agregação de três disciplinas tão díspares numa mesma cadeira, e Laet foi nomeado então professor de português. Em 1889, a política o seduziria. Estimulado por amigos monarquistas, foi eleito deputado, mas imediatamente a República recém-proclamada privou-o da cadeira. Uma adesão espontânea ao regime imperial tornou-se sua bandeira após a derrocada do monarquismo, e professou-a até morrer. Além de monarquista, foi um católico atuante. Estes dois aspectos marcaram fortemente sua atuação como jornalista. Ao se aposentar como professor, em 1925, Laet, que também exercera a diretoria do Colégio Pedro II, trazia décadas de ininterrupto trabalho na imprensa. Estreara no *Diário do Rio* em 1876, passando em 1878 para o *Jornal do Comércio*, onde durante dez anos manteve a seção "Microcosmo". Trabalhou também como colaborador e como redator na *Tribuna Liberal*, no *Jornal do Brasil*, no *Comércio de S. Paulo* e em outros periódicos nos quais deixou uma vasta produção de páginas sobre arte, história, literatura, crítica de poesia e crítica de costumes. Cabe assinalar que, por suas convicções monarquistas, sofreu perseguição em 1893, por ocasião da Revolta da Armada. Refugiou-se então em São João del-Rei, onde se dedicou a escrever o livro *Em Minas*, obra repleta de importantes reflexões. O católico fervoroso, manifestado nesses escritos e em sua atuação no período são-joanense, recebeu o título de conde conferido pelo Vaticano. A produção jornalística de Laet é imensa. Tem como marca a inteligência e a intransigência do autor, que desferia palavras ferinas contra aqueles de quem discordava, mas sempre em estilo primoroso. Sua obra inclui *Poesias* (1873); *Em Minas* (1894); *Antologia Nacional*, em colaboração com Fausto Barreto (1895); *Os Bacharéis em Letras pelo Imperial Colégio Pedro II e Ginásio Nacional*, (1897); *A Descoberta do Brasil* (1900); *O Estado e a Religião. Procedência Obrigatória do Casamento Civil* (1901); *A Imprensa*, (1902); *Heresia Protestante*, (1907); *Duas Pérolas Literárias*, (1907); *Discurso*, (1920); *O Frade Estrangeiro e outros escritos*, (1953); *Polêmica com Constâncio Alves*, (1957); *Textos Escolhidos*, (1964). Como visão de conjunto acham-se as *Obras seletas: I Crônicas; II Polêmicas; III Discursos e Conferências*, com prefácio de Homero Senna, em edição da Fundação Casa de Rui Barbosa (1983). Fundador da Cadeira 32, Carlos de Laet presidiu a ABL de 1920 a 1922. [962].

LANSAC, JULIEN Emmanuel Bernard. Francês enviado pelo editor Hippolyte Garnier* para assumir a gerência da filial brasileira da Garnier Frères, chegou ao Rio de Janeiro em 1898. A partir de janeiro de 1900, assinou, como procurador de Hippolyte, todos os contratos com Machado de Assis, até o último documento, de 1907, referente ao *Memorial de Aires*. Responsável pela remessa de originais e provas corrigidas (tudo era composto e impresso na França) e pela venda dos exemplares publicados, bem como à frente das novas e portentosas instalações da loja à rua do Ouvidor, Lansac não conseguiu dominar a língua portuguesa. Exuberante, mas nem sempre hábil no trato com a clientela, foi providencialmente assistido por Jacinto da Silva, que mereceu o maior apreço da roda literária frequentadora da Garnier. Apesar dos reparos visíveis na correspondência machadiana, especialistas se referem a uma relação satisfatória de Machado com o gerente francês; foi este o 3.º signatário do testamento refeito após a morte de Carolina*. Em 1913, pouco depois do desaparecimento de Hippolyte Garnier, Julien Lansac deixou o Brasil definitivamente. [1020]. Ver tb. tomos III e IV.

LÉGATION DE FRANCE. O que se apurou a respeito encontra-se nas notas à carta [993].

LIMA, Antônio AUGUSTO DE. (1859-1934). Poeta, magistrado e parlamentar mineiro, nasceu em Congonhas do Sabará, município emancipado em 1893 com o nome de Vila Nova de Lima e definitivamente denominado Nova Lima em sua homenagem. Estudou nos seminários de Mariana e do Caraça, desistindo da vida sacerdotal para prestar exames preparatórios em Ouro Preto (1877) e ingressar na Faculdade de Direito de São Paulo em 1878, que lhe deu o título de bacharel em 1882. Nesse período exerceu o jornalismo e abraçou as causas abolicionista e republicana. De volta a Minas Gerais, foi promotor do termo de Leopoldina e, em 1885, era juiz municipal. Com outras designações na magistratura, deixou-as pelo posto de chefe de polícia do estado já na fase republicana. Com a fundação da Faculdade de Direito de Minas, foi escolhido professor e ensinou Filosofia do Direito, acumulando esse cargo com o de diretor do Arquivo Público Mineiro até 1910. A partir daí elegeu-se deputado federal por várias legislaturas, integrando a Assembleia Constituinte em 1934, ano em que veio a falecer. Sua estreia literária se deu com a publicação de *Contemporâneas* (1887), obra poética de vertente panteísta muito comemorada e comentada por poetas e críticos, como Raimundo Correia*, Araripe Júnior* e Carlos de Laet*, entre outros. Seguiram-se *Símbolos* (1892), *Poesias* (1909), *Noites de Sábado* (1923), *São Francisco de Assis* (1903), *Coletânea de Poesias* (1880--1934), e, póstumos, *Poesia, Tiradentes* e *Antes da Sombra*. Segundo ocupante da Cadeira 12, tomou posse quase cinco anos após sua eleição e presidiu a Academia em 1928. [972] e [996].

LIMA, Manuel de OLIVEIRA. (1867-1928). Historiador, prosador e diplomata pernambucano. Frequentou a Faculdade de Letras de Lisboa. Entrou no serviço diplomático brasileiro em 1890 como adido à legação em Lisboa e, no ano seguinte, era promovido a secretário. Mais tarde, sob a chefia do barão de Itajubá, serviu em Berlim. Em 1896 foi transferido para Washington, na qualidade de primeiro-secretário, às ordens de Salvador de Mendonça*. Já publicara até esse ano três livros: *Pernambuco, Seu Desenvolvimento Histórico, Sete Anos de República* e *Aspectos da Literatura Colonial*. De Washington foi removido para Londres, onde conviveu durante algum tempo com Joaquim Nabuco*, Eduardo Prado, Graça Aranha* e José Carlos Rodrigues*. Nova designação levou Oliveira Lima ao Japão e, em 1904, à Venezuela, nomeação que desgostou profundamente o historiador. Acrescentara à sua bibliografia novas obras: *Memória sobre o Descobrimento do Brasil, História do Reconhecimento do Império, Elogio de F. A. Varnhagen, No Japão* e *Secretário Del-Rei* (peça histórica). Colaborou também em jornais de Pernambuco e de São Paulo, dando margem à publicação de obras como *Pan-Americanismo* e *Coisas Diplomáticas*. Em 1907 foi nomeado para chefiar a legação do Brasil em Bruxelas, cumulativamente com a da Suécia. Em 1913 o Senado brasileiro vetou a indicação do seu nome para a chefia de nossa legação em Londres, sob a acusação de ser ele monarquista. Jubilado, fixou residência em Washington, continuando a trabalhar em escritos de natureza histórica. *Dom João VI*, sua obra mais importante, já fora publicada em 1909, e destaca-se *O Movimento da Independência* (1922). A publicação póstuma das suas *Memórias* teve enorme repercussão, sobretudo pelas revelações íntimas e apreciações críticas. As relações de Machado de Assis com Oliveira Lima sempre foram afetuosas, apesar das longas ausências do segundo, motivadas pela carreira diplomática. Em 1895, passou uma curta temporada no Rio, onde frequentou o grupo da *Revista Brasileira*, cujo centro era Machado, com quem ele também se encontrava quase todos os dias na livraria Laemmert. Em 1903, voltou ao Rio para empossar-se na Academia Brasileira de Letras, da qual fora membro fundador. Em 1904, Machado fez uma resenha elogiosa da peça de Lima, *Secretário Del-Rei*. Pouco depois, Carolina* faleceu e Lima enviou ao viúvo várias cartas de consolação. Em agosto de 1908, Machado mandou-lhe um exemplar de *Memorial de Aires*. A carta de agradecimento de Lima chegou ao Rio quando o escritor já estava à morte. Em 1909, Oliveira Lima pronunciou em Paris uma conferência sobre Machado, em reunião presidida por Anatole France. Em 1924, doou à Universidade Católica da América, em Washington, sua extraordinária coleção de livros e documentos históricos referentes ao mundo português e, especialmente, ao Brasil, criando a famosa The Oliveira Lima Library mantida naquela instituição. Fundador da Cadeira 39, foi recebido por Salvador de Mendonça* em 1903. [832], [827 A], [834], [835], [840], [848], [861], [864], [865], [871], [874], [883], [895], [938], [1012], [1015], [1097] e [1120]. Ver tb. tomos III e IV.

LOPES Ferreira, TOMÁS Pompeu. (1879-1913). Escritor e diplomata cearense. Estudou humanidades no Parthenon Cearense e no Liceu de Fortaleza, transferindo-se para o Rio de Janeiro em 1896. Após cursar temporariamente a Faculdade de Medicina, formou-se em direito. Ingressou na carreira diplomática, servindo na Espanha e na Suíça, onde veio a falecer aos 33 anos. Em *A Tribuna*, de Alcindo Guanabara, participou do concurso idealizado por Lúcio de Mendonça* em abril de 1900, apresentando duas versões do soneto incompleto de Bentinho (*Dom Casmurro*, capítulo LV), que parecem ter agradado a Machado de Assis. A partir de 1901, publicou inúmeros livros de poesia, ficção, crônicas e viagens. É o autor da letra do Hino do Ceará, com música de Alberto Nepomuceno. [891]. Ver tb. tomos III e IV.

MACHADO, ANTÔNIA. Amiga de Carolina* com quem Machado de Assis se correspondeu a respeito da esposa, falecida em 20 de outubro de 1904. Até a presente data não foi possível obter informações sobre a correspondente, citada por Luís Viana Filho. O biógrafo reproduz fragmentos de cartas, pertencentes à sobrinha-neta Laura Leitão de Carvalho quando da feitura de sua obra *A Vida de Machado de Assis* (1965). Embora parte substantiva do acervo de D. Laura esteja atualmente na ABL e no Arquivo Histórico do Museu da República, nem nessas instituições nem em outras, cujas coleções foram pesquisadas, encontram-se tais missivas. [849], [894] e Caderno Suplementar.

MANGABEIRA, OTÁVIO. (1886-1960). Engenheiro civil, jornalista, professor, político, orador e ensaísta baiano. Formou-se em engenharia pela Escola Politécnica. Sua ação desdobrou-se em múltiplos cargos: engenheiro encarregado da inspeção dos trabalhos do porto da Bahia e professor de Astronomia da Escola Politécnica da Bahia (1907-1911), membro do Conselho Municipal de Salvador (1908-1912), deputado federal em inúmeras legislaturas, de 1912 a 1926, vice-presidente da Câmara dos Deputados em 1926, ministro das Relações Exteriores a convite de Washington Luís. Exilou-se com a revolução de 1930. Anistiado, retornou, porém partiu para novo exílio em 1937 por motivos políticos. Eleito para a Câmara Federal em 1946, foi considerado um dos grandes vultos da Assembleia Constituinte que se reuniu naquele ano. Após a promulgação da Constituição, candidatou-se à vice-presidência, em eleição indireta. Fundador da União Democrática Nacional (UDN), elegeu-se governador da Bahia, realizando um dos períodos governamentais mais tranquilos, marcado por obras na capital e no interior. Sua personalidade vigorosa foi influenciada pela dos irmãos João e Francisco, este um poeta que morreu cedo e é destacado pela crítica literária brasileira. Ao substituí-lo na Academia Brasileira de Letras em 1960, Jorge Amado traçou-lhe o perfil ao afirmar que ele era a própria Bahia "na ampla humanidade de sua gente, na alegria do seu povo, em sua constante e fundamental doçura." Sucessor de Alfredo Pujol* na Cadeira fundada por Machado de Assis, Mangabeira muito reverenciou o mestre, a quem dedicou a antologia *Machado de Assis*, precedida de sólida introdução (1954). Entre suas obras publicadas destacam-se *Tradições Navais* (1922), *Christus Imperator* (1925) e *Pelos Foros do Idioma* (1928), ressaltando-se, também, pelo alento e propriedade a introdução ao Relatório do Ministério das Relações Exteriores, de 1926 a 1930. Eleito em 25 de setembro de 1930, devido ao exílio, só veio a tomar posse em 1934. Quarto ocupante da Cadeira 23. [906].

MARTINS, A. Não foi possível identificar o missivista de Niterói que consultou Machado de Assis sobre metrificação e rimas. Sua correspondência não tem indicação de data. Caderno Suplementar.

MARTINS, HEMETÉRIO José Ferreira. Era amigo do jovem Graça Aranha* quando este advogava em Campos, nos anos finais do antigo regime. Graça, entusiasta do republicanismo, fundou na cidade o jornal *A República* e, ao lado de Hemetério, conspirou em favor da nova ordem política. Aliás, por seus bons serviços à causa republicana, Graça Aranha tornou-se o primeiro juiz nomeado por Deodoro da Fonseca. Hemetério era tio do político campista João Guimarães. Em 1907, esteve envolvido na construção da terceira usina de energia elétrica instalada no município durante a gestão de Guimarães. A nova usina tinha a finalidade de garantir o sistema de iluminação tanto público quanto particular da cidade, que vinha sofrendo muitas interrupções. Além disso, apurou-se que em 1915 esteve envolvido na tentativa de assassinato do político Caio Carvalho, tocaiado no centro de Campos, a faca e cacete, por capangas chefiados por Hemetério. Caio Carvalho telegrafou ao governador Feliciano Sodré (1881-1945) e ao presidente da República Venceslau Brás (1914-1918), pedindo garantias de vida para si e sua família. [869] e [920].

MEDEIROS E ALBUQUERQUE. Ver ALBUQUERQUE, José Joaquim de Campos da Costa Medeiros e.

MENDONÇA, LÚCIO Eugênio de Meneses e Vasconcelos Drummond Furtado DE. (1854-1909). Nasceu em Piraí, província do Rio de Janeiro, sexto filho de Salvador Furtado de Mendonça e de Amália de Meneses Drummond. Órfão de pai aos cinco anos, e tendo sua mãe contraído segundas núpcias, foi criado por parentes em São Gonçalo de Sapucaí, Minas Gerais. Em 1871, a chamado do irmão mais velho, Salvador de Mendonça*, partiu para São Paulo, onde ingressou na Faculdade de Direito e trabalhou no jornal O Ipiranga, dirigido por Salvador. Participante de um protesto estudantil contra os professores, foi suspenso da Faculdade por dois anos, período que passou na corte, integrando a redação de A República. Aí conviveu com Quintino Bocaiúva*, Joaquim Serra* e outros republicanos, destacando-se ele próprio como propagandista e defensor do regime. Retornou a São Paulo para concluir os estudos jurídicos, colando grau em 1878. A vocação literária se manifestou desde a juventude, a par do jornalismo político atuante e da cultura jurídica que também o consagrou como magistrado; coerência e independência foram suas marcas. Exerceu a advocacia em São Gonçalo de Sapucaí, onde se casou com D. Marieta, filha do solicitador João Batista Pinto. Transferindo-se para Vassouras, passou a colaborar no Colombo, de Campanha, sempre empenhado na pregação republicana. Lá se aproximou de Raimundo Correia*. Em 1885, escrevia regularmente para A Semana, de Valentim Magalhães*. Nessa época advogava em Valença. Em 1888, mudou-se para o Rio de Janeiro e entrou na redação de O País. Proclamada a República, foi secretário do ministro da Justiça, passando, em janeiro de 1890, a Curador Fiscal das Massas Falidas no Distrito Federal. Depois de exercer outros cargos na magistratura e na alta burocracia, aos 41 anos, foi nomeado ministro do Supremo Tribunal Federal, sem, no entanto, deixar o jornalismo. Sob o pseudônimo de "Juvenal Gavarni", escreveu para a Gazeta de Notícias sátiras políticas de fino humorismo. Publicou poesia, prosa ficcional e memorialística, bem como vasta produção jurídica. Em 1872, Machado de Assis prefaciou--lhe o livro de versos Névoas Matutinas. Nessa carinhosa apresentação do jovem poeta, há uma advertência sobre o excesso de melancolia – herança nitidamente romântica (não foi à toa que Lúcio escolheu Fagundes Varela como patrono da Cadeira 11 da ABL) – e há também manifesto apreço por Salvador de Mendonça, amigo ao longo de cinquenta anos. O mesmo sentimento de amizade uniu Machado e Lúcio. Este admirou sem reservas *Dom Casmurro*, e sugeriu a Alcindo Guanabara, diretor da *Tribuna*, que seu jornal organizasse um concurso para completar o soneto que Bentinho, naquele romance, deixara inacabado. Lúcio de Mendonça teve um papel decisivo na criação da Academia Brasileira de Letras, da qual ele é, por depoimento unânime dos primeiros acadêmicos, o verdadeiro fundador. Em novembro de 1896, publicava em folhas do Rio e de São Paulo artigos anunciando fundação de uma academia literária, sob auspícios do poder público, a 15 de novembro, aniversário da República. Apesar do seu prestígio, tal patrocínio falhou. Mas, na redação da *Revista Brasileira*, então dirigida por José Veríssimo*, a iniciativa prosperou. Reunidos em torno de Machado de Assis, escritores republicanos e monarquistas fiéis ao deposto Império, como Nabuco* e Taunay*, abraçaram a ideia. A 15 de dezembro se realizou a primeira reunião preparatória presidida por Machado que, a 28 de janeiro de 1897, seria eleito presidente da instituição. Este sempre se referiu a Lúcio como o "nosso fundador". Vivendo seus últimos anos em Teresópolis e já com a perda definitiva da visão, Lúcio não deixou de dirigir cartas ao mestre gravemente enfermo, e em bilhete, que sequer teve condições de assinar, confessaria a Mário de Alencar* sua tristeza por não poder levar "ao grande e querido Machado de Assis" o derradeiro abraço. Fundador da Cadeira 11 da Academia Brasileira de Letras. [824], [825], [879], [1057], [1087] e [1129]. Ver tb. tomos II, III e IV.

MENDONÇA, SALVADOR de Meneses Drummond Furtado DE. (1841-1913). Nasceu em Itaboraí, província do Rio de Janeiro, filho de Salvador Furtado de Mendonça e de Amália de Meneses Drummond. Irmão mais velho de Lúcio de Mendonça*. Em 1859, foi estudar direito em São Paulo. Em 1861, casou-se com Amélia Clemência Lúcia de Lemos. Desde muito jovem dedicou-se à propaganda republicana. Em 1875, já viúvo, iniciou-se na vida diplomática. Em 1877, casou-se com Mary Redman. Proclamada a República no Brasil, Salvador, na função de cônsul-geral, empenhou-se no reconhecimento do novo regime por Washington. Exonerado em 15 de setembro de 1898, dedicou-se então à literatura. Vitimado pelo glaucoma, terminou a vida cego. Dos amigos da juventude, Salvador foi o que se manteve mais próximo de Machado. A amizade deles remonta a 1857, quando ambos frequentavam as reuniões diante da loja de Paula Brito, no Rocio. Há cartas neste tomo em que as notas de amizade e de saudade são a tônica da conversa. Fundador da Academia Brasileira de Letras, ocupante da Cadeira 20, cujo patrono é o seu conterrâneo, o romancista e dramaturgo Joaquim Manuel de Macedo. [979], [980], [1082], [1125] e [1127]. Ver tb. tomos I, II, III e IV.

MITRE y Vedia, LUIS. O que se apurou a respeito do neto do ex-presidente argentino Bartolomé Mitre (1821-1906) encontra-se nas notas à carta [898].

MONTEIRO, TOBIAS do Rego. (1866-1952). Jornalista e historiador, nascido no Rio Grande do Norte, fez seus primeiros estudos em Natal. Transferindo-se para o Rio de Janeiro, cursou a Faculdade de Medicina até o 5.º ano. Sua família manteve estreita amizade com Joaquim Nabuco*, com o qual Tobias passou a conviver após a proclamação da República. Amigo do presidente Campos Sales, transmitiu a Nabuco o convite para assumir a causa brasileira na questão da Guiana inglesa. Foi redator principal do *Jornal do Comércio*. Em 1907, convidou Machado de Assis para recepcionar o futuro presidente francês Paul Doumer no cais Pharoux, ocasião em que o presidente da Academia Brasileira de Letras sofreu um ataque de epilepsia, registrado pelo fotógrafo Augusto Malta. Publicou *O Sr. Campos Sales na Europa* (1900), *Pesquisas e Depoimentos* *para a História* (1913), *Funcionários e Doutores* (1917) e *Cartas sem Título*; datam de 1927, 1939 e 1946 os seus três volumes da *História do Império*. [987]. Ver tb. tomo IV.

MOUTINHO DE SOUSA, ANTÔNIO. Ver SOUSA, Antônio Moutinho de.

NABUCO de Araújo, JOAQUIM Aurélio Barreto. (1849-1910). Filho do senador José Tomás Nabuco de Araújo, passou a infância em Pernambuco, na propriedade dos padrinhos, o engenho de Massangana, que ele imortalizaria em *Minha Formação*. Em 1859, sua educação foi confiada ao barão de Tautphoeus, dono de um célebre colégio em Nova Friburgo e também seu professor no Colégio Pedro II, onde Joaquim se bacharelou em letras. Aos 15 anos agradecia palavras de estímulo publicadas por Machado, que era íntimo amigo de Sizenando Nabuco*, irmão mais velho do literato estreante. Com 16 anos, iniciou os estudos jurídicos na Faculdade de Direito de São Paulo, concluindo-os na Faculdade de Recife. Formado, trabalha no escritório de advocacia do pai e escreve no órgão do partido liberal, *A Reforma*. Durante a primeira viagem à Europa (1873), visita Renan e George Sand. De volta ao Rio de Janeiro, funda a revista quinzenal *A Época* (1875), que teve quatro números publicados e Machado de Assis entre seus colaboradores. Nomeado adido em Washington (1876), um ano depois é removido para Londres. Atraído pela política, retorna ao país, sendo eleito deputado geral por sua província. Defende a liberdade religiosa e, tenazmente, a emancipação dos escravos. Sem conseguir a reeleição, viaja pela Europa entre 1881 e 1884. A maior parte do tempo, reside em Londres, onde publica *O Abolicionismo*. Da capital britânica, envia correspondências para o *Jornal do Comércio*, do qual já era colaborador. Retornando ao Brasil, e novamente eleito, retoma sua posição de liderança na campanha abolicionista, que seria coroada de êxito em 1888. Proclamada a República, mantém as convicções monárquicas e se recolhe num ostracismo autoimposto durante uma década. Nessa fase, vive no Rio de Janeiro, onde se casara com D. Evelina Torres Ribeiro, em 1899, exerce a advocacia, faz jornalismo e escreve livros que o consagrariam. Participa das reuniões na redação da *Revista Brasileira* de José Veríssimo*, onde, em 1895, lê o primeiro capítulo de *Um Estadista do Império*, e assinará a histórica ata da primeira sessão preparatória para a fundação da Academia Brasileira de Letras, a 15 de dezembro de 1896. Empenha-se nesse projeto e é eleito secretário-geral em janeiro de 1897. Na sessão inaugural de 20 de julho do mesmo ano, após a alocução do presidente Machado de Assis, pronuncia um admirável discurso. Em 1899, Campos Sales o convence a representar o Brasil na questão de limites com a então Guiana Inglesa. Enquanto prepara sua defesa, reside em Londres, primeiro como chefe de missão especial relativa à questão da Guiana e depois acumulando essa função com a de chefe da legação brasileira. Apesar dos intensos esforços, o laudo do árbitro escolhido para decidir a disputa com a Inglaterra, o rei da Itália, não foi favorável à pretensão brasileira. Tal revés não abala o seu prestígio. Removido para os Estados Unidos, é nomeado embaixador, o primeiro do Brasil (1905), torna-se amigo pessoal dos presidentes Theodore Roosevelt e Taft, bem como do Secretário de Estado Elihu Root, que consegue trazer para a 3.ª Conferência Pan-Americana, de 1906, realizada no Rio de Janeiro. De volta ao posto, pronuncia conferências em universidades norte-americanas e continua exercendo importante papel diplomático até falecer em Washington. Com honras excepcionais, seu corpo foi transportado num navio de guerra americano para o Rio, antes de ser levado para o Recife num navio da marinha brasileira. Publicou livros em francês e português, em campos tão diversos como a poesia (*Amour et Dieu*, 1874), o ensaio literário (*Camões e os Lusíadas*, 1872), o ensaio histórico-sociológico (*O Abolicionismo*, 1883) e a biografia (*Balmaceda*, 1895). Mas foi, sobretudo, autor de duas obras fundamentais, *Um Estadista do Império* (1897) e *Minha Formação* (1900). Durante suas longas permanências no exterior, a amizade com Machado de Assis, consolidada a partir da década de 1870, sustentou-se por cartas, que estão entre as mais interessantes da correspondência machadiana. O presidente da Academia e seu primeiro secretário-geral se reencontraram 1906, por ocasião da Conferência Pan-Americana, realizada no Rio de Janeiro. Foi a Nabuco que Machado dirigiu uma das últimas cartas, enviando o *Memorial de Aires*, em 1.º de agosto de 1908. Fundador da Cadeira 27 da Academia Brasileira de Letras, escolheu, como patrono, o poeta e diplomata pernambucano Maciel Monteiro. [815], [829], [839], [842], [844], [846], [851], [855], [857], [887], [897], [907], [908], [931], [934], [943], [957], [961], [973], [1024], [1031], [1053], [1058], [1062], [1094], [1098] e [1126]. Ver tb. tomos I, II, III e IV.

OCTAVIO de Langgaard Meneses, RODRIGO. (1866-1944). Nasceu em Campinas, São Paulo, onde seu avô materno, o médico dinamarquês Teodoro Langgaard, constituiu vasta clínica, e seu pai, o escritor e político liberal Rodrigo Octavio de Oliveira Meneses, era delegado de polícia. Com a transferência da família para o Rio de Janeiro, estudou nos Colégios Pedro II e S. Pedro de Alcântara e concluiu os preparatórios no Colégio Alberto Brandão. A morte prematura do pai (1882) e, pouco depois, a perda do avô dinamarquês definiram-lhe um senso de responsabilidade familiar — era o mais velho de seis irmãos — que foi uma constante ao longo da vida. Formado pela Faculdade de Direito de São Paulo, em 1886, durante o período estudantil, cultivou a poesia e estabeleceu grande amizade com Raul Pompeia e Olavo Bilac*; de volta ao Rio, acolhido por Valentim Magalhães*, na redação de *A Semana* conheceu Raimundo Correia*, Lúcio de Mendonça* e outros escritores. Mas as letras não o desviaram da carreira jurídica. Foi promotor, juiz, procurador e depois Consultor Geral da República. Exerceu a advocacia até ser nomeado ministro do Supremo Tribunal Federal (1929), aposentando-se, a pedido, em 1934. Foi catedrático da Faculdade de Ciências Jurídicas e Sociais do Rio de Janeiro, secretário da Presidência da República no governo Prudente de Morais e subsecretário das Relações Exteriores com Epitácio Pessoa*. Secretariou a delegação chefiada por Rui Barbosa* na

Conferência da Paz em Haia (1907), e foi delegado plenipotenciário do Brasil em importantes conferências na Europa e nos Estados Unidos, signatário do Tratado de Versalhes, vice-presidente da Liga das Nações e também árbitro de questões internacionais. Deu cursos e fez conferências em Paris, Roma, Haia, Varsóvia e Montevidéu; recebeu o título de Doutor *Honoris Causa* de várias universidades. Presidiu o Instituto dos Advogados, o Instituto Histórico e Geográfico Brasileiro e a Academia Brasileira de Letras, à qual se dedicou incansavelmente desde a primeira reunião preparatória. Conhecera Machado de Assis num banquete em homenagem a Guimarães Júnior* e, logo depois, mereceu do mestre uma resenha de sua estreia poética – *Pâmpanos* –, publicada em *A Estação* (março de 1886). Daí por diante, ligou-se a Machado, tornando-se uma espécie de braço direito em tudo o que dissesse respeito à implantação e ao desenvolvimento da Academia, que o elegeu primeiro-secretário em janeiro de 1897. Seu escritório de advocacia, na rua da Quitanda, 47, tornou-se o pouso estável para a realização de sessões acadêmicas – ou melhor, "sede da Secretaria" –, de 1901 até a instalação no Silogeu Brasileiro, em 1905. Cartas e bilhetes de Machado a Rodrigo atestam o empenho do primeiro e a operosidade do segundo em busca de soluções para a vida institucional; as atas acadêmicas registram constantes iniciativas de Rodrigo Octavio, que propôs a criação da Biblioteca em 1905, passando a dirigi-la, e que transmitiu o desejo do mestre de que seus "papéis" – fonte principal desta *Correspondência* – fossem entregues à Academia. Ele estava entre os companheiros fiéis que acompanharam os derradeiros dias e assistiram à morte de Machado de Assis. Nas páginas de *Minhas Memórias dos Outros* (1934, 1935 e 1936), desenham-se vivos perfis de amigos como Nabuco* e Rio Branco*; e, sobretudo, os capítulos "Machado de Assis" e "Clube Rabelais e a Panelinha" oferecem irretocáveis e documentados depoimentos sobre a personalidade machadiana e as origens da Academia. De 1904 a 1908, dirigiu, com Henrique Bernardelli*, a *Renascença*, revista mensal ilustrada de letras, ciências e artes, cujo último número homenageia o mestre recém-falecido. Sua extensa bibliografia abrange poesia, prosa, estudos históricos, destacando-se os trabalhos jurídicos e a vocação de memorialista, iniciada com o volume *Coração Aberto* (1928). Fundador da Cadeira 35 da Academia Brasileira de Letras. [899], [949], [978], [1043] e [1099]. Ver tb. tomos II, III e IV.

O'DWYER, João. O que se apurou a respeito deste missivista encontra-se nas notas à carta [1067].

PARANHOS JÚNIOR, JOSÉ MARIA DA SILVA. (1845-1912). Barão do Rio Branco. Filho do visconde do Rio Branco*, nasceu e faleceu no Rio de Janeiro. Historiador, diplomata e estadista, estudou na Faculdade de Direito de São Paulo e formou-se, em 1886, pela Faculdade do Recife. Regeu a cadeira de corografia e história do Brasil no Imperial Colégio Pedro II. Em 1869, como secretário da Missão Especial, acompanhou o pai ao Rio da Prata e ao Paraguai. No mesmo caráter participou, em 1870 e 1871, das negociações de paz entre os Aliados e o Paraguai. Regressando ao Rio, dedicou-se ao jornalismo. Em maio de 1876, foi nomeado cônsul-geral do Brasil em Liverpool. Em 1884, foi delegado à Exposição Internacional de São Petersburgo. Entre 1891 e 1893, já no regime republicano, exerceu o cargo de superintendente-geral na Europa da emigração para o Brasil. Em 1893, foi nomeado chefe da missão encarregada de defender os direitos do Brasil no território das Missões, reivindicado pela Argentina. A questão estava submetida ao arbitramento do presidente Cleveland, dos EUA. Rio Branco advogou a posição brasileira, apresentando uma documentação em seis volumes. O laudo arbitral de 5 de fevereiro de 1895 foi inteiramente favorável ao Brasil. Em 1898, foi encarregado de resolver outro importante assunto diplomático: a questão do Amapá, com a França, que teve escolhido árbitro o presidente do Conselho Federal da Suíça, Walter Hauser. Rio Branco vinha estudando a questão do Amapá desde 1895. Apresentou uma memória de sete volumes. A sentença arbitral, de 1.º de dezembro de 1900, foi favorável ao Brasil. Em 31 de dezembro de 1900 foi nomeado ministro plenipotenciário em Berlim. Em 1902 foi convidado pelo presidente Rodrigues Alves a assumir a pasta das Relações Exteriores, na qual permaneceu até a morte, em 1912. Logo no início de sua gestão, defrontou-se com a questão do Acre, território fronteiriço que a Bolívia pretendia ocupar, solucionando-a amigavelmente pelo Tratado de Petrópolis, assinado em 1903. Seguiram-se outros importantes tratados, com o Equador, em 1904; com a Colômbia, em 1907; com o Peru, em 1904 e 1907; com o Uruguai, em 1909, estabelecendo com aquele país um condomínio sobre a Lagoa Mirim; com a Argentina, em 1910. Além da solução dos problemas de fronteira, Rio Branco lançou as bases de uma nova política internacional, fundada no pan-americanismo e na aproximação com as repúblicas hispano-americanas. As relações de Machado de Assis com Rio Branco sempre foram cordiais, embora cerimoniosas. Em 1889, Rio Branco escreveu dois verbetes para *La Grande Encyclopédie*, num dos quais diz que Machado era o primeiro homem de letras do Brasil. Ao se fundar a Academia, Rio Branco se encontrava ausente do país. Na votação de janeiro de 1897, para as dez vagas que completariam o quadro de 40 acadêmicos, foi derrotado, obtendo apenas dez votos. Mas elegeu-se em 1898, com o decidido apoio de Machado. Este estava sempre disposto a auxiliar o chanceler em assuntos de interesse para nossa diplomacia. Assim, por ocasião de uma nova visita de Sarah Bernhardt ao Brasil, em 1905, Rio Branco, temendo que a imprensa brasileira atacasse a diva, pediu a Machado que localizasse um velho artigo de Nabuco*, elogiando a atriz, para publicá-lo no *Jornal do Comércio*. Do mesmo modo, em sua qualidade de presidente da ABL, Machado dispôs-se a atuar como intermediário no convite para que o historiador Guglielmo Ferrero* viesse fazer conferências no Brasil, em 1907. Ferrero teve direito a almoço oficial no Itamaraty. Durante sua estadia europeia, Rio Branco produziu várias obras, sempre em torno da história do Brasil. Redigiu uma Memória sobre o Brasil para a Exposição de São Petersburgo; escreveu a *Esquisse de l'Histoire du Brésil*; apresentou contribuições para a *Grande Encyclopédie* de Levasseur, na parte relativa ao Brasil; iniciou no *Jornal do Brasil* a publicação das *Efemérides brasileiras*, acumulou material para as *Anotações à História da Guerra da Tríplice Aliança*, de Schneider, e para a biografia do visconde do Rio Branco. Por ocasião do seu centenário de nascimento, o Ministério das Relações Exteriores publicou as *Obras Completas*, em 10 volumes, com introdução do embaixador A. de Araújo Jorge. Eleito em 01/10/1898, na sucessão de Pereira da Silva, foi o segundo ocupante da Cadeira 34. [830], [833], [853], [854], [885], [951], [963], [964], [969], [1022] e [1044]. Ver tb. tomos III e IV.

PASSOS, OLÍMPIA. O que se apurou a respeito desta missivista encontra-se nas notas à carta [914].

PEIXOTO, Júlio AFRÂNIO. (1876-1947). Médico legista, político, professor, crítico, ensaísta, romancista, conferencista e historiador literário baiano. Nasceu em Lençóis, nas Lavras Diamantinas, onde passou seus primeiros anos, cenário que se reflete na obra literária. O pai, comerciante e homem de boa cultura, teve notada influência em sua formação moral e intelectual. Transferindo-se para Salvador, diplomou-se em medicina, em 1897, como aluno laureado. Sua tese inaugural, "Epilepsia e crime", despertou grande interesse nos meios científicos do país e do exterior. A chamado de Juliano Moreira (1873-1932), pioneiro da psiquiatria no Brasil, mudou-se para o Rio, onde foi inspetor de Saúde Pública (1902) e diretor do Hospital Nacional de Alienados (1904). Após concurso, obteve a nomeação de professor de Medicina Legal da Faculdade de Medicina do Rio de Janeiro (1907) e assumiu os cargos de professor extraordinário da Faculdade de Medicina (1911); diretor da Escola Normal do Rio de Janeiro (1915); diretor da Instrução Pública do Distrito Federal (1916); deputado federal pela Bahia (1924-1930); professor de história da educação do Instituto de Educação do Rio de Janeiro (1932) e reitor da Universidade do Distrito Federal (1935). Após 40 anos de relevantes serviços à formação das novas gerações de seu país, aposentou-se. A sua estreia na literatura se deu dentro da atmosfera simbolista, com a publicação, em 1900, do drama *Rosa Mística*, luxuosamente impresso em Leipzig. O próprio autor renegou essa obra, anotando, no exemplar existente na Biblioteca da Academia, a observação: "incorrigível. Só o fogo." Entre 1904 e 1906 viajou por vários países da Europa, para se aperfeiçoar na sua especialidade, aliando a curiosidade pela arte aos estudos científicos. Na viagem de volta, travou conhecimento com o futuro acadêmico Alberto de Faria e sete anos depois casou-se com sua filha Francisca. No Rio de Janeiro, fez o laudo de autópsia de Euclides da Cunha em 1909. Seu pensamento, então, era de apenas ser médico legista e a obra científica avolumava-se, tanto que deixara de incursionar pela literatura após a publicação de *Rosa Mística*. Admirado e por isso eleito para Academia Brasileira de Letras, fez-se imortal à revelia, enquanto se achava no Egito, em sua segunda viagem ao exterior. Ali começou a escrever o romance *A Esfinge*, três meses antes da posse em 1911. O Egito inspirou-lhe o título e a trama novelesca, transpostos para o ambiente da elite carioca e petropolitana. Na trilogia de romances regionalistas, viriam *Maria Bonita* (1914), *Fruta do Mato* (1920) e *Bugrinha* (1922). Entre os romances urbanos, escreveu *As Razões do Coração* (1925), *Uma Mulher como as Outras* (1928) e *Sinhazinha* (1929). Dotado de personalidade fascinante, conquistava pessoas e auditórios pela palavra inteligente e encantadora. Como sucesso de crítica e prestígio popular, poucos escritores se igualaram na época a Afrânio Peixoto. Sem jamais descuidar do compromisso com a ciência e a educação, na Academia teve também intensa atividade. Pertenceu à Comissão de Redação da *Revista* (1911-1920); à Comissão de Bibliografia (1918) e à Comissão de Lexicografia (1920 e 1922). Presidente da Casa de Machado de Assis em 1923, promoveu, junto ao embaixador da França, Alexandre Conty, a doação pelo governo francês do palácio Petit Trianon, construído para a Exposição da França no Centenário da Independência do Brasil e finalmente sede própria da instituição. Em 1923 criou a "Biblioteca de Cultura Nacional", dividida em História, Literatura, Dispersos e Biobibliografia, uma recuperação ímpar de publicações esgotadas ou praticamente fora do alcance de quase todo o público brasileiro. A série se consagrou como a Coleção Afrânio Peixoto, que muito honra a Academia. Como ensaísta escreveu importantes estudos sobre Camões, Castro Alves e Euclides da Cunha*. Em 1941 visitou a terra natal, Bahia, depois de 30 anos de ausência, e publicou *Breviário da Bahia* (1945) e *Livro de Horas* (1947). Afrânio Peixoto procurou resumir sua biografia ao seu intenso labor intelectual exercido na cátedra e nas centenas de obras que publicou em dois versos: "Estudou e escreveu, nada mais lhe aconteceu." Foi membro do Instituto Histórico e Geográfico Brasileiro, da Academia das Ciências de Lisboa, da Academia Nacional de Medicina Legal, do Instituto de Medicina de Madri e de outras instituições. Terceiro ocupante da Cadeira 7, eleito em 1910 na sucessão de Euclides da Cunha, presidiu com operosidade e destaque a ABL em 1922 e 1923. [1084], [1085] e Caderno Suplementar.

PINTO, SOUSA. O que se apurou a respeito deste missivista encontra-se nas notas à carta [888].

PORRAS, BELISARIO. (1856-1942). Jurista, diplomata, militar, jornalista e político panamenho, nasceu em Las Tablas, Nova Granada – Colômbia – quando ainda não fora criada a república do Panamá no istmo colombiano da América Central. Estudou em Bogotá e na Bélgica, atuou como jurista e catedrático de direito e superou graves reveses políticos na tentativa da autonomia panamenha. Opôs-se à construção norte-americana do Canal do Panamá, optando pela separação da Colômbia (1903) para não se submeter ao domínio dos Estados Unidos. Foi três vezes presidente do Panamá, onde sua memória é muito reverenciada. Na condição de ministro diplomático do país no Brasil, manteve contato com Machado de Assis. [1061].

PORTO, MANUEL ERNESTO DE CAMPOS. (1856-1903). O que se apurou a respeito deste missivista encontra-se nas notas à carta [269 A].

PORTUGAL, OLÍMPIO Viriato. (1862-1924). Médico paulista, nascido em Capivari, município do Rio Claro. Formou-se pela Faculdade de Medicina do Rio de Janeiro em 1887. Foi médico do Hospital São João Batista de Niterói durante sete anos, retornando a São Paulo em 1893. Residiu e clinicou em Araras, passando à capital paulista em 1909. Exerceu vários cargos técnicos no Serviço Sanitário, inclusive na Assistência de Proteção a Primeira Infância, e foi chefe de seção de profilaxia da tuberculose. Presidiu a Sociedade de Medicina e Cirurgia de São Paulo. Cientista operoso, produziu muitas obras no seu ramo de conhecimento, uma monografia sobre Campos de Jordão e também se notabilizou pela elegância oratória e o bom gosto literário, que é possível apreciar na carta enviada a Machado de Assis pouco antes do falecimento do escritor. [1104].

PUJOL, ALFREDO Gustavo. (1865-1930). Advogado, jornalista, ensaísta e político, nasceu em São João Marcos, Rio de Janeiro. Iniciou seus estudos com o pai, o educador Hippolyte Gustave Pujol. Em 1890, bacharelou-se pela Faculdade de Direito de São Paulo. Na advocacia, atuou tanto no foro criminal quanto no civil. Algumas de suas defesas no tribunal do júri em São Paulo ficaram famosas. Foi também consultor jurídico da Associação Comercial de São Paulo. Escreveu em jornais paulistas tais como o *Diário Mercantil* e *O Estado de São Paulo*. Ao lado de Francisco Glicério, defendeu a causa republicana em discursos e conferências políticas. Em 1892, foi eleito deputado estadual pelo Partido Republicano Paulista. Militou na campanha civilista de Rui Barbosa*, contra a candidatura de Hermes da Fonseca à presidência da República. Na imprensa, exerceu a crítica literária. Além disso, dedicou-se às conferências literárias, atividade introduzida por Medeiros e Albuquerque* e cultivada por Olavo Bilac*, Coelho Neto* e outros escritores do Rio e de São Paulo. Em 1917, realizou sete conferências no salão da Sociedade de Cultura Artística, de São Paulo, sobre a personalidade e a obra de Machado de Assis. Posteriormente foram reunidas em livro. Terceiro ocupante da Cadeira 23, eleito em 14 de novembro de 1917, na sucessão de Lafaiete Rodrigues Pereira* e recebido em 23 de julho de 1919 pelo acadêmico Pedro Lessa. [863]. Ver tb. tomo IV.

QUEIRÓS, MARIA AVELAR DE. O que se apurou a respeito da missivista encontra-se em notas à carta [960].

RABELO, MAROQUINHA JACOBINA. (1877-1957). Nome literário de Maria Jacobina de Sá Rabelo. Escritora carioca, de família letrada e pioneira na educação feminina. Casada com o engenheiro César de Sá Rabelo, viveu no Cosme Velho e foi admiradora e amiga de Machado de Assis. Dedicando-se aos deficientes visuais, durante trinta anos ensinou no Instituto Benjamim Constant, onde ilustrava as preleções com recitais de grandes artistas convidados, entre os quais a pianista Guiomar Novais. Em trabalho voluntário no Curso Jacobina, fundado por suas irmãs Isabel e Francisca, muito colaborou na área pedagógica relativa ao ensino de humanidades. Também escreveu pequenas peças teatrais e hinos festivos apresentados pelas alunas colégio com grande sucesso. A obra publicada reúne 17 títulos, desde *Meu Pai* (1916) até *Rosas Pálidas* (1955). [847], [918], [1069] e [1092].

RABELO, MANUEL TELES. O que se apurou a respeito deste missivista encontra-se nas notas à carta [954].

RAMOS, José Júlio da SILVA. (1853-1930). Nascido no Recife, filho do médico José da Silva Ramos e Emília Augusto Ramos, este correspondente era professor, filólogo e poeta. Foi educado em Portugal por suas tias maternas e formou-se na Faculdade de Direito de Coimbra (1872-1877). Em Portugal, conviveu com os poetas João de Deus e Guerra Junqueiro. Voltou ao Recife e, depois, transferiu-se ao Rio de Janeiro. Lecionou em diversos colégios e foi professor de português no Colégio Pedro II por vinte e cinco anos. Silva Ramos fez parte do grupo que fundou a Academia Brasileira de Letras, escolhendo para patrono da Cadeira 37 o poeta português Tomás Antônio Gonzaga. Caderno Suplementar.

RANGEL, José GODOFREDO de Moura. (1884-1951). Jurista, escritor e tradutor mineiro. Formou-se pela Faculdade de Direito de São Paulo em 1886. Um refinado talento literário, esquivou-se da merecida projeção, publicando pouco e desenvolvendo sua carreira na magistratura, após exercer postos de escrivão e de professor. Ao se aposentar como juiz de direito (1937), já em Belo Horizonte, passaria a integrar a Academia Mineira de Letras (1939). Ainda estudante, Godofredo Rangel formou com Monteiro Lobato (1882-1948) e outros amigos o "Minarete", confraria literária da qual resultariam o jornal homônimo e atitudes intelectuais e militantes que marcaram a vida literária paulista, culminando com a publicação de *A Barca de Gleyre* (1944). Essa obra reúne a copiosa correspondência ativa de Lobato com o amigo mineiro durante mais de 40 anos e constitui um estupendo documento biobibliográfico. Rangel, o interlocutor privilegiado, escreveu nesse ínterim os romances *Falange Gloriosa*, *Vida Ociosa*, *A Filha*, *Os Bem-Casados*, os livros infantis – *Um Passeio à Casa de Papai Noel* e *Histórias do Tempo do Onça* –, bem como "Andorinhas" e "Contos dos Humildes", "Síncope" e a "Falência das Letras". Merece destaque seu incansável trabalho como tradutor, oferecendo, principalmente aos leitores infanto-juvenis, versões primorosas da literatura estrangeira e assim contribuindo para a formação intelectual de uma juventude ávida por boas histórias trazidas para a língua portuguesa com muita fidelidade e o melhor dos estilos. A carta do muito jovem Godofredo Rangel a Machado é uma demonstração de senso de humor e de aguda inteligência. [930]

RESENDE, JOSÉ SEVERIANO DE. (1871-1931). Nascido em Mariana, Minas Gerais, era filho de Custódia de Resende e Severiano Cardoso Nunes de Resende (1847-1920), professor, historiador e escritor são-joanense, e editor do *Arauto de Minas*, jornal oficial do Partido Conservador no 6.º Distrito Eleitoral de Minas. José Severiano viveu a infância e a adolescência em São João del-Rei. Mudou-se para a capital paulista em 1889, a fim de cursar a Faculdade de Direito do Largo de São Francisco, mas terminou por abandonar o curso anos depois, iniciando então a sua formação religiosa no Seminário de Mariana. Após a sua ordenação, serviu em Ouro Preto, Mariana, São João del-Rei e Rio de Janeiro. Na capital federal, proferiu muitas conferências, sempre com a plateia lotada e seleta. Depois de 1908, abandonou o sacerdócio e mudou-se definitivamente para a França, indo viver em Paris. Trabalhou como escritor, tradutor e jornalista. Colaborou no *Mercure de France*, no qual mantinha a coluna *Lettres Brésiliennes*. Na Europa, já mais velho, cultivou o hábito dos retiros espirituais, especialmente em Paray-le-Monial. Morreu em 14 de novembro de 1931 e foi sepultado no Departamento de Aude, no jazigo dos Gary, a cuja família pertencia a sua companheira. [820].

RETIRO LITERÁRIO PORTUGUÊS. Sobre essa instituição e correspondência enviada a Machado de Assis, ver notas às cartas [876] e [877].

RIBEIRO de Andrade Fernandes, JOÃO. (1860-1934). Jornalista, crítico, filólogo, historiador, pintor e tradutor sergipano. Órfão de pai muito cedo, foi residir em casa do avô, Joaquim José Ribeiro, cuja excelente biblioteca foi de grande valia para o futuro escritor. Transferiu-se para a Bahia e matriculou-se no primeiro ano da Faculdade de Medicina de Salvador. Constatando a falta de vocação, abandonou o curso e embarcou para o Rio de Janeiro, para matricular-se na Escola Politécnica. Simultaneamente estudava arquitetura, pintura e música. Desde 1881, dedicou-se ao jornalismo e fez-se amigo de grandes jornalistas do momento: Quintino Bocaiúva*, José do Patrocínio e Alcindo Guanabara. Ao chegar ao Rio, trazia os originais de uma coletânea de poesias. Seu amigo e conterrâneo Sílvio Romero* leu esses versos e publicou sobre eles um alentado artigo na *Revista Brasileira* (1881). Trabalhou, a princípio, no jornal *Época* (1887-1888). Apaixonado por filologia e história, cedo dedicou-se ao magistério. Professor de colégios particulares desde 1881, em 1887 submeteu-se a concurso no Colégio Pedro II, para a cadeira de português, apresentando a tese "Morfologia e colocação dos pronomes". Contudo, só foi nomeado três anos depois, para a cadeira de história universal. Foi também professor da Escola Dramática do Distrito Federal, cargo que ainda exercia quando faleceu. A partir de 1895 fez inúmeras viagens à Europa, ora por motivos particulares, ora em missões oficiais. Representou o Brasil no Congresso de Propriedade Literária, reunido em Dresden, bem como na Sociedade de Geografia de Londres. A última fase de atividade na imprensa foi no *Jornal do Brasil*, desde 1925 até a morte. Ali escreveu crônicas, ensaios e trabalhos de crítica. Em 1897, ao criar-se a Academia, estava ausente do Brasil e por isso não foi incluído no quadro dos fundadores. Em 1898, de volta, ocorreu o falecimento de Luís Guimarães Júnior*, em cuja vaga foi eleito. Na Academia, fez parte de numerosas comissões, entre as quais a Comissão do Dicionário e a Comissão de Gramática. Foi um dos principais promotores da reforma ortográfica de 1907. Seu nome foi apresentado diversas vezes como o de um possível presidente da instituição, mas ele declinou sistematicamente aceitar tal investidura. Em 22 de dezembro de 1927, porém, a Academia o elegeu presidente. João Ribeiro apresentou, de imediato, sua renúncia ao cargo. Era possuidor de larga cultura humanística, versado nos clássicos de todas as literaturas, e dotado de aguda sensibilidade estética. O livro *Páginas de Estética*, publicado em 1905, resume seu ideário crítico. Conviveu com Machado de Assis quando ambos trabalhavam em *A Semana*, de Valentim de Magalhães*, ao lado de Lúcio de Mendonça* e Rodrigo Octavio*, entre outros (1885). Em 1895, quando o filólogo se mudou para a Alemanha, os amigos organizaram um álbum em sua homenagem, no qual Machado colaborou. Para alguns especialistas, João Ribeiro não teve grande apreço por Machado do ponto de vista humano, considerando-o egoísta, insensível diante do sofrimento alheio e incapaz de se interessar por causas generosas. Segundo ocupante da Cadeira 31, eleito em 8 de agosto de 1898, foi recebido por José Veríssimo* no dia 16 de dezembro de 1898. [823], [909], [932] e [1023]. Ver tb. tomos III e IV.

ROMERO, SÍLVIO Vasconcelos da Silveira Ramos. (1851-1914). Ensaísta, crítico, historiador, etnólogo, pensador, sociólogo e educador, Romero publicou incansavelmente. Nascido em Lagarto, Sergipe, filho do português André Ramos Romero e Maria Vasconcelos da Silveira, aos 12 anos Sílvio transferiu-se ao Rio de Janeiro para os estudos preparatórios. De volta ao Nordeste, formou-se na Faculdade de Direito do Recife, cidade onde viveu de 1868 a 1876. Nesse período travou conhecimento com as ideias filosóficas de Tobias Barreto (1839-1889), de quem se tornou amigo, discípulo e admirador. Durante o Império, Sílvio Romero foi promotor público na cidade de Estância, em Sergipe, e deputado provincial. Depois, exerceu a promotoria pública em Parati, no Rio de Janeiro. Aprovado por concurso em 1.º lugar, lecionou filosofia e lógica do Colégio Pedro II. Tornou-se professor de filosofia do direito na Faculdade Livre de Direito e na Faculdade de Ciências Jurídicas e Sociais. No entanto, a supressão dessa cadeira em ambas instituições colocou-o em disponibilidade na primeira e na segunda passou a reger a cadeira de economia política. Durante o governo Campos Sales (1898-1902), foi deputado federal. Polígrafo, Sílvio Romero é dono de uma bibliografia vastíssima, tendo percorrido diversos temas. Casou-se três vezes e teve 14 filhos: André, Edgar, Sílvio, Nélson, João, Clarinda, Maria Sílvia, Irene, Rute, Osvaldo, Odorico, Haroldo, Maria Alice e Laura. Morava na rua D. Marciana, 22, uma transversal à rua da Passagem, em Botafogo. Fundador da Cadeira 26, da ABL. [819] e [836].

RIO BRANCO, BARÃO DO. Ver PARANHOS JÚNIOR, José Maria da Silva.

SALES, ANTÔNIO. (1868-1940). Escritor cearense, autodidata, iniciou-se no jornalismo ainda muito jovem e foi um dos idealizadores da irreverente e, sobretudo, inovadora agremiação literária Padaria Espiritual, criada em Fortaleza em 1892. Presidiu-a, ou melhor, foi "Padeiro-mor", até 1894, cabendo-lhe a autoria dos originais estatutos e a edição do jornal O Pão. Aos 29 anos transferiu-se para o Rio de Janeiro, como funcionário do Tesouro Nacional, e logo desenvolveu intensa atuação na *Revista Brasileira* de José Veríssimo*, testemunhando da fundação da Academia Brasileira de Letras, sobre a qual faria valiosos registros em *Retratos e Lembranças* (1938). Desde cedo, manifestara grande admiração por Machado de Assis. Este, ao descobrir o talento e a personalidade afetuosa do moço cearense, incluiu-o entre os amigos diletos, e talvez não o tenha tido no quadro de fundadores porque Sales se julgava autor de obra ainda modesta. No entanto, foi biógrafo preciso dos primeiros acadêmicos, nas páginas da *Revista*, ativo participante da redação de *A Semana* e, mais tarde, crítico e cronista de peso nos jornais *Correio da Manhã* e *O País*. De retorno ao Ceará, em 1920, dedicou-se à reorganização da Academia Cearense de Letras, que presidiu de 1930 a 1937. Figura ativa na vida literária brasileira por meio século, publicou vários volumes de poesia, o *Retrospecto dos Feitos da Padaria Espiritual* (1894), o romance *Aves de Arribação* (1914), crônicas, peças teatrais e a citada obra memorialística, *Retratos e Lembranças*. [889]. Ver tb. tomos III e IV.

SENHORA NÃO IDENTIFICADA. O que se apurou a respeito desta missivista encontra-se nas notas à carta [912].

SOUSA, ANTÔNIO MOUTINHO DE. (1834-1899). Ator e autor teatral português, nascido no Porto. Desde muito jovem se tornou amigo do irmão de Carolina*, Faustino Xavier de Novais*, e prefaciou-lhe a primeira coletânea de poemas quando tinha apenas 14 anos. Veio para o Brasil em 1858, aqui chegando pouco antes de Novais, e possivelmente através deste travou conhecimento com Machado de Assis, sendo um dos seus primeiros amigos portugueses. Aumentaram os laços de amizade quando Moutinho de Sousa se casou com a jovem e talentosa atriz Ludovina da Cunha Vecchi, filha de Gabriela da Cunha, a quem Machado admirava enormemente. O casamento se realizou em junho de 1858 e, em 1860, Machado de Assis escreveu o poema "Ao Casal Moutinho", celebrando o nascimento do seu filho Júlio*. A morte precoce de Ludovina (1861) inspirou outro poema que foi publicado no *Diário do Rio de Janeiro* e incluído em *Crisálidas* (1864). O jovem Machado, como censor do Conservatório Dramático, deu parecer sobre a peça *Finalmente* de seu amigo, obra posterior a *Fumo sem Fogo*, cuja carta-prefácio se encontra neste volume. A trágica viuvez levou Moutinho a abandonar o palco e retornar a Portugal com o pequeno Júlio. Anos depois, vem ao Brasil com o propósito de vender a edição portuguesa ilustrada por Gustave Doré de *Dom Quixote*, e Machado, assinando-se "Manassés", refere-se calorosamente ao velho companheiro em crônica publicada pela *Ilustração Brasileira* a 01/09/1876. Houve outra vinda, em 1881, quando Moutinho recebeu um exemplar das *Memórias Póstumas de Brás Cubas*; empenhado em publicar o romance na *Folha Nova*, esse jornal de Lisboa apresentou apenas 23 capítulos. Vivendo no Porto em precárias condições financeiras, o antigo ator e escritor recebeu auxílio fraternal do pianista português Artur Napoleão*, que realizou um concerto em seu benefício no ano de 1888. Sobre Gabriela da Cunha, ver [I] tomo I, e sobre Júlio Moutinho*, ver [789], tomo III. [I A].

SOUSA, Herculano Marcos INGLÊS DE. (1853-1918). Advogado, professor, jornalista, contista e romancista, nasceu em Óbidos, no Pará. Diplomou-se pela Faculdade de Direito de São Paulo em 1876, ano, aliás, em que publicou seu primeiro romance, *O Cacaulista*. Inglês de Sousa foi o introdutor do naturalismo na literatura brasileira. Como escritor, só se tornou conhecido em 1891, com o romance *O Missionário*. No Rio de Janeiro, exerceu a advocacia, o magistério e o jornalismo. Foi também presidente do Instituto dos Advogados do Brasil. Compareceu às sessões preparatórias que deram origem à Academia Brasileira de Letras, tomando assento na Cadeira 28 como fundador da instituição. Na sessão de 28 de janeiro de 1897, foi nomeado tesoureiro da ABL. No presente volume, a sua correspondência é institucional, tratando-se de uma solicitação de dispensa do cargo de tesoureiro da Academia. [1008].

SOUSA, PEDRO FREDERICO LEÃO DE. O que se apurou a respeito deste correspondente encontra-se nas notas à carta [1041].

VÁRZEA, VIRGÍLIO. (1865-1941). Escritor catarinense. Estudou no Desterro (Florianópolis), onde conheceu o poeta simbolista Cruz e Sousa. Jovem, engajou-se num navio e conheceu vários países. De retorno, trabalhou no foro e foi nomeado secretário da capitania dos portos de sua cidade natal. Companheiro de Cruz e Sousa na direção do jornal *Tribuna Popular*, com ele publicou *Tropos e Fantasias* (1885). Transferindo-se para o Rio de Janeiro, continuou a atividade jornalística e tornou-se deputado estadual por Santa Catarina (1902). Sua obra de ficcionista e ensaísta reúne vários títulos, como *Santa Catarina – a Ilha* (1900), *Contos de Amor* (1901), *A Noiva do Paladino* (1901), as interessantes *Histórias Rústicas* (1904), *Os Argonautas* (1909), além de memórias e alguns trabalhos inéditos. Candidatou-se à Academia Brasileira de Letras por quatro vezes. Machado de Assis apreciou as qualidades literárias de seu conto "O mestre de redes", quando do concurso promovido pela *Gazeta de Notícias* no início de 1894. [955] e [995].

VASCONCELOS, NUNO Lopo SMITH DE. (1893-1943). Professor catedrático do Colégio Pedro II, recebeu a legião de honra da França pelos relevantes serviços prestados ao intercâmbio cultural entre o Brasil e esse país. Estudou nos Estados Unidos. Foi professor de inglês na Industrial University of Ohio. Regressou ao Brasil em 1915. Nuno lutou na I Grande Guerra, na qual se alistou como voluntário, sendo promovido a 1.º sargento no campo de batalha. Tomou parte em duas grandes ofensivas, foi ferido no ataque à Fortaleza de Monffauon. Em 1927, foi condecorado por Alberto I (1875-1934), rei da Bélgica, por sua atuação na Guerra de Flandres, Ypres e Lys. No Rio de Janeiro, Nuno foi diretor do Gávea Clube, situado na rua Marquês de São Vicente, 127, bem como participou do conselho consultivo do Fluminense Futebol Clube, em 1940. Foi também o mais importante colecionador brasileiro de *ex-libris* da primeira metade do século XX. A sua coleção, internacionalmente reconhecida, era considerada a segunda mais importante no mundo, atrás somente da do rei italiano Vitório Emanuel III. Na primeira exposição brasileira de *ex-libris*, no Museu Nacional de Belas-Artes, em 1942, a sua coleção com 8746 exemplares constituiu-se na atração principal. Nessa exposição figuraram outras importantes coleções, como a de Américo Jacobina Lacombe, a de Acyr Pinto da Luz e a da Biblioteca Nacional. Nuno publicou também muitos livros didáticos e era um dedicado estudioso de Shakespeare. Além disso, participava da diretoria da Companhia Mecânica e Importadora de São Paulo, dirigida por Jaime Luís, seu irmão. Em 1915, em Ohio, casou-se com a norte-americana Leulla Marie Metz (1894-1978), com quem teve Guiomar Iolanda (1922-1992) e Gloria Rosalin (n. 1923). [1063] e [1106].

VERÍSSIMO de Matos, JOSÉ. (1857-1916). Nascido em Óbidos, Pará. Em 1869, transferiu-se para o Rio de Janeiro, ingressando na Escola Central (depois, Escola Politécnica), cujo curso interrompeu por motivo de saúde. Em 1876, de regresso ao Pará, dedicou-se ao magistério e ao jornalismo, a princípio como colaborador do *Liberal do Pará* e, posteriormente, como fundador e dirigente da *Revista Amazônica* (1883-1884) e do Colégio Americano. Em 1880, viajou pela Europa. Em Lisboa, tomando parte em um congresso literário internacional, defendeu brilhantemente os escritores brasileiros que vinham sofrendo censuras feitas pelos interessados na permanência do livro brasileiro na retaguarda da literatura em língua portuguesa. Em 1889, participou do X Congresso de Antropologia e Arqueologia Pré-Histórica, realizado em Paris, apresentando uma comunicação sobre o homem de Marajó e a antiga história da civilização amazônica. Em 1891, mudou-se para o Rio, sendo nomeado professor e depois diretor do Ginásio Nacional (Colégio Pedro II). Em 1895, fundou uma nova série da *Revista Brasileira*, que se tornaria o mais influente periódico cultural do país. É conhecido, sobretudo, por sua atividade como crítico literário em vários jornais e revistas, especialmente no *Jornal do Comércio* e no *Correio da Manhã*; artigos e ensaios foram enfeixados em *Estudos da Literatura Brasileira* (1901-1907). Sua obra principal é a *História da Literatura Brasileira* (1916). Veríssimo recusou a crítica sociológica de Sílvio Romero*, preferindo uma avaliação imanente da obra, segundo critérios estéticos. Essa preferência certamente está entre os fatores que o aproximaram de Machado de Assis, atacado por Sílvio Romero à luz de considerações em grande parte extraliterárias. Veríssimo foi o crítico mais lúcido de Machado de Assis, que se encantou com seu ensaio sobre *Quincas Borba* (1892). O que em geral se ignora é que veio de Veríssimo a primeira percepção de que o relato de *Dom Casmurro* talvez não fosse inteiramente confiável, antecipando, nisso, uma suspeita de Lúcia Miguel Pereira e, sobretudo, a tese de Helen Caldwell sobre a inocência de Capitu. Com efeito, no mesmo ano do aparecimento do romance, em 1900, José Veríssimo observou no *Jornal do Comércio* que Dom Casmurro escrevera "com amor e com ódio, o que pode torná--lo suspeito." Machado considerava-o o maior crítico do Brasil e um dos seus melhores autores. O volume de contos *Cenas da Vida Amazônica* mereceu dele, na *Gazeta de Notícias*, uma resenha consagradora (1899). Com a fundação da Academia Brasileira de Letras na redação da *Revista Brasileira*, o convívio entre os dois se estreitou. Viam-se quase diariamente, na Garnier e no Ministério da Viação, onde Veríssimo costumava visitar o amigo. Quando não se viam, correspondiam-se. Aliás, em carta de 21 de abril de 1908, Machado autorizava Veríssimo a que lhe publicasse as cartas. Uma das últimas lhe foi destinada em 1.º de setembro de 1908. Fundador da Cadeira 18 da Academia Brasileira de Letras. [817], [878], [880], [886], [929], [1014], [1039], [1040], [1046], [1047], [1048],

[1049], [1076], [1077], [1086], [1123], [1124] e Caderno Suplementar. Ver tb. tomos II, III e IV.

VIDAL, Adriano Augusto PINA DE. (1841-1919). Conhecido como Pina de Vidal, pertencia à Classe de Ciências, antiga seção de Ciências Físicas, da Academia das Ciências de Lisboa, para a qual foi eleito sócio correspondente em 3 de junho de 1869. Passou a sócio efetivo em 1.º de junho de 1885. Assumiu o cargo de secretário-geral da instituição em 1897, permanecendo nele até o seu falecimento em 1919. Foi também professor, diretor e lente da Escola Politécnica; foi professor da Universidade de Lisboa e diretor do Observatório D. Luís desde 1869. Ver tb. tomo IV. [822].

YOUNG, JAMES CARLETON. (1856-1918). Empresário que fez fortuna com a venda de terras para colonização em Minnesota, no Iowa e nas Dakotas. Formado em 1876 pela Cornell College, depois que assegurou a sua fortuna, dedicou-se seriamente à bibliofilia, tornando-se o bibliófilo mais importante do século XIX. Muito conhecido nos Estados Unidos e na Europa, foi o único norte-americano membro da *Societé des Amis des Livres*, na época o clube do livro mais exclusivo do mundo. Fez parte de importantes instituições culturais, como o Clube dos Autores de Londres e a Sociedade dos Homens de Letras, da França. Em 1878, foi comissário honorário da Exposição de Paris. Em 1902, o *Figaro* referiu-se a ele como *Le Roi des Livres*, título pelo qual passou a ser reconhecido no exterior. Em 1910, foi condecorado pelo governo francês com a Cruz da Legião de Honra, por meio de uma petição encabeçada pelo dramaturgo e poeta, Prêmio Nobel de 1911, Maurice Maeterlinck (1862-1949) e mais 25 cidadãos ilustres da França. Quando deliberou devotar a vida à coleção de obras-primas modernas em todas as línguas, acreditou que este seria o maior tributo que poderia pagar à literatura, e quis que cada livro fosse autografado por seu autor. Nos Estados Unidos, o trabalho progrediu rapidamente, mas como não era comum aos escritores de qualquer idioma diferente do inglês autografar seus livros, muito pouco pôde ser feito por correspondência junto aos autores estrangeiros. Mr. Young resolveu, então, viajar pelo mundo. Fez frequentes viagens à Europa, a fim de entrevistar-se com autores ilustres. Passou dois anos em Paris, onde não só garantiu os autógrafos que desejava, mas recolheu muitos livros raros. A maior parte de seu tempo, por cerca de vinte anos, foi dedicada a esse trabalho. A biblioteca reunida por ele é, sem dúvida, a mais importante coleção do gênero no mundo. Quando foi dispersa em 1916, por meio de leilão nas *Anderson Galeries*, de Nova York, teve de ser dividida em lotes, distribuídos por vários dias de venda. A parte I continha 1078 números e foi vendida em 15 e 16 de novembro. A parte II, vendida em cinco sessões, em 11 e 13 de dezembro, reuniu 1336, e três outras, igualmente grandes, foram realizadas mais tarde, porém ainda na temporada. A fim de evitar um catálogo pesado, muitas centenas de inscrições não foram citadas e, em alguns casos, vários livros foram agrupados em um lote. Não há notícia da resposta de Machado ao bibliófilo. [902]. Ver tb. tomo IV.

Posfácio

Este volume reúne a correspondência de Machado de Assis de 1905 a 1908, ano de sua morte.

1905 se inicia com a homenagem de Joaquim Nabuco, enviando a Machado um ramo retirado do carvalho do túmulo de Tasso no convento de Santo Onofre. Disse Nabuco a Graça Aranha: "Devemos tratá-lo com o carinho e a veneração com que no Oriente tratam as caravanas a palmeira às vezes solitária do oásis." A entrega foi feita na primeira sessão solene realizada no Silogeu. Logo Machado agradece a Nabuco: "Escrevo algumas horas depois do seu ato de grande amigo. Em qualquer quadra da minha vida ele me comoveria profundamente; nesta em que vou a comoção foi muito maior. /.../ O que a Academia, a seu conselho, me fez ontem, basta de sobra a compensar os esforços da minha vida inteira; eu lhe agradeço haver se lembrado de mim tão longe e tão generosamente." A emoção foi tão grande que, em abril de 1908, escreve a Mário de Alencar: "Uma das melhores relíquias da minha vida literária é aquele galho de carvalho de Tasso que J. Nabuco me mandou há três anos por intermédio do Graça Aranha, e este me entregou em sessão da nossa Academia Brasileira." Machado pede a Mário que no seu falecimento recolha o galho à Academia, e comenta com Nabuco essa decisão.

O grande acontecimento de 1907 foram as conferências do historiador Guglielmo Ferrero por iniciativa do Barão do Rio Branco. Em carta de 7 de julho Machado relatava a Nabuco: "Não lhe falo das festas do Guilherme Ferrero, porque os jornais lhas terão contado. Foram só horas, mas vivas. /.../ Quando Ferrero tornar de Buenos Aires, lá para setembro, ficará aqui um mês, e as festas serão provavelmente maiores."

As cartas para Mário de Alencar são maioria. Mesmo encontrando-se regularmente na Garnier, os dois trocavam bilhetes cheios de solicitude. Não raro Machado ia à Biblioteca da Câmara, onde Alencar era funcionário, parando indeciso como a pedir licença e desculpas por importunar os raros leitores.

As cartas entre Nabuco e Machado tratavam sobretudo da Academia, especialmente das eleições. Com Magalhães de Azeredo, que fora um correspondente assíduo, as cartas já não eram frequentes.

Em janeiro de 1908, Machado escrevia a Nabuco: "Enfim, a Academia vai sendo aceita, estimada e amada."

E em 1.º de agosto, na última sessão que presidiu, Machado diz: "Já lá temos um princípio de biblioteca, a cargo especial do Mário de Alencar, e eles [os discursos de Nabuco] ficam nela arquivados." E comentando a sugestão de Nabuco quanto à candidatura de José Carlos Rodrigues: "Não há vaga, mas quem sabe se não a darei eu?"

ALBERTO VENANCIO FILHO, 2015

~ Bibliografia

ACADEMIA BRASILEIRA DE LETRAS. *Discursos Acadêmicos*. 1897-1919. Rio de Janeiro, 2005.
_____. *Revista da Academia Brasileira de Letras*, XXXI, n.º 96, Rio de Janeiro, 1929.
_____. *Revista da Academia Brasileira de Letras*, XXXIV, n.º 105, Rio de Janeiro, 1930.
_____. *Revista da Academia Brasileira de Letras*, XXXIV, n.º 106, Rio de Janeiro, 1930.
_____. *Revista da Academia Brasileira de Letras*, XXXVI, n.º 115, Rio de Janeiro, 1931.
_____. *Revista da Academia Brasileira de Letras*, XXXVI, n.º 116, Rio de Janeiro, 1931.
_____. *Revista da Academia Brasileira de Letras*, XXXVI, n.º 117, Rio de Janeiro, 1931.
_____. *Revista da Academia Brasileira de Letras*, XXXVII, Rio de Janeiro, 1931.
_____. *Revista Brasileira*, fase VII, 55, Rio de Janeiro, abril-junho, 2008. Edição comemorativa 1908-2008.
_____. *Revista Brasileira*, fase VIII, 72, ano I, n.º 72, Rio de Janeiro, julho-agosto--setembro, 2012.
ALENCAR, Mário. *Alguns Escritos*. Rio de Janeiro-Paris: H. Garnier, 1909.
ALMEIDA, Renato. *História da Música Brasileira*. 2 ed. Rio de Janeiro: R. Briguet & Comp., 1942.

ALONSO, Ângela. *Joaquim Nabuco: os salões e as ruas.* São Paulo: Companhia das Letras, 2007.

ALVES, Antônio de Castro. *Espumas Flutuantes.* Bahia: Tipografia Camilo de Lelis Masson, 1870.

ARANHA, José Pereira da Graça (Org.). *Machado de Assis e Joaquim Nabuco.* Comentários e notas à correspondência entre os dois grandes escritores. São Paulo: Monteiro Lobato, 1923.

_____. *Machado de Assis & Joaquim Nabuco, Correspondência.* Rio de Janeiro: Academia Brasileira de Letras-Topbooks, 2003. Prefácio de José Murilo de Carvalho.

ASSIS, Joaquim Maria Machado de. *Desencantos.* Rio de Janeiro: Paula Brito, 1861. Fundação da Biblioteca Nacional.

_____. *Teatro de Machado de Assis.* Rio de Janeiro: Diário do Rio de Janeiro, 1863.

_____. *Crisálidas.* Rio de Janeiro: B. L. Garnier, 1864.

_____. *Falenas.* Rio de Janeiro: B. L. Garnier, 1870.

_____. *Contos Fluminenses.* Rio de Janeiro: B. L. Garnier, 1870.

_____. *Ressurreição.* Rio de Janeiro: B. L. Garnier, 1872.

_____. *Histórias da Meia-Noite.* Rio de Janeiro: B. L. Garnier, 1873.

_____. *A Mão e a Luva.* Rio de Janeiro: Gomes de Oliveira, 1874.

_____. *Americanas.* Rio de Janeiro: B. L. Garnier, 1875.

_____. *Helena.* Rio de Janeiro: B. L. Garnier, 1876.

_____. *Iaiá Garcia.* Rio de Janeiro: G. Vianna, 1878.

_____. *Memórias Póstumas de Brás Cubas.* Rio de Janeiro: Tipografia Nacional, 1881.

_____. *Papéis Avulsos.* Rio de Janeiro: Lombaerts, 1882.

_____. *Histórias Sem Data.* Rio de Janeiro: B. L. Garnier, 1884.

_____. *Quincas Borba*, Rio de Janeiro: B. L. Garnier, 1891.

_____. *Várias Histórias.* Rio de Janeiro: Laemmert, 1896.

_____. *Páginas Recolhidas.* Rio de Janeiro-Paris: H. Garnier, 1899.

_____. *Dom Casmurro.* Rio de Janeiro-Paris: H. Garnier, 1899.

_____. *Poesias Completas.* Rio de Janeiro-Paris: H. Garnier, 1901.

_____. *Esaú e Jacó.* Rio de Janeiro-Paris: H. Garnier, 1904.

_____. *Relíquia de Casa Velha.* Rio de Janeiro-Paris: H. Garnier, 1906.

_____. *Memorial de Aires.* Rio de Janeiro-Paris: H. Garnier, 1908.

_____. *Obra Completa.* Rio de Janeiro: W. M. Jackson, 1937.

_____. *Obra Completa.* Rio de Janeiro: Nova Aguilar, 2008.

AZEREDO, Carlos Magalhães de. *Alma Primitiva*. Rio de Janeiro: Cunha & Irmão, 1895.
_____. *Procelárias*. Porto: Empresa Literária e Tipográfica, 1898.
_____. *Baladas e Fantasias*. Rio de Janeiro: Laemmert & C., 1900.
_____. *Homens e Livros*. Rio de Janeiro: H. Garnier, 1902.
_____. *Odes e Elegias*. Roma: Tipografia Centenari, 1904.
_____. *Memórias*. Rio de Janeiro: Academia Brasileira de Letras, 2003. Introdução e comentários de Afonso Arinos, filho. Coleção Afrânio Peixoto.
AZEVEDO, José Afonso Mendonça. *Vida e Obra de Salvador de Mendonça*. Brasília: Seção de Publicações do Ministério das Relações Exteriores, 1971. Coleção Documentos Diplomáticos.
AZEVEDO, Manuel Duarte Moreira. *O Rio de Janeiro, sua História, Monumentos, Homens Notáveis, Usos e Curiosidades*. Rio de Janeiro: B. L. Garnier, 1877. 2 v.
AZEVEDO, Maria Helena Castro. *Um Senhor Modernista*. Rio de Janeiro: Academia Brasileira de Letras, 2002.
BARBOSA, Rui. A Imprensa. In: *Obras Completas de Rui Barbosa*. Rio de Janeiro: Ministério da Cultura e Cultura-Fundação Casa de Rui Barbosa, 1954. v. III.
BLUTEAU, Rafael. *Vocabulário Português e Latino*. Rio de Janeiro: Dinfo-Uerj, 2000. CD-ROM. 8 v.
BOCAGE, Manuel Maria Barbosa du. *Obras Poéticas*. Lisboa: A. J. Rocha, 1849--1850.
BOSI, Alfredo. *História Concisa da Literatura Brasileira*. 2 ed. São Paulo: Cultrix, 1979.
BRAGA, Belmiro. *Dias Idos e Vividos*. Rio de Janeiro: Ariel, 1936.
BROCA, José Brito. *A Vida Literária no Brasil – 1900*. 4. ed. Rio de Janeiro: José Olympio-Academia Brasileira de Letras, 2004.
_____. *Horas de Leitura*. Rio de Janeiro: Instituto Nacional do Livro, 1957.
BROTEL, Jean-François; MASSA, Jean-Michel. *Études Luso-Brésiliennes*. Paris: Presses Universitaires de France, 1966.
BUENO, Alexei (Org.). *Olavo Bilac: Obra Reunida*. Rio de Janeiro: Nova Aguilar, 1997.
CAMÕES, Luís de. *Os Lusíadas*. Rio de Janeiro: Xerox-BN-MinC, 1995. Edição fac-similar de 1572.
CARVALHO, José Murilo de. *Os Bestializados: o Rio de Janeiro e a República que não foi*. São Paulo: Companhia das Letras, 1987.

_____. *A Formação das Almas. O imaginário da República no Brasil*. São Paulo: Companhia das Letras, 2003.

_____. *D. Pedro II*. São Paulo: Companhia das Letras, 2007. Coleção Perfis Brasileiros.

_____ (Coord.). *A Construção Nacional*. São Paulo: Fundación Mapfre-Objetiva, 2012.

CAVALCANTI, José Cruvello. *Nova Numeração dos Prédios da Cidade do Rio de Janeiro*. Coleção Memória do Rio, 4.º Centenário. Prefeitura do Rio de Janeiro, 1965. Edição fac-similar de 1878.

CORDEIRO, Francisca de Basto. *Machado de Assis na Intimidade*. Rio de Janeiro: Pongetti, 1965.

_____. *Machado Que Eu Vi*. Rio de Janeiro: São José, 1967.

COUTINHO, Afrânio (Org.). *Graça Aranha: Obra Completa*. Rio de Janeiro: Instituto Nacional do Livro, 1968.

COUTINHO, Eduardo; OLIVEIRA, Maria Cristina Meireles. *Empréstimo de Ouro*. Rio de Janeiro: Ouro Sobre Azul, 2009.

CUNHA, Ana Cristina Comandulli da. *Presença de Antônio Feliciano de Castilho nas Letras Oitocentistas Portuguesas: sociabilidades e difusão da escrita feminina*. Niterói: Universidade Federal Fluminense, 2014.

CUNHA, Tristão da. *Obras de Tristão da Cunha*. Rio de Janeiro: Agir-Instituto Nacional do Livro, 1979.

EDITORA TRÊS. *Revista Istoé*. n.º 1949, 09 de junho, 1999.

FERREIRA, Aurélio Buarque de Holanda. *Dicionário Aurélio*. 5 ed. Curitiba: Positivo, 2010.

EULÁLIO. Alexandre. *Livro Involuntário*. Rio de Janeiro: UFRJ, 1993.

FLAUBERT, Gustave. "Correspondence". *In: Oeuvres Completes de Gustave Flaubert*, Paris: Louis Conard, 1926-1930.

FOSTER, Maria Teresa Diniz. *Oliveira Lima e as Relações Exteriores do Brasil: o legado pioneiro e sua relevância atual para a diplomacia brasileira*. Brasília: Fundação Alexandre de Gusmão, 2011.

FUNDAÇÃO BIBLIOTECA NACIONAL. *Catálogo da Exposição Machado de Assis, 1839-1939*. Rio de Janeiro: Ministério da Educação e Saúde, 1939.

_____. *Anais da Biblioteca Nacional*. Rio de Janeiro: Biblioteca Nacional, 1870.

GALVÃO, Walnice Nogueira; GALOTTI, Oswaldo. *Correspondência de Euclides da Cunha*. São Paulo: Edusp, 1997.

GAMA, Domício da. *Contos*. Rio de Janeiro: Academia Brasileira de Letras, 2001.

GARCIA, Lúcia. *Para Uma História da Belle Époque: a coleção de cardápios de Olavo Bilac*. São Paulo: Imesp, 2011. Prefácio e posfácio de Alberto da Costa e Silva.

GONÇALVES, João Felipe. *Rui Barbosa: pondo as ideias em ordem*. Rio de Janeiro: FGV Editora, 2000.

GOUVÊA, Fernando da Cruz. *Oliveira Lima: uma biografia*. 2 ed. Recife: CEPE, 2002. 2 v.

HALLEWELL, Laurence. *O Livro no Brasil*. São Paulo: T. A. Queiróz; Edusp, 1985.

HENRIQUES, Cláudio César. *Atas da Academia Brasileira de Letras: Presidência de Machado de Assis (1896-1908)*. Rio de Janeiro: Academia Brasileira de Letras, 2001.

HOUAISS, Antônio. *Dicionário Eletrônico da Língua Portuguesa*. São Paulo: Objetiva, 2009. Instituto Antônio Houaiss.

INSTITUTO NACIONAL DO LIVRO. *Revista do Livro*, III. Rio de Janeiro, 1958.

JUNQUEIRA, Ivan (Coord.). *Escolas Literárias do Brasil*. Rio de Janeiro: ABL, 2004. Coleção Austregésilo de Athayde. Tomo I.

LACOMBE, Laura Jacobina. *Como Nasceu o Colégio Jacobina*. Rio de Janeiro: Vida Doméstica, 1962.

LAET, Carlos de. *Crônicas*. 2 ed. Rio de Janeiro: Academia Brasileira de Letras, 2000. Seleção, Organização e prefácio de Homero Senna.

LAGO, Bia Corrêa do. *Saudades de um Brasil Antigo: A Fotografia nos Cartões-Postais da Biblioteca Oliveira Lima*. Rio de Janeiro: Capivara, 2011.

LIMA, Manuel de Oliveira. *O Império Brasileiro (1821-1889)*. Belo Horizonte: Itatiaia; São Paulo: Edusp, 1989.

_____. *No Japão – Impressões da Terra e da Gente*. Rio de Janeiro: Laemmert, 1903.

_____. *Coisas Diplomáticas*. Lisboa: Companhia Editora, 1908.

_____. *Memórias*. Rio de Janeiro: José Olympio, 1937.

LUCCHESI, Marco. *Jerusalém Libertada*. Rio de Janeiro: Topbooks, 1998.

_____. *Machado de Assis, Cem Anos de uma Cartografia Inacabada*. Rio de Janeiro: Fundação Biblioteca Nacional, 2008.

_____. *Melhores Crônicas de Euclides da Cunha*. São Paulo: Global, 2011.

LUCCHESI, Marco; RÊGO, Raquel Martins. *Machadiana da Biblioteca Nacional*. Rio de Janeiro: Fundação Biblioteca Nacional, 2008.

MACHADO, Ubiratan. *Machado de Assis: Roteiro da Consagração*. Rio de Janeiro: Eduerj, 2003.

_____. *Bibliografia Machadiana, 1959-2003*. São Paulo: Edusp, 2005.

_____. *Dicionário de Machado de Assis*. Rio de Janeiro: Academia Brasileira de Letras, 2008.

MAGALHÃES JR., Raimundo. *Vida e Obra de Machado de Assis*. Rio de Janeiro: Record, 2008. 4 v.

MALATIAN, Teresa. *Oliveira Lima e a Construção da Nacionalidade*. Bauru-São Paulo: Edusc-Fapesp, 2001.

_____. Diplomacia e Letras na Correspondência Acadêmica: Machado de Assis e Oliveira Lima. In: *Estudos Históricos*, 13, n.º 24, Rio de Janeiro: Fundação Getúlio Vargas, 1999.

MARTINS, Antônio. *Teatro de Artur Azevedo*. Rio de Janeiro: INACEN, 1987. vol. 3.

MASSA, Jean-Michel. *Dispersos de Machado de Assis*. Rio de Janeiro: Instituto Nacional do Livro, 1965.

_____. *A Juventude de Machado de Assis*. Rio de Janeiro: Civilização Brasileira, 1971.

_____. "Un ami portugais de Machado de Assis: Antônio Moutinho de Sousa. *Notes pour une histoire des lettres luso-brésiliennes avec un poème inédit de Manchado de Assis et une préface oubliée du même auteur*". In: *Miscelânea de Estudos em Honra do Prof. Vitorino Nemésio*. Lisboa: Faculdade de Letras da Universidade de Lisboa, 1971.

MATOS, Alfredo de Campos (Org.). *Dicionário de Eça de Queirós*. 2 ed. Lisboa: Caminho, 1993

MENDONÇA, Carlos Süssekind de. *Salvador de Mendonça*. Rio de Janeiro: Instituto Nacional do Livro, 1960.

MENDONÇA, Lúcio de. *Esboços e Perfis; Horas do Bom Tempo: memórias e fantasias*. Rio de Janeiro: Academia Brasileira de Letras, 2003.

MENDONÇA, Salvador de. *Ajuste de Contas*. Rio de Janeiro: Jornal do Comércio, 1899-1904.

_____. *A Situação Internacional do Brasil*. Rio de Janeiro-Paris: H. Garnier, 1913.

_____. Coisas do Meu Tempo. *Revista do Livro*, n.º 20, Rio de Janeiro, 1960.

MINISTÉRIO DAS RELAÇÕES EXTERIORES. *Relatório do Ministério das Relações Exteriores*. Rio de Janeiro: Imprensa Nacional, 1895-1908.

MONTELLO, Josué. *O Presidente Machado de Assis nos Papéis e Relíquias da Academia Brasileira de Letras*. 2 ed. Rio de Janeiro: José Olympio, 1986.

MOURA, Carlos Eugênio Marcondes de. *Vida Cotidiana em São Paulo do Século XIX*. São Paulo: Atelier Editorial-Imprensa Oficial do Estado, 1998.

MUZART, Zahidé Lupinacci (Org.). *Escritoras Brasileiras do Século XIX*. Florianópolis: Mulheres-CNPq, 2009. vol. 3.

NABUCO, Carolina. *A Vida de Joaquim Nabuco*. São Paulo: Companhia Editora Nacional, 1928.

NABUCO, Joaquim. *Um Estadista do Império: Nabuco de Araújo: sua vida, suas opiniões, sua época (1813-1857)*. Rio de Janeiro-Paris: H. Garnier, 1899.

_____. *Minha Formação*. Rio de Janeiro-Paris: H. Garnier, 1900.

_____. *Pensées Détachées et Souvenirs*. Paris: Hachette, 1906.

_____. *Discursos e Conferências nos Estados Unidos*. Rio de Janeiro: Benjamin Aguila, 1911. Tradução do inglês de Arthur Bomilcar.

_____. *Cartas a Amigos*. São Paulo: Instituto Progresso Editorial, 1949. Coligidas e anotadas por Carolina Nabuco.

_____. *Diários: 1873-1888*. Rio de Janeiro-Recife: Bem-Te-Vi & Massangana, 2008.

NERY, Fernando (Org.). *Correspondência de Machado de Assis*. Rio de Janeiro: Américo Bedeschi, 1932.

_____. *A Academia Brasileira de Letras: notas e documentos para a sua história (1896-1940)*. Rio de Janeiro, Academia Brasileira de Letras, 2008. Coleção Afrânio Peixoto.

OCTAVIO, Rodrigo. *Coração Aberto*. Rio de Janeiro: Civilização Brasileira, 1934.

_____. *Minhas Memórias dos Outros*. Rio de Janeiro: José Olympio, 1934. I.ª série.

_____. *Minhas Memórias dos Outros*. Rio de Janeiro: José Olympio, 1935. Nova série.

_____. *Minhas Memórias dos Outros*. Rio de Janeiro: José Olympio, 1935. Última série.

OVÍDIO. *Metamorfoses*. São Paulo: Hedra, 2006.

OLIVEIRA MARTINS, Joaquim Pedro. *Portugal Contemporâneo*. Lisboa: Europa-América, 1986.

PEREIRA, Lúcia Miguel. *Machado de Assis*. 6 ed. Belo Horizonte: Itatiaia; São Paulo: Edusp, 1988.

PONTES, Elói. *Machado de Assis, Páginas Esquecidas*. Rio de Janeiro: Mandarino, 1939.

_____. *A Vida Contraditória de Machado de Assis*. Rio de Janeiro: José Olympio, 1939.

PUJOL, Alfredo. *Machado de Assis* – Curso de Literatura em Sete Conferências na Sociedade de Cultura Artística de São Paulo. Rio de Janeiro: Academia Brasileira de Letras-Imprensa Oficial, 2007. Apresentação de Alberto Venancio Filho.

RIBEIRO, João. *Academia Brasileira – Páginas Escolhidas*. Rio de Janeiro-Paris: H. Garnier, 1906. 2 v.

ROCHA, João Cezar de Castro. "Machado de Assis, leitor (autor) da Revista do Instituto Histórico e Geográfico Brasileiro". *In:* JOBIM, José Luís (Org.). *A Biblioteca de Machado de Assis*. Rio de Janeiro: Academia Brasileira de Letras-Topbooks, 2001.

RODRIGUES, José Honório (Org.). *Correspondência de Capistrano de Abreu*. Rio de Janeiro: Civilização Brasileira-INL, 1977. 3 v.

ROUANET, Sergio Paulo. *Riso e Melancolia*. São Paulo: Companhia das Letras, 2007.

_____ (Org.). *Correspondência de Machado de Assis*. 1860-1869. Rio de Janeiro: Academia Brasileira de Letras-Fundação Biblioteca Nacional, 2008. Reunida, organizada e comentada por Irene Moutinho e Sílvia Eleutério. Tomo I.

_____ (Org.). *Correspondência de Machado de Assis*. 1870-1889. Rio de Janeiro: Academia Brasileira de Letras-Fundação Biblioteca Nacional, 2009. Reunida, organizada e comentada por Irene Moutinho e Sílvia Eleutério. Tomo II.

_____ (Org.). *Correspondência de Machado de Assis*. 1890-1900. Rio de Janeiro: Academia Brasileira de Letras-Fundação Biblioteca Nacional, 2009. Reunida, organizada e comentada por Irene Moutinho e Sílvia Eleutério. Tomo III.

_____ (Org.). *Correspondência de Machado de Assis*. 1901-1904. Rio de Janeiro: Academia Brasileira de Letras-Fundação Biblioteca Nacional, 2009. Reunida, organizada e comentada por Irene Moutinho e Sílvia Eleutério. Tomo IV.

SACRAMENTO BLAKE, Augusto Victorino Alves. *Dicionário Bibliográfico Brasileiro*. Rio de Janeiro: Tipografia Nacional, 1883-1902. 7 v.

SALES, Antônio. *Retratos e Lembranças: reminiscências literárias*. Fortaleza: W. de Castro e Silva, 1938.

SANDRONI, Cícero. *Os 180 Anos do Jornal do Commercio: 1827-2007*. São Paulo: Quorum, 2007.

SCHOPENHAUER, Arthur. *Parerga et Paralipomena*. Paris: Felix Alcan, 1905. Tradução e notas de Auguste Edgard Dietrich.

SCHWARCZ, Lilia Moritz. (Coord.). *A Abertura para o Mundo*. São Paulo: Fundación Mapfre-Objetiva, 2012.

_____. *As Barbas do Imperador*. D. Pedro II, um monarca nos trópicos. 2 ed. Rio de Janeiro: Companhia das Letras, 2004.

SECCHIN Antônio Carlos; ALMEIDA, José Maurício Gomes de; SOUZA, Ronaldes de Melo e (Org.). *Machado de Assis, Uma Revisão*. Rio de Janeiro: In-Fólio, 1998.

SENNA, Ernesto de. *O Velho Comércio do Rio de Janeiro*. Rio de Janeiro: G. Ermakoff, 2006.

SILVA, Alberto da Costa e (Org.). *O Itamaraty e a Cultura Brasileira*. Rio de Janeiro: Francisco Alves, 2002. Realização do Instituto Rio Branco, Ministério das Relações Exteriores.

_____. *Castro Alves*. São Paulo: Companhia das Letras, 2006. Perfis Brasileiros.

SOCIEDADE DOS AMIGOS DE MACHADO DE ASSIS. *Revista da Sociedade dos Amigos de Machado de Assis*, I-VII, Rio de Janeiro, 1958-1961.

SOUSA, José Galante de. *Bibliografia de Machado de Assis*. Rio de Janeiro: Instituto Nacional do Livro, 1955.

_____. *Fontes para o Estudo de Machado de Assis*. Rio de Janeiro: Instituto Nacional do Livro, 1958.

_____. *Machado de Assis: Poesia e Prosa*. Rio de Janeiro: Civilização Brasileira, 1957.

_____. *O Teatro no Brasil*. Rio de Janeiro: Instituto Nacional do Livro, 1960.

SUPPO, Hugo Rogério. Ciência e Relações Internacionais, o Congresso de 1905. *Revista da SBHC*, n.º 1. Rio de Janeiro, 2003.

VENANCIO FILHO, Alberto. Euclides da Cunha e Seus Amigos. *Revista do Instituto Histórico e Geográfico Brasileiro*, Rio de Janeiro, abril-junho, 1967.

_____. *Das Arcadas ao Bacharelismo*: 150 anos de Ensino Jurídico no Brasil. 2 ed. São Paulo: Perspectiva, 1982.

_____. Notas Sobre a Evolução da Ideia Republicana no Brasil. *Tempo Brasileiro*, v. 99, Rio de Janeiro, outubro-dezembro, 1989.

_____. O Movimento Euclidianista. *Revista Brasileira*, fase VII, 30, Rio de Janeiro, janeiro-março, 2002.

_____. Afrânio Peixoto. *Revista Brasileira*, fase VII, ano XIII, n.º 53, Rio de Janeiro, outubro-novembro-dezembro, 2007.

_____. Entrevista. *Revista de História da Biblioteca Nacional*, n° 47, agosto, 2009. Especial Euclides da Cunha.

VENANCIO FILHO, Francisco. Lúcio de Mendonça e a Fundação da Academia Brasileira de Letras. *Revista Brasileira*, fase VII, 38, X, Rio de Janeiro, janeiro-março, 2004.

_____. *Rio Branco e Euclides da Cunha*. Monografia. Comissão Preparatória do Centenário do Barão do Rio Branco. Rio de Janeiro: Ministério das Relações Exteriores, 1946.

_____. *A Glória de Euclides da Cunha*. São Paulo-Rio de Janeiro-Recife-Porto Alegre: Companhia Editora Nacional, 1940.

_____. *Euclides da Cunha e Seus Amigos*. São Paulo: Companhia Editora Nacional, 1938. Biblioteca Pedagógica Brasileira.

VERÍSSIMO, José. *História da Literatura Brasileira*. Rio de Janeiro: Francisco Alves, 1916.

_____. *Estudos de Literatura Brasileira*. Belo Horizonte: Itatiaia; São Paulo: Edusp, 1976. 7 v.

_____. *Homens e Coisas Estrangeiras. 1899-1908*. Rio de Janeiro: Academia Brasileira de Letras-Topbooks, 2003.

VIANA, Hélio. *Capistrano de Abreu*. Rio de Janeiro: Ministério da Educação e Cultura, 1953.

VIANA FILHO, Luís. *A Vida de Machado de Assis*. Rio de Janeiro: Martins, 1965.

VIANA FILHO, Luís. *A Vida de Machado de Assis*. Rio de Janeiro: José Olympio, 1989.

VIRGILLO, Carmelo. *Correspondência de Machado de Assis com Carlos Magalhães de Azeredo*. Rio de Janeiro: Instituto Nacional do Livro, 1969.

WEHRS, Carlos. *Machado de Assis e a Magia da Música*. 2 ed. Rio de Janeiro: Carlos Wehrs, 1997.

MANUSCRITOS ORIGINAIS

- Arquivo Machado de Assis, Academia Brasileira de Letras
- Arquivo-Museu da Literatura Brasileira, Fundação Casa de Rui Barbosa
- Arquivo da Fundação Joaquim Nabuco
- Arquivo Histórico do Itamaraty
- Arquivo Histórico, Museu da República
- Coleção de Documentos, Arquivo Nacional
- Coleção Adir Guimarães, Fundação da Biblioteca Nacional

- Coleção Francisco Ramos Paz, Fundação da Biblioteca Nacional
- Coleção Castilho, Arquivo Nacional da Torre do Tombo
- Coleção Ernesto de Senna, Fundação Biblioteca Nacional
- Coleção Rodrigo Octavio, Arquivo Particular
- Coleção Portinari Leão

PERIÓDICOS CONSULTADOS

Originais
- *A Manhã*, 1942. Fundação Casa de Rui Barbosa
- *Jornal do Brasil*, 1958. Fundação Biblioteca Nacional
- *Jornal do Comércio*, 1869-1908. Biblioteca da Associação Comercial do Rio de Janeiro
- *La Razón*. Arquivo Particular
- *Ilustração Brasileira*, 1908. Arquivo Nacional
- *Renascença – Revista Mensal de Letras Ciências e Artes*, Arquivo Particular
- *Revista Brasileira*. Biblioteca Lúcio de Mendonça, Academia Brasileira de Letras
- *Revista Moderna*. Biblioteca Lúcio de Mendonça, Academia Brasileira de Letras

Microfilmados
- *A Notícia*, 1900-1908. Fundação Biblioteca Nacional
- *Gazeta de Notícias*, 1875-1908. Fundação Biblioteca Nacional
- *Jornal da Tarde*, 1869-1872. Fundação Biblioteca Nacional
- *Jornal do Comércio*, 1870-1889. Fundação Biblioteca Nacional
- *O Globo*, 1929. Fundação Biblioteca Nacional
- *O Tagarela*, Fundação Biblioteca Nacional
- *O Cruzeiro*, 1958. Fundação Biblioteca Nacional

Digitalizados
- The Oliveira Lima Library. The Catholic University of America, Washington
- *Le Figaro*, 1908. Arquivo Biblioteca Digital
- *Le Monde Illustré*, Arquivo Biblioteca Digital
- *Les Annales Politiques et Littéraires*, 1907. Arquivo Biblioteca Digital

Caderno de imagens

∾ Retrato enviado de Londres por Joaquim Nabuco em 1905, com a seguinte dedicatória: "Ao nosso querido Machado de Assis, do qual temos orgulho e eu saudades. Joaquim Nabuco" [839].

Última carta de Salvador de Mendonça, amigo de juventude de Machado [1125]. (01/06)

etro mas era tão fino, tão fino que a dona o fechara tudo não
patranha da mão e não lhe excedia aos dedos um eixo. A tradição
diz que cabia dentro de um dedal.
    A composição tinha originalidade, posto não encerrasse cousa alguma
que fosse nova. O fundo ou textura do lenço compunha-se de uma
espiral formada de arabescos delicados, que cresciam e se desenvolviam do centro para as bordas.
    Sobre este fundo estavam lavradas á agulha figuras belíssimas
e de rara perfeição artística. Bem no centro da espiral uma lebre
mettia-se pela terra a dentro. Após ella, seguia-se uma longa matilha
de lebreus e atrás da matilha uma longa fila de caçadores, damas
e cavalleiros montados em ginetes com cabeças e pescoços tão esten-
didos que diz-se-ia voavam para a frente, enquanto as plumas dos
chapéus voavam para trás. Nos quatro quadrantes do circulo em
que a espiral se alargava havia outras figuras e maiores: no primeiro quadrante um casal de cavalleiros jovens, seguia em fogosos ginetes, elle com uma bésta ao hombro, ella com um açor no punho e ambos
a olharem para cima, como quem andava á caça de aves do céo. No
segundo quadrante o mesmo casal, em ginetes ricamente ajaezados,
elle com longa barba e sceptro e ella com uma coroa de rainha,
iam seu caminho com os olhos para a frente. No terceiro quadrante
o cavalheiro era um só e o mesmo das barbas grandes, já sem o sceptro,
vestido de burel e olhando ambos, elle e o ginete, para o chão. No
ultimo quadrante, a figura da Morte, mettida no burel do cavalheiro,
empunhava uma trompa de caça, cuja volta era formada pelo

∽ Última carta de Salvador de Mendonça, amigo de juventude de Machado [1125]. (02/06)

arabesco que servia de borda ao lenço todo, como se chamara, por
lhe ... serem todos, a caça e os caçadores.

O debuxo do lenço? Ora evidentemente copiado de alguma velha gravura
Rheniana, composta por algum discipulo de Durer a que os dedos
inspirados da velha haviam ressuscitado numa obra-prima de arte.
A admiração foi tamanha como foi a inveja. O lenço andou de mão
em mão. Foi parar á corte do Rei velho, e attribue a tradição, com igual
numero de vozes, dous destinos diversos ao lencinho da velha artista: dizem
uns que o trabalho primoroso foi posto sobre o rosto de uma princeza
que foi sepultada no Brazil; dizem outros que foi simplesmente levado para uma côrte européa. Não será cousa estranha que ainda se
surja entre as riquezas desse genero que possue o South Kensington, idas
de Portugal, ou em alguma collecção de arte de Vienna da Austria.
Obras dessas não morrem.

Ao ouvir a leitura do teu formoso "Memorial de Ayres", que me
trouxe por cima do titulo as tuas expressões de boa e velha amizade, o que ao meio do livro e depois de concluida a leitura começou a desenhar-se-me na memoria foi o lencinho de renda da velha itaborahyense. Sim, fizeste tambem a tua obra prima. Sobre a textura fina do Memorial desenhaste figuras do mais puro favor.

❧ Última carta de Salvador de Mendonça, amigo de juventude de Machado [1125]. (03/06)

A obra, porém, é tão simples, tão fácil, tão natural, que haverá por ahi muita gente que a julgue obra ao alcance de qualquer penna. Esta facilidade apparente de feitura é realmente o sello da verdadeira obra de arte.

A velhice desdenhosa, a inexperiencia presumida, algum critico madraço ou escrevinhador furabolos são bem capazes de suppor que o seu tentamen póde ser repetido ao bel prazer de qualquer delles. Pois experimentem e hão de ver como "simplesmente simples" torna-se simplesmente impossivel para quem em lingua portugueza quizer hoje fazer obra respondente à tua.

Duas grandes difficuldades venceste, como quem se apraz em suscital-as para, ao combatel-as em caminho, dar prova de extrema destreza, esta sempre da victoria. A fórma de teu estylo, teus periodos curtos tinham de se encontrar ainda mais pelas exigencias de quem escreve um memorial ou diario, e dahi succedeu que algumas paginas sahiram verdadeiras miniaturas. Outras são aquarellas pintadas todas de um jacto de expressões felizes. A segunda difficuldade vencida consiste em que, tendo de coar todas as suas personagens através da meia ironia e meia descrença de Ayres, nenhuma dellas se resente dessas qualidades ou defeitos. Sahiram todas humanas, como a gente as encontra no Flamengo ou na barca de Petropolis, ou as acotovella na Avenida. (Fidelia)

Da Praia da Saudade a Petro Saudoso, da Gavea á Tijuca, ha muitas casas Aguiar, muita Fidelia e muito Tristão e mais de um diplomata encostado, mas quem os ponha por obra, e obra immorre

ᛜ Última carta de Salvador de Mendonça, amigo de juventude de Machado [1125].
(04/06)

> dou-*** digo-te até agora, só conheço certo morador do Cosme Velho. D. Casmurro ha de ser sempre a tua obra melhor, a mais forte; mas a tua obra mais acabada, a que em mais alto grão ha de revelar os tons delicados de tua penna ha de ser este "Memorial de Ayres". Alguem já me disse que o livro não tinha enredo, e eu lhe respondi que o mister dos velhos não é fazer enredos, mas desenredal-os. E essa maneira fluente com que corre a historia o que mais nella me agrada, por melhor me revelar a mão de mestre que a affeiçoou.
> A' beira da estrada, uma teia de aranha, recamada de perolas de orvalho, irrigadas com a luz da manhã, é por certo uma cousa bella, mas quasi vulgar para olhos que não a sabem ver. Quem, porém, se imaginará capaz de duplicar tal belleza? Para isso quer-se primeiro a aranha, que possue o monopolio da materia prima, privilegio de familia com que a natureza a dotou, sem exigir que archivasse a formula da composição e a dosagem dos ingredientes. Depois requer-se o orvalho, lagrimas que a noite recolhe de todos os soffrimentos ignorados. Afinal é ainda indispensavel a collaboração do sol, esse grande centro da vida, que a cada palpitação expede ondas de luz e de calor que são a alma das cousas creadas.
> Quem procura na tua obra os eulros *** de uma agua-forte de Rembrandt com os seus prodigios de claro-escuro, terra errado o caminho. Saia da floresta umbrosa para a vargea amena e ali, á luz branda e diffusa de uma bella tarde de outomno, leia em repouso o "Memorial de Ayres" como quem contempla uma das gra-

Última carta de Salvador de Mendonça, amigo de juventude de Machado [1125]. (05/06) puras á linha, firme, nitida, mas livre com que Botticelli illuminou a primeira edição da "Divina Comedia".

Isto verá quem tiver olhos para ver e para admirar. Para aquelle, porém, que por meio seculo e mais um anno tem acompanhado de perto a tua obra literaria e, – por que não dizel-o? – os teus estados de alma, desde a noite da vigilia das armas, na vespera de seres armado cavalleiro, até á noite da vigilia do coração, quando sentiste que t'o arrancavam do peito, para esse, o Memorial de Ayres encerra ainda mais. Desde o começo sente-lhe o perfume da tristeza. Folheando-o mais adiante vê desprenderem-se de suas paginas as borboletas azues da saudade. No final, sob o adejar de grandes azas brancas, ouve um chamado vindo de muito longe, a que responde do fundo da cantiga do rei trovador, e, discreto como Ayres, para não perturbar o mudo colloquio de dous corações amantissimos, retira-se sem rumor de passos, porque quem te chama é a tua Musa companheira, a mãi consoladora, a Esperança. – Sempre teu do coração

Salvador de Mendonça.

Javea, 1 de Setembro de 1908.

∽ Última carta de Salvador de Mendonça, amigo de juventude de Machado [1125]. (06/06)

Rascunho da última carta de Machado de Assis a Salvador de Mendonça [1127]. (01/02)

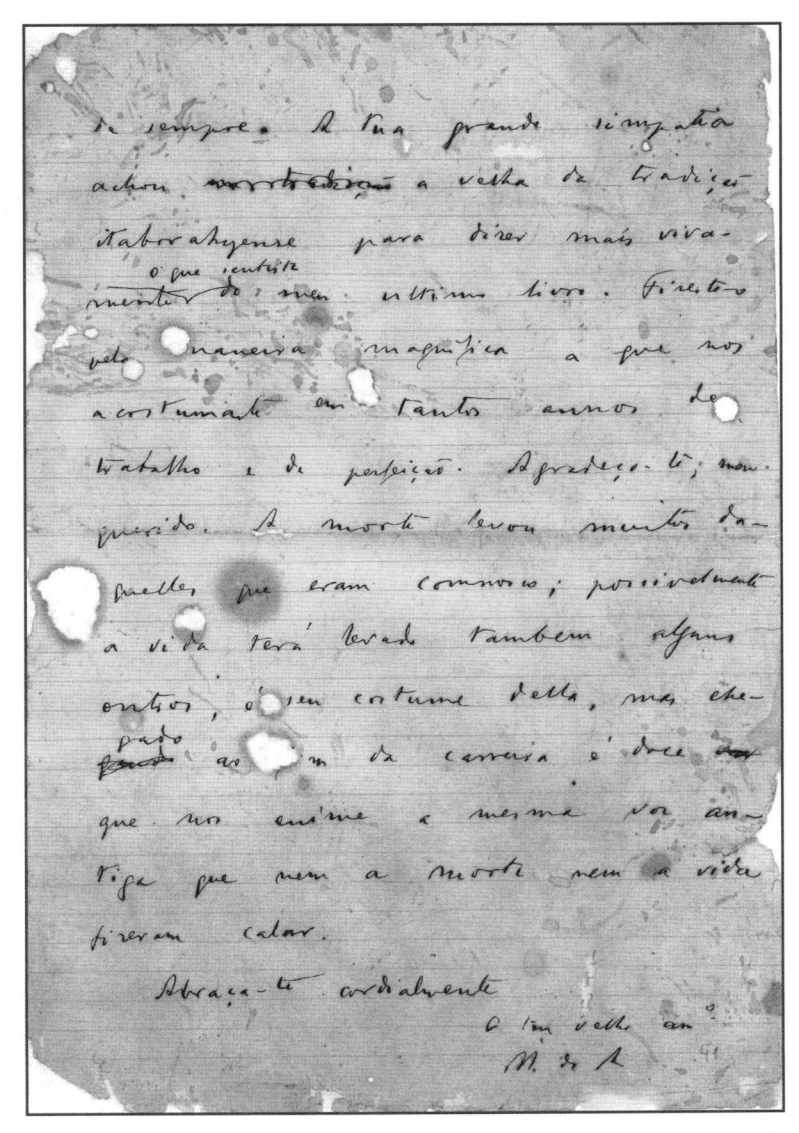

de sempre. A tua grande simpatia
achou *** a velha de tradição
itaborahyense para dizer mais viva-
mente o que sentiste do meu ultimo livro. Firestes
pelo maneira magnifica a que nos
acostumaste em tantos annos de
trabalho e de perfeição. Agradeço-t', meu
querido. A morte levou muitos da-
quelles que eram comnosco; possivelmente
a vida terá levado tambem alguns
outros, é seu costume della, mas chegado ao *** da carreira é doce ***
que nos ensine a mesma voz antiga que nem a morte nem a vida
fizeram calar.
Abraça-te cordialmente
O teu velho am°
M. de A.

Rascunho da última carta de Machado de Assis a Salvador de Mendonça [1127]. (02/02)

Leia também:

Machado de Assis — Um Autor em Perspectiva

A série *Um Autor em Perspectiva*, coeditada pela Global Editora em parceria com a Academia Brasileira de Letras, traz, em seu primeiro volume, este acurado estudo sobre Machado de Assis. A partir de um seminário realizado na Universidade de Salamanca, uma série de artigos de vários especialistas, brasileiros e espanhóis, lança novas luzes sobre a já vastamente estudada obra deste que é um dos maiores autores nacionais.

Machado foi talvez o mais eclético homem de letras do Brasil, atuando em todas as modalidades literárias, com maestria notável no romance e no conto, formas nas quais é simplesmente insuperável, mas também sem menor garbo na poesia, teatro, ensaio, crítica, crônica e mesmo sua epistolografia pessoal, que é estudada por um dos acadêmicos que contribui nesta coletânea de estudos.

Ana Maria Machado, responsável pela apresentação da obra, contribui com um interessante ensaio sobre os diálogos machadianos. Há também uma saborosa análise, por Antônio Maura, da personagem Capitu, do romance *Dom Casmurro*, correspondente direta e irmã literária de Ana Karenina, Emma Bovary e da Luísa de *O Primo Basílio*. O mais extravagante romance de Machado, *Memórias Póstumas de Brás Cubas*, é analisado por Javier Prado em estudo comparativo histórico que garimpa as influências de Sterne, Xavier de Maïstre, Fielding e Cervantes na obra do autor carioca.

Mesmo tantos anos passados de sua morte, a obra de Machado de Assis segue atual e imprescindível para se compreender a alma do povo brasileiro. Este livro, tanto para iniciados nos estudos sobre o bruxo do Cosme Velho quanto para neófitos, é obra de agradável leitura, didática e elucidativa, que lança um inusitado olhar ibérico sobre a obra de um de nossos melhores escritores.

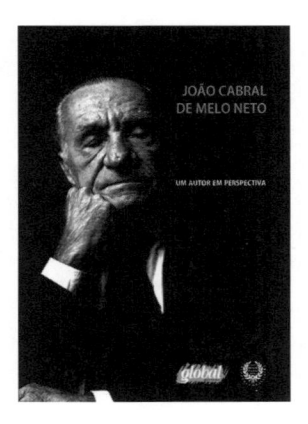

João Cabral de Melo Neto – Um Autor em Perspectiva

Um Autor em Perspectiva, série coeditada pela Global Editora em parceria com a Academia Brasileira de Letras, a partir de estudos realizados pela Universidade de Salamanca, Espanha.

A escolha do poeta pernambucano ao início da coleção dá-se pelo fato de ser o mais espanhol dos autores brasileiros, haja vista que, diplomata, João Cabral trilhou substancial parte de sua carreira em solo espanhol, em cidades como Barcelona, onde viveu por duas ocasiões, a primeira em plena ditadura franquista, Sevilha, Madri, Andaluzia e Castela. Com esta última, João Cabral traçou um paralelo, por peculiaridades climáticas e geográficas, com o sertão do Nordeste.

A poesia de João Cabral de Melo Neto é contida, não se presta a arroubos emotivos, antes se trata de um tributo à técnica, à meticulosidade, deixando entrever a emoção em suaves nuanças que perpassam a construção criteriosa do verso. É antológica a comparação que o poeta faz de sua arte à do célebre toureiro Manolete, a frieza e a minúcia no esquivar-se da fera e golpeá-la com virtuosismo.

Diversos intelectuais espanhóis brasileiros dedicam-se ao peculiar estudo da obra deste grande poeta brasileiro, que só encontra paralelos contemporâneos em Manuel Bandeira e Carlos Drummond de Andrade, com quem forma a tríade suprema do século XX, sem se poder afirmar qual o mais fundamental para nossa literatura em verso. Há obviamente estudos acurados sobre sua obra-prima, *Morte e Vida Severina*, sobre o belíssimo "Tecendo a Manhã", mas também referências aos livros escritos durante esse período de serviço em Espanha.

Este livro é particularmente em deleite por evidenciar uma faceta multicultural do poeta nordestino, seu caráter de cidadão do mundo, enquanto diplomata e homem de letras, que tornou universal o drama do árido sertão.